BALTHASAR / PNEUMA UND INSTITUTION

HANS URS VON BALTHASAR

PNEUMA
UND
INSTITUTION

SKIZZEN ZUR THEOLOGIE IV

JOHANNES VERLAG EINSIEDELN

© Johannes Verlag, Einsiedeln 1974
Mit kirchlicher Druckerlaubnis
Printed in Switzerland
Buchdruckerei Werner + Bischoff AG, Basel
Buchnummer ISBN 3 265 10157 6

FERDINAND ULRICH

freundschaftlich zugeeignet

INHALT

VORBEMERKUNG

Wie bei den früheren Bänden der «Skizzen zur Theologie» darf auch bei diesem der Titel nicht als Überschrift zu einem systematischen Ganzen aufgefaßt werden, er meint bloß eine Art Leitmotiv, das in freien Variationen durch die meisten der gesammelten Aufsätze hindurchtönt. Nur einer davon läßt das Motiv ausdrücklich erklingen, auch er ohne Anspruch, seine innern Möglichkeiten zu erschöpfen. Für dieses ganze Skizzenbuch ist es vielmehr bezeichnend, daß der Hauptgegenstand von verschiedensten Seiten her angegangen wird, daß er oft auch an unerwarteten Wegbiegungen aufscheint und neu vor Augen steht.

Ein zentrales Licht existiert, aber sichtbar werden davon nur verschiedene Abstrahlungen. Vielleicht könnte ein nach Systematik dürstender Geist, der durchaus aus Fragmenten ein Ganzes konstruieren möchte, die Steinchen ordnen und sie dann zu einem Mosaik zusammensetzen. Der Verfasser mißtraut solchen Unternehmungen, die das Mysterium aus seiner Verborgenheit hervorholen und unverhüllt herzeigen wollen. Gott wohnt in seinem unzugänglichen Licht.

Aber das in unprätentiöser Weise umkreiste Thema ist ein solches, das Kirche und Christen heute zentral angeht. Im Auseinanderfallen der beiden im Titel vereinten Aspekte liegt der Grund für alle Bedrohung und Lähmung des gegenwärtigen Christentums. Und weil es sehr schwer ist, die einmal getrennten Momente erneut zu vereinen, versuchen wir lieber, sie von der Ursprungssphäre her zu betrachten, in der sie, sich ewig gegenseitig befruchtend, ineinanderliegen. Reform geschieht nie durch Zusammenkleben zerbrochener Stücke; sondern: «Aus Isais Stumpf sproßt ein Reis, und ein Schößling dringt aus seinem Wurzelstock.»

I. Im Quellbereich

WER IST DER MENSCH?[1]

Ein unheimliches Thema: es setzt ein grammatikalisches Fragezeichen hinter das existierende Fragezeichen schlechthin, um das sich sämtliche Wissenschaften mühen: Wird ein Theologe es wagen, hier in einigen Augenblicken etwas Pertinentes dazu auszusagen?

Er muß jedenfalls, um überhaupt etwas sagen zu können, an das Verständnis, genauer an das Vorverständnis aller mit ihm Fragenden appellieren, dafür, daß wir miteinander bei dieser Betrachtung genau soviel herausbringen werden, als wir immer schon wissen, aus den erfreulichen und bittern, hoffenden und hoffnungslosen Erfahrungen unseres Menschseins und aus der unpräzisierbaren Fühlung des größeren Raums, in dessen Schweigen sich dieses Menschsein so geräuschvoll abspielt.

Wir wollen aber zu Beginn nicht vergessen, den Genius hujus loci anzurufen; denn wo ist um unsere Frage ernsthafter gerungen worden als hier, wo Schelling, Görres, Baader, Deutinger, Lasaulx gelehrt haben, wo unlängst Theodor Haecker sein «Was ist der Mensch?», Erich Przywara seine «Humanitas», dann seine unheimliche, titanische «Typologische Anthropologie: Mensch», Romano Guardini sein «Welt und Person» und «Sorge um den Menschen» schrieb, Edgar Dacqué seine «Urgestalt», die gewiß nicht weniger weit blickt als Teilhard de Chardin, Alois Dempf, der unermüdliche Ordner der Wirklichkeit, seine «Theoretische Anthropologie», Max Müller sein «Christliches Menschen-

---

[1] Rede an der Katholischen Akademie in Bayern, München, bei Verleihung des Guardini-Preises.

13

bild», August Vetter seine «Umrisse einer Anthropognomik» und seine «Personale Anthropologie», und wo Helmut Kuhn eine Festschrift empfing mit dem Titel: «Die Sorge der Philosophie um den Menschen». Wieviele Namen von bildenden Künstlern, Malern und Dichtern wären beizufügen, aus denen wir anstelle von George oder Derleth nur einen herausheben möchten, der uns mit bohrender, quälender Eindringlichkeit immer neu nach dem Menschen und dem zitternden Flämmchen seiner Vernunft gefragt hat: Karl Valentin.

Vorhin war die Rede vom Lärm des Daseins inmitten der wortlosen Stille eines umgebenden Raums. Wir erinnern uns, daß der Denkspruch «Gnothi sauton, erkenne dich selbst», erstmals am Tempeleingang von Delphi eingemeißelt stand. Einen Tempel betretend senkt man unwillkürlich die Stimme. Gar wenn man einer solchen Inschrift begegnet, die in ihrem Ursinn nichts anderes sagen wollte als: «Geh in dich, laß dir vom Gott gesagt sein, daß du nur ein Mensch bist.» Daneben stand der andere Spruch: «Medén agan, übertreibe nichts, geh nicht ins Extreme.» Dem äschyleischen Prometheus, diesem surhomme révolté, rät Okeanos: «Dich selbst erkenne! Wandle dich! Nimm neue Sitten an! Du weißt, auch über Göttern thront ein neuer Herr... Den Groll im Herzen, Unglückseliger, laß fahren, und bäume nicht den Leib wider den Stachel.» Okeanos unterschätzt zwar die Tiefe des Zerwürfnisses zwischen dem Titan und Zeus, erst der ferne, für uns verlorene Schluß der Trilogie wird den Abgrund überbrücken. Trotzdem: das Getöse, das die leidenden Helden in der großen Tragödie vollführen, Aias, Philoktet – und man kann hinzufügen: Job – ist nicht dazu angetan, ihre Frage: «Wer ist der Mensch, wer bin ich, daß ich so leiden muß?», zum schweigenden Himmel gebrüllt, einer Lösung näherzubringen. Der Mensch trägt sein Frage- und Ausrufzeichen, auf Transparente gemalt, streikend, im Protestzug durch die Schöpfung, und weiß doch genau, daß die unsichtbare Gegenpartei sich dabei nur tiefer verschweigt. Verhandelt wird nicht. Wo der Streikende sich selber ganz in Frage verwandelt, beraubt er sich des Gehörs, das allenfalls eine Antwort vernehmen könnte. Im forschen Anspruch: – «Wenn ich schon ein Rätsel bin, ist jemand mir seine Auflösung schuldig» – im zupackenden «Vorgriff» nach der Antwort, *vor* der Zeit, da es der Antwort gefällt, sich kundzutun, erreicht der Mensch nichts. Die dummdreiste Fragerei zu Beginn des «Faust» bringt nichts weiter fertig, als den Teufel und mit ihm das Prinzip der Dialektik hervorzulocken: die schöpferische Negation. Das verbitterte Gejammer des Propheten Jeremias, von Gott verführt und betrogen worden zu sein, kann von Glück reden, überhaupt einer Antwort gewürdigt zu werden, die aber so barsch und schneidend erfolgt, daß sie das züngelnde Pathos niederschlägt und gleichsam den Nullpunkt, die reine Distanz zwischen Gott und Mensch wiederherstellt. Damit stehen wir abermals bei der delphischen Inschrift, von der Juvenal sagt, sie stamme vom Himmel: «E coelo descendit gnothi sauton» (XI, 27). Vermutlich hätte der faustische Westen sich hier einmal ganz schlicht in die Schule des Ostens zu begeben, für den «der Anfang der Weisheit» darin besteht, einen Raum der Stille in sich zu schaffen, in der so etwas wie Antwort, wenn auch wortlos, sich überhaupt hörbar machen kann. Das Zurückstellen aller Postulate ist die Voraussetzung dafür, daß das geheimnisvolle Prinzip Hoffnung überhaupt ins Spiel kommt.

Gabriel Marcel hat uns das immer wieder eingeschärft (auf der gleichen undefinierbaren Grenzscheide übrigens zwischen Philosophie und Theologie wie Haecker und Guardini): «An der Wurzel der Hoffnung liegt etwas, was uns buchstäblich *angeboten* ist, und uns ist es gegeben, diese Hoffnung ebenso zu erwidern, wie wir Liebe erwidern» (Homo Viator 84). «Versteht sie sich recht, so gibt sie sich als Antwort des Geschöpfs an das unendliche Wesen, dem es alles verdankt und dem gegenüber es nicht die geringste Bedingung stellen kann» (63). Leider gibt es hier, sagt Marcel, unmerklich gleitende Übergänge: «Ich hoffe auf» wird zu einem «ich erwarte von», «ich zähle auf», schließlich «ich rechne mit», «ich

15

fordere». Schon wieder defiliert der Mensch mit seinen Transparenten vor der letzten Instanz.

Nehmen wir einmal an, der Mensch bleibe sich selber wesenhaft ein Rätsel, es sei deshalb ein Widerspruch, wenn er sein eigenes Rätsel löst, weil er ja dann aufhören müßte, er selber, dieser Rätselhafte zu sein (wie öde starrt uns ein gelöstes Kreuzworträtsel an, es gehört in den Papierkorb). Nehmen wir ferner an, kein anderes Wesen innerhalb der Welt könne ihm die Lösung anbieten (das ist ja selbstverständlich), es sei aber nicht minder sinnlos, mit dem Gedanken aufzutrumpfen, die Rätselhaftigkeit sei eben die Lösung des Rätsels, anders gesagt: die offene Freiheit, alles, le diable et le bon Dieu, aus sich machen zu können, sei sich selber Antwort genug: – dann wird doch wohl jener östliche «Anfang der Weisheit» vorläufig der beste Einstieg sein: das Öl einer letzten Gelassenheit, eines Sein-lassens in die Wunde der eigenen Fraglichkeit zu gießen, so schmerzlich diese auch brennen mag. Es könnte ja schließlich doch wahr sein, was Paulus auf dem Areopag, wo einst der Frager Sokrates verurteilt wurde, den Griechen gesagt hat: «Der Gott, der die Welt und alles schuf, hat aus Einem das ganze Menschengeschlecht hervorgehen lassen, daß es auf der Erde wohne, und hat bestimmte Zeiten und die Grenzen für ihre Wohnsitze festgesetzt. Sie sollten den Gott suchen, ob sie ihn wohl ertasten und finden könnten, der ja nicht weit weg ist von einem jeden von uns» (Apg 17, 24ff.). *Suchen* ist hier die Hauptbestimmung, verknüpft mit einem «ob vielleicht» und einem Optativ, der ein Finden weder verheißt noch als wahrscheinlich in Aussicht stellt, sondern die Chancen unbestimmt läßt. Aber was heißt hier Suchen? Gewiß nicht das Fahnden nach einem bekannten, zufällig verlegten Gegenstand. Gewiß auch nicht ein blindes Herumtasten ohne Bewußtsein, daß etwas Findbares da ist.

Versetzen wir uns einmal in die Lage jenes sagenhaften Adam im Paradies. Weiß er eigentlich, was er sucht, wenn er sich unter den Tieren umsieht, sie erkennt und benennt, aber darunter keine geeignete hilfreiche Ergänzung findet? Man könnte erwidern: Auf der Ebene des Sexuellen, das er von den paarweis auftretenden Tieren her kennt, könnte er von seiner eigenen Männlichkeit her eine Forderung anmelden. Aber damit wäre natürlich die Pointe der Erzählung verfehlt. Was menschliche Begegnung ist, weiß dieser Mann ja nicht, er kann sie deshalb auch nicht postulieren, nach der Sage schlummert die Antwort innen in ihm, zunächst seinem Herzen, aber die Rippe muß ihm zuerst entzogen und durch Gottes Schöpferakt als lebendiges Du gegenübergestellt werden. Man könnte beinah sagen: die Antwort auf seine Suche lag Adam so nah, daß er sie selber nicht finden konnte.

Ist aber mit der Begegnung Evas, wie Feuerbach meint, unsere ganze Frage erledigt? Geben zwei Rätsel, die sich ineinander spiegeln, einander die Lösung? Wer vermittelt denn eigentlich zwischen zwei menschlichen Freiheiten, deren schöpferische Entscheidungskapazität sich doch keineswegs mit dem Entschluß erschöpft, einander anzugehören? Das dialogische Prinzip in Ehren, das heute erst wirklich in seiner anthropologischen Tragweite erkannt und gewürdigt wird: aber wir werden es unbedingt übersteigen müssen. Nicht nur bleiben die meisten Dialoge oberflächlich und voller Mißverständnisse, sie können versanden, abbrechen, und dort, wo einer sich zum lebenslänglichen Austausch der Liebe entfaltet, schöpft er die Kraft des Durchhaltens aus den Vorräten einer verschwiegenen, einsam-entschlossenen Treue zuinnerst im Ich, das sich irgendwie beeilt, durch solche Treue auf eine verwirrende, noch immer ungelöste Frage zu antworten, wie sie gerade angesichts seines Geliebtseins aufbricht. Nämlich: Warum liebst du mich? Gerade *mich?* Ist es vielleicht doch blinder Zufall, du hättest ja genausogut einem andern begegnen und dich ihm in Treue verbinden können; ruht also unser Bund, der unserem Dasein Sinn verleiht, auf keinerlei Notwendigkeit? Diese Frage aber wühlt tiefer unten, vielleicht zum erstenmal in meinem Leben, eine nochmals andere, skurrile, beinah wahnwitzige Frage auf: Wer ist denn dieser

17

da, der in mir Ich sagt? Knapper: Warum bin ich gerade ich?
Reiner Zufall? Natürlich gibt es Millionen um mich her, die
frischfröhlich ihr «Ich» plappern, jeder aus seinem nie hinter-
fragten, nicht einmal reflektierten Zentrum heraus. Solche
Ichsagerei ist ein Phänomen der Gattung Mensch. Nur weil
der Mensch ein wenig vornehmer ist als Mäuse und Krähen,
redet man bei ihm von Personen statt von Individuen. Und
nun hat es sich eben so getroffen, durch einen komischen,
aber wirklich unbegreiflichen Zufall, daß als Produkt eines
gänzlich nebensächlichen, mich gar nichts angehenden Begat-
tungsvorgangs dieses Ich entstand, das nicht bloß Ich sagt –
wie das jedes Ich dauernd tut – sondern daß ich *bin*, daß *Ich*
zu sein verurteilt ist, in einem lebenslänglichen Gefängnis,
das zwar viele Fenster zu vielen Leuten und Dingen und Aufgaben und weltverändernden Plänen hin hat, aber durch
keines dieser Fenster aus sich selber herauskriechen kann –
in una noche oscura.

Blicke ich in den Schacht dieser Frage hinab, so sehe ich
mehrere Leitern angebracht, die in verschiedene Tiefen führen. Zunächst die vielsprossige Leiter der anthropologischen
Wissenschaften, von denen jede einen Aspekt des Menschseins erforscht und damit einige unentbehrliche Steine zum
Gebäude beiträgt, auf dessen oberster Turmspitze das sich
selbst aussagende Ich balanciert. Die gesamte Physik und
Chemie, Anatomie, Physiologie, Psycho- und Soziologie (jeweils von den niederen Tieren herauf bis zum Menschen), die
gesamte Evolutionslehre, die der werdende Mensch in seiner
Art rekapituliert, die Vererbungs- und Charakterlehre: sie alle
gehören zu dieser gewaltigen Substruktur, von der her unend-
lichfach bedingt, determiniert und gefärbt das Antlitz der Person auftaucht, die sich doch wieder anderseits, in einem letzten
Identitätspunkt, un-bedingt und frei in dieser ganzen Struktur inkarniert. Im ersten Aspekt ist der Mensch, nach einem
Wort Haeckers, wie ein spiegelverkehrtes Bild Gottes, der
absolut nichts voraussetzt und alles erschafft, während der
Mensch restlos alles im Kosmos voraussetzt und nichts davon

erschafft. In diesem ersten Aspekt ist die Selbstidentifikation immer weiter befragbar, und solche Analytik des Selbstbewußtseins erfolgt ja heute mit besonderer Hartnäckigkeit, wobei dem spekulativen deutschen Idealismus viele empirische Bundesgenossen seit Marx, Darwin, Freud und Jung zugewachsen sind. Dieser Aspekt macht uns auch klar, weshalb für das Ich keine Weltflucht, keine Konzentration auf den bloßen Ich-Punkt möglich ist, denn dieser bleibt ohne die odysseische Ausfahrt in die Fülle der gestalteten und zu gestaltenden Welt schlechterdings leer.

Aber ebenso klar ist doch auch, daß wenn der Mensch bei diesem ersten Aspekt verharren wollte, er nie zu einer Selbstidentifikation gelangen würde, sich vielmehr immer nur als Produkt eines vorpersonalen Prozesses ansehen müßte, von dem er ärgerlicherweise nicht behaupten kann, er habe ihn auf sich selbst zugesteuert. Allerhöchstens könnte er versuchen, sein empirisches Ich in einem ungreifbaren Punkt mit dem absoluten Ich zu identifizieren, das dann für die gesamte Steuerung des Prozesses verantwortlich würde, ja mit diesem (wie bei Hegel) zusammenfallen müßte. Aber das wäre nochmals der Untergang dieses bestimmten Ich, das ich bin, und nicht du, in einem universalen Subjekt.

Deshalb haben nicht nur Platon und sein Anhang, nicht nur die dualistische Gnosis, der Spiritualismus, nicht nur Scheler und Klages, sondern auch der Empiriker und Naturphilosoph Aristoteles daran festgehalten, daß der Geist im Menschen «thyrathen», von außen und oben, sich einsenkt, sogar in diesem irdischen Dasein nicht letztlich an den Körper gebunden ist, nicht bei der Zeugung entsteht wie die übrige Seele, und deshalb auch nicht vom Untergang des Leibes betroffen wird. Diese unfaßliche Spannung im Mittelpunkt des Menschenwesens wird vom Philosophen in Kauf genommen: daß der Geist in sich selbst zugleich aktuell und potentiell ist, in sich verwirklicht und dennoch sich durch fortschreitende Fremd- und Selbsterfahrung hindurch verwirklichend. Gerade dieses Paradox kann nun aber nach Aristoteles nicht in die

19

Sphäre des Göttlichen projiziert werden, denn Gott bedarf des Ausgangs in die Welt nicht, um reines Selbstbewußtsein zu sein. Dieses Paradox stempelt den Menschen durch die ganze Philosophiegeschichte hindurch zur Chimäre. Sein Ichsagen wird immer zugleich von den anthropologischen Wissenschaften hinterfragt und ist doch in der Selbstevidenz des «Ichselbstseins» nicht hinterfragbar, es ist ein allen Stürmen preisgegebenes, zitterndes und doch unauslöschliches Windlicht. Das Ich kann in beglücktem Staunen erfahren, wie tief hinab ins Organische, Physische seine geheimnisvolle Mitte sich einsenkt, als Herz, Einbildungskraft, Gemüt, Affekt, Gestimmtheit, Eros, so sehr, daß es niemals von diesem Eingeheimatetsein in Körper und Kosmos getrennt sein möchte. Und es kann sich gleichzeitig davon überzeugen, daß es kein bloßer subtiler Balanceakt der Weltkräfte ist, sondern ein Zentrum, das alle seine Substrukturen von einem letzten Freiheitspunkt her besitzt, ihnen von einem letzten Wahrheitspunkt aus Licht und Kraft einsenken kann bis hinab ins Dunkel des Unbewußten.

«Quelle chimère est-ce donc que l'homme. Quelle nouveauté, quel monstre, quel chaos, quel sujet de contradiction, quel prodige. Juge de toutes choses, imbécile ver de terre, dépositaire du vrai, cloaque d'incertitude et d'erreur, gloire er rebut de l'univers. Qui démêlera cet embrouillement?... Que deviendrez-vous donc, ô hommes qui cherchez quelle est votre véritable condition, par votre raison naturelle?... Taisez-vous... apprenez que l'homme passe infiniment l'homme» (Pascal, Pensées, éd. Chev. 438).

Pascal sucht hier eine Plattform jenseits von Skeptizismus (denn es gibt ja die Wahrheit der Wissenschaften) und Dogmatismus (denn alle ihre Wahrheiten sind immer neu an einer nie vollzähligen Erfahrung zu verifizieren). Er führt uns damit schnurstracks ans Ziel unserer kurzen Betrachtung. Unsere peinlichste Frage lautete: Wer bin ich? Warum bin ich gerade ich? Vorher verblieb der Gedanke im Vorfeld, in der Allgemeinheit des Problems: Wer ist der Mensch? und schon hier war nur eine paradoxe Antwort zu erhalten. Jeden, der sich damit oder mit einem Teil davon begnügen will (zum Beispiel mit einer bloß psychologischen oder soziologischen Antwort), können wir hier nur mit dem Bedauern ob solcher Genügsamkeit seines Weges ziehen lassen. Wir möchten aber noch bei der Frage ausharren. Wer bin ich? Ein Mensch, befrachtet mit einer unauflöslich paradoxen Natur, aber nicht identisch mit ihr, nicht einfach ein Fall von ihr. Ich appelliere nochmals an das anfangs angerufene Vorwissen, das mir sagt: keine der im Horizont des Fragenden auftauchenden möglichen Antworten wird mir je Befriedigung geben. Ich werde das muntere Maskentreiben, das heute von neuem so im Schwang ist, nicht mitmachen, wo man sich diese oder jene fertiggekaufte oder selbstfabrizierte Definition des Menschen vorbindet, heute die, morgen jene.

Sollte der alte Lessing mit seinem von allen christlich Rechtdenkenden pausenlos angegriffenen Spruch nicht doch irgendwo Recht gehabt haben: daß er, falls Gott ihm die Wahl ließe, das Suchen dem Finden vorzöge? Doch wohl deshalb, weil ihm die innere Unvollendbarkeit des Menschen, als Person wie als Gesellschaft, so evident war. Was würde uns in der Tat eine utopische Hoffnung auf totale Veränderung der künftigen Welt helfen, da es doch hic et nunc um nichts anderes geht als um den Menschen heute, um den Menschen gestern und gewiß auch um den Menschen morgen? Wie sollte eine (übrigens gänzlich unvorstellbare und daher auch nicht anzielbare) Abrundung des Menschen von übermorgen alle diese Fragezeichen mit einem Schlag lösen: gleichsam durch eine sanatio in radice? Gewiß sollen wir an der Sanierung der physischen und geistigen Sumpfgebiete der Menschheit aus allen Kräften mitarbeiten, aber werden wir, nüchtern gesehen, je etwas anderes tun können, als neue Flicken auf einen alten Kotzen nähen?

Ich wage von hier aus – wir haben so wenig Zeit – einen Sprung mitten in die These von Henri de Lubac, wie er sie in seinem 1946 erschienenen, zunächst mit Entrüstung zurück-

45033

gewiesenen «Surnaturel» vertrat, dann, kompromißlos überarbeitet, 1965 in zwei Bänden nochmals vorlegte. Unangreifbar ist sicher der historische Beweis: das darin umrissene Menschenbild ist ohne Zweifel das der großen christlichen Tradition, Augustins, das Aquinaten und noch der besten Theologen des Barock; entthront wird es erst durch den philosophischen Rationalismus, der mit dem paduaner Averroismus beginnt, von Cajetan in die Schultheologie eingeführt wird und im 19. und 20. Jahrhundert zu einem fast unentbehrlichen Requisit des Lehrbetriebs geworden ist. Erst hier nämlich taucht der Gedanke auf, der Mensch sei, wie alle übrigen Naturwesen im Kosmos, auf ein seiner «Natur» entsprechendes natürliches Endziel hingeordnet, in dem er seine Erfüllung und Seligkeit finden muß, ansonsten er eine Fehlkonstruktion der Natur oder Vorsehung wäre. Der freie Ruf der göttlichen Gnade zu einem höheren, übernatürlich genannten Ziel sei überhaupt nur dann als frei und ungeschuldet denkbar, wenn jenes mögliche natürliche Endziel, jener finis naturalis innerhalb des ordo naturalis einer natura pura mitgedacht und entsprechend in der umgreifenden übernatürlichen Ordnung auch real miterfüllt wird. Dann wird aber die Gnade, ob man will oder nicht, zu einem Überbau über etwas, was in sich selbst vollendet sein *kann*, und keine Theologie der Welt wird jetzt noch dem Nichtchristen den Gedanken austreiben, des Menschen natürliches Ziel sei mit natürlicher Vernunft erkennbar und mit der nötigen Anstrengung – buddhistisch oder marxistisch – auch erreichbar, Erbsünde und Gefallenheit hin oder her.

Daß die Väter und Augustin von einer solchen Konstruktion nichts wußten, ist klar, denn «ungestillt ist unser Herz, bis es ruht in Dir. Darin liegt das Gute: den Schauenden zu schauen» (Conf. 1, 1; S. de verb. Dni 10). Aber auch der Aristoteliker Thomas hat nie anders gedacht, vielmehr das christliche Paradox – denn das ist es – mit einem aristotelisch klingenden Prinzip untermauert, das in der Summa Theologica so lautet: «ein Wesen ist desto vornehmer, je höher das

Endziel ist, das es wesensmäßig anstrebt, selbst wenn es dieses Ziel nicht mehr aus den eigenen Kräften zu erreichen vermag» (I/II q 5 a 5 ad 2). Überlassen wir den Pedanten ihren unvermeidlichen Einwand, der Mensch, der so naturhaft über alle Natur hinaus nach Unmittelbarkeit mit Gott strebt, gewinne dann Anspruch auf die Gnade. Dieser Einwand wird überholt durch den biblischen Gedanken, daß Gott als erster, vor Grundlegung der Welt, in seiner freiesten Freiheit den Menschen auf sich hin, die Natur um der Gnade willen zu setzen beschlossen hat. Ziehen wir lieber den Schluß, daß mit der Preisgabe dieser überflüssigen und gefährlichen Hypothese einer natura pura die Zwangsvorstellung einer innerweltlichen Vollendbarkeit des Menschen (individuell und sozial) sich einfach erledigt, und wir, wie von einer lästigen Zwangsjacke befreit, plötzlich aufatmen können: das Offene vor uns!

Freilich kennt Thomas auch einen relativen «Seligkeitszustand im Diesseits», wie immer er ihn inhaltlich beschreiben mag; wir können an dieser Stelle statt der antiken Kontemplation der göttlichen Dinge auch eine relativ befriedete soziale und politische Ordnung, ein relativ größtes Glück der größten Zahl oder was immer einsetzen. Thomas kann das denken, weil der Mensch sehr wohl so etwas wie eine Natur oder ein Wesen hat, zum Beispiel als Mitmenschlichkeit, als Zueinander der Geschlechter, als Gesundheit in der ganzen prekären Balance zwischen Leib, Herz und Geist; aber nichts von alldem ist eine sich abschließende Ordnung, alles bleibt ein Provisorium auf eine unausdenkbare Vollendung in Gott hin. Zu dieser gehört nun ganz genau die «Auferstehung des Fleisches», denn ein Mensch ohne Leib ist kein Mensch; es wird aber auch kein Besonnener sagen wollen, die Auferstehung, wie sie an Ostern grundsätzlich begonnen hat, sei ein natürliches innerkosmisches Phänomen. Just das menschlich Unmögliche und Unersinnbare ist es, woraufhin der Mensch mitsamt seiner kosmischen Substruktur, aber auch mit seiner ganzen Weltanstrengung, seiner Kultur, seinem Arbeitsprozeß hin erdacht und angelegt ist.

Suchen, tasten soll er, ob er etwas fände. Ein anderer ergreift die scheinbar ins Leere vortastende Hand. Auch der
Adam der Sage tastet vergeblich, wenn er die unbekannte
Entsprechung unter den Tieren sucht. Das Christentum ist in
diesem Sinn allerdings utopisch; aber sofern es um eine Verheißung Gottes, ja um den Ansatz ihrer Erfüllung in der
scheinbar unmöglichen Auferstehung weiß, ist es sozusagen
realutopisch; die Hoffnung ins Ortlose erhält ein Absprung-
brett, auch dort, wo jeder direkte Übergang durch den klaf-
fenden Tod restlos unanschaulich bleibt.

Und hier nun erhält auch die letzte, absurde Frage, zu-
unterst im Schacht, eine Antwort, die einzig mögliche, die
von keiner Philosophie oder sonstigen Weltanschauung erteilt
werden kann. «Warum bin ich gerade ich?» Thomas winkt
ab: «quia particularium non est scientia nec definitio»
(STh I q 44 a 3 obj 3; vgl. in 1 Meteor 1, 1). Die Antwort
kann nur lauten: Gott hat mich gemeint, gewollt, geliebt,
erwählt. Außerhalb dieser Antwort bin ich immer bloß die
Spielform eines absoluten Subjekts, ein Exempel für das allgemeine Gesetz menschlicher Interpersonalität, vielleicht
auch nur der hybride Knotenpunkt zwischen einer namen-
losen Libido und einem personlosen Über-Ich. Gälte das,
dann wäre es auch keine Torheit, sein Ichsein fahrenzulassen
in Tod oder Versenkung oder Haschekstase.

Wie aber kommt Gott dazu, ein so prekäres Wesen vor sich
zu stellen, das höchstens durch seine rätselhafte Unvollendbarkeit eine Art skurriles Bild und Gleichnis dessen sein kann,
der für immer, aber in vollkommenem Gleichgewicht, im
Geheimnis seines unzugänglichen Lichts wohnen bleibt? Am
äußersten Horizont des Christlichen dämmert ein Lichtschein
auf, der auch diese Frage sänftigt. «Sosehr hat Gott die Welt
geliebt, daß er seinen eingeborenen Sohn dahingab» (Joh 3,16).
«Ich lebe im Glauben an den, der mich geliebt und sich für
mich dahingegeben hat» (Gal 2, 20). Dann gäbe es also im
Absoluten ein Schwergewicht der Liebe, die über sich hinaus
will ins Andere, und das Andere ist nicht nur Gott der Sohn,

Gott der Heilige Geist, sondern auch die Nacht und die Gottverlassenheit und der Absturz in die Verlorenheit. Wir brechen hier ab mit dem Wort des Hebräerbriefs: «Darüber
hätten wir vieles zu sagen, aber es wäre schwer verständlich
zu machen» (5, 11). Denn hier weist die Frage: «Wer ist der
Mensch?» weiter an die nicht mehr gestellte: «Wer ist Gott?».
Genug, wenn der Adel des Menschen aufleuchtete, der sich
ein Geheimnis bleiben muß, wenn anders er Gottes Bild und
Gleichnis ist, und dessen dunkle Vergeblichkeit sich doch
lichtet, wenn er erfährt, daß auch Gott nur in der Hingabe
seiner selbst selig ist.

DAS UNTERSCHEIDEND CHRISTLICHE
DER GOTTESERFAHRUNG

1

Das Axiom aller Axiome lautet für den biblischen Menschen: ich bin nicht Gott. Auch die Griechen hatten mit ihrem Gnothi Sauton so begonnen: «Sieh dich vor, du bist kein Gott» – aber ihren Philosophen war der Spruch unversehens ins Gegenteil umgekippt: «Denk an dein wahres Wesen, deine Herkunft von Gott, an das Göttliche in dir.» Dieses Axiom hält sich dagegen beim biblischen Menschen vom ersten Denkschritt bis zum letzten durch. Der erste Schritt heißt, in der Sprache der Psalmen: «Auf die Knie, auf das Antlitz vor Jahwe: er hat uns gemacht» (95, 6); «Er ist Gott, er hat uns gemacht, und wir sind sein» (100, 3), in der Sprache Augustins: «Zu Dir hin hast Du uns geschaffen», in der des Ignatius: «Der Mensch ist geschaffen, um Gott zu loben, zu verehren und ihm zu dienen, und so sein Heil zu finden»: die drei Versionen der Formel sind dem Sinn nach identisch. Aus der Kraft, mit der sie geprägt ist, wird unmittelbar deutlich, daß sie in keinem ferneren, auch nicht im abschließenden Denkschritt überholt werden kann, selbst wenn dieser letzte Schritt von den griechischen Vätern als Theosis, Vergottung bezeichnet werden konnte, in Anlehnung an die hellenistischen Philosophien, mit denen sie im Dialog standen, und im Bewußtsein, deren höchstem Ideal durchaus gewachsen zu sein, ja es zu überholen. Es aber zu überholen gerade kraft des ersten Axioms.

Der Ausgangspunkt der biblischen Gotteserfahrung ist wirklich eine Erfahrung, die im starken Wortsinn unter dem Einfluß und Eindruck des biblischen Wortes gemacht wird.

Für den nicht-biblischen Menschen könnte die Grunderfahrung bestenfalls lauten: ich bin nicht das Absolute, nicht das Ganze, nicht das Eine, Ununterschiedene, und was ich so von mir weiß, das weiß ich von allen übrigen Wesen in der Welt. Der nicht-biblische Mensch kann, indem er diese elementare Erfahrung macht, gleichzeitig die ergänzende einer ebenso elementaren Sehnsucht aus dieser Begrenztheit und Nichtabsolutheit heraus zu jenem Einen, Ununterschiedenen hin machen. Ja, beide Erfahrungen sind nur wie die Vorder- und Rückseite einer einzigen. Und eben daß beide so unlöslich miteinander verbunden sind, kann den nicht-biblischen Menschen auf den Gedanken bringen, seine Nicht-Absolutheit verhalte sich zum Absoluten möglicherweise wie der Teil zum Ganzen, der Funke zum Feuer, so daß das religiöse Problem wesentlich darin bestünde, den Prozeß der Integration zur Kenntnis zu bringen und in Tat umzusetzen.

Verharren wir noch einen Augenblick bei den Voraussetzungen und Folgen einer solchen Konzeption. Die Voraussetzung ist, daß es gleichzeitig das Gegensatzlose, Eine und das ihm dennoch (wenn auch sekundär und vorläufig) entgegengesetzte Andere, von dem auch ich eines bin, gibt. Diese Tatsache scheint widersprüchlich und ist sicherlich in ihrer Faktizität unerklärlich. Denn wenn das Eine gegensatzlos ist, wie kann ihm etwas entgegengesetzt sein? Um dieses Rätsel zu lösen, gibt es drei Wege, die einander zuweilen ergänzen. Der erste erklärt das Verhältnis des Einen zum Nichteinen (das die Weltwesen sind) durch das Verhältnis von Sein und Schein: dann besteht der religiöse Weg in der Durchschauung des Scheines und in der Erkenntnis, daß «Ich» im tiefsten gar kein «Anderes» bin, sondern das Eine selbst. Der zweite Weg möchte das Anders-Sein mit der Kategorie der Schuld, des Herausfallens aus der Geborgenheit im Einen erklären, dann bleibt die Frage, wer diese Schuld begangen hat und warum, und je nach der Antwort wird dann der Weg der Reinigung von dieser Schuld geplant. Der dritte wird das Eine so denken, daß es alles Anders-Seiende *als solches* in

27

sich je schon aufgehoben enthält, daß das Einzelne, das «Ich» bin, sich einfach als im Ganzen enthalten und integriert zu verstehen und sich entsprechend existentiell zu gebärden hat. Diese drei Wege haben jeder seine Grenze, seinen Widerspruch, der ihn zu einer Sackgasse werden läßt und auf einen der beiden andern weiterweist. Der erste Gedanke, daß das Nicht-Eine ein Schein sei, zerstört nicht nur das Ich als Einzelnes (das wäre für den Mystiker dieses Wegs noch zu verschmerzen), sondern auch jede Einzelheit in der Welt und erklärt damit alles geschichtliche Geschehen als sinnleer, bestenfalls (aber auch dieser Gedanke läßt sich nicht zu Ende denken) als einen sich selbst aufhebenden Prozeß. Der zweite Gedanke, der von einer Schuld spricht, kann, wie schon angedeutet, kein Subjekt dafür angeben, es sei denn, er verliere sich in gnostische Äonenspekulationen, die aber deshalb gar nichts erklären, weil von Anfang an unersichtlich ist, wie im ungegensätzlichen Einen eine begrenzte Zahl von Äonen überhaupt vorhanden sein kann, noch ehe die Frage sich stellt, warum einer dieser Äonen aus der «Fülle» herausfallen und die materielle Welt verursachen kann. Hier wird also von vornherein im Einen das Andere gesetzt, das sich im eigenen freien Willen dem Einen entgegenzustellen vermag: das zu Erklärende wird vorausgesetzt. Desgleichen beim dritten Gedanken, der so tut, als herrsche der Widerspruch gar nicht, als sei das Einzelne gleichzeitig in sich ein Einzelnes und im Ganzen ein Integriertes, Aufgehobenes. Hier hebt sich die Vorstellung eines Weges imgrunde selbst auf: was für sich genommen «unterwegs» ist, ist im Einen genommen je schon am Ziel. Während so der dritte Weg das von der Grunderfahrung so dringlich gestellte Problem als inexistent verschwinden läßt, sucht der zweite die Distanz zwischen dem Einen und dem Vielen als das Nichtseinsollende hinzustellen, an dessen Aufhebung gearbeitet werden muß, aber er bleibt uns jede Antwort auf die ebenso dringliche Frage schuldig, wie es zu diesem Nichtseinsollenden kam, weshalb ich mein Einzel-Ich-Sein als Schuld auffassen und mich um seine Aufhebung bemühen muß. Da diese Probleme unlösbar sind, werden wir auf den ersten Weg zurückgeworfen, der das Einzelne in der Prekarität seines zeitlichen Werdens und Vergehens als gar nicht seiend erklärt, somit den religiösen Weg zu einem Durchschauen des Nichtseins aller Scheinbarkeit macht, zur Negation jedes Sinnes der Vielheit, des Dialogs, der zwischenmenschlichen Liebe, der Geschichte im ganzen.

Achten wir nochmals darauf, daß alle diese Wege erst dort entstehen konnten, wo die Gleichzeitigkeit der gegensatzlosen Einheit (Gott) und eines ihr trotzdem Entgegengesetzten, weil mit ihr nicht Identischen (Ich, Welt) als Widerspruch erschien. Ist sie aber wirklich ein Widerspruch? Wäre sie es nicht, wie die biblische Religion behauptet, dann bräuchten wir uns nicht in die Widersprüche der drei von der außerbiblischen religiösen Erfahrung versuchten Wege einzulassen.

2

Im Alten Testament tritt der religiösen Erfahrung – um sie zu klären und zu ihrem wahren Selbstverständnis zu bringen – das Wort von Gott dem Allmächtigen und in seiner Allmacht Allfreien entgegen. Wir brauchen den Weg nicht zu verfolgen, auf dem sich dieser Gott aus der Partnerschaft mit den Göttern anderer Völker zum alleinigen Gott erhob (womit die übrigen «Götter» zu Vasallen, Weltmächten, Engeln degradiert wurden): der Gedanke war keimhaft schon im ersten Ansatz enthalten. Dieser frei-allmächtige Gott nahm somit den Platz ein, den im nicht-biblischen Denken das Absolute, das «Sein» innehatte und hat; es ist daher ungenau zu sagen, daß die Hebräer zu keinem philosophischen Denken fähig waren; sie dachten sich vielmehr das Absolute, das für die «Völker» als frei *von* der Welt galt, als frei *für* die Welt, womit das Erste mitgesagt, aber mehr als das Erste gesagt wurde. Daß Gott «der Eine» (nicht «das Eine») ist, weiß der Hebräer seit Dt 6, 8 (Sch°ma).

29

Es ist auch keineswegs notwendig, daß der Gedanke einer «Schöpfung aus dem Nichts» von Anfang an ausdrücklich gefaßt wurde, es ist ja eine relativ abstrakte Vorstellung, die sich erst allmählich aus der konkreten Prämisse der allmächtigen Freiheit Gottes ergibt. Diese war zuerst da, und zwar in einer doppelten Ausprägung, die gewiß durch den Gedanken der Auserwählung Israels zustande kam: Das Volk verstand sich als von Gott gesetzte, gewollte, bejahte Wirklichkeit, die ihren Daseinswert durch diese bejahende Gebärde Gottes auf das Volk zu erhielt, und es verstand diese Setzung so radikal, daß es alles, bis auf sein Dasein selbst, als von Gott her erhalten ansah. Diesen Gedanken von der eigenen Erwählung auf die übrigen Völker, schließlich auf die Welt im ganzen auszuweiten, brauchte es einen längeren Prozeß, der aber relativ mühelos durchlaufen und nie ernstlich durch anderslautende Hypothesen getrübt wurde. In vielen Psalmen kann Israel beides zusammendenken: daß Gott vor allem der Gott des erwählten Volkes ist, bei dem er auch seinen Sitz auf Erden hat, und daß er gleichzeitig der Herr aller Völker und der Schöpfer der gesamten Natur ist: von den Himmelskörpern über alles Getier auf Erden bis hinab zum Leviathan in der Tiefe.

Das Entscheidende ist hier, daß an den Gedanken der freien Allmacht Gottes – konkret erlebt an seinen «Großtaten» für das Volk, seiner Befreiung Israels aus Ägypten, seinen Verheißungen, seinem immer neu erlebten Geschichtswirken – der Gedanke an einen sich über alles Bestehende hinaus öffnenden Raum möglichen Wirkens sich anschließt: jenes «Nichts», «aus» dem Gott in seiner Macht die Welt erschafft, ist nicht ein geheimnisvolles negatives Absolutes, wie es das nicht-biblische Denken in Ermangelung des Begriffs freier Allmacht als Abgrund der Potenzialität und als Materie, «aus der» die Welt geformt wurde, anzusetzen geneigt war: vielmehr ist dieses Nichts nichts anderes als die unendliche Weite der in Gottes Geist frei entwerfbaren Möglichkeiten; er bleibt ebenso frei, sie zu verwirklichen oder sie als Möglichkeiten auf sich beruhen zu lassen.

Genau die Vorstellung Gottes als des *All*-Mächtigen – was allein seiner Göttlichkeit und somit seiner «Allheit» entsprach (vgl. Sir 43, 27) – erlaubte es Israel, die Existenz eines Nichtgöttlichen als nicht im Widerspruch zur Allheit Gottes stehend zu denken, ja denken zu *müssen*, sosehr diese Gleichzeitigkeit der Allheit Gottes und des Wirklich-Etwas-Sein der Welt ein Mysterium blieb, für dessen Existenz und Erklärung man die Verantwortung einzig auf Gott zurückschieben mußte. Was nicht-biblisch als ein Widerspruch ausgelegt wurde (den die «drei Wege» zu lösen versuchten), das blieb biblisch ein offenbares Geheimnis, weil die beiden Enden: der allmächtige freie Gott – und das von ihm gesetzte und bejahte, *also* durchaus wirklich seiende Israel, offenkundig einander vertrugen. «Denn er ist unser Gott und wir das Volk seiner Hürde und die Herde seiner Hand» (Ps 95, 7).

Dennoch bleibt dieses Gegenüber von (gegensatzlosem) Gott und ihm entgegengesetzter Kreatur im Alten Testament ein schroffes Paradox, das im unreflektierten Glauben hingenommen, aber auch in bitteren und gefährlichen Reflexionen kontestiert werden konnte. Israel (und in ihm der Mensch überhaupt) definiert sich durch sein reines Bezogensein auf den schaffenden und erwählenden Gott: das Hauptgebot ist der Ausdruck dieser absoluten Bezogenheit als Vorziehen, als Liebe. Dagegen besteht naturgemäß eine gewisse Scheu, dem (gegensatzlosen) Einen – trotz seiner vorziehenden freien Erwählung und seiner Gerechtigkeit und Treue dem Erwählten gegenüber – das Attribut Liebe zuzulegen, das Gott scheinbar in eine notwendige Beziehung zum Andern, zur erwählten Kreatur, in eine Abhängigkeit von ihr gebracht hätte.

3

Wie wird das Neue Testament diesen Rest von Dunkelheit beseitigen? In Fortsetzung des Alten kennt es die freie Zuwendung der göttlichen Allmacht, steigert aber diese Zu-

wendung bis zu einer das *Wesen* Gottes selbst kennzeichnen-
den und ausdrückenden Liebe, über die hinaus eine größere
nicht gedacht werden kann. Die Zuwendung Gottes des
Vaters in Leben, Tod und Auferstehung Jesu Christi ist nicht
nur eine Darbietung seiner Allmacht «nach außen» hin, sondern die Enthüllung seines innersten Herzens. Damit aber
kommt der gefährliche Gedanke in Greifnähe, daß Gott zu
seiner Selbstenthüllung des Menschen bedarf und damit seine
göttliche Absolutheit verliert. Es gibt, um diesen Gedanken
zu vermeiden, nur einen Ausweg: die das Wesen Gottes enthüllende Selbsthingabe in Gott selbst hinein zu verlegen, die
innergöttliche Hingabe, die dem Wesen Gottes das Attribut
«Liebe» zueignet, als eine unendliche Hingabe seiner selbst
an sich selbst zu verstehen, was aber als Liebe erst real wird,
wenn der Akt der göttlichen Hingabe zugleich den hervor-
bringt, der sich in dieser Hingabe empfängt und sie deshalb,
als Empfangenhabender, auch notwendig erwidert. Die Gegenseitigkeit der Hingabe, durch die allererst Hingabe ihren
Sinn erhält, ist in Gott absolute Hingabe überhaupt: das
einige Produkt des göttlichen Gebens und Empfangens: der
Geist der Liebe, gleichsam die Quintessenz Gottes.

Wenn ein solcher Gedanke die Bedingung der Möglichkeit
dafür ist, daß die Hingabe Gottes in Christus an die Menschen
nicht zu einer Wesensbestimmung Gottes selbst wird (der
dann von der Kreatur abhängig würde, um die Liebe zu sein),
so kann er umgekehrt doch erst aus der Hingabe Gottes in
Christus als deren notwendige Voraussetzung erhoben werden. Nach den abschließenden neutestamentlichen Schriften
wird das Christusereignis sowohl als eine ganz freie Initiative
Gottes wie als eine Enthüllung seines Wesens beschrieben:
so, daß die freie Erwählung der Menschen in Christus in dessen ewiger Erwählung, ja in der ewigen Zeugung des Sohnes
aus dem Vater einbegriffen und von ihr unterfangen wird.
Damit das kontingente Ereignis diese Belastung zu tragen
vermag, Offenbarung des verborgenen Wesens Gottes zu sein,
muß es seinen Platz innerhalb eines ewigen Ereignisses er-

halten, von dem her eine solche Selbstpreisgabe Gottes an die
Welt über alle Vorbehalte hinweg allererst gewagt werden
kann.

Wenn die Schöpfung im Alten Bund vor allem eine Manifestation von Gottes freier Macht war, so wird sie im Neuen
Bund – ohne aufzuhören, ein klares Zeugnis dieser Allmacht
zu sein – zugleich eine Offenbarung der Selbstpreisgabe Gottes (und darin eines Nicht-an-sich-Haltens der Macht, einer
Un-Macht), die sein inneres Wesen kennzeichnet: jenen Prozeß sich austauschender Liebe, die dem Wesen Gottes allererst die allmächtige Freiheit zusichert. Ist dem so, dann wird
verständlich, daß Gottes Einsatz für die sündige und verlorene
Welt, der Einsatz, in dem Gott der Vater seinen Sohn für die
Erlösung der Welt «preisgibt», solch unbegrenzte Dimensionen annehmen kann, daß er den Sohn in die Gottverlassenheit des Kreuzes und in den Abstieg zur Hölle zu führen vermag. Denn diese Dimensionen sind dann nicht erst soteriologisch ad hoc erfunden, sondern liegen bereits in den innergöttlichen Dimensionen unbegrenzter Hingabe. Gibt Gott
an Gott sich unbegrenzt hin, so geht er schon in sich in das
restlos Andere seiner selbst: zwischen dem Vater und dem
Sohn liegt die Unendlichkeit Gottes, und dieselbe Unendlichkeit liegt nochmals in ihrer «schöpferischen» Begegnung, im
Heiligen Geist, der alles andere ist als ein endlicher Durchschnitt zweier unendlicher Bewegungen, vielmehr eine neue
Unendlichkeit, aus beiden hervorgehend.

Man erkennt nunmehr, wie der bleibende Rest im Alten
Testament sich auflöst: das paradoxe Gegenüberstehen der
Kreatur einem gegensatzlosen Gott weicht einem Gegenüberstehen der Kreatur innerhalb des ewigen Gegenüberstehens
von Vater und Sohn, die die ewige Voraussetzung ihrer Begegnung, Liebe, Einheit im Heiligen Geist ist. Man kann
nicht sagen, daß damit das Mysterium der Schöpfung – wie es
möglich sei, daß wenn Gott «Alles» ist, die Kreatur dennoch
«Etwas», das nicht Gott ist, sein kann – aufgehoben und
gelöst sei, aber man darf sagen, daß die Härte des Paradoxes

sich dadurch mildert, daß Gott, um für uns die Liebe zu sein, es vorerst in sich selber sein muß, die Welt somit ihren Ort im Sohn erhält, wie alle große Theologie es stets gewußt hat. Damit wird auch die alttestamentliche Theologie der Erwählung, die Israel seine Identität und sein Selbstverständnis gab, nochmals vertieft. Weit entfernt, daß der Mensch sein Ich negieren oder als Schein auslöschen müßte, um in Kommunikation mit dem unendlichen «Ich» zu treten, weiß er sich vielmehr in seiner Differenz gewollt, geschaffen und bejaht; und dieses Bewußtsein verbannt ihn nicht außer Gott, denn er weiß nun, daß er innerhalb der göttlichen Differenz selbst gewollt, geschaffen und bejaht wird. Nur in der trinitarischen Differenz kann Gott in sich selbst die Einheit der Liebe sein, und in die trinitarische Differenz hineingenommen («nicht mehr Knecht, sondern Freund», «aus Gott geboren») kann der Mensch an der Einheit der absoluten Liebe, in die nun auch die zwischenmenschliche Liebe eingeborgen wird, teilhaben.

4

Hier wird das Unterscheidende der christlichen Gotteserfahrung deutlich. Wenn der Ort der erlösten Kreatur im Sohn liegt, so erfährt sie sich im Glauben zuerst als aus dem Vater geboren, weswegen Jesus den Jüngern mehrfach von der Notwendigkeit der Kindesgesinnung spricht: allein den «Unmündigen» wird das Geheimnis des Vaters geoffenbart, den Klugen und Weisen, die nicht im Akt des Geborenwerdens aus Gott verharren wollen, ist es verborgen. Nur in dieser bleibenden Quellerfahrung vermag der Sohn den Willen des Vaters in jedem Augenblick entgegenzunehmen und ihn in erwachsener Mündigkeit, zu der der Vater ihn begabt und in die hinein er ihn «preisgibt», zu erfüllen. In dieses selbe Paradox ist der Christ gestellt.

Er kann es aber nur sein, wenn er den vom sterbenden und auferstehenden Sohn in die Kirche und ihre Glieder ausgehauchten Geist empfängt, der sowohl Geist des Vaters ist, der dem Sohn (und dem Christen) den väterlichen Willen zuträgt, wie Geist des Sohnes, in dem dieser (und mit ihm der Christ) bereit ist, den Willen des Vaters zu tun – und zwar im Geist des Vaters. Diesem Geist gefügig erfährt der Christ, was der lebendige Gott der Liebe in sich selbst und für die Welt ist. In dieser Erfahrung hebt sich der Unterschied auf zwischen einer Gotteserfahrung, wie Gott in sich selbst ist, und einer Gotteserfahrung, die wir in der weltlichen Ausführung des Willens Gottes machen, vor allem im Vollzug der christlichen Nächstenliebe. Beide Erfahrungen sind – weil Jesus der Sohn Gottes und der Menschensohn ist – nur zwei Seiten einer einzigen Gotteserfahrung. Weil Gott sein Wesen nicht anders offenbart und zur Teilnahme daran einlädt, als indem er seinen menschgewordenen Sohn für die Welt preisgibt, gibt es christlich keinerlei Weg zur Erfahrung Gottes «in sich» als den Weg der Nachfolge Christi unter der Führung des Geistes Christi.

Dieses Gleichgewicht zwischen Liebe von der Welt her zu Gott, und Liebe von Gott her zur Welt kann und muß sich in christlicher Gotteserfahrung immer wieder verschieden betonen, aber keine der beiden Bewegungen macht die andere überflüssig oder ersetzt sie auf die Dauer. Gott kann im Heiligen Geist einen christlichen Beter «in die Tiefen Gottes» hinein entrücken. Aber er wird in diesen Tiefen nie einem weltindifferenten Gott begegnen, sondern immer wieder dem Vater, der seinen Sohn der Welt geschenkt hat, damit die Welt im Sohn den Geist Gottes erhalte und darin am Wesen Gottes Anteil gewinne. Wer wahrhaft im Geist Gottes seine weltlichen Aufgaben – mitmenschliche und reinsachliche – erfüllt, kann aus der Teilnahme an Gott nicht herausfallen, wie intensiv oder verhüllt dabei seine Gotteserfahrung auch sein mag.

Der Geist weht, wo er will, er ist das völlig Entschränkte in Gott, der auch die *scheinbare* Endlichkeit des Ich-Du von Vater und Sohn in seinem triumphalen Wir übersteigt. Er ist so die personifizierte Freiheit in Gott. Er kann ebensowohl von Gott zur Welt wehen, wie von der Welt zu Gott. Wie der Sohn ihn auf Erden als den Geist des Willens des Vaters empfing und ihm gemäß sich verhielt, so kann der Christ – im Sohn – diesen selben Geist des Vaters in Gebet und Verfügbarkeit empfangen und ihn in seinem Leben inkarnieren. Aber da der Sohn seinen Geist in die Kirche aus- und eingehaucht hat, kann der Christ ebenso im Geist des Sohnes zum Vater hin leben und wirken, geradezu mit dem Sohn zusammen den Geist zum Vater hin zurückhauchen. Denn die auferstandene Menschheit Christi und was er uns von ihr in seiner Eucharistie mitteilt, ist einbezogen in den ewigen Austausch zwischen Vater und Sohn im Geiste. Wie der Geist die personifizierte Freiheit in Gott ist, so ist er durch die Gegenseitigkeit der Liebe von Vater und Sohn bestimmt, «normiert», und wenn dieses Wir sich der Welt erschließen wird, wird der Geist als die göttliche «Norm» und Vor-Schrift der Offenbarung initiativ vorangehen – er überschattet den Abgrund des Anfangs und in der Fülle der Zeit den Schoß der Jungfrau. Allem vorweg, was die Liebe von Vater und Sohn in der Welt instituieren wird, ist er nicht nur die Freiheit dieser Liebe, sondern auch deren Institution, beides in unbedingter Identität. Er ist die im Wir gesetzte Freiheit und das darin frei Gesetzte. So wird er in der Schöpfung das Prinzip der auf Freiheit hin gesetzten Ordnung und der in der erreichten Freiheit immanenten Ordnung sein, und in der Kirche Christi das Prinzip ihrer Struktur oder Institution als Ausdruck und Garantie der Anteilnahme am freien personalen Dialog zwischen Vater und Sohn.

So gibt es zwar in christlicher Gotteserfahrung eine Analogie zu dem, was in nichtbiblischer Religiosität die große Bewegung vom Relativen zum Absoluten hin war, aber christlich ist diese Bewegung nicht der Inbegriff der religiösen Haltung, sondern nur eine Seite des Verhältnisses zwischen Gott und Welt: dieses Verhältnis ist ein Kreislauf, der einbezogen ist in den unendlichen Kreislauf der Trinität. Und da der

Mensch keine göttliche Person, sondern eine geschaffene ist, gibt es zwischen ihm und Gott keine Anbiederung wie zwischen dem Teil und dem Ganzen, sondern nur die Anbetung dem gegenüber, der nicht Einer ist, sondern Alles, der aber mit einer so freien Liebe auf den Menschen zukommt, daß dieser sich ihrer mit keiner Technik bemächtigen kann, um mit ihr eins zu werden, sondern sich fassungslos von Gott fassen und gnadenhaft beschenken lassen muß mit dem ewigen Leben.

DIE CHRISTLICHE GESTALT

Hat das Christliche eine Gestalt? Die Frage scheint ebenso unerheblich wie ungewohnt. Aber es könnte sein, daß sich an ihr alles entscheidet. Wie will man jedoch ein Ja und wie ein Nein verantworten? Gesetzt, das Christliche sei auf keine Gestalt festzulegen, dann sind seine innerweltlichen Ausgestaltungen ephemer, sie können keinen Anspruch auf schlechthinnige Geltung erheben, das von ihnen Gemeinte ist das Unanschauliche, jedem Begriff Transzendente, nur dem «reinen Glauben» Zugeordnete. Aber dann dürfte es unmöglich sein, das Christliche vor der Resorbierung in die allgemeine Religionsphilosophie zu schützen: die historischen Ausformungen, unter sich bis zur Gegensätzlichkeit auseinandergefächert, stehen auf der gleichen Ebene wie die Inhalte anderer Religionen, das umgreifende Medium für alle ist die Dimension der Transzendenz des menschlichen Geistes in seiner Offenheit *zum* Absoluten – oder *als* Absolutes. Je nach der Betonung wird diese Offenheit, dieser «Vorgriff» als «Sinn für das Numinose» oder als «absolutes Wissen» beschrieben werden. Die wesentlichen oder historisch-zufälligen Ausgestaltungen des Christlichen werden dann als mehr oder weniger bedeutungsvolle «Symbole» für das *Ineffabile*, beziehungsweise als das durch dialektische Bewegung der Vernunft zu durchmessende Medium des Geistes gelten, grundsätzlich mit den Symbolen aller andern Religionen und Weltanschauungen konvertibel.

Gesetzt aber, man spreche dem Christlichen eine verbindliche Gestalt zu, so scheint es, auf Grund des Gesagten, nicht minder von vornherein gerichtet und zu leicht befunden zu sein. Denn Gestalten stehen im weltlichen Raum immer nur als endliche, die aneinander grenzen und sich ausschließen; um aber so konträr und polar stehen zu können, erfordern sie wieder ein umgreifendes Medium, ein transzendentes geistiges Licht, das sie nebeneinander stehen sieht, sie von irgendwoher ausrichtet, einordnet, ineinander umschlagen läßt. Hier wird es wesentlich, daß sie nicht nur räumlich, sondern im Medium der Zeit «diachronisch» zu- und gegeneinander stehen: sie sind von der Zeit, der Zeitsprache, dem Zeitgeist, den historischen Denk- und Anschauungsformen geprägt und somit von einer sich selber kritisierenden historischen Vernunft relativierbar. Sollen sie für die Gegenwart eine Geltung behalten, müssen sie transponiert, entmythisiert, von einer geschichtsbewußten Hermeneutik interpretiert werden. Wieder ist die transzendierende numinose oder dialektische Vernunft das Umgreifende; denn wie sollte *eine* Gestalt (unter andern) von sich her den Anspruch erheben und durchhalten können, *die* Gestalt für alle zu sein? Der Widerspruch ist allzu evident. Wird das Umgreifende zum evolutiven élan vital, so wird sein «nach vorn» reißender Strom nur die Trümmer der vergangenen Gestalten mit sich fortspülen und diese bestenfalls als Chiffren der Zielrichtung nach vorn projizieren. Die zweite Möglichkeit, die ein Ja zur christlichen Gestalt sagt, führt auf kurzem Umweg zur ersten zurück.

Hieran zeigt sich, welche Vermessenheit darin zu liegen scheint, wenn das Christliche sowohl eine Gestalt wie ein Absolutes, End-Gültiges, alle Gestalten Messendes zu sein vorgibt. Auf den ersten Blick gibt es sich damit als das Absurde, der reine, sich selbst aufhebende Widerspruch, und damit als Ungestalt. Will es versuchen, seinen Anspruch zu rechtfertigen, so muß dieser Versuch angesichts der historischen Vernunft vor sich gehen, als dem Medium, das die geschichtlichen Gestalten kritisch beurteilt, und er wird, was das Christliche angeht, dieses kritische Beurteilen selbst kritisieren und begrenzen müssen.

Wenn ein solcher Versuch die Chance eines Gelingens erhalten soll, müßte – apriorisch – zweierlei aufgezeigt werden können: erstens, daß die christliche Gestalt deshalb Einmaligkeitscharakter hat, weil sie vom einmaligen lebendigen Gott, der von der historisch-kritischen Vernunft nicht übergriffen werden kann, als von ihm verantwortetes, ausgewiesenes Zeichen seines endgültigen Handelns an der Welt in die Geschichte eingezeichnet worden ist. Die Sprache, die dieses Zeichen spricht, müßte dann auch so lapidar sein, daß sie in ihrem lebendigen Kern keiner Transpositionen bedarf, um von jeder geschichtlichen Generation verstanden zu werden. Zweitens, daß die Gestalt ebendeshalb für Menschen verständlich sein kann, sowohl in dem, was sie andern geschichtlichen Gestalten vergleichbar sein läßt, wie in dem, wodurch sie ihren transzendierenden, die übrigen Gestalten richtenden Charakter erweist: wo sie «Glauben» verlangt, muß dieser vor der Vernunft verantwortbar, «gelichtet» sein. Um dieses zweite Postulat zu fundieren, fragt man am besten nach der Struktur von Höchst- oder Modellgestalten innerhalb der menschlichen Welt; an ihnen muß etwas wie ein Vorverständnis für den Anspruch der christlichen Gestalt gefunden werden können. Gleichzeitig müssen aber auch die Grenzen solcher Ansprüche und damit ihre Überschreitbarkeit sichtbar werden: ins Menschlich-Offene, Existentielle, wo das Gestaltlose einbezogen, wo mit dem Zerbrechen jeder Gestalt angesichts des Todes, des unsühnbaren Unrechts, der Absurdität jedes Fortschritts gerechnet werden muß.

Das erste Postulat läßt sich natürlich nicht ohne das zweite erheben: nur wenn die Gestalt des Christlichen die Zerreißprobe vor der Weltvernunft besteht, wenn sie wie ein Ödipus deren Sphinxfragen beantworten kann, darf sie sich als das einmalig end-gültige Tat-Wort Gottes in der Geschichte ausgeben. – Aus dieser Anlage ergeben sich zwei Gedankengänge:

1. Dem Vorverständnis von «Gestalt» muß abgefragt werden, welche Weite und Höhe es erreichen kann.

2. Dann läßt sich zeigen, ob und wieweit die christliche Gestalt sich – anschaulich – von den Modellgestalten abhebt

und, mitten in der Endlichkeit, Absolutheit für sich beanspruchen darf.

Zum Vorverständnis von Gestalt

1. Lebendige Gestalten, in der aufsteigenden Linie der Evolution, lassen sich nur durch eine gesteigerte Polarität beschreiben: je intensiver das organisierende Zentrum, das Fürsich-Sein wird, desto weiter ist ihm die (Um-)Welt eröffnet, desto mehr lebt das Für-sich-Seiende nicht nur durch anderes, sondern auch, als aktives Zentrum, für anderes. Und um für anderes zu sein, muß das Zentrum sich als eine Ausdrucksgestalt organisieren – kein Naturwesen ist ein unfaßbarer Proteus –, als eine bestimmte erkennbar sein. Diese Bestimmtheit ist der Spontaneität des naturhaften Individuums vorgegeben, sie steht ihm aber auch als Feld spontaner Selbstaussprache zur Verfügung, und, je freier das Zentrum wird, destomehr auch als Zuflucht und Verhüllung, als Garant der Möglichkeit des Beisichselberseins. Im Tierreich dringt diese Aktivität des Individuums nicht bis zum Gesamthorizont der Welt, nicht bis zu Freiheit und Mit-Vorsehung empor; die Bedeutung des «besonderen» Individuums für die Umwelt bleibt innerhalb der Gesetzlichkeiten der Gattung. Im Menschen wird die Grenze überstiegen: das Individuum mit seiner gattungshaften Gestalt vertieft sich zur Person, die sich frei und relativ einmalig durch seine Leibgestalt als Instrumentarium äußert und weltbildend (hominisierend) ins Ganze ausgreift: seine soziale Umwelt, als Polis, übersteigt ihre engere Gestalt (ohne daß diese einfach abgebaut würde) in fließenden Grenzen zu einer kosmischen Makropolis; aber auch diese stoische, noch naturbefangene Idee reinigt sich weiterhin durch den biblischen Person- und Freiheitsbegriff und – davon abkünftig – durch die Möglichkeiten der modernen Technik.

Aus der Menge der Menschen ragen, durch keine genaue Grenze von den übrigen abgrenzbar, besondere Persönlichkeiten hervor, in denen sich die Polarität der Gestalt exemplarisch darstellt: sie sind – als Erfinder, Künstler, politische Führer usf. – einmalige Verkörperungen und Gestalter der Totalität des Geistes. Der «Kult» solcher «Persönlichkeiten» mag mit dem «Ende der Neuzeit» hinfällig geworden sein; aber die Idole des heutigen Publikums – vom Sportshelden bis zum Tyrannen – bleiben Symptom für ein bleibendes Bedürfnis; Nietzsche wird mit seinem Verweis auf solche prägenden Persönlichkeiten, die sich nicht sozialistisch-funktionell verrechnen lassen, auch in Zukunft nicht unrecht haben. Berühmte Worte Goethes, der Schillers Schädel als «dürre Schale» in der Hand hält, sollen hier erinnert werden, weil sie die ganze Gegensatzspannung umgreifen:

> Wie mich geheimnisvoll die Form entzückte!
> Die gottgedachte Spur, die sich erhalten!
> Ein Blick, der mich an jenes Meer entrückte,
> Das flutend strömt gesteigerte Gestalten.
> Geheim Gefäß! Orakelsprüche spendend...
> Was kann der Mensch im Leben mehr gewinnen,
> Als daß sich Gott-Natur ihm offenbare?
> Wie sie das Feste läßt zu Geist verrinnen,
> Wie sie das Geisterzeugte fest bewahre.

Im Rest von Gestalt, dem Schädel, der jedoch aus den übrigen modernden Gebeinen als «unschätzbar herrlich Gebild» heraussticht, «als ob ein Lebensquell dem Tod entspränge», in diesem Rest liest Goethe wie aus einer Geheimschrift die Lebensgestalt Schillers: wie er sowohl «das Feste» ins Universalgeistige flüssig zu machen und umgekehrt das Produkt des Universalgeistes «fest» als Gestalt zu bewahren verstand. Der lebendige Mensch und sein Werk, seine künstlerisch-politische Wirkung sind in der Macht dieser Polarität als ein Einziges gesehen. Goethe zögert nicht, die Einzelgestalt dieses Dichters kraft solchen Ausgriffs als Offenbarung von Gott-Natur zu deuten, offenlassend, ob das «Meer», das die

gesteigerten Gestalten gebiert, mehr goethisch naturhaft-
evolutiv (von der Qualle zum Menschen aufsteigend) oder
mehr schillerisch geschichtlich-evolutiv («Die Künstler»
1789) verstanden werden soll. Jedenfalls ergeht aus der umfassenden Sphäre her inspirierte Gestaltgebung: Orakel-
sprüche werden erlassen.

2. Ausdrücklich soll, als neue Stufe, die Geschichtlichkeit von
Gestalten ins Licht gestellt werden. Musik zeigt, wie sich
reine Gestalt durch reine Zeit hin ausbreitet; in Epos und
Drama entsteht diese Gestalt aus dem Geflecht personaler
Entscheidungen innerhalb eines geheimnisvoll gewobenen
Netzes von innern und äußern Situationen. Diese können
ausdrücklich Gesetze der (ihrerseits menschlich gestalteten)
Öffentlichkeit, der Polis sein – Ödipus, Antigone –, aber die
maßgebende Gestalt wird nicht aus dem bloßen Seilziehen
endlicher Kräfte und Interessen erzeugt, sondern unter dem
Lichteinbruch einer umgreifenden, totalen Vernunft – wie
immer man diese verborgen waltende Instanz nennen mag,
mit der der Mensch in einer aktiven Kommunikation steht,
einer grundsätzlichen Willigkeit, Weisung zu empfangen und
damit Verantwortung zu übernehmen. Sokrates mit seinem
Daimonion und der Vergilsche Aeneas sind Beispiele, und
beide zeigen die politische Dimension der zugleich prägenden
und sich-prägen-lassenden Gestalt. Höchst komplex ist Ham-
let: vom unzeitig gemordeten Vater, der im Fegfeuer leidet,
wird er mit einem gerechten Gericht beauftragt – zugleich
einem Theologumenon und einem Politicum höchster Re-
levanz –, und er kann die Situation der Auftragserledigung
nicht anders herbeiführen (blind zustoßend ersticht er den
Falschen, den betenden Mörder darf er nicht töten, und die
Mutter soll er schonen), als indem er seinen eigenen Tod in
die Gestalt miteinbezieht. Die Aufträge oder Erleuchtungen
von der höchsten Instanz her können so beherrschend werden, daß sie offen zum sichtbaren Zentrum der Gestaltbildung
erwählt werden, und das innergeschichtlich Gestalthafte zu

einem bloßen – an der Grenze gleichgültigen – Moment an
der Gesamtform depotenziert wird: Epiktet, Buddha. Die
politische Wirkung solcher Gestalten ist – Marc Aurel,
Asoka – durch solche Distanz nicht verringert.

3. Damit ist ein größter Horizont aufgerissen: menschliche
Lebensgestalt, die von der Allvernunft her über die irdische,
endliche – sowohl persönliche wie politische – Existenz ge-
staltend entscheidet auf eine überendliche Allvernunft hin.
Die eigene Existenz wird ausdrücklich gesprengt, als Moment einer überragenden Ganzheit verstanden und ihr unterstellt, der Einsatz des Lebens (Sokrates) fällt als Beweis für
den Ernst und die Richtigkeit der gemeinten Gestalt in die
Waagschale, vielleicht mit desto mehr Gewicht, je kostbarer
sich diese endliche Existenz weiß (Hölderlins Empedokles)
oder je leuchtender sie sich gerade in einer furchtbaren Selbst-
auslöschung zum Fanal für alle machen kann (Jan Palach).
Hier wird eine Grenze erreicht, die es genau zu bedenken gilt.
Die Selbstrelativierung der innerweltlich-sterblichen Existenz im Dienst einer Idee – der die Existenz sich als Moment unterstellt, obwohl sie ihr anderseits erst ein Schwergewicht in der Geschichte verleiht – bedeutet implizit auch
die Relativierung aller innergeschichtlichen, politisch-sozia-
len und wirtschaftlichen Verhältnisse. Oder schlicht: die
Freiheit des tragischen Helden, der durch seinen Untergang
der Freiheit eine Gasse bricht, ist größer als jene Freiheiten,
in deren Genuß die durch ihn Befreiten treten werden; die
Durchbrüche ins Reich der Freiheit sind bei Schiller und im
Marxismus dramatischer, reicher an Gestalt als die undramati-
schen erreichten oder auch nur erhofften Freiheitssituationen;
Shen Te's scheiternder Kampf für eine noch immer nicht gute
Welt spricht lauter als die wirtschaftlichen Entwürfe, die ihn
angeblich überflüssig machen könnten. Zuletzt treten die
größten Gestalten in einen eschatologischen, die Weltzu-
stände im ganzen (wenigstens mit-)richtenden Horizont. So
gibt es eine Möglichkeit, zumindest im Gleichnis an die Di-

mension «Weltgericht» heranzugelangen, eine Dimension, die für alle innergeschichtlichen Pläne und Entwürfe unerreichbar-transzendent bleibt. Man denke an die letzten Akte von «Richard II.», von «Maß für Maß», von «Das Leben ein Traum», von Hofmannsthals «Turm». Sie alle sind politisch relevante Situationen, aber unter dem Maßstab des Eschaton, und von dieser immer schon übersteigenden Ebene her fällt ein Licht – tröstend, enthüllend, aufreizend – auf das irdisch Unvollendete zurück. Nur in diesem rückblendenden Sinn hat das «Theologische» dieser Abschlüsse eine politisch weltverändernde Dimension. Nur durch den Aufruf zur Metanoia hindurch ergeht von hierher ein Aufruf zur Veränderung der soziologischen Strukturen. Diese werden Teile der lebendigen Gestalt von einer gestaltenden Mitte her, die man als transhistorisch – vom Innergeschichtlichen her: utopisch – bezeichnen kann. Und die Kraft, die jene Strukturen in die lebendige Gestalt einfügt, ist nicht «wissenschaftlich», sondern prophetisch und inspiratorisch. – Alle diese Feststellungen dürfen nicht vergessen lassen, daß solche Ausgriffe der endlich-sterblichen Existenz über sich hinaus nach der Allvernunft für sie selbst unbedingt tragisch sind. Sie opfert sich einer Idee, die als solche innerweltlich nicht inkarnierbar ist, für die durch die Selbstverzehrung der Existenz nur ein inkarnatorisches Zeichen und Mahnmal aufgerichtet werden kann, damit andere Existenzen ebenfalls nach ihr Ausschau halten und sich unter ihr Gericht stellen.

4. Doch waltet hier noch ein ungelüftetes Geheimnis. Gestalt ist Ausdruck eines Innen, das das Außen sowohl als Verbergung wie als Selbstkundgabe braucht, um überhaupt ein Innen zu sein. Es ist also keinesfalls nur ein Beherrschendes, sondern ebenso ein Angewiesenes. Und nur in einer Hingabe, einem Sichausliefern an das Materielle bringt es der Geist, die Idee, zur Gestalt. So schafft ein Künstler immer in Vorgegebenes hinein, das einerseits Widerstand leistet, anderseits mitformt; in der Erfahrung des Gegebenen und seines Wider-

45

stands klärt sich die Idee. Die Sprache, in die ein Dichter sich einzeugt, ist eine allgemeine, von allen Sprechenden mitverantwortete, gebrauchte und mißbrauchte Materie, zudem an einen historischen, zeitlich-räumlichen Kairos gebunden, so daß für Modernisierung durch Spätere eine Grenze gesetzt ist. Sprachen können in ihrem Ausdrucksgehalt unverständlich werden: so werden wir den ursprünglichen Gehalt griechischer Musik, sogar früher Gregorianik vielleicht nie mehr nachvollziehen können. Anderseits können Japaner vollendet Mozart interpretieren. Wie dem auch sei: kein Werk ist aus dem Nichts oder in «reine Materie» hinein geschaffen: männliche Potenz zeugt in weibliche Potenz hinein, der Künstler zeugt in den rezeptiven, aber mitgestaltenden Schoß derer, die sein Werk sehen, hören, mitvollziehen, einen Schoß der gemeinsamen Sinnlichkeit, die aber historisch-situationshaft mitbedingt ist. Der Faktor ist in Rechnung zu ziehen, so verkehrt es auch wäre, alle Wertung von Gestalt soziologischer Gesetzlichkeit zu unterstellen. Thomas kennt in seiner Embryologie ein subtiles Spiel von Vorformung der Materie auf die endgültige Form hin – und Übernahme der Materie durch diese endgültige Form unter Ersetzung aller Vorformen. Was war alles für Mozart vorgeformt (von Bach bis Haydn), und wie sehr hat er, diesen Formen sich einvertrauend, sie alle bis auf den Grund neu durchformt! Nicht auf die soziologisch-kulturellen Vorbedingungen kommt es hier an, sondern auf einen geheimnisvollen Geist der «Armut» in der Inspiration, die sich vom Vorhandenen beschenken läßt, vielleicht desto mehr, je klarer es um eine Urzeugung geht. Es gibt ein evidentes Vorverständnis für den theologischen Satz: *gratia supponit naturam*, gerade dann, wenn Gnade ganz freie, ganz gnädige Gnade sein will.

5. Mit alldem bewegen wir uns im Feld des Vorverständnisses. Auf diesem Feld besteht immerfort die Gefahr, daß alle in der Geschichte auftretenden Einzelgestalten (sie mögen die menschliche Existenz selbst sein oder diese mitsamt ihrem

Werk, beides ist untrennbar), die, wenn sie Größe und Zeige-
kraft haben, allesamt tragisch-utopisch sind, schließlich auch
alle an der einen Schnur des Weltgeistes aufgereiht werden
(oder vielmehr aufgehängt am gleichen Seil, wie die Mägde des
Odysseus, «also hingen sie dort mit den Häuptern nebeneinander, zappelten noch mit den Füßen ein wenig, aber nicht
lange»), so daß ihr Stellenwert in der allgemeinen Dialektik
nüchtern und gelassen angegeben werden kann. Vergessen
wir nicht, daß «Gestalt» doch vornehmlich der Kunst zugeordnet ist, die im hegelschen System ihren klassischen Ort
bei den Griechen hat und für die Gegenwart eigentlich passée
ist. Die Eule der Minerva fliegt, wenn die Gestalten am Ver-
dämmern sind, und das technische Zeitalter ist nach Rilke,
aber auch nach Bloch, ein Tun ohne Bild. War es vorhin
nicht bedeutsam, daß Goethe seine schönen Verse einfielen,
als er Schillers Schädel ins Sonnenlicht hielt, in reiner Retro-
spektive? Hinter Hegel scheint kein Weg zurückzugehen, für
den die Geschichte Schädelstätte (ein drastischer Ausdruck
statt Bilder- und Gestaltengalerie) des Geistes ist. Die bio-
logische Evolutionslehre, als geringerer Nachfahr Hegels,
löst die Gestalten genauso im Strom des Werdens auf, und
Blochs Utopismus ist der Absud und das Exkokt aller personalen, tragischen und aus der Transzendenz sich aufbauen-
den Gestalten. Die drei Systeme mögen sich noch so diony-
sisch gebärden (vgl. Hegels Schillerzitat am Ende seiner
Phänomenologie), sie sind im Grunde doch Aschermittwoch,
Kehraus und Ausverkauf aller Gestalten, die in sich End-
gültiges einzubergen versuchten. Hier liegt die entscheidende
Herausforderung an das Christentum.

Christliche Gestalt

Jedenfalls kann der christliche Anspruch nunmehr genau abgegrenzt werden. Wir sahen große personale Gestalten sich
so aufbauen, daß eine Existenz sich zum Moment einer über-

geschichtlichen Inspiration hergab, dafür unterging und in der Polis der zu humanisierenden Welt ein zum Eschaton hin polarisierendes Zeichen aufrichtete. Ihr Zeichen bleibt tragisch, und es wirkt um so tragischer, je mehr es von einem sich selbst systematisierenden unpersönlichen «Weltgeist» erbarmungslos überfahren, als Tragisches gar nicht mehr beachtet wird. Jenseits von solchem kann die christliche Gestalt nur noch die Forderung erheben, die Identität zu sein zwischen einer dieser tragischen Gestalten und dem transzendenten Gesamtsinn von personaler und kollektiver Existenz, und dabei doch die Instanz «Weltgeist» in sich einzubergen. Als solche Identität könnte die Gestalt dann Gottes eigenes und abschließendes Wort zur Welt sein. Nach dem vorhin Gesagten erscheint ein solcher Anspruch weniger absurd als am Anfang.

Zwei Bedingungen müßten vom eröffneten Horizont her *a priori* gestellt werden können:

1. Die alle Gestalt in Frage stellende Diastase zwischen der utopischen Verfassung der Einzelgestalt (die sich aus der Verantwortung für das Ganze einer offenen Vernunft opfert) und der Gleichgültigkeit des Weltgeistes, der die Einzelopfer vereinnahmt und unpersönlich verrechnet, müßte so aufgehoben werden, daß weder die «tragische» Transzendenz und Vergeblichkeit der einzelnen Lebensgestalt verharmlost, noch die Weltgeschichte in ihrem eigenen Gang aufgehalten würde, sondern aus beidem eine – zunächst nicht zu erratende – Gesamtgestalt sich ergäbe.

2. Das Sicheinvertrauen des Geistes in die präformierte Materie, dieses Wagnis und odysseische Abenteuer, worin der Geist nicht einfach von oben waltet, sondern sich in einer Schwachheit den Mächten des Triebes und Getriebes ausliefert, müßte – auf eine ebenfalls nicht zu erratende Art – zu keiner Dialektik des Absurden, in der alle Gestalt unterginge, sondern zu einer endgültigen Gestaltwerdung der Welt führen, einem nicht von außen und oben, sondern von innen her errungenen Sieg.

48

Wenn wir diese Postulate an das Christliche herantragen und dieses auf seine Gestalt hin befragen, müssen wir uns bewußt sein, daß wir dem Begriff Gestalt die letzte Ausweitung zumuten, daß aber diese Ausweitung im Vorverständnis bereits angebahnt ist und daß ein Reden von Gestalt dort verantwortbar bleibt, wo die Alternative die dialektisch-evolutiv-utopische Auflösung jeder Gestalt im Werdestrom der Geschichte ist.

1. Jesus Christus ist in der Artikulierung, in der ihn der Glaube der Urkirche vorstellt, eine klare Gestalt; eine solche freilich, die nicht nur transzendente Bezugspunkte braucht, um sich auszubreiten und dabei (wie etwa Sokrates) tragisch zu werden, sondern aus ihren besondern Punkten diese – tatsächlich durchlebte – Tragik zum ersten und einzigen Mal überwindet. Sein Leben steht unter dem Zeichen seines Anspruchs, letzte prophetische Inspiration über Moses und die früheren Propheten hinaus zu künden; sein «Ich bin» und «Ich aber sage euch» ist direkter Weiterklang des von Gott selber im Alten Bund beanspruchten «Ich». Dieser Anspruch wird im ältesten Evangelium sogleich als Hybris empfunden: Wahnsinn (die Verwandten: Mk 3, 21) oder Besessenheit (die Schriftkundigen: 3, 22). Hybris ist in einer religiös verfaßten Polis untragbar: Priester und Männer der Politik beratschlagen sogleich über Jesu Beseitigung (Mk 3, 6). «Zu wem machst du dich?» (Jo 8, 53). Sie wollen ihn steinigen wegen der Gotteslästerung, «weil du, der du ein Mensch bist, dich für Gott ausgibst» (Jo 10, 3). Immer wieder wollen sie ihn greifen; er entzieht sich. Aber der Galgen, der ihm von weither droht, erhält schließlich seine Beute. Dieses Zueinander von Überhebung und Untergang ergibt «keine Gestalt», «sondern ein furchtbares Zerbrechen» (Guardini). Man könnte vielleicht dieses Schicksal nach dem einiger großer Gestalten, zum Beispiel Sokrates', stilisieren, indem man Jesu scheinbare Selbstüberhebung mit seiner Demut zusammensähe und sie als Gehorsam einer aufgetragenen Sendung gegenüber

auslegte (wie Sokrates dem delphischen Gott gehorcht) und indem man Jesu Todesschicksal nach seiner eigenen Deutung eschatologisch interpretierte: alle innerweltlich-politischen Entwürfe überholend, rührt es an das Letzte: die Auferstehung der Toten. Der Inhalt seiner Botschaft wäre dann zentral die politische Gewaltlosigkeit: die Armen und Milden werden, als der wirksam eschatologische Vorbehalt gegenüber jeder gewalttätigen Durchsetzung irdischer Herrschaft oder auch Gerechtigkeit, die eigentlichen Sieger im Weltgeschehen sein. Diese Art der Einklammerung des Weltlichen vom Eschaton her stünde dann ungefähr auf dem Niveau von Buddha oder Epiktet. Die Evangelien, die den Glauben der Urkirche spiegeln, sagen aber etwas anderes: sie verkünden die «Auferstehung Jesu am dritten Tag»: der eschatologische Horizont (in jüdischer Apokalyptik durch die allgemeine Auferstehung gekennzeichnet) ist vom einmaligen Jesus erreicht (während die Zeugen sich unbegreiflicherweise noch mitten im Geschichtslauf vorfinden), aus der Erfahrung und Bezeugung dieses Erreichthabens deutet die Urgemeinde das Kreuz als Zusammenraffung des eschatologischen Sterbens der sündigen Welt im Gerichtstag Gottes – Jesu Sterben war für alle stellvertretend (das vor-paulinische «pro nobis», Röm 4, 25; 1 Kor 15, 3 usf.) –, und von hier aus wird endlich das ganze Gewicht des Anspruchs Jesu deutbar, der in seiner personalen Ausschließlichkeit weit über den eines Sokrates oder Buddha hinausgeht. Von der Auferstehung her kommt der christliche Glaube zum Verständnis seines Inhalts (wie die Evangelisten immer wieder unbefangen zugeben), schließt sich die Figur Jesu erstmals zu einer echten Gestalt: Anspruch – Kreuz – Auferstehung sind ihre Artikulationen, die sich in einem strömenden Kreislauf immerfort gegenseitig fordern und beweisen. Diese Gestalt ist die überschwengliche Erfüllung aller früher umrissenen, die zu ihrer Gestaltwerdung ausdrücklich transzendente Bezugspunkte beanspruchten und bezogen; aber sie überholt deren Tragik, indem das absolute Zerbrechen aller innerweltlichen Erfüllungen am Kreuz überholt wird durch die alles und gerade auch diese totale Tragik rechtfertigende Auferstehung aus den Toten. Denn diese besagt nichts weniger als die Durchbrechung der Todeslinie alles menschlichen Daseins, die Rechtfertigung aller innerweltlichen Vergeblichkeit durch die Heimholung der gesamtmenschlichen, leiblich-geistigen Existenz in das ewige Leben Gottes. Die Rechtfertigung und Heimholung ist von der Welt aus unvermutbar, ihr unbefriedigender Ersatz war die hegelsche Weltgeschichte als «Schädelstätte des Geistes», die Evolution oder der Utopismus. Denn das, was «Auferstehung der Toten» heißt, liegt quer zur Dimension der weltgeschichtlichen Abfolge und kann nur als ein Akt Gottes, des Schöpfers von Welt und Mensch, verstanden werden. Dieser Akt müßte dann Gottes erste, alles umgreifende Absicht mit Welt und Weltgeschichte sein (Eph 1, 4–10), der ursprüngliche Sinn seiner Verheißung (Röm 4, 17–25), sein abschließendes Wort zu seiner Schöpfung, identisch mit der Existenz Jesu Christi. Dessen Auferstehung als bezeugtes Faktum (Gottes) läßt die utopische Hoffnung einer Rechtfertigung der Gesamtgeschichte (nicht nur ihrer letzten Generation, für die der Rest zur Schädelstätte absinkt) zu einer real-fundierten Utopie werden. Damit umgreift die Gestalt Jesu Christi den Horizont des Weltgeistes mit seiner gestaltlosen, unschließbaren Diastase zwischen prophetisch-tragischer Einzelgestalt und politischem Geschehen. Die Welt wird von Jesu Gestalt «umlebt» (Guardini).

2. Der Aufbau der Gestalt Jesu Christi wird klar aus den dazu verwendeten Elementen des Alten Testaments; der universale Anspruch gegenüber der außerbiblischen Welt ergeht von der vollzogenen Synthese her.

Das alttestamentliche Material ist eine Anzahl anschaulicher «Bilder» oder «Gestalten» (Pascal: figures), die aber zusammen kein einheitliches Gesamtbild ergeben, ja auf ihrer eigenen Ebene bei aller Kombinatorik auch keines ergeben können. Das Bild vom «Bund» zwischen dem lebendigen

Gott und dem (die ganze Menschheit repräsentierenden) Volk schließt logisch das feierliche Bilderverbot in sich, gegen jeden Versuch, unter dem Vorwand der Bundessynthese Gott zu einem gestalthaften Moment innerhalb eines übergreifenden Ganzen herabzuwerten: Gott hat auch in seiner Theophanie «keinerlei Gestalt»! Dt 4, 15. Aber der Bund selbst wird Prinzip der gesamten Lebensgestalt Israels, das in der Proportion zur Heiligkeit Gottes zu leben hat (Lv 19, 2). Der Bund ist zugleich gegenwärtige Realität, je wurzelnd in vergangener Verheißung an die Väter, und – weil nie wahrhaft erfüllt – zukünftige, schließlich eschatologische Verheißung; er enthält in sich sowohl ein realpolitisches wie ein transzendentes, in der Prophetie und Apokalyptik utopisches Element. Das Bild «Bund» treibt aufgrund seiner Vielschichtigkeit verschiedene Bilder aus sich hervor, die unter sich unvereinbar bleiben. Die wichtigsten sind: das Bild eines personalen Mittlers, der Gottes Wort vor dem Volk, die Anliegen des Volkes vor Gott vertritt; sofern diese Anliegen immer mehr zum Eingeständnis der menschlichen Schuld, Gottes Wort deshalb immer mehr zum Gerichtswort wird, wird auch der Mittler immer mehr zum «leidenden Gottesknecht», der je durch Sühne den gebrochenen Bund heilt und aufrechterhält. Sofern Gottes Verheißung realistisch die Aufrichtung eines Gottesreiches auf Erden verspricht, entsteht das Bild eines irdischen Messias, der es durchkämpft und regiert; sofern Gott der immer neu lebendig Verheißende ist, entsteht das Bild des Propheten, der die Sprüche Gottes zu künden vermag; sofern das kommende Reich durch Gott allein aufgerichtet werden kann, das Bild des von Gott her auf den Wolken des Himmels kommenden Menschensohnes. Und notwendig bleiben auch die beiden sozialen Bilder eines (immanenten) tausendjährigen messianischen Reiches und einer (transzendenten) Auferstehung der Toten unvereinbar nebeneinander stehen (wenn auch praktisch-politisch ineinander verfilzt), und entsprechend die Strömungen apokalyptischer Erwartung und zelotisch-revolutionärer Durchsetzung des

Reiches. Alles das und manches andere, hier nicht einzeln Aufzuführende, bleibt Material einer überschwenglichen, schließlich nur von Gott her zu erwirkenden Synthese, aber so, daß das Material in seiner Zubereitung für das abschließende Werk keineswegs gleichgültig ist; vielmehr kann die Letztgültigkeit der christlichen Gestalt immer wieder am einleuchtendsten von dem geeinten Material her bewiesen werden: das Alte Testament bleibt die unentbehrliche Grundlage des Neuen.

Aber indem die letzte Gestaltlosigkeit der vielen unvereinbaren Bilder des Alten Bundes eine Gestalt in Jesus Christus nur deshalb erhält, weil er die Todesgrenze überschritten hat, wird seine Gestalt sogleich gesamtmenschlich belangvoll. Deshalb, weil in der Auferstehung die Ernte der Gesamtexistenz eingebracht wird: ihrer Aktiven, wie sie im arbeitenden und apostolischen Leben Jesu für seine Mitmenschen ertragreich sind, und ihrer Passiven, wie sie im sozial scheinbar ganz unverwendlichen Kreuzesleiden und in seinem gottverlassenen Sterben erscheinen. Eben das, was der Weltgeist als «dürre Schale» wegwirft, erweist sich als das Beachtlichste. Nicht nur als Fanal im persönlichen wie sozialen Bereich, sondern als reale Fruchtbarkeit: kraft seines Leidens hat Jesus die Welt besiegt (Jo 16, 33). Sein Leiden ist nicht Gegensatz zu seiner Wirksamkeit, sondern deren überbietende Vollendung; und dieses Leiden, worin die Aktivität sich vollendet, ist als leibliches und seelisches, gesamtmenschliches fruchtbar. Denn es ist von vornherein ein soziales Leiden: erlitten wird die Sünde der andern alle, der Gegenwärtigen, Vergangenen und Zukünftigen, der Einzelnen wie des Geschlechts, so daß die Menschheit in Tod und Auferstehung Jesu an ihr eigenes Eschaton gelangt ist, auf das hin sie in der geschichtlichen Zeit weiterwandert. Dieses Eschaton bleibt innerzeitlich utopisch, weil keine Geschichte ihre gesamthafte Verklärung ins ewige Leben erwirken kann; es ist gleichzeitig real, weil es dem strebenden und scheiternden Geschlecht als das nicht nur erreichbare, sondern sogar erreichte Ziel vorschwebt. Ist dieses Geschlecht doch kraft der Auferstehung Jesu im (für die Welt utopischen) Topos Gottes vorweg angesiedelt: «Mitauferweckt und mitversetzt ins Himmlische» (Eph 2, 6). Die Diastase, in der das Bild einer möglichen sich vollendenden Menschheit vorher auseinanderbrach, ist überwunden in der «Hoffnung auf Herrlichkeit» für das Gesamt, die vom «Faktum» der Auferstehung her kein vermessenes Wahnbild mehr ist, sondern Hoffnung – auf Grund eines «Angelds von Herrlichkeit» – auf eine menschliche Gesamtgestalt.

3. Indem nun in diesem letzten «Wort» Gottes sein «Bund» mit der Welt und seine Treue zu diesem Bund sich vollenden, tritt der bildlose Gott, der Vater Jesu, den nie jemand sah (Jo 1, 18; 1 Tim 6, 16), mit in die Gestalt ein. Nicht als würde er Teil der Welt oder der Welt bedürftig, um Gott zu sein, oder als würde die Welt ein Teil von ihm, aber es erweist sich, daß die Wesensform des Geistes, wie wir sie kennen: sich dem vorgebildeten Stoff in einer anscheinenden Schwäche einzuvertrauen, Abbild des Seins und Verhaltens Gottes selbst ist. Schon in der Schöpfung hat Gott der Vater sich gebunden, da er den erschaffenen Wesen ihre Kräfte und Gesetze als eigene überließ; gebunden noch mehr, indem er ihnen echte Freiheiten gab, die die Möglichkeit einschloß, sich von Gott abzuwenden, das Feuer seines «Zornes» in ihm zu entzünden, das auch er selbst nicht durch ein bloßes «Machtwort von oben» löschen durfte, ohne sich zu widersprechen. Das freie Geschöpf zieht Gott ins Tragische hinein. Wie sehr das wahr ist, zeigt der von Gott gewählte Weg, «die Welt in Christus mit sich zu versöhnen» (2 Kor 5, 19): die Diastase in Gott selbst zwischen ihm und seinem in die Welt gesendeten Wort. In dieser Diastase wird die Gottverlassenheit der sündigen Welt bis zum Grund durchgetragen, Gott gibt sein Wort preis in die «Welt, wie sie ist», und Christus als Gottes Wort läßt sich preisgeben in ihre härtesten «Vorgeformtheiten», um sie im Preisgegebensein selbst ins Endgültige umzu-

gestalten. Was die «Kenose Gottes» genannt wird, ist gewiß akut im einmaligen Leben und Leiden Jesu, aber ist hierin Offenbarung einer ewigen Seinsart Gottes selbst: es ist Gott dem Vater seinsgemäß, seinen Sohn «preiszugeben», sein Pneuma «auszugießen», um gerade in dieser Selbsthingabe er selbst in seiner «Gottgestalt» (Phil 2, 6) zu sein.

4. So wird es möglich, auch die ökonomische Eigengestalt des göttlichen Pneuma zu betrachten, wie sie sich der Gesamtgestalt der christlichen Offenbarung einfügt. Es ist das von oben bei der Überschattung Marias herabsteigende Pneuma, das, sie inspirierend, das Wort Gottes in ihr verleiblicht. Es ist abermals bei der Taufe Christi das vom Vater – dessen Stimme erschallt – herkommende Pneuma, das den Sohn «bleibend» dazu inspiriert, nichts anderes zu künden und zu tun, als den lebendigen Willen des Vaters. Beidemale erscheint die absteigende Bewegung des Pneuma als eine bestimmende, das historisch schon Vorbestimmte endgültig von oben konkretisierende. Maria wie der Jesus des Taufereignisses sind ihm gegenüber aufnehmend, indifferent; die bestimmende Differenz kommt ihnen vom Pneuma her zu. Es hat in der Ökonomie des Heiles die Tendenz zur Gestalt. Man kann an das Vorverständnis aus dem Bereich der Kunst zurückdenken: Inspiration des Künstlers ist kein vager, zu allen Möglichkeiten prädisponierender Zustand, sondern im Gegenteil das – innerhalb des stofflich schon Vorbereiteten, aber noch nicht Gestalthaften – die Richtung auf die Gestalt hin Weisende, deren Umriß aufdämmern Lassende, zu ihr hin Sammelnde und in Bewegung Setzende. Und der Künstler öffnet sich, nicht eigentlich passiv, aber mit allen Sinnen, horchend und gehorchend, dem weisenden Geist über ihm und in ihm, damit er ihm alle menschlichen Kräfte und bereiteten Materialien zur Verfügung halte. Das Beispiel ist beliebig, man könnte auch ein solches aus dem Bereich des Sittlichen oder des Politischen wählen, aus jedem Bereich wo etwas Echt-Konstruktives zu leisten ist. Natürlich bleiben die innerwelt-

lich inspirierten Werke, sofern sie geschichtlich erscheinen, alle unter dem «Gericht» des umgreifenden «Weltgeistes», der ihnen diesen relativen Überstieg über ihren engen persönlichen Horizont gab; man ersieht es daran, daß ihre Verständlichkeit zumeist eine relative, epochale ist und sie, sosehr sie für die Epoche als Konkretisierungen des Ewig-Gültigen gelten, einer späteren Zeit entschwinden können (wie wir es von der griechischen oder frühen gregorianischen Musik sagten). Hier zeigt sich der Unterschied zu dem Pneuma, das Jesus Christus von der Taufe her inspiriert. Die inkarnatorische Tendenz dieses Pneuma ist nicht die des Weltgeistes, sondern die des Willens des göttlichen Vaters, der sich im Ausdruck des Heiligen Geistes so für den Sohn konkretisiert, daß auf keiner Ebene ein Prozeß universalisierender Abstraktion möglich ist. Dieser Wille ist im Geist sowohl absolut universal wie absolut und endgültig konkret, weder subjektiv noch objektiv übersteigbar.

Der Weltgeist wird auch nach dem Auftreten Jesu Christi sein Werk weitertreiben. Er tut es, da Geschichte weitergeht, und so kann er nicht anders als versuchen, auch das Pneuma Christi als eine seiner Ausgeburten darzustellen, etwa in Kategorien der allgemeinen Religionsphilosophie. Aber tiefer bleibt er umgriffen von der Normativität der inkarnatorischen Tendenz des Heiligen Geistes, die in der Instituierung der Gestalt des lebenden, sterbenden, auferstehenden Sohnes und der Institution der Kirche, in der Christus fortlebt, ihre unüberholbare Bestimmtheit und Bestimmungskraft beweist. In der Tat wird die Inspiriertheit der Gestalt Christi nicht aufgrund seiner Auferstehung in die Kirche hinein universalisiert, so daß sie ihre konkrete Gestalthaftigkeit in etwas bloß «Pneumatisches» hinein verlöre, vielmehr erweist sich die Inspiriertheit der Kirche Christi darin als christlich echt, daß sie das Paradox Christi durch alle Geschichtszeiten hindurch fortführt: gleichzeitig endgültig gestalthaft (organisch) bestimmt und universal zu sein.

Diese Form des Wirkens des göttlichen Geistes weist auf
dessen eigenes göttliches Wesen zurück, kraft dessen er sowohl Gottes letzte Freiheit wie seine letzte Bestimmtheit ist.
Der Geist ist in Gott das Letzte, das hervorgeht, und ist deshalb bestimmt durch die Beziehungen zwischen Vater und
Sohn, durch die Zeugung des Sohnes, sein Gezeugt- und
zum Vater Gewandtsein, ihre gegenseitige Einheit, die den
Geist aushaucht. Aber gerade so ist er die letzte positive
Freiheit Gottes, die – im Gegensatz zur Freiheit des Weltgeistes, der von den individuellen Gestalten präszindiert, um
sie in sich «aufzuheben» – bei seinem Hervorgang aus Vater
und Sohn ihre Besonderheit niemals übersteigt, deren Ausdruck er ja ist. Der Weltgeist scheint sich zwar auch je im
Augenblick der Inspiration in der Gestalt der jeweiligen besonderen Institution zu inkarnieren, kennt aber dabei einen
geheimen Vorbehalt, der ihm gestattet, sich zur gegebenen
Zeit wieder zu lösen, um sich in andern Institutionen Gestalt
zu verschaffen. Der Heilige Geist weiß von keinem solchen
Vorbehalt, weil er innergöttlich nicht vom Besonderen des
Vaters und des Sohnes zu abstrahieren braucht, um ihr Gemeinsames zu sein, deshalb ökonomisch die inkarnatorische
Tendenz des väterlichen, bzw. dreieinigen Willens dem
menschgewordenen Sohn gegenüber unüberholbar darstellen kann.

Der väterliche Wille, der im Pneuma dem Sohn übermittelt
wird, ist in der Tat der ewige trinitarische Ratschluß der
Weltversöhnung. In der Ewigkeit sind an diesem Ratschluß
der Sohn und Geist ebenso beteiligt wie der Vater, auch wenn
jetzt, während der ökonomischen Menschwerdung des Sohnes, dieser trinitarische Wille dem Sohn durch den Geist als
der väterliche Wille zukommt, wie alle vier Evangelien eindeutig bezeugen. Reflektiert man dies, so wird deutlich, daß
die Inspiration Christi durch den Heiligen Geist ihm beides
zuträgt: ökonomisch eindeutig den Willen des Vaters, aber
in diesem verborgen seinen eigenen trinitarischen Willen.
Der väterliche Wille, den der Geist dem Sohn je-jetzt zuträgt,

57

ist somit das Gegenteil eines ihn von außen und oben her
Überfallenden – sei es als auferlegte Pflicht oder als fremder,
dionysischer Rausch –, sondern auch in der ökonomischen
Distanz das ewig-Heimatliche. Sofern Jesus als Mensch vor
dem Vater steht, wird ihm der göttlich-väterliche Wille durch
den Geist *geschenkt*, und er nimmt ihn auch im Gehorsam als
ein Geschenk der Liebe dieses Vaters entgegen. Dennoch
weiß er in der gleichen Inspiration des Geistes, daß er zu
diesem Geschenk immer schon Ja gesagt hat, in einem ewigen, keineswegs bloß passiven Einverstandensein mit jedem
Willen des Vaters. Und wenn ihm in der irdischen Ökonomie
dieser Wille immer mehr als eine «gesetzte», sogar unbe-
greiflich gesetzte Institution erscheinen wird – bis zum Ringen am Ölberg –, so bleibt doch bis in diese notwendige
Verdunkelung hinein, kraft der Inspiration des Geistes, der
immer zwischen Vater und Sohn weht, das hart abgerungene
Jawort – «Dein Wille, nicht der meine» – in der Tiefe der
Nach- und Mitklang des ewig-trinitarischen Konsenses.

5. Von hier aus öffnen sich drei letzte Ausblicke, in denen sich
abschließend klärt, was christliche Gestalt ist.

a) Der Anspruch Christi, der reinmenschlich als Hybris
erscheint, kann mit seiner Demut nur vereint werden, wenn
er ihn nicht im eigenen Namen erhebt, sondern im Gehorsam
an den, der ihn gesandt hat: also in der trinitarischen Differenz. Diese Differenz, die erst in der abschließenden Aussendung des Dritten als des gemeinsamen, aber von beiden
unterschiedenen Geistes aufhört, für die Menschen ein quä-
lendes Rätsel zu sein, und zum Mysterium der ewigen Liebe
wird, offenbart uns von Gott soviel, daß er die absolute Einheit nur ist in der zeugenden und hervorgehenlassenden
Selbsthingabe. Er ist die absolute Flüssigkeit der Liebe, indem
er «dreipersonale» Gestalt und Struktur hat, er ist «Kom-
munion», indem er geradezu «hierarchische Ordnung» (der
personalen Hervorgänge) ist. Nur so und gerade so überholt
er die Form der absoluten hegelschen Gnosis, die die allge-

meine dionysische Flüssigkeit des Seins durch allgemeine Aufhebung aller Gestalten im Gesamtstrom erreicht: der Gott, den Jesus Christus kundtut, hat im bleibenden Geheimnis Gestalt, weil er die Flüssigkeit nicht der Gnosis, sondern der Agape ist.

b) Dieses Geheimnis spiegelt sich wider in dem andern Geheimnis, daß Jesus Christus die alles durchprägende Gestalt der Schöpfung (bis hinab in das Dunkel des Hades) ist als der bleibend in seiner eucharistischen Hingegebenheit Verflüssigte. In der Einheit von Gestaltsein und Verflüssigung ist er «Ausdruck» (charaktēr Hebr 1, 3) Gottes. Sein passives Hingegebenwerden durch Gott wie durch die Sünder holt er aktiv ein in der Selbsthingabe seines Fleisches und Blutes und ganzen Lebens (Jo 10, 17), und er nimmt sich aus diesem Zustand des Hingegebenseins nie mehr zurück, auch nicht in Auferstehung und Himmelfahrt, er ist für immer auf Gottes Thron das Lamm «wie geschlachtet» (Apk 5, 6), mit den bleibenden «Wundmalen» (Jo 20, 20), entgegen der Todeswunde des Tieres (das der «Weltgeist» sein kann), die narbenlos ausheilt (Apk 13, 3.12).

c) Dennoch kann die geschaffene Welt, in die Gott seinen Sohn preisgibt, nicht lauter Widerstand, Verwesung und finsterer Abgrund sein: sie wäre sonst nicht die gute Welt eines guten Schöpfers. Gottes Kenose muß sich in eine Form einlassen können, die ihn nicht nur verwirft, sondern aufnimmt, gerade dann, wenn er nicht als der Übermächtigende, sondern als der in Schwäche sich Einvertrauende kommt. Ein drittes Mysterium, flüssig wie die beiden andern, gerinnt zum Bild: das von Mutter und Kind. Gott kann seine Hingegebenheit in der Gestalt eines menschlichen Kindes nicht offenbaren, wenn er keine irdische Mutter hat, von der er (wie der ewige Sohn vom Vater) Liebe empfängt. Die Liebe, die sie ihm bietet, kann keine beliebige sein, sondern eine, an der seine eigene Liebe zur eucharistischen Hingabe wachsen kann. Es muß eine Liebe sein, in der sich begegnet, was durch die Geschlechter Israels an Glaube und Hoffnung auf Gottes

Treue zusammengeflossen und was darüberhinaus durch Gottes Heiligen Geist an liebendem Einverständnis vorweg geschenkt worden ist. Alles, was die Mutter dem Sohn spendet, ist zuletzt vom kommenden Kreuz des Sohnes her ermöglicht, obwohl es dieses ermöglichen hilft. Die Mutter-Kind-Ikone ist für den Glaubenden eine abgründige, nie voll zu enträtselnde Chiffre, deren Doppelpoligkeit – anders als etwa der in sich lächelnde Buddha – dem Einfältigen ahnbar macht, was christliche Gestalt ist.

ANSPRUCH AUF KATHOLIZITÄT[1]

I. Der Wettstreit der Katholizitäten

1. Qualitative Katholizität

Es ist immer wieder die gleiche Frage, die uns bedrängt und der wir uns stellen müssen: Ist es nicht von vornherein absurd, daß ein einzelnes, deutlich gegen andere abgegrenztes Element in der Weltgeschichte Anspruch auf Katholizität erhebt? Wir meinen die Catholica, die katholische Kirche, und, da nun einmal die von ihr abgezweigten Christentümer das Wort in ihrem Credo stehengelassen und die Catholica damit zu einer abgrenzenden Denomination gezwungen haben: die «römisch»-katholische Kirche. Wir wollen aber gleich anfangs anmerken, daß diese einengende Bezeichnung keinerlei theologischen Wert hat; sowenig als es seit der Auferstehung Christi ein «heiliges Land» mehr gibt, weil künftig alle Länder gleich heilig und gleich profan sind, sowenig kann das Rom der Päpste als ein Theologumenon gelten, in der Art wie das Jerusalem des Alten Bundes ein solches war; vielleicht hat die katholische Theologie darüber noch nicht hinreichend reflektiert. Das Papsttum war in Avignon oder in Savona nicht im gleichen Sinn in der Verbannung wie das Volk Israel es in Babylon war; und schließlich wird ja gerade Rom im Neuen Testament – Petrusbrief, Apokalypse – als Babylon bezeichnet. Die Catholica ist ein Bereich, deren Mittelpunkt überall ist (wo Eucharistie gefeiert wird) und (strukturell) sein kann, deren Peripherie, die somit vom Mittelpunkt nicht

---

[1] Der Essay führt weiter aus, was der frühere «Die drei Gestalten der Hoffnung» (in: Die Wahrheit ist symphonisch, 1973, 147–165) bereits skizziert hatte.

entfernt ist, nur durch «das Äußerste der Erde» (Apg 1, 8) geographisch bezeichnet sein kann.

Aber auf der engen Erdfläche ist die Catholica ein Phänomen unter andern, umso mehr als sie nach einer Periode scheinbarer geographischer Katholizität – dem Mittelalter – im Zeitalter der Welteroberung, das zugleich das Zeitalter der Reformation war, ihre doppelte Partialität endgültig anerkennen mußte: nach außen, sofern sie in ungeheure nichtchristliche Gebiete einzudringen begann, nach innen, indem ihre Einheitlichkeit durch die Kontestation ihrer Struktur in eine steigende Zahl christlicher «Konfessionen» zerfiel: äußere und innere Mission wurden gleichzeitig aktuell, theologisch gesprochen: die wesentliche Diasporasituation der Catholica wurde ihr gleichzeitig vom Evangelium her handfest in Erinnerung gerufen. Paul Claudel (im «Seidenen Schuh»)[2] und Karl Rahner[3] haben nachdrücklich auf diese innerlich notwendige Koinzidenz hingewiesen. Schon von ihrem Ursprung her wird Katholizität in die Gestalt der «kleinen Herde», schärfer noch: der «Lämmer unter Wölfen» eingewiesen, da sie doch von jenem ausging, in dem sich nach dem Wort Gregors von Nazianz die Allheit des göttlichen Logos in die Fleischgestalt eines einzelnen Menschen «verdichtete» und «zusammenzog». Der paradoxe Anspruch der Kirche Christi auf Katholizität ist somit keine selbstverantwortete Anmaßung, sondern eine gehorsame Gleichgestaltung an den Anspruch ihres Stifters, auf ihn bezogen und durch seine mit ihr unterhaltene Beziehung gerechtfertigt.

Es ist wichtig, dies allem folgenden vorweg festzuhalten: christliche Katholizität hat mit Zahl und irdischem Erfolg nichts zu tun. Oft genug in der Kirchengeschichte ist das Prinzip der Zahl augenfällig ad absurdum geführt worden: wo der «rechte Glaube» auf wenige, vielleicht auf eine repräsentative Person eingeschränkt schien – wie im Fall des Athanasius oder

---

[2] 3. Tag, 1. Szene.
[3] Sendung und Gnade (1951) 24–47.

des Maximus Confessor – oder wo ein tollkühner Bekenner wie Solschenizyn sich zum Sprecher von geknebelten Nationen macht. Es ist sogar denkbar, daß auch dieses Bekenntnis als hörbare Stimme noch zu restlosem Verstummen verurteilt sein kann und einzig durch das nicht einzukerkernde geheimnisvolle Licht des Leidens und Sterbens sich anzuzeigen vermag. Denn die Schar der Verfolger ist, nach der Apokalypse, «zahllos wie der Sand am Meer; sie ziehen über die weite Welt hin und umzingeln das Lager der Heiligen und die geliebte Stadt» (Apk 20, 7). Die Diasporasituation der Kirche ist evangelisch gesehen die normale, während der mittelalterliche Schein einer in sich geschlossenen «Christenheit», deren Gegner sich – als Heiden und Muselmänner – jenseits ihrer Grenzen befinden und dort mit Waffengewalt abgewehrt oder weiter zurückgedrängt werden können, einer Einblendung des Alten in das Neue Testament entsprach. Schon das lange vorbereitete, im 11. Jahrhundert vollendete orientalische Schisma hätte eines Besseren belehren können. Aber auch die Notwendigkeit, die im Innern der Hürde unversehens auftretenden «Wölfe» gewaltsam aus ihr zu entfernen, und dies als ein «Werk des Glaubens», «Autodafé», aufzufassen, zeugt von der Unangemessenheit der Vorstellung geographischer Katholizität.

Fällt diese dahin, so bleibt als möglicher Anspruch nur der auf eine qualitative Katholizität, wie sie – in der heutigen pluralistischen Weltlage, die sich trotz aller Bestrebungen nach Vereinheitlichung noch weiterhin zu diversifizieren scheint – auch jede andere Potenz in der Welt nur anmelden kann.

2. Die Fronten

Es kann somit bloß um eine Kompetition zwischen «Katholizitäten» gehen, deren jede innerhalb einer irdisch begrenzten Gestalt einen sie überbordenden uneingeschränkten Gehalt zu bergen behauptet. Wenn wir uns nach den möglichen Teilnehmern an diesem Wettbewerb umsehen, so müssen wir, von der katholischen Kirche als Standort aus denkend, nach dem vorhin Gesagten in zwei Richtungen blicken: nach außen in den Raum der äußern Mission, zu den nichtchristlichen Weltdeutungen, aber auch nach innen, da die Catholica phänomenologisch als eine in zahlreiche Konfessionen gespaltene «Kirche» erscheint, wobei jede Konfession, die sich achtet, logisch den Anspruch auf «Rechtgläubigkeit» und damit auf christliche Katholizität nicht aufgeben kann.

a) Im Blick nach außen fallen nur jene Welt- und Geschichtsdeutungen in Betracht, von deren Mitte viele Einzelversuche und weltanschauliche Fragmente magnetisch angezogen und polarisiert werden, die sich somit als auf oberster Ebene geschichtsmächtig erweisen. Es sind ihrer heute faktisch zwei: der geistige Kontinent der «östlichen Religionen» (der freilich aus vielen und verschiedenartigen «Ländern» besteht, aber eben doch ein bestimmtes kontinentales Gepräge hat) und der geistige Kontinent des Kommunismus, der ebenfalls eine Vielfalt von Ausfächerungen besitzt, die aber aufgrund ihres klaren historischen Ausgangspunkts näher beisammen liegen als die der Religionen. Man müßte, wenn man auf die Kraft politischer und kultureller Präsenz achtet, noch eine dritte Größe erwähnen, den Islam; doch bildet er in letzter Instanz keine weitere Alternative, weil seine Abkünftigkeit vom biblischen Denken, vorab von einem zum Alttestamentlichen zurückstrebenden Judenchristentum deutlich ist, während ihm anderseits die spezifisch jüdische Dynamik abgeht, die dauernd innerlich über das alttestamentliche Stadium hinausdrängt. So bildet er zwar in der heutigen Menschheit einen gewissen Neutralitätspunkt, auf dem das «Absolute» oder «Göttliche» der alten Religionen und der weltabgehobene alttestamentliche «Gott» zu einer Einheit verschmolzen und erstarrt sind, während die beiden zuerst genannten Weltdeutungen a-theistisch (geworden) sind: in den östlichen Religionen besteht zumindest die Tendenz, durch die Zone der Personifikationen des Göttlichen hindurchzudringen zu einer rein negativen «Theologie»; am stärksten wirkt sich diese Tendenz im Zen-Buddhismus aus, der unter diesen Religionsformen auch die stärkste Präsenz und Durchschlagskraft in der Welt besitzt. Obschon dieser religiöse A-theismus ganz anderer Art ist als der kommunistische[4], stehen doch beide in dieser Hinsicht geschlossen gegen den biblisch-christlichen Glauben an Gott; die geistige Entwicklung Chinas zeigt zudem, daß eine organische Durchdringung dieser beiden A-theismusformen nicht unvorstellbar ist, wobei nicht ausgemacht werden soll, welche von beiden hier die überwiegende, den andern Teil in sich absorbierende sein mag.

Diese letztere Möglichkeit muß deshalb erwähnt werden, weil beide Weltdeutungen, wie die der katholischen Kirche, jede für sich einen Totalitäts- oder (was dasselbe ist) Katholizitätsanspruch stellt: keine der drei kann sich als einen Teil verstehen, der sich in ein größeres umgreifendes Ganzes einordnen ließe. Aber gerade diese Exklusivität hat notwendig eine Inklusion zur Folge, denn alles, was der andere Gültiges bei sich haben mag, muß man, auf welche Art immer, «formell» oder «eminenter», bei sich selber wiederfinden: jenes Zu-sich-selber-Finden des Menschen, das die Religion ihm verspricht, das sie ihm aber nach der Lehre des Kommunismus wesenhaft nicht geben kann, muß ihm dieser von sich her zusichern usf. Deshalb können die großen Katholizismen

---

[4] Denn dieser ist polemische Leugnung Gottes, während der «buddhistische» (um die Art für die Gattung zu setzen) A-theismus ein Übersteigen des Theismus ist. Man wird freilich nicht vergessen, daß der Marxismus durch eine «Umkehrung» des deutschen Idealismus entstand, der seinerseits eine Art Übersteigung des protestantischen Pietismus und verwandter religiöser Bewegungen gewesen war, von denen sich gewisse Elemente in der einseitigen marxistischen Negation kryptogam durchhalten können. Immerhin ist das «Gesetz, nach dem der Marxismus angetreten», primär ein Protest, der sich – ebenso und noch mehr als der reformatorische – aus der Grundhaltung kaum wieder ausmerzen läßt.

nicht ohne Dialog miteinander leben; sie müssen sich dauernd über den einen Platz, den sie alle drei innehaben möchten, aber nicht gleichzeitig können, auseinandersetzen.

b) Andersgeartet ist der Dialog der gespaltenen Christenheit mit sich selber. Auch wenn jeder der Gesprächspartner einen bestimmten Katholizitätsanspruch erheben muß, um sich christlich nennen zu können, so wissen hier doch alle um den Willen und das Gebet Jesu, daß die Seinen eins sein müssen, daß eine gespaltene Kirche christlich nicht vorgesehen und theologisch durch nichts zu rechtfertigen ist. Die Überwindung der Gespaltenheit, die das schlechte Gewissen der Christen wachhält, kann auf verschiedenen Wegen versucht werden:

Einmal durch den Rückgang auf die christlichen Ursprünge, die vor der Spaltung liegen; die Epoche der Gemeinsamkeit wird freilich ganz verschieden angesetzt, wenn Katholiken mit Orthodoxen, wenn sie mit Anglikanern und wenn sie mit Protestanten reden. Dort ist das erste Jahrtausend mehr oder weniger unangefochten gemeinsam, und die Frage für die Orthodoxie ist, ob sie die «westlichen Neuerungen» mit der östlichen Treue zur Kirche der ersten ökumenischen Konzilien in Einklang zu bringen vermag. Im zweiten, erst recht im dritten Fall reicht der «Frühkatholizismus» immer weiter zurück bis ins Herz des Neuen Testaments, bis zur Spaltung des paulinischen Schrifttums, und der Dialog wird sehr viel schwerer. Newman aber fand, daß das Gespräch zwischen Anglikanismus und katholischer Kirche überhaupt nicht durch den bloßen Rückgang auf eine historisch vergangene Epoche der Gemeinsamkeit gelöst werden kann, weil dieser das Ferment der «Entwicklung», besser der Je-Heutigkeit des christlichen Glaubens immer schon einwohnte, so daß der bloße Bezug auf ein Gestriges keine entscheidende Lösung zu bringen vermöchte. Die Erhebung einer Ära der Geschichte des Christentums zur absoluten Norm wäre theologischer «Klassizismus», der als solcher zur Sterilität verurteilt wäre.

Ebensowenig kann der beliebte und zunächst bestechende Versuch zum Ziel führen, die christlichen Konfessionen einander ergänzen zu lassen: wo (nach Jean Leubas Theorie) der Katholizismus dem Institutionellen einen Vorrang gewährt, gewährt ihn der Protestantismus dem Ereignishaften; die Synthese hieße dann «Institution et Evénement». Eine solche Betrachtung kann in einem vordergründigen Bereich der Religionsphänomenologie und Religionspsychologie berechtigt sein, zumal er die Partner mahnt, daß Menschen immer zur Einseitigkeit neigen, deshalb zur Ergänzung aufeinander angewiesen sind, und daß Christen, die ihre Einheit verloren haben, sicher miteinander ihre schuldige Beschränktheit bekennen und sich gegenseitig zur Einheitsfindung helfen müssen. Darf darauf nicht verzichtet werden, so kann anderseits konkrete Kirche als solche sich nicht als einen Teil verstehen, der in ein umfassenderes Ganzes synthetisiert werden müßte. Die Catholica kann in ihren empirischen Gliedern gewisse ihrer Aspekte halb vergessen, stark vernachlässigt haben, sie kann aber nicht von außen her einen Zuwachs zu ihrer innern Fülle erwarten oder erhoffen. Sie kann sich nur daran erinnern lassen, daß sie das, was man ihr scheinbar von außen her anbietet, immer schon gewußt hat (1 Joh 2, 21.27; Jud 5).

Deshalb wird ein dritter Weg angeraten: die in jeder Konfession vorhandene Form der Katholizität auf die in den andern vorhandene zu beziehen, solange, bis im beharrlichen Dialog, in der aufrichtigen Selbstprüfung die Schranken fallen und die notwendig vorhandene wesentliche Identität des Katholischen ans Licht tritt. Selbstverständlich ist mit dieser Identität nichts gemeint, was gegen die von jeher innerhalb der Catholica vorgesehene und für ihre Fülle unentbehrliche Pluralität verstieße; wie beides zusammengeht, ist aus der paulinischen Kirchenlehre ohne weiteres ersichtlich, wo energisch gegen jede Spaltgeisterei Stellung bezogen, aber ebenso energisch die Vielheit der Charismen innerhalb des gleichen Leibes befürwortet wird. Freilich: dieser Weg des Dialogs zwischen «Katholizitäten» kann nicht *mehr* aufzeigen als eben einen Weg, eine vorläufige Methode, die sich durch Erreichung des Zieles selbst überholen muß, sich also weder als ein Dauerzustand verstehen noch in die vorige Versuchung zurückfallen darf, aus sich ergänzenden Stücken eine «Synthese» herzustellen.

George Tyrell hat in seinem letzten Essay «Christianity and Religion»[5] die verschiedenen Gefahren, die im ökumenischen Gespräch und darüber hinaus im Gespräch zwischen den großen Weltdeutungen lauern, klar ausgesprochen. Man kann natürlich, so führt er aus, religionswissenschaftlich ein Kategorialsystem herzustellen suchen, das die verschiedenen Religionen in sich einordnet und damit eine Einheit zu erstellen scheint. Aber: «Die Einheit und Katholizität der Religionswissenschaft ist etwas von der Einheit und Katholizität der Religion selbst durchaus Verschiedenes[6].» Religionswissenschaft ist immer in Versuchung, «eine Art von synthetischem Katholizismus herzustellen, der als der eine integrale Ausdruck der religiösen Idee alle Religionen umspannt.» Aber – und die folgende Aussage ist im Munde eines erklärten und exkommunizierten Modernisten erstaunlich – «dann müßte Religion auf ein reines Gefühl, ein reines unbefriedigtes Bedürfnis reduziert werden..., und auf diese Weise wird die religiöse Idee zur Sterilität verurteilt[7].» «Ebensowohl könnten wir den Versuch machen, das Leben jeder Art von Lebewesen gleichzeitig zu leben. Eine logische Einigung im Gattungs- oder im Artbegriff ist noch keineswegs eine reale Einigung... Und je weiter die Arten sich lebendig entwickeln, desto weniger lassen sie sich zur realen Einheit, aus der sie hervorgegangen sind, zurückführen.» Damit ist für Tyrell auch der Weg in die Vergangenheit abgeschnitten. «Die heutige Tendenz zur Wiedervereinigung zwischen den christlichen Konfessionen ist das Ergebnis von Erschlaffung und

[5] In: Christianity at the Cross-Roads (1909) 223–282.
[6] Ebd. 250.
[7] Ebd. 231.

Zerfall, von Skepsis hinsichtlich der (katholischen) Geltung ihrer respektiven Systeme. Die verdorrten Äste brechen an der Stelle ab, wo sie abgezweigt sind; man möchte die Einheit wiederherstellen durch ein Rückwärtsschreiten auf den Standpunkt ursprünglicher Unbestimmtheit.» Demgegenüber plädiert er für eine mutige Rivalität zwischen den Totalitäten, die sich herausgebildet haben: The law of competition prevails and stimulates development[8].»

Nimmt man diese Anweisung ernst, so fordert sie von den christlich um die Katholizität Ringenden viel: vor allem, sich auf kein «System» festzulegen, von dem a priori angenommen wird, es sei allumfassend, biete den weitesten Ausblick, lasse die entgegengesetzten Standpunkte von vornherein unter sich zurück. Von solchen «Systemen», die zumeist einen oder einige Aspekte des christlichen Mysteriums ins Zentrum rücken und alles übrige (gedeckt durch das Schlagwort von der hierarchia veritatum) von dort aus organisieren, bleibt nach einiger Zeit oft nur noch ein erstarrtes Gerüst übrig, das durch seine Negation anderer möglichen Zentren deutlich zu erkennen gibt, es sei nicht im wahren Sinn katholisch. Dies dürfte heute beim Anspruch des lutherisch-kalvinischen Zentraldogmas (oder Kanons im Kanon) von der «Rechtfertigung durch den Glauben allein», wenn es in seinen polemisch-negativen Abgrenzungen gefaßt wird, evident sein: man kann nicht sagen, der heutige evangelische Christ verstehe sein lebendiges Christsein von dieser so eingeengten systematisierten Mitte her. Ein echter ökumenischer Dialog fordert die Lockerung und Entspannung aller derartigen Erstarrungen, einen von vornherein offenen Blick für jeden objektiv vertretbaren Gesichtswinkel an das christliche Mysterium heran, einen Blick, dessen Offenheit nicht verwehrt, den Stellenwert des fremden Beitrags im Umfassenden einzuschätzen, damit nicht uferloser Pluralismus das Ergebnis sei, sondern das Wachstum der lebendigen Gestalt Jesu Christi

[8] Ebd. 233.

und des in ihm sich offenbarenden dreieinigen Gottes über alle engen menschlichen Systematisierungen hinaus.

3. Die Situation

Nun scheint im katholischen Bereich heute – wir wollen fortan nur von diesem reden – ein Trend nach Vorherrschaft zu bestehen, der Einheit eher in Richtung auf eine «synthetische Religionswissenschaft» als durch echte Kompetition der Katholizitäten zu finden versucht. Dabei ist weniger eine unmittelbar soziologische Methode gemeint als die Anwendung der kantischen philosophischen Begriffe des Transzendentalen und Kategorialen – welche die Grundverfaßtheit des menschlichen Geistes ausdrücken sollen – auf den Bereich der Theologie. Ein solcher Grundansatz kann nachträglich nochsosehr betonen, die Transzendenz des Geistes vermöge sich nur in der Rückwendung auf ein Historisch-Kategoriales zu realisieren, er wird von sich her die Unvergleichlichkeit *dieses* bestimmten Kategorialen, das für die christliche Katholizität grundlegend ist, nicht rechtfertigen können. So bleibt ihm nur ein doppelter Weg offen: entweder sich mit einer relativen Auszeichnung des Historisch-Christlichen zu begnügen, dann aber die andern religiösen Kategorialsysteme in ihrer Weise (als «Formen anonymen Christentums») unter dem gleichen transzendentalen «Ausgriff» zu subsumieren –, oder eine neue ergänzende Methode einzuführen, die von der kantischen verschieden ist und das Ungenügen des ersten Ansatzes bloßlegt.

(Dies wäre dann übrigens nichts anderes als der Beweis, daß Philosophie des endlichen Geistes überhaupt keinen eindeutigen systematischen Ansatzpunkt haben kann, weshalb Erich Przywara schon im ersten Paragraphen seiner «Analogia Entis» eine zu keiner Identität zu bringende Spannung zweier Ansätze vertrat: einer «Metaphysik (als Frage nach dem ‚in sich selbst Grund und Sinn' des Seins)», die primär «mit einer Reflexion des Wissensaktes einzusetzen hat, also mit einer

Metanoetik von Wissen als Wissen – und einer Metaphysik, «deren Intention unmittelbar auf den Wissens-Gegenstand geht, also als *Metaontik* von Sein als Sein». «Diese Frage, sagt Przywara, ist vorgelagert, weil sie auch dann ergeht, wenn das Sein des Wissensaktes selber in Frage steht. Denn auch in dieser Frage ist noch zu scheiden zwischen dem fragenden Wissensakt und dem befragten Sein des Wissensaktes... Die unwegdeutbare neutrale Dualität zwischen Wissens-Akt und Wissens-Gegenstand... läßt keine Möglichkeit der Selbstverschließung in ein ,rein'. Das Meta-noetische transzendiert sich nach vorwärts intentional zum Meta-ontischen. Das Meta-ontische kritisiert sich nach rückwärts zum Metanoetischen.» So weisen beide in eine gegenseitige, aber unabschließbare Durchdringung über sich hinaus. Der kritisch notwendige Ansatz der Metaphysik im Meta-noetischen zeigt nicht nur, daß das Bewußtsein des «Ich» unlöslich verschlungen ist mit dem von Dingen und Mit-Ichen, sondern sich selbst je nur (bis in sein Formalstes hinein) in Seinskategorien aussagen kann, was zu einem Neuansatz im Meta-ontischen führt, das nunmehr die Seinskategorien in ihrer Eigengeltung erforscht, freilich über beides hinaus ein Bedenken des «Zueinander» beider Ansätze verlangt, worin sie selber in ihrem Eigentlichsten ans Licht kommen. Hierin «haben wir die formalste Grundlegung einer ,kreatürlichen' Metaphysik», die «die Spannungsschwebe zwischen Bewußtsein und Sein... und nicht die Absolutheit einer Selbstidentität von Bewußtsein und Sein» zum Objekt hat[9].)

Innerhalb dieser umfassenden Relativierung dürfte aber die durch das Mitsein anderer Iche begründete – die Frage, deren methodische Bewältigung Husserl bis aufs Blut gequält hat[10], die auch Karl Rahner als eine von der transzendentalen Me-

[9] Analogia Entis, 2. Aufl. (Johannes Verlag Einsiedeln 1962) 23–28.
[10] Vgl. die Bände XIII, XIV, XV der Husserliana: «Zur Phänomenologie der Intersubjektivität» (Nijhoff 1973), und zu den früher erschienenen Werken: Michael Theunissen, Der Andere (Walter de Gruyter, Berlin 1965) 15–155.

thode nicht aufzuarbeitende ansieht[11] – die einschneidendste sein. Die Existenz fremder, je-personaler Freiheit legt sich quer zu den beiden Begriffen «transzendental» und «kategorial», sie ist weder durch Reflexion einholbar, noch als bloße Vorhandenheit einzuordnen. Umgekehrt ist aber auch kein absoluter Systempunkt von der «Eigentlichkeit» der je-einzigen Person (wie das heute Marcel Légaut und früher Bultmann versucht hat) zu gewinnen, weil damit die Welt der Interpersonalität, ihre relative Objektivität und Neutralität als «Institution» a priori zur «Uneigentlichkeit» entwertet wird, mit der Folge, daß alles, was am Evangelium und an der Einrichtung der Kirche Christi auf solche Objektivität gegenüber den Einzelpersonen Anspruch erhebt, von vornherein als ein «defizienter Modus» betrachtet wird.

Aber die echten Spannungsstrukturen, die das christliche demütige Eingeständnis fordern, nicht in eindeutige Prinzipien, auf die alles reduziert oder aus denen alles deduziert werden kann, überführt werden zu können, die deshalb offen bleiben müßten für eine aus dem Theologischen, d. h. dem Offenbarungsfaktum her zu empfangende Katholizität, werden immer wieder durch quasiphilosophische Methodik überrundet. Und wo dann zwei dergestalt sich verabsolutierende «Katholizitäten» – wenn auch in einem anscheinenden Dialog – aufeinanderstoßen, kann es nur noch um die Frage von partieller oder wenn möglich totaler Deckung im Methodischen gehen, wobei das von der Methode nicht Ergriffene einfach ausgeklammert bleibt. Gesetzt aber, dieses Ausgeklammerte, das nicht in die Konzeption paßt, gehört zu den Wesensdaten der christlichen Offenbarung, so wird es sich auch durch das Ganze hindurch auswirken und sich deshalb solchem Ostrazismus widersetzen. Eine Einigung aufgrund gemeinsamer Ausklammerung eines Wesensdatums wird nie eine christlich belangvolle sein.

---

[11] Zur Lage der Theologie. Karl Rahner antwortet Eberhard Simons, Das theologische Interview (Patmos 1969).

a) Nun ist, wenn wir die heutige allgemeine Lage über-
schauen, für das Gespräch nach außen wie nach innen auffällig,
daß sich vorwiegend – gewiß nicht ausschließlich – die Katholiken in der Frage möglicher Synthesen aktiv und entgegen-
kommend zeigen. Nur kleine Gruppen der protestantischen,
anglikanischen und orthodoxen Welt sind vital an solchen
interessiert, und noch kleinere Gruppen der kommunistischen
und asiatisch-religiösen Welt. Die katholische Kirche ist es,
die die Avancen macht und mögliche Gesprächsformen und
methodische Synthesen anbietet. Sie ist praktisch auch die
einzige, die Schuldbekenntnisse ablegt – betreffs der Ursachen
der Kirchenspaltung im Zeitalter der Reformation und des
Aufkommens des Marxismus –, Bekenntnisse, die hinausgehen über die eher unverbindlichen oder ganz partiellen
Zugeständnisse der andern Partner. Diese Bekenntnisse werden nur dürftig honoriert, was im Moment nichts gegen ihren
guten Sinn besagen soll. Schwerwiegender ist, daß man von
katholischer Seite so lichte Bilder der Reformatoren entwirft,
daß alle Schatten auf die katholische Vorgeschichte fallen, aus
der sich die Konsequenz der Kirchentrennung mit Quasi-
Notwendigkeit und beinah schuldlos ergibt. Die Einseitigkeiten und Verzerrungen der reformatorischen Dogmatik erscheinen – im Sinn der oben angedeuteten Ergänzungs-
theologie – als die Wiederherstellung eines gestörten Gleichgewichts, wenn nicht als die Neufindung eines verschütteten
Ursprungs. Daß im Ausbruch aus der Disziplin der einen
Kirche, aus welchen Gründen auch immer, gerade eine große
Sendung (wie sie Luther zweifellos besaß) auch großen, ja
unheilbaren Schaden erleidet, wird dabei ganz übersehen. Da
aber doch von den nichtkatholischen Konfessionen her ein
klares Nein zu den katholischen «Zusätzen» ertönt und der
Protest (auch in der Ostkirche) als wesentlich gilt, müssen die
beiden Wege beschritten werden, die oben angedeutet
wurden:
Entweder – dem modernen Protestantismus gegenüber –
eine Extremform der branch-Theorie, indem im Herzen des

Neuen Testaments, das als unbestreitbar gemeinsamer Ausgangspunkt gilt (gleich nachher beginnt ja schon der «Frühkatholizismus»), von der Tradition unausgenützte Möglichkeiten von Kirchenstrukturen entdeckt werden, an die heute,
nach bald zwei Jahrtausenden Kirchengeschichte, angeknüpft
werden könnte, um den Protestanten die Unannehmlichkeit
eines Zurückkommens auf den Ausbruch aus der apostolischen Sukzession zu ersparen; ein wenig so, wie Saatkörner,
aus ägyptischen Gräbern ans Licht und ins rechte Erdreich
gebracht, heute aufgehen. Die Sache ist freilich doppelt
prekär: einmal ist es aufs höchste unwahrscheinlich, daß
Paulus in Korinth eine andere Gemeindestruktur eingeführt
haben sollte als zum Beispiel in Philippi, wo es «Episkopen»
und «Diakone» (Phil 1, 1) gab, überhaupt vom Grundmodell
der jerusalemer Gemeinde, mit der er so enge Verbindung zu
halten pflegte, abgewichen sein sollte. Der 1. Klemensbrief,
vor Ende des Jahrhunderts nach Korinth gesandt, setzt eine
fraglose presbyterale Tradition daselbst voraus; seine Mahnung wurde auch ohne Widerspruch angenommen. Die leere
Stelle, bei der man anknüpfen möchte, scheint also nie leer
gewesen zu sein. Ferner setzt die Eröffnung einer solchen
Anknüpfungsmöglichkeit das Prinzip des «Sola Scriptura»
und außerdem eines «Kanons im Kanon» voraus, was beides
katholischem Schriftverständnis widerspricht. Denn einmal
ist die Schrift nicht unabhängig von der sie (im Geist) aus-
arbeitenden, empfangenden und auslegenden Kirche – obschon sie deswegen nicht als eine bloße Funktion der Kirche
bezeichnet werden kann –, und anderseits läßt sich innerhalb
des als ganzen inspirierten Neuen Testamentes eine zeitliche
Entwicklung von der Zeit der Korintherbriefe zu der der
Pastoralbriefe, des 1. Petrusbriefs, der an die Bischöfe gerichteten Gemeindebriefe der Apokalypse feststellen, die zur
innern Bewegtheit der Schrift, bzw. der in ihr abgebildeten
Kirche gehört. Daraus eine frühe Epoche als normativ auszu-
sondern, ist theologischer «Klassizismus», der die lebendige
Führung des Geistes in der Geschichte der Kirche mißachtet.

Da dieser Weg zu schmal und zu heikel ist, um für die Konfessionen begehbar zu sein, hält man sich vielfach an den bequemeren breiteren: man klammert im ökumenischen Gespräch zunächst die Punkte eindeutiger Meinungsverschiedenheit aus, vertieft sich in das übriggebliebene Gemeinsame, überwindet dabei vielerlei Vorurteile und periphere terminologische Differenzen und gelangt zum Schluß, daß auf beiden Seiten «das Gemeinsame das Trennende überwiegt». Bei dieser Feststellung wird jedoch zweierlei unterstellt: einmal daß die Worte und Begriffe, die man beiderseits verwendet, wirklich dasselbe bedeuten und nicht nur mit soviel Sorgfalt gewählt worden sind, daß sie die weiterbestehenden Differenzen verdecken oder durch analogische Bedeutung kunstvoll überbrücken; sodann, daß das vorläufig Ausgeklammerte sich auch wirklich aus dem behandelten Feld reinlich ausschalten läßt und nicht mehr oder weniger offen in dieses hineinspielt. Das letztere ist zum Beispiel regelmäßig der Fall, wenn man unter Ausklammerung der Frage vom Wesen des priesterlichen Amtes und von der apostolischen Sukzession über den Glauben an die eucharistische Realpräsenz des Herrn und von da aus über das Wesen der von der Eucharistie her zu deutenden Gemeinde bzw. Kirche spricht. Eine Großzahl beeindruckender ökumenischer Papiere – zum Beispiel die des in Taizé publizierenden «Groupe des Dombes» – krankt an diesem schwer zu vermeidenden Fehler, und sie weiß es auch[12].

[12] Groupe des Dombes, Vers une même foi eucharistique? Accord entre catholiques et protestants (Les Presses de Taizé 1972). Kleinlauter klingt die Ergänzung: Pour une réconciliation des ministères. Eléments d'accord entre catholiques et protestants (ebd. 1973). Man darf auch nicht übersehen, wie klein diese – gewiß sehr ernsthaft arbeitende – Gruppe ist, und daß ihre Ergebnisse von der offiziellen reformierten Kirche Frankreichs nicht übernommen worden sind. Man wird in dem Dokument überall auf den analogischen Gebrauch von Grundbegriffen wie «Kirche», «Amt» stoßen. Die Lehre von der «complémentarité» (Même foi 11, Ministères 27) wird als selbstverständlich richtig vorausgesetzt.

Man darf sich nicht verhehlen: die Etappe des ökumenischen Gesprächs, in der man sich – nach Ausklammerung der vorläufig unüberbrückbaren Differenzen – über das irgendwie Gemeinsame unterhält und dabei wirkliche, überflüssige Vorurteile abbaut, ist unvergleichlich leichter als die zweite, in der man sich dann an das anfangs Ausgeklammerte heranmachen muß. Das Stehen vor dieser größeren Schwierigkeit heißt nicht, daß das ökumenische Gespräch, das so flott begonnen hat, ins Stocken geraten ist, oder daß ein Weg, der einmal beschritten wurde, notwendig zum Ziel gelangen muß und mit allen Mitteln dorthin geführt werden darf. Die wirkliche Frage liegt für den Katholiken darin, ob er – etwa im Namen des Prinzips der «Hierarchie der Wahrheiten» – Dinge hat ausklammern dürfen (es sind natürlich die Dinge, die die Protestantismen im 16. Jahrhundert als Verfälschungen ausgeschaltet haben), die gerade durch dieses Vorgehen von ihm stillschweigend als unerheblich, jedenfalls als weniger wichtig gekennzeichnet wurden. Es könnte sich aber bei tieferer theologischer Reflexion herausstellen, daß gerade diese Dinge entscheidend zur Katholizität der katholischen Kirche hinzugehören, weil (um nur die kürzeste Begründung zu geben) ohne sie die von allen Konfessionen vorgetragene Menschwerdung Gottes in Christus ihre Fülle, Radikalität, Konkretheit verliert.

So kann heute im ökumenischen Gespräch nach innen die Gefahr lauern, daß wir mit Gewalt einer Art generischem Verständnis der Katholizität der Kirche zustreben, wofür die einzelnen Konfessionen jede das Ihre beisteuert, dabei aber als eine eigene «Art» innerhalb der umfassenden «Gattung» stehenbleiben, unter dem Schutzmantel eines legitimen oder praktisch nicht mehr übersteigbaren «Pluralismus». Diese *synthetische Katholizität* wäre ein von Menschen künstlich hergestelltes Mach-Werk, ebenso gemacht, wie man gewisse Kunststoffe als «synthetisch» bezeichnet. Sehr viele Christen verschiedener Konfessionen bekennen sich bereits persönlich zu einer solchen synthetischen Kirche und halten den Augen-

blick für nicht fern, da dieser ihr Glaube auch praktisch das
Übergewicht in den offiziellen Kirchen erhalten wird. Das
Verbindende wäre eine Art Minimal-Credo (mit vielleicht
viel orthopraktischem Einsatz für die Zukunft der Welt), das
an seinen Rändern von den verschiedenen Konfessionen
weiterhin nach Belieben verschieden ergänzt werden könnte;
die Hauptbedingung aber wäre, daß der Anspruch auf Katholizität sich von den Rändern auf jene (minimale) Mitte kon-
zentrierte und der Rest als beliebige Spielform gälte.

b) Ein ähnliches Bild bietet sich, wenn man vom innerchristlichen Gespräch zu dem mit den nichtchristlichen Weltanschauungen mit «katholischem» Anspruch übergeht.
Kennzeichnend ist hier auch wieder ein verfrühtes, besser:
an die falsche Stelle geschobenes Mea culpa der Christen.
Nicht als ob die Katholiken nicht in weitem Ausmaß die
Werte vernachlässigt hätten, die ihnen jetzt in der Kompetition der Weltdeutungen vom Kommunismus einerseits, von
den östlichen Meditationsformen anderseits angeboten werden. Die Frage ist aber keine empirische, sondern eine theologische: kommen diese beiden Angebote wirklich von außen
auf die Catholica zu, so daß diese sich veranlaßt sähe, Dinge
aufzunehmen, zu assimilieren, praktisch zu lernen, die sie als
solche nicht kannte? Oder wäre rechtens nicht vielmehr sie
selbst die Verwalterin dieser Dinge gewesen, die in ihrem
Innern bereitlagen und Entfaltung forderten, aber unbeachtet
liegen blieben? Und, wenn dies wahr ist, dann das Wesent-
lichere: kann die Catholica eine Synthese eingehen mit diesen
Elementen, so wie sie ihr von außen her zugetragen werden,
oder müßte sie diese – spätestens jetzt – aus sich selbst in
einer Form gebären, die ihr artgemäß ist?
Wir sehen auf der einen Seite ein drängendes Angebot und
eine fast noch drängendere Nachfrage nach östlicher Meditation; die Menschen hungern nach dem, was hier verheißen
wird: Zu-sich-Kommen und Bei-sich-Sein, statt der Ver-
streuung und Selbstentfremdung der Person in der Hektik

unserer Zivilisation: vertikales Hinabtauchen in eine Ebene, in der das Fragwürdige, ja Sinnlose des ganzen fieberhaften technischen Betriebs wenigstens für Augenblicke weggerückt und eine Sphäre berührt wird, in der man die Sinnfrage des äußern Daseins wenn nicht lösen, so doch still-legen und überholen kann. Nicht nur zahlreiche Laien machen Yoga- und Zen-Übungen, gerade auch die katholischen Klöster öffnen sich für die östlichen Praktiken und Lehren, offensichtlich aus einem Bedürfnis nach etwas, das sie nicht besaßen, obschon man denkt, sie hätten es eigentlich besitzen müssen. Aber aus der Begierigkeit, mit der diese Methoden aufgegriffen werden, muß man schließen, daß das christliche Äquivalent offenbar unbekannt war, so unbekannt, daß der tiefgreifende Unterschied zwischen christlicher und «transzendentaler» Meditation von den Christen – Laien, Priestern, Mönchen und Nonnen – nicht wirklich wahrgenommen wird.

Da wir anderswo[13] ausführlicher darüber handeln, kann hier ein bloßer Verweis auf den Unterschied genügen: das Absolute der östlichen Weltdeutungen muß aufgrund eines «Weges» (dhammapada), einer psychologischen Technik «gesucht» werden, der absolute Gott des Christentums dagegen hat den Menschen immer schon gefunden; der lebendige, hoffende und liebende Glaube ist keine psychologische Technik, sondern das schlichte Sich-finden-Lassen durch Gott, Sich-überwältigen-Lassen durch seine immer größere Liebe, die für uns alles getan hat: bis zum stellvertretenden Leiden am Kreuz, bis zum Abstieg in das Reich des ersten und zweiten Todes. Schon in der ehelichen Erotik dürfte eine Häufung technischer Anweisungen für den Beischlaf die spontane gegenseitige Hingabe der Gatten mehr stören als fördern; in der christlichen Hochzeitlichkeit zwischen dem Gott der dreieinigen Liebe und dem ihm begegnenden Menschen ist dem gewiß so. Selig werden die Armen im Geist gepriesen, die Einfältigen, denen «der Vater es geoffenbart»

---

[13] Vgl. unten das Kapitel «Zur Ortsbestimmung christlicher Mystik».

hat, und diese Armut und Einfalt ist christlich gewiß nicht das Resultat eines «weisen und klugen» Prozedere, wie man seine Sinnesvermögen vereinheitlichen, seine Aufmerksamkeit konzentrieren kann usf. In der ganzen Heiligen Schrift, zumal in den Evangelien findet sich nichts dergleichen; die Versuche Jesu, mit seinen Jüngern auch nur ein paar Augenblicke der Ruhe «abseits», «an einem einsamen Ort» zu gewinnen, mißlingen. Was Paulus «Parrhesia» nennt, meint den dauernd unmittelbaren Zugang des glaubenden Christen zu seinem Gott, ohne Antichambrieren, ohne technische Versenkungsübungen, ohne zu durchlaufende Stufen. Natürlich fordert die Sammlung zum Gebet, das geistige Eintreten in das «Kämmerlein» eine psychologische Wende, die bewußt vollzogen werden muß und vielleicht Anstrengung kostet. Hier allenfalls können ein paar Winke aus den Yogaübungen hilfreich sein: in diesem Vorraum zum eigentlichen Gebet, zur wahren kontemplativen Begegnung. Aber wie schnell divergieren die Wege, aufgrund der radikalen Verschiedenheit dessen, was betrachtet wird! Dort das «Eine», das sich nicht anders als durch immer radikalere Negationen alles Nicht-Einen definieren und annähern läßt. Hier die ewig geheimnisvolle Dreieinige Liebe, die im Werk des Sohnes alles uns von Gott Trennende «hinweggetragen» hat und als Geist des Vaters und des Sohnes ausgegossen ist ins Innerste unserer Seele.

Und nun der andere Synthesenversuch: zwischen dem Evangelium und dem Kommunismus. Das Anliegen des letztern ist von der Bibel Alten und Neuen Bundes (Bergpredigt) abkünftig, deshalb können die beiden Welten einander nicht ursprünglich fremd sein. Theologen erinnern sich, daß einzelne Kirchenväter sich gegen die damalige Wohlstandsgesellschaft, im Namen der Armen geradezu gegen das Privateigentum ausgesprochen haben; noch Thomas von Aquin spricht diesbezüglich eine uns befremdende Sprache. Die Aussendung der Jünger in die Welt kann nicht bloß die Ankündigung des nahen Weltendes und einer faktisch vorgekommenen Erlösung zum Inhalt gehabt haben, sondern meint – wie man aus den Apostelbriefen ersieht – ein neues soziales Denken und Gemeinschaftsleben im Geist der Selbstentäußerung Christi. Von hier aus erscheint der Glaube als eine weltverändernde Tat; die Verwandlung jener Gesellschaftsstrukturen, die ein Verstehen der Botschaft Christi bei den Armen, Unterdrückten, Ausgebeuteten entscheidend verhindern, muß christlich geboten sein. Unversehens ist – indem der Glaube so vorwiegend als rechtes Handeln, Orthopraxis ausgelegt wird – die zunächst unmöglich scheinende Allianz mit dem scharf antichristlichen Kommunismus in die Wege geleitet; gerade seine anti-christliche Tendenz entstammt der Entrüstung darüber, daß das Christentum die ihm anvertraute Mission in der Welt nicht erfüllt hat, zur Religion der reichen statt der armen Völker geworden ist, das Privateigentum gefördert hat, wo doch die ersten Christen alles gemeinsam hatten; die Kirche braucht deshalb scheinbar nur die von außen an sie herangetragene Herausforderung anzunehmen, um bei ihrer eigenen Sache zu sein.

Wenn dies wahr ist, so kann man doch nicht übersehen, daß diese ihre eigene Sache in der kommunistischen Spielform, so wie vorher in der östlich-meditativen, reichlich verzerrt auf sie zukommt. Denn beide ihr und der Menschheit im ganzen gemachten Angebote sind, wie wir sahen, a-theistisch, gleichgültig auf wie verschiedene Weise. Dies aber besagt, daß beide – wieder auf verschiedene Weise – vom Menschen, wie er konkret begegnet, als ihrem methodischen Ausgangs- und auch Mittelpunkt ausgehen müssen, daß beide anthropozentrisch sind, auch wenn sie vorhaben, diesen so existierenden Menschen wesentlich zu verändern. Eine Allianz nach der einen wie der andern Seite setzt, auf der Ebene, auf der wir jetzt denken, auch eine Begegnung in einer anthropozentrischen Methodologie voraus, deren Absicht dahin geht, den gegenwärtigen unerträglichen Zustand des Menschen oder der Menschheit im ganzen radikal zu verändern. Diese Veränderung kann nur auf die Aufhebung des Leides zielen, dem für die meditative Religion die Gesamtheit der im dämonischen Kreis des Sansara, des Rades der Wiedergeburten kreisenden Existenzen unterliegt, das für den Kommunismus in einer bestimmten Selbstentfremdung des im kapitalistischen System arbeitenden Menschen besteht, die soweit überwindbar sein soll, daß der Mensch dahin gelangt, sein eigenes Schicksal zu formen und damit sich selber als freie Existenz zu erschaffen. Diese anthropozentrische Plattform der Begegnung ist nun freilich für die katholische Kirche eine schwere Hypothek, denn die Vorstellung von Katholizität, die sich hier abzeichnet, ist von der ihrigen so verschieden, daß die angestrebten Synthesen auf einem Trugschluß beruhen müssen.

Auf einem anthropo*zentrischen* (was nicht heißt: auch anthropologisch relevanten) Standpunkt kann das Eigentümliche der Katholizität der katholischen Kirche überhaupt nicht zum Ausdruck gelangen. Deshalb wird sie, falls sie sich auf diesen Standort einläßt, von vornherein im Wettbewerb verlieren. Der Blick, der in ihr auf den Menschen fällt, ist der Blick Gottes, und die Veränderung, die mit dem Menschen vorgenommen wird, wird primär durch Gott bewirkt. Beides aber, Gottes Blick und Gottes Tat treffen, nach der Sicht der katholischen Kirche, nicht bloß den Sektor der Menschheit, der sich ausdrücklich zu ihr bekennt, sondern die Menschheit im ganzen; jene Menschheit, die die meditative Religion wie der tätige Kommunismus radikal zu verwandeln vorgeben. Somit muß die katholische Kirche das primär theologische und «theopraktische» Prinzip an erster Stelle zur Geltung bringen, weil von ihm her nicht nur ihr eigener Anspruch auf Katholizität begründet, sondern derjenige der beiden Mitbewerber in seiner Tragweite gerichtet wird.

II. Heidnische und jüdische Katholizität

Nur der theologische Standpunkt führt zur Abklärung der vorhin entwickelten verworrenen Situation, in der sich Affinitäten zwischen den großen Weltdeutungsschemata aufdrängten und gleichzeitig deren Allianz durch eine radikal verschiedene Ausgangsposition verunmöglicht zu werden schien. Wir dürfen zwecks dieser Abklärung auf das höchst einfache theologische Einteilungsschema zurückgreifen, das in der Bibel durchgehend grundgelegt wird und in der Dramatik der Offenbarung auch das inhaltliche Hauptmoment abgibt: vor Gottes Blick steht die Menschheit in der Dreiteilung von Heiden («Völker») – Juden («das erwählte Volk») – Christen, wobei die Gemeinschaft der Christen wesenhaft «Kirche aus Juden und Heiden» ist. Während dieses Schema der gesamten Heilsgeschichte von Abraham bis in alle Schriften des Neuen Bundes zugrundeliegt, tritt es dort, wo die heilsgeschichtliche Dramatik sich aufs äußerste verdichtet, besonders grell artikuliert hervor: in der Passionsgeschichte Jesu. Zwar nehmen alle «die Seinigen ihn nicht auf»; aber dies wird in unübersehbare Handgreiflichkeit abgestuft: der Verrat erfolgt durch einen der Zwölf (während die übrigen teils verleugnen, teils fliehen), von Judas wird Jesus an die Juden überliefert (die freilich seinen Tod längst beschlossen hatten), von den Juden an Pilatus und seine Soldaten; die äußere Hinrichtung erfolgt durch die Heiden. Die Leidensberichte artikulieren die drei Akte genau, motivieren sie sorgfältig und charakterisieren die darin auftretenden Spieler ebenso subtil. Was im Synedrium verhandelt wird, setzt die zentrale jüdische Theologie voraus und zeigt ihr Verkanntwerden und dessen Entlarvung; das «Was ist Wahrheit?» des Pilatus, seine Diplomatie und deren Einschüchterung durch die jüdischen Druckmittel setzen die heidnische Sphäre voraus. Während der Passion Jesu treten die drei Kategorien der Menschheit unter die kruden Scheinwerfer des göttlichen Gerichtes: so sieht Menschheit in der Krisis Gottes aus. Alle sind schuldig, aber jede Gruppe ist es auf ihre Weise. Denn jede hat ihre besondere Form der Gott-beziehung.

1. Heidentum und Religion

Heidentum, das heißt die Menschheit in der breiten Horizon-tale des Erdkreises, ist durch Religion – ebenfalls in der gan-zen Breite ihrer Spielformen – gekennzeichnet. Religion beruht auf einem nicht hinterfragbaren Urbewußtsein, daß die veränderliche, dem Schicksal unterworfene, sterbliche Existenz sich nicht aus sich selber erklärt, etwas anderswo Gründendes, Abgeleitetes, vielleicht Abgefallenes ist, etwas, das auf ein verborgenes Primäres und Absolutes, dem Strom des Werdens und Vergehens Enthobenes «achten», es «be-denken», es «berücksichtigen» (relegere) muß. Denn das Bedingte ist vom Bedingenden abhängig. Die Formen, die dieses Abhängigkeitsbewußtsein in den «Religionen» an-nimmt, bilden einen so weiten Fächer, daß sie als gegensätz-lich erscheinen; dennoch ist der eine Ausgangspunkt überall nachweisbar.

Es gibt eine allgemeine Unruhe – Augustins cor inquie-tum –, die sich ebensowohl in einem Entschluß radikalen Aufbruchs aus der entfernteren Peripherie zur verlorenen Mitte, wie auch als eine das Leben (das private wie das öffentliche) begleitende und rhythmisierende Kulthandlung äußern kann.

Die Religiosität des Aufbruchs kann sich mehr theoretisch und kontemplativ geben: als Erklärung der Differenz zwi-schen «Gott» und «Welt» und als Vertiefung von der Welt weg ins Göttliche hinein, oder mehr praktisch: als Erkundung eines «Weges», einer «Technik», das Bewußtsein der zer-streuenden Vielfalt hinter sich zu lassen und sich in das umgreifende Eine zu versenken. Beide Spielarten des Auf-bruchs können auch nah beieinanderliegen, wie im Taoismus, im Zenbuddhismus, in der Alternative zwischen dem «Gro-ßen Fahrzeug» und dem «Kleinen Fahrzeug», im Pythago-reismus, Orphismus, Platonismus, Stoizismus.

Während die Religiosität des Aufbruchs zur Kontemplation und zur Technik (und in Verbindung beider zur Mystik) neigt, hat die kultische Spielform eine Affinität zur «Magie», zu einer vielleicht zunächst gar nicht dämonisch gemeinten, sondern ganz naiv geübten Form der Kontaktnahme mit der Gottheit, und dies aufgrund tradierten Brauchtums, das sich irgendwie und irgendwann bewährt hat und in der Hoffnung und Erwartung weitergeübt wird, es werde sich fernerhin bewähren: keine Früh- und Hochreligion entbehrt dieser Form der «Rücksichtnahme» auf die Mächte, von denen der Mensch abhängt. Im Begriff der Abhängigkeit liegt ja auch halbverborgen und mehr oder weniger explizierbar derjenige der «Gnade» – er kann fast rein hervortreten wie in der Amidareligion oder wieder bei einzelnen Mystikern wie Plotin oder Al Hallaj –, er kann aber auch im Halbnebel bleiben, weil die magischen Praktiken, sich dieser Gnade des Gottes zu versichern – wie in Babylon, in Ägypten –, den reinen Empfang der Gnade übertönen. Die Mittel, sich der Macht oder des Wissens der Gottheit zu bemächtigen, können sich vergröbern bis zur Eingeweideschau der römischen Priester, sich auch verfeinern (ohne ihren magischen Beigeschmack zu verlieren) zu gewissen Gebetsübungen, Formeln, Praktiken, denen eine quasi-unfehlbare Erhörung zugesagt wird.

Aufbruchsreligion und kultische Religion gehen ihrerseits wunderliche Mischungen ein; «Technik» und «Magie» sind unter sich nahverwandt. Eine vollendete Synthese ist etwa in späten Formen des Neuplatonismus erreicht, bei Jamblich, wo ägyptische magische Tempelritualistik zugleich mystisch-ekstatische Erfahrungen verheißt. Ähnliches ist schon von den Mysterienreligionen der frühen und mittleren Zeit zu sagen.

Was die Vorstellungen vom Absoluten angeht, so kann durchschnittlich erwartet werden, daß zwei Bilder sich überlagern: vom Gedanken einer Abhängigkeit und damit einer gewissen (freien) Gnädigkeit her ein anthropomorphes, aufgesteigertes Bild persönlicher Götter, Schutzgenien einer

Landschaft, einer Sippe, eines Volkes, die aber eben deshalb etwas Vordergründiges behalten (sofern die Völker gegeneinanderstehen, müssen es auch ihre Götter, wie bei Homer oder Vergil); – vom Gedanken der Unnahbarkeit und der größeren Unähnlichkeit des Letztbegründenden her ein vorwiegend personloses Bild: «das Schicksal» (Moira), «das Recht» (Maat, Dike), «der Logos» (Heraklit), «das Sein» (Parmenides), «das Gute» (Platon), «das Eine» (Plotin), schließlich in immer radikalerer Verneinung des Innerweltlich-Vielen und Seienden: «das Nicht-Sein» (Nirvana). Je mehr die offizielle Kultreligion der Skepsis weicht, aber auch der persönlichen Reflexion der Aufbruchsreligion unterworfen wird, desto mehr wird das anthropomorph-personale Antlitz des Absoluten blaß und durchsichtig auf das Unsagbar-Unpersönliche hin.

Es kann verschiedene Betonungen des Verhältnisses zwischen dem Absoluten und der Erscheinungswelt geben: solche einer völligen oder doch überwiegenden Transzendenz (dann hat die Erscheinungswelt die Tendenz, sich in bloßen Schein zu verflüchtigen), solche einer völligen oder doch relativen Immanenz (dann erscheint die Welt, wie in der Stoa, prävalent als eine Art von der Gottheit durchseelter Organismus, der sich aber immerhin im Weltbrand periodisch wieder auflöst und erneuert), doch diese Differenzen sind nicht sehr erheblich, weil beim Durchdenken und Ernstnehmen des Begriffs des Absoluten oder Einen die Dialektik zwischen Immanenz und Transzendenz unvermeidlich und unübersteigbar wird: alles, was innerhalb der Welt als Individuum oder als Gattung auf eine bestimmte Form von Einheit Anspruch erhebt, kann es ja nur durch eine Teilnahme am Absolut-Einen tun. Platons «Parmenides» hat diese Dialektik durchgespielt.

Deshalb bleibt die Differenz zwischen einer mehr akosmistischen Haltung und einer mehr innerkosmischen zwar deutlich – was in China besonders sichtbar wird – aber doch nicht so, daß es darob innerhalb des umgreifenden Begriffs Religion zu einem radikalen Bruch kommen müßte. Beide Formen bleiben «aufmerksames Beachten»: sei es durch ein Einschwingen in die großen Gesetze, die das Gleichgewicht des Kosmos regeln (Taoismus), sei es durch Eingewöhnung in die grundlegenden Haltungen, die das soziale Leben (das die Mitte des Kosmos ist) sichern (Konfuzianismus). In beiden Variationen – und dies gilt keineswegs nur für China, sondern für jede Gestalt von Religion, sehr deutlich in Ägypten und wieder im Hellenismus – ist eine grundsätzliche Loslösung von den im Partikulären fesselnden Leidenschaften (a-patheia) erfordert, damit die theoretisch-praktische Offenheit auf das über-partikuläre Gesamte möglich wird[14].

Im ganzen ist das reine (vorchristliche) Heidentum Hin-Weg zum Absoluten, auf Pfaden, die zu bahnen der religiöse Instinkt und seine Einbildungskraft dem Menschen eingibt und die er oft als geschenkte, «offenbarte» empfindet. Religion ist durchgehend Aufbruch zum Ursprung, Suche nach Kontakt mit der Region der ersten Hervorgänge, dessen, was die Vorsokratiker «Physis» nannten, Goethe «die Mütter». Sie hat als ganze die Bewegung von der Welt her zu «Gott» hin; diese Wegstrecke ist ihr vertraut, während die umgekehrte Richtung trotz aller Ansätze ungangbar bleibt.

Denn für Religion ist der Weg vom Einen zum Vielen ungebahnt. Dafür, daß es nicht nur den Urgrund und das Eine, sondern das gewordene Viele gibt, ist keine befriedigende Erklärung bereit. Irgendwo ist das Viele ein «Abfall» vom Einen, mag dieser Abfall metaphysisch oder moralisch

---

[14] Wir können hier absehen von einer Religionsform, die dem zu widersprechen scheint: dem orgiastischen Kult vieler Negerstämme, dem weltweiten Schamanentum (von der Arktis bis Polynesien, Australien, Amerika), der Dionysosreligion, dem Derwischtum, dem Woodou: oft sind es Abarten der Mystik und Ekstatik, nicht durch Abstraktion, sondern durch Steigerung der Sinneskräfte erreicht, wobei eine andere Methode der Totalisierung der menschlichen Kräfte (mitsamt den Gefahren und Einsätzen, die damit verbunden sind) zur Überbewußtheit angewandt wird.

(durch eine – von wem begangene? – Urschuld) gewertet werden. «Überdruß» (kóros) an der Seligkeit im Einen, wie Origenes nach Platon sagt? Kaum je gerät in den vorchristlichen Religionen das Eine selbst in Bewegung, als müßte es sich durch einen Prozeß hindurch selber suchen und wieder gewinnen. Umso rätselhafter bleibt das Absinken, denn von einem solchen muß doch angesichts des Leides und ungesühnten Unrechts in der Welt die Rede sein. Will man den naivphantastischen Ursprungsmythen ausweichen, so gibt es nur zwei Auswege: entweder aus der Existenz des Leidens dessen Symptomatik erforschen (den «Durst» nach endlichen Befriedigungen) und das zu überwindende Übel als den Grund für den Abfall ansetzen, wie der Buddhismus es tut, – oder das Eine und seine Emanationen in einer zugleich fließenden und ruhenden Koexistenz stehen lassen, mitsamt der großen Zweideutigkeit: daß das Viele zugleich Abfall *und* notwendige Selbstentfaltung des Einen besagt, daß der Geist zugleich das Gesamte des Kosmos reflektiert *und* sich selbst als Sehnsucht und Rückschau nach dem Einen definiert, wie das Plotin tut.

Weil Religion wesentlich Weg von der Welt zum Absoluten ist, bleibt an dem, wovonher man aufbricht, ein Makel haften. Sie ist dem Absoluten gegenüber nicht letztwirklich, sie ist Maya, Schein, oder Nicht-Sein (Parmenides), regio dissimilitudinis (Platon, Plotin und bis in das neuplatonisch redende Christentum des Mittelalters hinein). Religion ist Sehnsucht nach einer Erfüllung, wie die Welt sie nicht geben kann. In diesem Sinn gibt es wirklich einen Allgemeinbegriff von Religion, so bunt darunter die Arten auch wechseln mögen. Alle Religionen sind an einem Punkt ineinander konvertibel. Das setzt voraus, daß es eine Schicht im Humanum gibt, die durch dessen ganzes Wesen hindurchgeht. Die Areopagrede des hl. Paulus umschreibt sie klassisch. Ausgehend von dem Altar des «Unbekannten Gottes» spricht er zu den Heiden von dem Gott des Himmels und der Erde, der «das ganze Menschengeschlecht aus einem Menschen hat hervorgehen lassen» (woraus sich das einheitliche Stratum in allen Einzelnen erklärt): «Sie sollten Gott suchen, ob sie ihn etwa berühren und finden könnten, ihn, der ja nicht fern ist von einem jeden von uns» (Apg 17, 23ff.). Er zitiert dafür den Vers des heidnischen Dichters: «Wir sind von seinem Geschlecht», somit abkünftig von ihm und zu ihm hin auf den Weg gesetzt.

2. Judentum und Utopie

Mit dem Judentum kehrt sich die Bewegung der Religion um. Es geht nicht mehr darum, daß der Mensch sich auf die Suche nach Gott macht, denn Gott hat sich auf die Suche nach dem Menschen gemacht. Schon in den Bildern der Urzeit ist er ein niederfahrender Gott (Gen 11, 5.7; 18, 21; Ex 3, 8; 19, 11. 18.20), aber das Gründungsereignis ist der «Bund», den Jahwe mit Abraham schließt und an den er die unabsehbare Verheißung, die Segnung aller Völker der Erde knüpft.

Am Ausgangspunkt steht nicht eigentlich jene menschliche Erfahrung, die als das Ziel des religiösen Suchens zu bezeichnen wäre: das Gefundenhaben Gottes, sondern ein schlichter und beschwerlicher Gehorsam, nach Gottes Willen aus der Heimat auszuziehen und sich dort anzusiedeln, wo Gott dazu Weisung geben wird. Da Abraham gehorcht, fällt sein Wille mit dem Willen Gottes überein; Gott schließt mit ihm «einen Bund» (Gen 15, 18), der ein «ewiger Bund» (Gen 17, 7) sein wird, «eingeschrieben in euer Fleisch» (17, 13), und der sich fortsetzt in der Nachkommenschaft (17, 19), also als etwas Endgültiges in die Zukunft hinein. Der Berührungspunkt, der für die Religion am Ende des Suchens liegt, falls er je erreichbar wird, liegt für Abraham am Anfang; dieser ist religiös unbetont (nicht Erlebnis, sondern einfacher Gehorsam); der ganze Ton liegt auf der zukünftigen Verheißung. Der Öffnungswinkel der Religion, der sich aus der Enge der zeitlichen Existenz in die unbegrenzte Weite des Absoluten auftut, öffnet sich jetzt vom Bund zwischen Gott und Mensch her nach vorn in eine ebenfalls absolute Weite, die aber nicht mehr von der Welt weg zu Gott führt, sondern den Bund («eingeschrieben in euer Fleisch») und dessen verborgene Potenzialitäten zu einer unendlichen und damit überschwenglichen zukünftigen Aktualisierung führt.

Israel hat sich dieses Zeichen über das Eingangstor seiner Geschichte geschrieben, als das Zeichen, nach dem es angetreten und unter dem sich seine gesamte Geschichte begibt. Was sich bei Abraham und den Patriarchen personal ereignet hat, wiederholt sich im größeren Maßstab sozial bei der Herausführung des Volkes Israel aus dem Haus der Knechtschaft Ägyptens: Aufbruch im Gehorsam zu Gott, einem erschwerten und bei Moses durch Gott fast erzwungenen Gehorsam, der überleitet zur Bundesschließung am Sinai, die als eine endgültige gemeint ist, da sie für die Zukunft unabsehbare Segnung und im Fall der Verletzung des Bundes unabsehbare Strafe nach sich ziehen wird. Der Gehorsam Abrahams kann hier nicht mehr einfach vorausgesetzt werden, das Volk muß sich besinnen, eine sehr bewußte Wahl treffen: «,Ihr seid Zeugen gegen euch selbst, daß ihr eure Wahl getroffen habt, Gott zu dienen.' Sie antworteten: ,Wir sind Zeugen. Jahwe, unserem Gott wollen wir dienen, seiner Stimme wollen wir gehorchen'» (Jos 24, 22–24). Deshalb wird in diesen sozialen Ausgangspunkt auch die Feierlichkeit des religösen Rituals eingebaut, bei dem Gott selber (erst hier) mit allen religiösen Attributen seiner Herrlichkeit auftritt. Aber dies gleichsam nur, um die Tragweite des Ausgangspunkts zu unterstreichen.

Dann beginnt Israels Wanderschaft durch die Wüste der Geschichte. Auch das versprochene Land erweist sich nicht als das endgültige. Es wird, damit dieser Eindruck nicht entstehe, nie als ganzes erobert (Ri 2, 20 bis 3, 6); Einfälle fremder Völker bedrohen den Besitz, schließlich wird das Nordreich, dann das verbleibende Südreich in die Verbannung deportiert; nur ein Teil des Volkes kehrt aus dieser zurück; was es erwartet ist eine Kette von Enttäuschungen. Andere Teile verharren in der Diaspora oder ziehen dorthin aus. Man wird den Eindruck nicht los, mit der babylonischen Gefangenschaft, die von Jeremias und Ezechiel als ein einschneidendes Ereignis innerhalb der Bundesgeschichte geschildert wird, sei ein Lebensnerv dieser Geschichte durchschnitten; was sich in Palästina unter den Seleuciden, dann unter den Römern bis hin zur Zerstörung von Jerusalem und zum Fall von Masada abspielt, erscheint nur als langhinrollende Folge des Blitzes von 587, da Ezechiel die Herrlichkeit Gottes aus dem Tempel ausfahren sah.

So wird Israels Wanderung immer mehr eine solche in der Nacht der Geschichte, einem Ausgang zu, wo das verheißene Licht aufscheinen muß, das Licht des Messias. An Jesus, der dieser Messias zu sein vorgab, wanderte Israel vorbei, weil er ihm zu unscheinbar erschien, weil Israels von der Nacht der Geschichte geblendetes Auge das von ihm ausgestrahlte «Licht der Welt» nicht sehen konnte oder wollte. Als sei das Volk sosehr nach vorn geschleudert, daß es sich von keiner endlichen Gestalt auf seiner Fahrt aufhalten lassen kann oder will. Diese Wurfbahn, die es durchfliegt, macht es für die «Heidenvölker» unheimlich; sie ist es, die das Getto und den «Antisemitismus» (heute ja deutlich selbst bei Semiten) schafft. Es gibt Judenverfolgungen längst vor Christus: das Buch Ester, die Bücher der Makkabäer schildern sie, für Alexandrien das 3. und 4. Makkabäerbuch, für Rom die Schriften von Josephus und Philon. Da die Christenheit politische Macht wird, erbt sie diese Haltung, die sie heute an den Islam und die Erben des Kommunismus weitergibt.

Israel ist konstitutiv das nach vorn geworfene Volk, sosehr, daß es das auch bleibt, wenn es den Punkt des Abflugs, den Abrahams- und Sinaibund als einen unerheblichen, mythischen, in die Vergangenheit versunkenen Nullpunkt hinter sich läßt und das Absolutum nur noch in die Flugbahn und ihr überschwengliches Ziel setzt. Aber weil Isreal ebenso endgültig als ein endliches, gegen die «Völker» abgegrenztes Volk – mit dem Bund «eingeschrieben in euer Fleisch» –

begründet wurde, schwebt es in einem tragischen Widerspruch zwischen der Universalität oder Katholizität seines Ziel-Anspruchs und der Partikularität seiner Volkheit. Dort, wo es, um seine Sendung auszudrücken, den Anfangspunkt vergessen zu können meint und nur auf das Ziel blickt, muß dieses als – von einem partikulären Volk entworfene, vertretene, verbürgte – humanistische Gesamt*utopie* erscheinen, weil ja die Verheißung auf die Segnung «aller Völker» ging, prophetischer ausgedrückt, auf ein geschichtliches «Gott mit uns» (Is 7, 14); als die Einigung des Absoluten und des Geschichtlichen, und, falls man vom Ausgangspunkt der Bundesschließung absieht und nur die Wurfbahn blickt: als das Absolutwerden des Geschichtlichen, das Sich-selbst-Erschaffen des Menschen (Marx). In der Tat konnte der Marxismus nur von einem säkularisierten Judentum in die Weltgeschichte eingeführt werden; man hat dies längst erkannt, es ist müßig, ihn nochmals in seinem utopisch-messianischen Gehalt zu schildern. Wichtiger wäre, seine ideologischen Varianten und lateralen Begleiterscheinungen in ihrer jüdischen Herkunft und Prägung zu erkennen. Etwa den Dynamismus der «Lebensphilosophie» von Bergson zu Simmel und zu Scheler, deren wesentlicher Elan jede Form als Erstarrung des Lebendigen mit einer neuen Woge überrollt – so sehr dieses Grundschema bei jedem der genannten Denker individuell abgewandelt erscheinen mag. Die geprägte Form, die vom nicht-jüdischen Denken oft als ein ersehnter Ruhepunkt, wenigstens nicht als ein «Stachel im Fleisch» erlebt wird, erscheint dem aufgeklärt-jüdischen von der alttestamentlichen Dialektik von Gesetz und Prophetie her als etwas in seiner Institutionalität, seinem Von-oben-Auferlegtsein Entfremdendes, von außen her mit Schuld Beladendes (Kafka), dem man nur durch die Zerstörung des auferlegenden Prinzips entrinnen kann (E. Bloch). Das Trauma vom entfremdenden Gesetz kehrt als ein zentrales Thema in Freuds Psychoanalyse wieder, in der das Ich von der vermeintlichen Übermacht des Gewissens als Über-Ich tyrannisiert wird, und die quasi-gött-

liche (vorgeburtliche) monadische Totalität nur durch die
Untergänge der Kultur und der Religion hindurch wieder
erreichbar erscheint. Man erkennt das jüdische Moment im
modernen Geistesleben sehr deutlich dort, wo es sich mit den
großen nichtjüdischen «dionysischen» Weltentwürfen aus-
einandersetzt: mit der hegelschen Kugel des Seins, die
zukunftlos ist und deren Unendlichkeit ihr innerhalb ihrer
selbst entgegenschäumt, mit der nietzscheschen Kugel der
ewigen Wiederkehr, in der alles Werden zum Übermenschen
eingeborgen bleibt, sogar mit Teilhard de Chardins Evolutionismus, der seine Kraft und Finalität aus der ruhenden
Gegenwart des eucharistischen Gottmenschen zieht. Demgegenüber öffnen Adorno und Horkheimer diese geschlossenen Welten in eine offene Dialektik der Freiheit, läßt Rosen-
zweig (dem Buber folgt) die geschlossene idealistische Sphäre
aufplatzen, um den nackten Menschen in den anfänglichen
Anruf seines Namens zu stellen, durchbricht Walter Benjamin
die ästhetische Welt des europäischen Trauerspiels, um lot-
recht dazu die Blitze oder Vulkane eines geheim-präsenten
messianischen Reiches ein- oder ausbrechen zu lassen, durch-
sticht Rosenstock-Huessy in immer neuen Ansätzen die Welt
der fesselnden Strukturen, um dem prophetischen Menschen
mit seiner prophetischen Sprache Luft zu verschaffen. Gewiß
gibt es auch die Flucht vor dem scheinbar hetzenden Gott in
die klassisch-beruhigte Form (vgl. die jüdischen Georgianer),
aber wie rasch werden sie aus dem toten Winkel wieder hin-
ausgeschwemmt in die reißende Strömung: Karl Wolfskehl,
Rudolf Borchardt, Georg Lukács.

Aber für all diese – beinah ins Unendliche fort illustrier-
baren – Varianten muß doch das Hauptthema, der Kommunismus, mit der Kühnheit seiner die Menschheit faszinieren-
den Vision, zentral einstehen. Dabei ist es für uns gleichgültig,
daß seine Chance zweifach verstärkt wird durch das natur-
wissenschaftliche Weltbild des Evolutionismus seit Darwin
(schon vorweggenommen durch die Ahnungen Schellings)
und noch mehr durch die Siege der modernen Technik, mit

der sich vom schaffenden Menschen aus plötzlich in (wie beschleunigte!) Bewegung setzt, was in der antiken Kultur dem zyklischen Denken rechtzugeben schien; gleichgültig auch, ob die einzelnen Denkschritte der marxistischen Scholastik sich empirisch bewahrheiten oder durch neue Einsichten der Soziologie als überholt gelten können, gleichgültig sogar, ob der jüdische Elan des Kommunistischen Manifests durch andere Völker in Verwaltung genommen wird, die sich dazu noch antisemitisch gebärden und durch ihre imperialistischen Methoden den utopischen Charakter des ganzen Unternehmens an den klaren Tag bringen. Einzig auf den tollen Traum kommt es an, «auf Erden schon das Paradies errichten» zu wollen, wie Heine sang, der modernen Menschheit mit ihren neueröffneten Zukunftshorizonten ein nicht relatives, sondern absolutes «Prinzip Hoffnung» eingestiftet zu haben. Nur sofern es absolut ist, kann es, trotz aller Verluste des Weges zum Ziel, einen Anspruch auf Deutung des Ganzen, auf Katholizität erheben.

Nochmals aber ist auf eine doppelte innere Tragik des Judentums zu verweisen, das zunächst seinen katholischen Anspruch auf Lösung des Menschheitsproblems nur vortragen kann als das Gesetz eines einzelnen Volkes, das sich trotz all seiner Proteste – man weiß, wie sehr sich Marx dagegen sträubte, Jude zu sein, und die «Erfindung» des Judentums den bösen christlichen Kapitalisten zuschob – immer wieder auf seine partikularen völkischen Ursprünge – «Blut und Boden» – zurückverwiesen sieht, um sich dort zu regenerieren. Weil aber dafür gesorgt ist, daß dieses regenerierende Bei-sich-Sein von der umgreifenden Existenzform des Exils und der Diaspora immer wieder aufgesprengt wird, gibt im gegenwärtigen Äon das Judentum sein von der «ruach» Inspiriertes jeweils in dem Aufbruch von sich, da es, noch gestalthaft, aus dem Volktum und Getto auftaucht, um – jeweils in der nächsten Generation – an der Brandung der «Völker» zu zerschellen. Es kann aber auch sein, daß es in seinem Vorlauf innehält und die unendlichen Verluste der

Geschichte bedenkt, die am «Kommenden» nicht teilhaben werden; es ist als das leidende Volk katexochen zu dieser Erinnerung prädestiniert: aber dann schöpft es aus dem Nichtvergessendürfen (Walter Benjamin, Horkheimer) neue Nahrung für seine Suche nach dem Reich. Freilich erhebt sich jetzt die desorientierte Frage, ob dieses Reich wirklich «vorn» sein kann, und nicht vielmehr überall blitzhaft, gespenstisch auftaucht und wieder versinkt, unzeitlich mitten in der Zeit, aber somit auch unfaßbar, vielleicht nirgends.

3. Vergleich

Überblickt man die beiden dargestellten Katholizitäten, so ist jedenfalls vom theologischen Blickpunkt aus – wenn wir das Christentum vorläufig ausschließen – die Distinktion komplett. Es gibt keine theologische Kategorie von Menschen außer Heiden und Juden, wenn man von den Christen absieht. Natürlich ist diese theologische Distinktion vom empirischen Gesichtspunkt aus eine Vereinfachung. Gibt es doch vielerlei menschliche Horizonte, die sich nicht klar dem einen oder dem andern Anspruch einordnen lassen. Auf seiten des Heidentums gibt es sehr viele Existenzen, die sosehr im innerweltlichen Vordergrund leben, daß der religiöse Abschluß nur im Nebel als ganz verschwommene Horizontlinie ahnbar wird. Es gibt dort auch die vielen Ersatzformen für die Erlösung aus dem horizontalen Kreislauf des Sansara, zum Beispiel die Droge mit ihren «künstlichen Paradiesen», die eine potenziert technische Form der Evasion ist gegenüber der aszetischtechnischen, anspruchsvolleren der psychologischen Versenkungsmethoden. Und es gibt die andern zahlreichen Formen der religösen Ersatzräusche: vom Anhören der Matthäuspassion oder des Parsifal am Karfreitag bis zur sonntäglichen Autofahrt als dem rein quantitativen und horizontalen Nur-Anders-Wohin. Aber all diese embryonalen Ansätze konvergieren doch auf einen bestimmten Punkt hin, der dem Genie-

94

ßer und Verbraucher vielleicht nur als Leere bewußt zu sein
braucht. Anderseits gibt es auf seiten des Judentums eine orthodoxe
oder der Orthodoxie nahestehende Form der messianischen
Erwartung. Sie bleibt der Hintergrund und Nährboden für
die vom jüdischen Quellbereich losgelösten Formen des
extremen Utopismus. Die Übergänge vom Grenzfall eines
sozusagen adventisch-vorchristlichen Judentums (falls es das
heute gibt) über die tragisch kontaminierten Formen – wozu
wohl alles mit Gnosis, Kabbala, Chassidismus Vermischte zu
rechnen wäre – bis zum reinen Utopismus sind fließend.
Außerdem haben wir oben schon die bedeutendste Mischform
zwischen Heidnisch und Jüdisch (oder vielmehr Judenchrist-
lich, Ebionitisch), den Islam, ausgeklammert. Wenn man
geneigt wäre, ihn ob seiner bei gewissen Anlässen aufzünden-
den horizontalen Dynamik eines jüdischen Erbes zu verdäch-
tigen, so dürfte er doch, tiefer gesehen, vorwiegend in die
Kategorie «Religion» zu verweisen sein, in der er dann, neben
tausend kleineren von der Bibel abkünftigen Religionsentwür-
fen, der bedeutsamste und geschichtsmächtigste bleibt. Zu-
viele Teile aus dem christlichen Gottesbild – Dreieinigkeit,
Menschwerdung, stellvertretende Erlösung am Kreuz, Eucharistie usf. – sind herausgebrochen, als daß man diesen Gottes-
glauben als eine kryptische Form des christlichen ansprechen
könnte.

Die beiden reinen Formen, die wir für Heidentum und
Judentum herauszustellen suchten, erheben Anspruch auf
Katholizität. Daß sie beide in einer bestimmten zeit-räumlich
begrenzte Gestalt auftreten, spricht nicht innerlich gegen diesen Anspruch; menschlich kann das Ganze immer nur im
geschichtlichen Fragment erscheinen, wie der christliche Vorschlag es nochmals beweisen wird. Aber es gibt gewisse
Anhöhen, von denen man unverstellt den ganzen Horizont
überblicken und triangulieren kann. Wichtig für uns aber ist,
daß beide Sinnentwürfe sich wesenhaft durcheinander begrenzen. Der eine sucht das integrale Heil in der Vertikalen – ob

die Entrückung nun nach «oben» oder nach «unten» gehend vorgestellt wird –, er ist weltflüchtig, um an das Absolute zu «rühren». Der andere sucht dasselbe Heil in der Horizontalen, in einem Vorn, das freilich einen noch unanschaulichen qualitativen Sprung enthält, eine Vermählung des Geschichtlichen mit dem Absoluten (da der Mensch ja im positiven Humanismus zum Selbstschöpfer werden soll). Reine Religion kann von dorther kein Heil erwarten, es sei denn in Märchen und Mythen (der Wiederkehr eines goldenen Zeitalters, das aber in der Antike innerhalb einer zyklischen Abfolge von Auf- und Abstiegen eingefangen und relativiert bleibt).

Gegenüber dieser gegenseitigen objektiven Begrenzung der beiden Entwürfe – wobei es wenig verschlägt, ob sie subjektiv füreinander tolerant (Buddhismus) oder intolerant (Kommunismus) sind – wiegt das andere Argument zunächst weniger schwer: daß sie bei allem Gegensatz eines gemeinsam haben: die gegenwärtige Geschichtszeit zu negieren und den in ihr lebenden Einzelmenschen in seinem Eigengewicht zu zerstören. Denn in beiden Fällen wird er zum Opfer einer radikalen Transzendenz: im Drang nach dem Absoluten wird das individuelle Bewußtsein als unerheblich, ja durch seine Beschränktheit störend aufgehoben, im Drang nach der vollkommenen Zukunft wird die gegenwärtige Generation dem Zweck der künftigen als ein Mittel geopfert. Das erste ist echt heidnisch: weil die Individualisierung unerklärbar bleibt, kann ihr kein positiver Wert zugelegt werden. Das zweite ist echt jüdisch, weil Israel primär Volk ist, und zwar messianisches Volk, und der Einzelne darin für das Volk, und zwar wesentlich für das kommende Volk da ist.

III. Christliche Katholizität

1. Die Dimensionen des Credo

In der Apokalypse nennt sich Jesus Christus «das Alpha und das Omega» (22, 13, von Gott ausgesagt: 1, 8), «der Erste und der Letzte» (1, 18; von Gott ausgesagt: 21, 6). Er ist wie Gott (1, 4.8; 4, 8) «der ist, der war, der kommt». Damit nimmt Jesus Christus den weitestmöglichen, mit dem göttlichen identischen Ausgriff für sich in Anspruch. Und freilich spricht er hier aus einer Entrückungswelt heraus, aber er setzt sich in ihr identisch mit der realen Geschichtswelt; ist er im Himmel das «seit Anbeginn der Welt geschlachtete Lamm» (13, 8), so nur deshalb, weil er mitten in der Geschichtszeit als das Osterlamm geschlachtet worden ist (1 Kor 6, 7), und diese geschichtliche Schlachtung ist keinesfalls nur (wie in der religiösen Gnosis) als ein symbolisch-uneigentlicher Nachhall der überweltlichen gedacht: der «im Himmel» hergestellte Friede (Kol 1, 20) wird von dem auf Golgotha stehenden blutigen Kreuz her gestiftet (Eph 2, 14ff.; Gal 3, 13ff.; Kol 2, 13ff.).

Das Kreuz hatte menschliches Maß, es war für einen gewöhnlichen menschlichen Körper gezimmert, und wenn von diesem nunmehr auferstandenen und in den Himmel aufgefahrenen Leib her eine himmlische Stadt organisiert wird, so kann festgestellt werden – und es wird durch den messenden Engel ausdrücklich festgestellt –, daß das «Menschenmaß auch das des Engels ist» (Apk 21, 17). Dies steht im Gegensatz zur Religion des Heidentums, in welcher das Menschenmaß sich im Absoluten verliert und auch verlieren soll; es steht auch im Gegensatz zur Utopie des Judentums, in welcher der eschatologische Mensch keinesfalls mehr die Merkmale des Geschlachtetseins, das heißt der geschichtlichen Entfremdung an sich tragen darf. Beim apokalyptischen Christus aber wird die Identität der Person durch die Zeitformen hindurch (vgl. Hebr 13, 8) eigens festgestellt, und damit diese nicht mit der dem Geschichtlichen gegenüber überzeitlichen Seinsweise Gottes gleichgesetzt werden, sagt der apokalyptische Jesus ausdrücklich: «Ich war tot, aber siehe, ich lebe in alle Ewigkeit und ich habe die Schlüssel des Todes und der Unterwelt» (1, 18).

Indem diese Person nun aber ein geschichtliches «*Jetzt*» berührt, nicht von außen, sondern sofern sie ein unverkürztes Menschenleben mitsamt Empfängnis und Tod durchlebt, und Gott im Leben dieser Person, die sich als vom göttlichen Vater gesendet versteht, die entfremdete *Welt* mit sich versöhnen will (2 Kor 5, 19), hat dieses Leben von Gott aus, theologisch gesehen, nicht nur für sich selbst absolut positiven Sinn, sondern hat ihn auch für jedes zeitlich-weltliche «Jetzt». Der Gesendete ist Gottes bedingungsloses «Ja» zur Welt, gerade auch sofern er der Gott der israelischen Verheißungen ist: «Alle Verheißungen Gottes sind ‚Ja' in ihm» (2 Kor 1, 20; vgl. Röm 15, 8). Damit ist, in schroffem Gegensatz zum Heidnischen und zum Jüdischen, der absolute Wert des jeweiligen «Heute» behauptet. Das «je-heutige Brot» wird von Gott erbeten (Mt 6, 11), «heute wird» uns «ein Heiland geboren» (Lk 2, 11), «heute widerfährt diesem Haus das Heil» (Lk 19, 9), «heute wirst du mit mir im Paradies sein» (Lk 23, 43), «jetzt ist die Zeit der Gnade, jetzt ist der Tag des Heils» (2 Kor 6, 2), «hört heute auf seine Stimme... ermahnt einander Tag für Tag, solang es noch ‚Heute' heißt» (Hebr 3, 7.13). Der heidnische und der jüdische Entwurf hatten das Gemeinsame, daß sie von einer radikalen Kritik des Heute, ja von dessen grundsätzlicher Ablehnung ihren Ausgang nahmen: so wie die Welt jetzt ist, soll sie auf keinen Fall sein; sie ist eine verfallene, leidende, schmerzvolle Welt, und die Erlösung von diesem Zustand läßt sich nicht anders vorstellen denn als Erlösung vom Leiden. Gewiß geht es auch im Christentum um Erlösung der Welt, aber seltsamerweise nicht ausgehend von einer Flucht vor dem Leiden nach oben, nach unten oder nach vorn, sondern durch eine Bejahung der Welt, wie sie jetzt ist, von Gott her, indem Christus das Leiden der Welt ohne Entfremdung von Gott auf sich nimmt. Gegenüber dem heidnischen und jüdischen Entwurf ist der christliche die einzige im umfassenden und realistischen Sinn weltbejahende Weltanschauung. Nicht als vollzöge sich in Jesu Kreuz nicht eine radikale Krisis und Kritik der Welt von Gott her. Der Logos, der in sein Eigentum kommt, wird, wie wir sahen, von den Seinigen im entscheidenden Moment nicht aufgenommen, weder von Christen noch von Juden noch von Heiden. Sie werden alle gemeinsam «in den gleichen Ungehorsam hinein verschlossen» – aber «damit sich Gott aller zusammen erbarme» (Röm 11, 32). Die Schuld des jeweiligen «Heute» wird in der Krisis des Kreuzes, das heißt in der Verurteilung des dort hängenden «Schuldscheins aller» (Kol 2, 14) sowohl ans Licht gebracht wie «ausgelöscht und vernichtet». Die Krisis der Welt ist kein von ihrer vollkommenen Bejahung unterscheidbarer Akt oder Augenblick; vielmehr ist die Enthüllung der Wahrheit der Welt um ihrer Einhüllung in der bejahenden Gnade Gottes willen notwendig, beides vollzieht sich in ein- und demselben Ereignis. So aber, daß das erste nur um des zweiten willen erfolgt, das Gleichgewicht immer schon zugunsten des zweiten aufgehoben ist. Weil dieses Übergewicht «ein für alle Male» (Röm 6, 10; Hebr 7, 27; 9, 12.27; 10, 2.10; 1 Petr 3, 18) wirklich auch für «alle Male», für jedes zeitliche Heute gilt, deshalb liegt in der erfolgten Erfüllung aller Verheißungen (2 Kor 1, 20) kein starres An-sich-Festhalten des einmaligen Augenblicks (von Kreuz und Auferstehung), sondern eine radikale Öffnung in alle Vergangenheit und Zukunft hinein, die die Selbstbezeichnung Jesu als «Alpha und Omega» rechtfertigt.

Diese Öffnung zum absoluten Ursprung und zum absoluten Ende aus der Mitte von Kreuz und Auferstehung läßt die Katholizität der katholischen Kirche als die auf keinem andern Weg erreichbare Versöhnung von Heidentum und Judentum, von vertikaler und horizontaler Transzendenz erscheinen, und dies in der Entfaltung der trinitarischen Struktur des katholischen Glaubensbekenntnisses. Die Gestalt des apostolischen Credo ist, wie man weiß, aus der dreifachen Frage des Vertreters der Kirche an den Taufanwärter entstanden[15]: Glaubst du an den Vater, an den Sohn, an den Heiligen Geist? Vom christlichen Zentralereignis aus wird somit der Ursprung mit dem Namen «Vater» («mein Vater und euer Vater» Joh 20, 17), die Zukunft und das Ende mit dem Namen «Heiliger Geist» («den ich euch vom Vater her senden werde» Joh 15, 26) bezeichnet. Der Vater ist es, der, durch das Wirken des Heiligen Geistes, den Sohn in das Menschsein sendet; der Sohn ist es, der am Kreuz den Geist aushauchend, an Ostern den Geist in die Jünger einhauchend, vom Vater her den Geist in die Welt sendet. Und genauerhin: Wenn der Vater den Geist senkrecht vom Himmel herab die Jungfrau von Nazareth überschatten läßt, um den Sohn Mensch werden zu lassen, so ist doch schon seit dem Bund mit Abraham und mit Moses der Vater durch das Wirken des Geistes (qui locutus est per prophetas) am Kommenlassen des messianischen Sohnes. Somit kommt der Sohn auch waagrecht, geschichtlich durch den Geist, den der Vater wirken läßt, während der Sohn am Ursprung einer neuen Sendung des Geistes in die Zukunft stehen wird, wo der Geist ausdrücklich vom Vater *und* vom menschgewordenen Sohn ausgehen und insofern ein gottförmiger und ein menschenförmiger Geist sein wird.

Damit wird zunächst deutlich, daß der Ausgriff im katholischen Credo das Anliegen des Heidentums und des Judentums insofern vereinigt, als der Vater als «Schöpfer Himmels und der Erde» am Anfang (Alpha) aller Dinge steht und dieser Anfang durch den Sohn als ein väterlicher enthüllt wird, als er aber zugleich, da der Sohn «von oben» kommt (Joh 8, 23; vgl. 3, 13.31), vertikal über ihm ist und ihm seinen Willen und sein «Wohlgefallen» durch den Geist vermittelt. Auch

---

[15] Henri de Lubac, La foi chrétienne (Aubier ²1970; demnächst deutsch im Johannes Verlag Einsiedeln).

der Geist, der bei Tod und Auferstehung Jesu in die Horizontale ausgehaucht wird, kommt an Pfingsten von oben auf die versammelte Kirche herab; beide Dimensionen sind völlig ineinander verschränkt, sosehr, daß die bleibende, überall vorhandene Vertikale uns anzunehmen verhindert, das Mysterium Gottes sei in der horizontalen Heilsgeschichte – nach den drei Zeitaltern des Joachim von Floris und später nach der Geschichtsphilosophie Hegels – für das menschliche Betrachten, Nachdenken und Nachleben ausgelegt.

Aber gegenüber der «Religion» ist ein unermeßlicher Gewinn erreicht: der Urgrund, das Absolute, dem aus keinem angebbaren Grund die Vielfalt und Relativität der Dinge entstiegen war, erweist sich vom Sohn her, der diesen Urgrund mit «Vater» anredet, als personal und frei: Schöpfung aus freier Liebe wird zur einzig hinreichenden Erklärung für die Existenz einer Welt, die sich weder aus sich selber erklären noch notwendig aus dem Absoluten entfließen kann. Diese Schöpfung kann sogar von Anfang an als «sehr gut» qualifiziert werden, nicht in der Form, in die sie sich selber durch die menschliche Freiheit gebracht hat, sondern so wie sie aus dem Plan Gottes hervorging, der je schon die Menschwerdung des Sohnes einschloß (Eph 1, 1–10). Eine solche Rechtfertigung der Welt, wie sie faktisch ist, wäre ungeheuerlich, wenn nicht der Plan Gottes, der sie in Christus mit sich versöhnt und sie einst durch das Wirken des Geistes vollends erlösen wird, nicht noch viel ungeheuerlicher wäre, und wenn dies nicht eben durch die Realität des Kreuzes und der Auferstehung des Sohnes bewiesen wäre. Mögen somit die Abfallstheorien der Religion ein Stück weit recht behalten, sie haben weder im ersten noch im letzten recht: «Abfall» vom Absoluten ist nicht das Wesen der Geschöpflichkeit, sondern höchstens ein Tun der Geschöpfe, das vom Tun des Schöpfers eingeholt und untergriffen werden kann.

Ebenso ist dem «Utopismus» gegenüber ein unermeßlicher Gewinn erreicht: Wenn «der neue Himmel und die neue Erde» (Apk 21, 1) immer noch unvorstellbar sind und kein ebenschwelliger Übergang von der alten zur neuen Welt in der geschichtlichen Horizontale absehbar ist, so ist uns für die Zugänglichkeit des Utopischen in der Auferstehung Jesu, mehr: in der Ausgießung des göttlichen Geistes in unsere Herzen ein «Angeld» (2 Kor 1, 22; 5, 5) geschenkt. Wir können im Glauben vorweg «die Kräfte der künftigen Welt verkosten» (Hebr 6, 5); unsere Hoffnung ist kein aus uns selbst herausgestelltes «Prinzip», sondern ein uns aus dem ewigen Leben selbst eingestifteter «Quell, der» – horizontal wie vertikal – «zurücksprudelt ins ewige Leben» (Joh 4, 14). Der Geist, der zugleich absolut bleiben und unserem Geist eingestiftet werden kann – interior intimo meo: vgl. Röm 8, 26 f. – überbrückt das marxistische Dilemma, wie der Mensch in einem «positiven Humanismus» zu einer vollkommenen Freiheit, einem Anfang aus sich selbst erlöst werden kann, ohne aufzuhören, Mensch und damit geworden zu sein.

Doch ist damit das Rätsel noch nicht gelöst, wie der Sohn sich selbst als Alpha und Omega bezeichnen kann, während er doch gleichzeitig auf den Vater als das Alpha, auf den Geist als das Omega verweist. Einerseits erfüllt er die ganze Dimension zwischen Anfang und Ende selbst, anderseits ist sein eigentlicher Ort die Mitte, von der her er seine Herkunft aus einem Andern und seine Aussendung eines Andern offenbart. Damit dämmert auf dem Grund des katholischen Credo das göttliche Mysterium der Trinität auf, ohne das sein christologisch begründeter Anspruch auf Katholizität hinfällig wäre. Wäre nicht der Sohn «im Anfang bei Gott (dem Vater)» und deshalb selbst «Gott» (Joh 1, 1), so könnte er nicht von Gott her «Fleisch werden» und hätte auch die Macht nicht, aus sich göttlichen Geist in die Geschichte zu entsenden; dies kann er nur sofern er als «der Herr der Geist ist» (2 Kor 3, 16), so wie der Geist «Geist Christi» (Röm 8, 9) ist. Deshalb kann der Sohn sterbend sagen, daß er «die Welt wieder verläßt und zum Vater zurückgeht» (Joh 16, 28), also zum Ursprung und Alpha, und daß er zugleich vom «Jüngsten Tag», vom Omega der Geschichte her, erscheinen und zurückkehren wird (Mt 24, 27.30; 25, 31). In seiner Rück-Kehr zum Vater erfüllt er die gesamte Bewegung der Religion, nur ist es keine Rückkehr nach einem Vergessen, einem Absturz, einem Rückenkehren (als platonische epistrophé), sondern Rückkehr im gleichen lauteren Gehorsam wie dem, in welchem der Ausgang stattgefunden hat. In seinem Aushauchen des Geistes in die kommende Geschichte hinein erfüllt er die gesamte Bewegung der Utopie, nur haucht er diesen Geist nicht freitätig von sich selbst als Ursprung weg, sondern legt ihn gleichzeitig in die Hände des Vaters zurück und erfüllt so den Glauben Israels, der nur dann prophetisch und zukunftsträchtig ist, wenn er sich an den Ursprung des Bundes zurückbindet, um sich gleichsam aus dem väterlichen Ursprung zur Hauchung des Geistes in die Geschichte hinein neu beauftragen zu lassen.

Dies wiederum kann nicht allein trinitarisch erhellt werden, es wird konkret nur im Rückblick auf die Menschwerdung des Sohnes. Die abschließende Gebärde des Gekreuzigten ist eine solche des *Sichüberlassens*. Und zwar nach beiden Seiten: zum Vater hin, in dessen Hände er sich «befiehlt», und zum Geist hin, den er im Tod aushaucht, somit dem Geist überlassend, was er menschlich nicht vollenden konnte (kein Mensch kann «vollenden»), der kommenden Weltzeit «auszulegen», in die «ganze Wahrheit» dessen «einzuführen», was der Sohn wollte, ja was er in Wirklichkeit war (Joh 16, 12–25). Sowohl seine Rückkehr zum Vater wie sein Senden des Geistes erfolgen im Modus der *Freigabe* in den Wirkraum des Vaters und den Wirkraum des Geistes hinein. Dieser Modus ist das Gegenteil eines Modus der Besitzergreifung dieser Räume, gleich als könnte er auf possessive Weise zum Alpha und Omega werden. Er wird es, indem er den Vater Alpha und den Geist Omega sein läßt. Im Sichüberlassen kann er von den Händen des Vaters und auf den Flügeln des Geistes zu jenem Anfang und Ende getragen werden, das ihm eigen ist und gebührt und das er dergestalt zugleich als ein Verdanktes empfängt.

Aber noch mehr: in der Freigabe des Sterbens *läßt er Raum:*
sowohl für die dem Vater eigene Sphäre der Schöpfung wie
für die dem Geist eigene Sphäre der Prophetie und der Erfindung. Zur Schöpfungssphäre des Vaters gehört die eigen-
ständige Freiheit des Menschen und alles, was zu dieser gehört:
zu Gott hin das Verhältnis der Religion – «Gott suchen, ob
sie ihn etwa berühren und finden könnten» – von Gott her
das Verhältnis von Bevölkerung und Beherrschung des Kosmos, was schon übergeht in die Zukunftssphäre des Heiligen
Geistes. In diese Zukunftssphäre hinein hat der geschaffene
Mensch sich zu entfalten, ein gedeihliches Zusammenleben
zu planen, ein Gleichgewicht zwischen den Rechten der Einzelnen und denen der Gemeinschaft zu finden. Jene beiden
Sphären, in denen die Katholizität der Religion und die
Katholizität des Kommunismus sich ausbreiten, werden von
Jesus Christus nicht possessiv in Beschlag genommen und
durch sein eigenes Sein und Gesetz gestaltet, sondern als die
Eigenwelt des Vaters und des Geistes freigegeben, damit
beider Werk, der freie, sich auf Gott beziehende und sich
zugleich selbstentwerfende Mensch Raum habe, sich darin zu
entfalten. Man sieht hieran, daß Christentum in einem Sinn
zwar die (Über-)Erfüllung der Religion ist, sofern der Sohn
zum Vater zurückkehrt, in einem andern Sinn aber auch
der Religion Raum läßt, sich vom Menschen her innerhalb
des von Christus freigegebenen Raumes nach anthropologischen Gesetzen auszubreiten. Ebenso sieht man, daß das
Christentum in einem Sinn die (Über-)Erfüllung der Utopie
ist, sofern der Sohn antezipierend den endzeitlichen unüber-
holbaren Geist verleiht, in einem andern Sinn aber auch der
Selbstkonstruktion des Menschen und seiner Welt Raum gibt,
sich gemäß den Wagnissen, die in der geschöpflichen und
prophetisch begabten menschlichen Freiheit liegen, zu entwerfen. Wenn somit die Catholica als der «Leib Christi» dem
«Zustand des vollkommenen Mannes, dem vollen Ausmaß
Christi» (Eph 4, 13) entgegenwächst, dann nicht allein aufgrund der ihr eingestifteten übernatürlichen dreieinigen

Kräfte, sondern unter deren Lenkung auch kraft der Entfaltung der vom Vater geschaffenen und vom Pneuma beseelten menschlichen Geisteskräfte.

Theoretisch heißt dies, daß das Christusereignis nicht alles in die Engführung einer christologischen Theologie zwängt, sondern von sich her Raum gibt für eine *Metaphysik der Schöpfung* – als Kosmologie und Anthropologie mit all ihren Verzweigungen –, sowie für eine *Philosophie der Geschichte und der Kultur*. Diese von der Christologie her erfolgende Freigabe ist das, was man auch mit der «Säkularisation» bzw. «Entmythologisierung» bezeichnet, und was sie gerade einer höheren Überwölbung durch die Theologie verdankt. Der christliche Gott, in seiner Dreieinigkeit, läßt, indem er seine eigene Dreipersonalität offenbart, des Menschen eigene abbildliche Personalität und Sozialität erst wahrhaft ans Licht treten: als Mysterium erhebt Gott sich höher über der geschöpflichen Welt, und wohnt ihr durch die Menschwerdung, die das «Bild und Gleichnis» Gottes im Menschen bis ins Tiefste aufglänzen läßt, zugleich inniger ein.

Die Freigabe des Sohnes vom Kreuz her ist seine Eucharistie, das heißt seine ihm vom Vater und vom Geist geschenkte, aber ihm auch selbst einwohnende Möglichkeit, sich im Zustand seiner Hingegebenheit und seines an Gott und die Welt Überlassenseins zu perpetuieren. Er sammelt seine im Tod verwirklichte Selbstverströmung als Auferstehender nicht mehr in sich wieder ein, sondern verharrt im eucharistischen Zustand einer Liebe, die «bis ans Ende» geht (Joh 13, 1). Der ewige dreieinige Ratschluß des Vaters, den Geschöpfen ihren Freiheitsraum zu gewähren, ist in der Voraussicht dieses eucharistischen Zerrinnens erfolgt: «Wir sind nach dem Wohlgefallen seines Willens vorbestimmt zum Preis der Glorie seiner Gnade, mit der er uns in seinem Geliebten gesegnet hat; denn in diesem haben wir den Loskauf durch sein Blut, die Vergebung der Sünden, gemäß dem Reichtum seiner Gnade» (Eph 1, 5–7).

Erst durch die eucharistische Freigabe der Sphäre der

Schöpfung und des Geistes kann das katholische Credo den
Anspruch erheben, mit der heidnischen und jüdischen Katholizität nicht nur in Wettstreit zu treten, sondern beide in sich
einzubergen, ohne dabei seine eigene Gestalt zu verlieren.
Das ist umso bemerkenswerter, als die beiden Katholizitäten
des Heidentums und des (emanzipierten) Judentums sich auf
ihrer eigenen Ebene als unvereinbar erwiesen[16]. Eine sich
absolut setzende Religion, die mit der Unerlösbarkeit der entfremdeten Welt rechnet und die Erlösung im Aufstieg oder in
der Versenkung in eine andere Seinssphäre sucht, und eine
sich absolutsetzende Utopie, die die Forderung einer vollkommenen Veränderung der gleichen entfremdeten Welt als
oberstes Postulat aufstellt, zwei Bewegungen somit, die sich
wie die rein Vertikale und die rein Horizontale durchkreuzen,
bilden einen kreuzförmigen Widerspruch, der nur aufgelöst
werden kann, wenn diese Kreuzform von einer höheren
Ebene her als Zeichen der Vergeblichkeit und des Fluchs
übernommen und in dieser freien Übernahme in ein Heilszeichen verwandelt wird. Dieses Heilszeichen ist aber dann
früher und bestimmender als der Sinn, der auf der weltlichen
Ebene den beiden Kreuzesarmen zugesprochen werden kann.
Auf dieser Ebene schließt Religion, als Rückkehr zum Alpha,

[16] Wenn man das Judentum in seinen nachchristlich-utopischen Ausformungen nimmt. Denn in seiner ursprünglichen theistischen Form
enthält sein Entwurf nach vorn, wie wir sahen, stets die Besinnung auf
den Ursprung, den Bund und die «magnalia Dei» als Voraussetzung.
Immerhin ist das alttestamentliche Judentum nicht primär «Gottsuche»,
sondern Bemühung Gottes um ein mehrheitlich abgewendetes, stör-
risches Volk, dem der Geist noch fehlt. Natürlich weist der Alte Bund,
etwa in den kultischen Opfern der Patriarchen, aber auch im späteren
Zelt- und Tempelkult viele Parallelen mit zeitgenössischen Religionen
auf, sowohl in gemeinsamen Ursprüngen wie in lateralen Entlehnungen
(Kanaan, Ugarit), wie in später hinzugekommenen neuen Beziehungen
(unter Salomon und den Königen Beziehungen zu Ägypten und Babylon, später zum Hellenismus). Aber mit dem Prophetismus, der in
Apokalyptik übergeht, gar mit dem Untergang des Tempelkults wird
die schon immer dominierende Richtung auf die Zukunft zum alles
tragenden Impuls.

das Verlassen der in der Vergeblichkeit umlaufenden Welt ein; schließt Utopie, als Vorlauf zum Omega, das Herabzwingen des Absoluten in die anscheinend vergeblich laufende Zeit ein: beides sind Restriktionen, die im umfassenden Heilszeichen des Kreuzes aufgehoben werden und erst so diesem Zeichen die vollkommene Katholizität verbürgen.

Diese kann demnach nicht von der Welt her konstruiert, sondern nur von oben her in den Widerspruch eingestiftet werden. Und sofern dieses «von oben kommende» (Joh 8,23) Zeichen je das Element einschließt, das die streitenden Parteien, um sich absolut setzen zu können, voneinander ausschließen, muß das eingestiftete Zeichen von beiden verworfen werden. Die Synthese Christi bleibt Ärgernis für die Juden und Torheit für die Heiden (1 Kor 1, 23), sie bleibt innerweltlich das Fremde und Heimatlose (Hebr 11, 13; 1 Petr 2, 11), und wer sich dazu bekennt, muß sich über diese Ablehnung nicht verwundern (Joh 16, 1), sondern zum schmachvollen Auszug aus der «Stadt» der Menschheit bereit sein (Hebr 13, 13). Die Antinomie der innerweltlichen Katholizitäten ist nur im Kreuz, das heißt aber konsequent nur trinitarisch auflösbar. Man könnte zugespitzt den Satz wagen, daß die Unvereinbarkeit von Heidentum und Judentum der negativ klarste Beweis für die Nezessität des christlichen trinitarischen Mysteriums ist. Die innerweltlichen Katholizitäten sind, wo sie konsequent sind, beide monistisch: die erste muß den Ernst einer Existenz, die nicht das Absolute ist, leugnen und diese zum Schein degradieren; die zweite muß das Absolute in die endliche Existenz hinein zwingen und jede Evasion aus der Wachheit für die geschichtliche Aufgabe als Betäubung, als «Opium des Volkes» anprangern. Die innerweltlichen Katholizitäten sind deshalb auch, wie wir schon sahen, dort wo sie konsequent sind, beide atheistisch: die erste kann das Absolute nur als die Negation alles relativ Seienden, somit als das Nichtsein definieren (vgl. die komplizierten Potenzierungen der Negation bis zur vollkommenen Enthaltung jeder auch noch so negativen Setzung im Zen-Buddhismus), die

zweite kann die Absolutheit der an den Menschen sich stellen-
den Forderung nur aufrechterhalten durch den Ausschluß
jeder von außen und oben intervenierenden Instanz. In der
heutigen Weltlage, in der die Alternativen sich bis zu ihren
rein antinomischen Formulierungen durchgeläutert haben,
darf nochmals der gleiche Satz wie vorhin gewagt werden,
aber dahin abgewandelt, daß er lautet: ein mit einer positiven
Einschätzung der Welt vereinbarer Gottesbegriff kann nur
ein trinitarischer sein. Ein solcher Begriff kann selbstverständlich nicht apriorisch konstruiert, auch nicht zu spekulativen
Zwecken vom Ereignis des historischen Kreuzes Jesu und
seiner Auferweckung von den Toten abstrahiert, sondern nur
als die innere Voraussetzung und als die Ausbreitung seiner
Dimensionen im Glauben sichtbar gemacht werden. Trinität
Gottes ist Artikulation des christlichen Credo.

2. Im innerchristlichen Gespräch

Im vorigen haben wir die Kompetition der großen Weltdeutungen ins Auge gefaßt und dabei das christliche Credo
als das der katholischen Kirche verstanden. Es gilt nun aber
auch das innerchristliche Zerwürfnis im Horizont dieser
christlichen Katholizität zu bedenken. Das Vorige zusammen-
fassend können wir so formulieren: die christliche Katholizität liegt darin, daß sie Gott, dem Absoluten und Dreieinigen,
die ganze Ehre gibt, sie ihm auch dadurch gibt, daß sie ihm
die souveräne Möglichkeit läßt, dem Menschen die Würde
eines freien Bildes und Gleichnisses Gottes zu verleihen, mit
der Verantwortung für die Gestaltung der ihm anvertrauten
Welt. Diese synthetische Aussage birgt nun freilich eine tiefe
Problematik in sich, die in der Konfrontation der göttlichen
und der geschöpflichen Freiheit liegt und in die Abgründe
der Prädestinationslehre hineinführt, an deren Erhellung
christliche Dogmatik immer wieder gestrandet ist. Nirgendwo so stark wie hier wird dem christlichen Glaubensdenken

bewußt gemacht, daß Gott auch in seiner Selbstoffenbarung das Mysterium bleibt, daß er auch in seiner Selbsthingabe bis zum Kreuz und zur Eucharistie immer er selbst bleibt, der in seiner Auslieferung an die Menschen seiner vollkommenen Freiheit nicht verlustig geht. So können wir das Verhältnis nur in einem Paradox ausdrücken: je erschreckender die Möglichkeiten der menschlichen Freiheit zu wachsen scheinen – bis dahin, über den Tod Gottes in der Welt verfügen zu können –, desto strahlender weiß sich die göttliche Freiheit gerade in solcher Gebundenheit zu behaupten. Gälte dieses Paradox nicht, so wären Kreuz und Eucharistie nicht wirklich Selbstoffenbarung Gottes, so wie er in sich selbst ist.

Von hier aus kann in der hier gebotenen Kürze etwas über die innerchristlichen Formen gesagt werden, das in Christus offenbarte trinitarische Mysterium zu deuten. Es können dabei m. E. zwei Auslegungsweisen aufgezeigt werden, die seine Katholizität, so wie sie im vorigen verstanden wurde, gefährden. Dabei handelt es sich zunächst nur um prävalente Betonungen, die sich aber, wenn auf ihnen beharrt wird, zu unkatholischen Einseitigkeiten auswachsen können.

In der östlichen *Orthodoxie* liegt ein besonderer Akzent auf dem «Religiösen», deshalb wurde die griechische und russische christliche Frömmigkeit oft schon als die Kontaktstelle zwischen östlicher Frömmigkeit und westlichem Christentum angesehen[17]. Christologisch gesehen müßte man es so ausdrücken, daß der Ton auf der Rückkehr des Sohnes zum Vater liegt. Daß der Sohn eigentlich schon während seines Ausgangs auf dem Rückweg ist, offenbart sich deutlich in der Bewertung der Taborepisode, die für die byzantinische, speziell hesychastische Frömmigkeit ein Mittelpunkt bleibt. Das Licht, das der Sohn in die Welt ausstrahlt, ist im letzten das Licht des väterlichen ungeschaffenen Wesens und nicht sosehr

[17] Vgl. etwa A. Cuttat, Begegnung der Religionen (Johannes Verlag Einsiedeln 1956); Asiatische Gottheit – Christlicher Gott (ebd. 1971).

das Licht des in der Sendung vollzogenen Gehorsams, der ökonomischen Gestalt der innergöttlichen personalen Sohn-Vater-Beziehung. Entsprechend ist es bei der Rückkehr zum Vater, daß der Sohn vom Vater her den göttlichen Geist in die Welt aushaucht, einen Geist, der nach orthodoxer Ansicht vom Vater ausgeht und nur vom Vater her durch den Sohn der Welt vermittelt wird. Deshalb weht dieser Geist zwar in der Sphäre, die der Sohn, vom Vater ausgehend und bis zum Kreuz und zur Auferstehung hingelangend, um von dort zum Vater heimzukehren, durchschritten hat, und nicht eigentlich in der Sphäre, die vom gekreuzigten Sohn durch sein Aushauchen des Geistes am Kreuz in die Weltzukunft hinein sich öffnet. Es ist Heiliger Geist in der Sakralität des von Christus durchschrittenen Raumes, der zum Raum der Kirche wird, aber nicht Heiliger Geist in der Profanität der von Christus her sich zum Omega der Geschichte entwerfenden Welt. Dies wäre die soteriologische Konsequenz der orthodoxen Leugnung des Filioque: der Geist, der nur vom Vater (wenn auch durch den Sohn) ausgeht, bedarf zu diesem Ausgang der Rückkehr des Sohnes zum Ursprung; würde er zugleich vom Sohn ausgehen, so könnte er, zusammen mit dem den Gehorsam des Sohnes begleitenden Vater, vom Sohn aus der Mitte der Geschichte in Kreuz und Auferstehung (Joh 20) in die nichtchristliche Weltzukunft ausgehaucht werden. Deshalb wird die orthodoxe Kirche einen weit stärkeren Akzent auf die Kontemplation und auf die Liturgie setzen als auf aktive Mission und Katechetik; der Kontemplative «verklärt» die profane Welt und breitet Christi Licht in sie aus, und von der Liturgie geht die erleuchtende Wirkung auf die Gläubigen über.

Es handelt sich hier um einen bloßen Unterschied der Betonung, zumal ja eine Verständigung zwischen den trinitarischen Formeln des Ostens und des Westens (a Patre Filioque – a Patre per Filium) möglich ist. Außerdem gibt es die östliche Sophiologie, die auf ihre Weise den zunächst kontemplativen Weltbezug des Christusereignisses ausgleicht. Man kann aber, was die Wurzeln dieser Sophiologie betrifft, darauf hinweisen, daß sie nicht zentral christologisch sind, sondern einerseits antik – wie etwa bei Dionysius Areopagita ein von Plotin und Proklos her betrachteter sakraler Kosmos geschichtslos mit Gott zusammen besteht, als seine Elongatur, sein stufenweise ausströmender Strahlenkranz – anderseits protestantisch oder theosophisch – wie die moderne russische Sophiologie sich wesentlich von Schelling und Baader herleitet und ihre Bewältigung der Profanität von dorther gewinnt.

Im *Protestantismus* liegt in der Tat der besondere Akzent auf der «Utopie», christologisch gesprochen auf dem Ausgang des Geistes nicht vom väterlichen Ursprung, sondern vom am Kreuz aushauchenden Sohn, der damit das Zeitalter der Profanität und der Weltzukunft («Kultur») eröffnet. Der Grund für diese trinitarische Einseitigkeit liegt in dem bei Luther und doch auch bei Calvin gestörten Verhältnis zwischen der väterlichen Welt der Schöpfung und der sohnlichen der Versöhnung, heilsgeschichtlich gesprochen zwischen alttestamentlichem Gesetz (und Werk) und neutestamentlichem Evangelium (und Glauben). Die Ächtung des Jakobusbriefes durch Luther ist das bekannte Symptom dafür. Damit ist das ökonomische Verhältnis zwischen Vater und Sohn gestört. Weder kann die durch die Abwendung des Menschen von Gott getrübte Schöpfungswelt mehr wirklich als solche gelten, denn der Mensch ist seinem ganzen Wesen nach vom Schöpfergott abgekehrt und nicht mehr ein naturhaft Gott Suchender, «ob er ihn etwa berühre und finde», vielmehr gilt diese vom Menschen ausgehende religiöse Suche jetzt als sündige Überheblichkeit: Religion und Mystik sind des Teufels (der junge Karl Barth, Emil Brunner). Deshalb wird das jüdische Gesetz, das Werke vorschreibt, einseitig zum Werkzeug der Überführung menschlicher Sünde, bis dahin, daß Gott selbst durch das erlassene Gesetz dessen Täter zur Sünde reizt. Und entsprechend wird das Versöhnungswerk Christi nicht auch wahrhaft zur Erfüllung des Gesetzes bis zum letzten Strichlein und Häklein und damit zur Vollendung des begonnenen Werkes des schaffenden Vaters, sondern es wird vorwiegend zur Versöhnung eines zürnenden und stellvertretende Bestrafung fordernden Gottes. Elemente der komplexen biblischen und auch neutestamentlichen Gesetzeslehre werden desintegriert und nur einzelne davon werden festgehalten. Das gestörte Verhältnis Christi zum Alpha (das sich in einem betonten Antisemitismus Luthers und später Hegels symbolisch ausdrückt), das zuweilen bis zu einem Sympathisieren mit dem Dualismus eines Markion gehen kann (Harnack) findet sein Gegenstück in dem überbetonten Verhältnis zwischen Christus und dem Geist, der von ihm ausgeht: Protestantismus wird als orthodoxer Fideismus, als Pietismus und als säkularisierter Idealismus zu einer Geisttheologie, und von dieser konnte, durch eine kühne Umkehrung, der Marxismus ausgehen. Beiden ist die Zusammenschau von Geschichte und Gott, Werden und Gott, Zukunft und Gott gemeinsam.

Für die katholische Kirche ist ein ökumenisches Gespräch, das sich sinnvollerweise immer gleichzeitig zur Ostkirche und zum Protestantismus hin wenden sollte, deshalb schwierig, weil es immerfort entgegengesetzte Akzente setzen müßte. Es hat dabei auch zu verhindern, daß die beiden Extreme nicht hinter ihrem Rücken eine Allianz *gegen* jene Elemente bilden, die sie als katholische beiden gegenüber kennzeichnen. Diese liegen nicht im Besitz eines kirchlichen Amtes, einer hierarchischen und theologischen Tradition, einer Verehrung der Heiligen, insbesondere der Mutter Jesu Christi, denn all dies hat sie mit der Orthodoxie gemeinsam, ebensowenig ist es der Wille zum Missionarischen, zur Durchsäuerung auch der modernen technischen Welt, denn ein solcher Wille beseelt sie gemeinsam mit dem Protestantismus. Somit scheint als auszeichnendes Merkmal der katholischen Kirche nur der Romanismus übrigzubleiben, was freilich eine Fehlperspektive an sie heran ist; das Moment einer Konkretion der Einheit, das sich im katholischen Petrusamt anzeigt, ist für die

Katholizität der Catholica zwar unentbehrlich, aber doch nur ein einzelnes Moment im totalen Gleichgewicht dieser Katholizität[18], die viel eher von dem unverengten Volumen des katholischen Credo und der von ihm her entworfenen Gestalt der Kirche und der christlichen Existenz her ermessen werden sollte als von einem hervorstechenden Moment der kirchlichen Verfassung. Dieses Gleichgewicht herzustellen ist nicht Sache der Menschen; die Kirche ist nicht sein Ursprung, sondern seine Ausdrucksform. Gott selbst ist in seiner Offenbarung eröffnet, als der unabsehbar weite Horizont von Alpha und Omega, das Katholische, das sich uns von der geschichtlichen Mitte Jesu Christi (der «gestern, heute und in Ewigkeit derselbe ist»: Hebr 13, 8 und so Mitte jedes geschichtlichen Augenblicks sein kann) aufschließt, um uns in sein ewiges Leben einzulassen. Die Weite dieser Öffnung Gottes gilt es wahrzunehmen; dort, wo sie nicht verengt wird, kann der von Christus gestifteten «Idee» das Attribut der Katholizität zugebilligt werden. Das ist möglich, weil Gott nach Anselms Wort «das ist, worüber hinaus ein Größeres nicht gedacht werden kann», und weil dies notwendig auch von seiner Offenbarung gilt, dort, wo sie seinem Willen und seiner Gnade gemäß unverengt, im reinen Sein- und Geschehenlassen aufgenommen wird. Dort also, wo die Kirche wirklich Christi heiliger Leib ist, der jeder Weisung seines Hauptes gehorcht, oder Christi heilige Braut, die dem Fordern und Verlangen des Bräutigams keinerlei Sträuben entgegenbringt, ist Katholizismus.

3. Gelebte Katholizität

Wir brauchen nur das Letztgesagte näher zu beleuchten, um auf die Vexierfrage zu antworten, wie denn von einem beschränkten Menschen oder einer ebenso beschränkten

---

[18] Vgl. dazu meine Studie «Der antirömische Affekt (Herder Bücherei 1974).

Gruppe von Menschen Katholizität für sich in Beschlag genommen und gar noch gelebt werden kann. Daß sie primär beim Absoluten beheimatet ist, versteht sich von selbst; der menschliche Ausgriff allein, er mag noch so weit sein, kann das Absolute nicht in den Begriff bekommen[19]; dieses muß sich selber darbieten. Aber so darbieten, daß es in den Bereich des Menschlichen eintritt, die Fassungskraft des Menschen damit begabt, es empfangen und in der Enge der Welt beherbergen zu können. Da der Mensch als Bild und Gleichnis Gottes geschaffen und seine Freiheit einen innersten Punkt von radikaler Entgrenzung besitzen muß, um wirklich frei zu sein, kann durch diesen Punkt – der von der Gnade Gottes zu seiner höchsten Bereitschaft gereinigt und ausgeräumt werden kann – die göttliche Allheit in die Welt eindringen, oder umgekehrt, durch ihn die Welt in sich einbergen.

Dabei geht es um Empfang – der Fülle in der Ausgeräumtheit – des Herrn in der Magdlichkeit –, so daß dieser Katholizismus nie den Anschein eines Triumphalismus gewinnen kann. Alles Eingestiftete ist des Herrn, selbst wenn es der Sorge menschlichen Dienstes sich anvertraut. Auch der Dienst, gerade er, ist geschenkt, und der Dienende in ihn hinein enteignet. «Alles ist euer, ihr aber seid Christi, Christus aber ist Gottes» (1 Kor 3, 23). Das letzte, daß Christus Gottes ist, zeigt, daß der Herr in der Gestalt des Enteigneten, des Dieners und «Knechtes Jahwes» in die Welt eintritt, und dies, wie wir schon sahen, nicht als eine Verfremdungsform des Herr-Gottes, sondern als die Offenbarung seiner innergöttlichen, trinitarischen Gesinntheit. Diese ist Allbesitz nur durch Allhingabe, ob man sich auf den Standpunkt Gottes als des Vaters oder als des Sohnes oder als des Heiligen Geistes versetzen mag. Nur im Nicht-an-sich-Halten ist Gott überhaupt Vater: er ergießt seine Substanz und zeugt den Sohn;

---

[19] Die ignatianische Indifferenz in den sehnsüchtigen «Ausgriff» des Geistes verwandeln, heißt sie in der Wurzel verkennen: Michel de Certeau, S.J., L'Espace du désir ou le «fondement» des Exercices spirituels, in: Christus Nr. 77, Jan. 1973.

und nur im Nicht-an-sich-Halten dieses Empfangenen erweist sich der Sohn als gleichwesentlich mit dem Vater, und in diesem gemeinsamen Nicht-an-sich-Halten sind sie eins im Geist, der Ausdruck und «Personifikation» dieses Nicht-an-sich-Haltens Gottes überhaupt ist und ewiger Neubeginn und ewiges Produkt dieser unaufhörlich strömenden Bewegung.

Tritt eine der Personen aus diesem kreisenden Leben hervor, um der Welt anzubieten, was die Allheit Gottes ist, so wird ihre Lebensgebärde nicht die raffende Gebärde eines Pantokrators sein, sondern das Umgekehrte: der Sohn enthüllt das Herz des Vaters, indem er der Diener aller wird und in die Welt seinen Geist des Dienstes und des «letzten Platzes» aushaucht. In dieser Haltung des Dienstes, die er den Seinen vermitteln möchte, wird er beides zugleich verwirklichen: die größte kontemplative Offenheit zum Willen des Vaters, den zu erfassen, aufzunehmen, zu verwirklichen seine «Nahrung» sein wird (Joh 4, 34), aber auch die größte aktive Bereitschaft, «sein Werk zu vollenden» (ebd.) und die dazu nötige eigene Verantwortung auf sich zu nehmen. In der kontemplativen Offenheit ist er «religiös» dem zu empfangenden göttlichen Alpha zugekehrt, in der aktiven Bereitschaft dem zu verwirklichenden göttlichen Omega. Aber die empfängliche Offenheit und die aktive Bereitschaft sind ein und dieselbe Haltung, die Haltung der Mitte, in der sich Gott offenbart und deshalb auch die Haltung jenes Menschen der Mitte, in den hinein Gott sich offenbart. Dort, und praktisch allein dort, ist in der Welt, am Berührungspunkt zwischen Gott und Welt, gelebte Katholizität. Sie fragt nicht, wieviel geschenkt wird, und fragt nicht, wieviel gefordert wird.

Sie fragt auch nicht – damit kehren wir zum Anfang zurück – wieviel erreicht werden wird, welchen Erfolg sie haben kann. Sie ist nicht quantitative, sondern qualitative Katholizität. Von diesem Punkt der vollkommenen Bereitschaft her – «ecce ancilla Domini, fiat mihi secundum Verbum tuum» – definiert sich alles, was an der Catholica katholisch genannt zu werden verdient. Es gibt echte Teilnahme an diesem Berührungspunkt, nähere und fernere. Institutionelle und existentielle.

An sich könnte man meinen, daß Nachfolge Christi, des Einmaligen, dessen Versöhnungswerk niemand nachvollziehen kann, ein innerer Widerspruch ist. Aber was mit solcher Deutlichkeit und solchem Drängen durch Christus selbst verlangt wird, kann nicht widersprüchlich sein. Es kann höchstens über das Verstehen dessen, der zu entsprechen sucht, hinausgehen. Es ist offenbar nicht wichtig, daß er genau versteht, wie es zugeht. Versteht er doch nicht einmal, auf welche Weise der sterbliche Mensch Jesus sich vom Himmel her als das Alpha und Omega bezeichnen kann, der Mensch, der mit dem Verlassenheitsschrei gestorben ist. Sowohl das, was sich von Gott her schenkt: der Sohn Gottes, wie das, was ihn von der Welt her annimmt, die Catholica, werden, weltlich gesehen, in die Vergeblichkeit hinein verhüllt. Zwischen den weltlichen Katholizismen erscheinen beide in ihrer Winzigkeit wie das Senfkorn, «das kleinste unter allen Samenkörnern». Und nicht nur das: der Wille des Vaters ist, daß das Weizenkorn in die Erde fallen und sterben muß, um nicht allein zu bleiben, sondern die erwartete Frucht zu bringen. Das gilt natürlich von beiden zusammen, die eine unzertrennliche Einheit bilden, dem Christos katholikos und seinem ihn empfangenden Schoß, der Catholica, die sein Leib und seine Braut ist. «Von den Zähnen der Bestien muß ich zermahlen werden, damit ich ein reines Brot ergebe.»

In diesem Diminuendo scheint die Catholica allen Raum den weltlichen Mitbewerbern freizugeben, die heute mehr als je auf sie und in sie eindringen. Aber sie wird auch hierin dem Gesetz ihres Herrn folgen: «Wenn ich ohnmächtig bin, dann wird mir das Können geschenkt» (2 Kor 12, 10).

II. Im Kirchenbereich

KENOSE DER KIRCHE?

Man kann heute zuweilen den Ausdruck «Kenose der Kirche» hören; man kann sich vorstellen, was darunter gemeint ist: die Gleichgestaltung der Kirche mit dem im Zustand der Kenose Christi, d.h. seines Verzichts auf Gottgestalt, göttliche Herrlichkeit und Macht. Seine Kirche versucht, so arm, so eucharistisch hingegeben und verteilt zu sein wie er. Viele Texte der Schrift und der Tradition verbürgen uns die Möglichkeit einer Gleichgestaltung der Glieder an das Haupt, der Braut an den Bräutigam. Diese Texte gehen hinaus über ein bloßes «admirabile commercium» nach dem Schema von 2 Kor 8, 9 («Christus... ist um euretwillen arm geworden, damit ihr durch seine Armut reich werdet»), die Bewegung ist nicht gegenseitig, sondern gleichgerichtet, nach dem Schema von Hebr 13, 11f. («Jesus hat außerhalb des Stadttores gelitten... Gehen also auch wir hinaus zu ihm aus dem Lager und nehmen seine Schmach auf uns»). Dieser Gleichgestaltung wird von der Schrift her eigentlich keine Grenze gesetzt; sie beginnt bei einem «Mitgeboren mit ihm aus dem Vater» (Joh 1, 13 und alle «Kindschafts»-Texte) und geht bis zur Gleichgestaltung in Kreuz (Gal 2, 19), Auferstehung und Himmelfahrt (Eph 2, 6), ja bis zum Mit-Herrschen (Apk 20, 4), Mit-Richten (2 Kor 6, 2.4).

Aber die Frage ist, ob diese grundsätzlich unbeschränkte Gleichgestaltung einen Anlaß bietet, den Begriff «Kenosis» auf die Kirche anzuwenden. Es wird davon abhängen, wie wir ihn bestimmen. Das Neue Testament bietet uns im Gebrauch des Verbs *kenoun* mehrere Möglichkeiten. Die feierliche Stelle im Hymnus Phil 2, 7 steht für sich: hier ist vom präexistenten «Christus Jesus» die Rede, der «in Gottgestalt war», aber «das Gott-gleich-Sein nicht als Beutestück ansah, sondern sich selbst entäußerte und Knechtsgestalt annahm». Diese Entäußerung, die ein vorgeburtlicher, jedenfalls beim «Eintritt in die Welt» (Hebr 10, 5) vollzogener Akt ist, bleibt einzigartig und für die Kirche (und ihre Glieder) unnachahmlich, weil die Kirche nach der Anschauung des Neuen Testaments erst als ein Produkt dieses göttlichen Heilswillens anzusehen ist – es sei denn, man verlege auch die Kirche auf irgendeine Weise in die Präexistenz und lasse sie (dies wäre die Bedingung für ihre Kenose im *eigentlichen Sinn*) den Akt Christi in der gleichen Freiheit wie er mitvollziehen. Wir werden zu fragen haben, ob eine solche Vorstellung überhaupt vollziehbar sei.

Andere Texte verwenden das Wort in abgestufter und dabei immer abgeflachterer Weise. Der erwähnten Stelle am nächsten scheint 1 Kor 1, 17 zu stehen, wenigstens wenn man der Wendung ihren prägnanten Sinn beläßt: Paulus verkündet die Heilsbotschaft «nicht in Weisheit der Rede, damit das Kreuz Christi nicht entleert, ausgehöhlt, zunichte gemacht werde»: auf daß es seine «Gotteskraft» behalte, muß es Ärgernis und Torheit bleiben. Ähnlich, aber schwächer ist Röm 4, 14: wären nur die Gesetzesinhaber Erben (der Verheißung), «so wäre der Glaube entleert (ausgehöhlt, er hätte seine Kraft und seinen Wert eingebüßt) und die Verheißung wäre hinfällig geworden *(katērgētai)*». Noch flacher sind die beiden Aussagen über den «Ruhm» Pauli, den ihm keiner «entleeren» (d. h. rauben) soll: 1 Kor 9, 15, oder der sich nicht als «leer» (hinfällig) erweisen soll: 2 Kor 9, 3. Mit diesen Verwendungsweisen müßten auch die Texte mit dem Adjektiv *kenos* verglichen werden, das meist mit «vergeblich», «umsonst» zu übersetzen ist (z. B. 1 Kor 15, 10.14.58; 2 Kor 6, 1; Gal 2, 2; Phil 2, 16; 1 Thess 2, 1; 3, 5). Aber alle diese Texte stehen doch in einem weiten Abstand von dem erstgenannten. Wollte man ihren Sinn in einem Substantiv zusammenfassen, so ließe sich von «Vergeblichkeit» sprechen, und zwar – in den Texten – von einer, die nicht eintreten soll. Um den Sinn positiv zu wenden und etwa von der innerweltlichen Vergeblichkeit des Kreuzes Christi und der ihm gleichgestalteten Kirche zu sprechen, müßte man sich vom Wortlaut des Neuen Testamentes entfernen und dem Ausdruck einen Sinn unterschieben, der nur aus dem Gesamtzusammenhang verständlich ist (vgl. etwa Joh 15, 25 und dazu: 15, 18–21). Somit würde hier der Ausdruck «Kenose» für die Kirche nur in einem analogen und *uneigentlichen Sinn* verwendet.

1. Kenose im eigentlichen Sinn

Wenn Kenose den freien Akt eines Präexistenten besagt, sich seiner Gottgestalt zu entäußern und Knechtsgestalt anzunehmen, so würde die Anwendung dieses Begriffs auf die Kirche voraussetzen, daß auch sie, wie Christus, oder vielleicht in ihm, einen solchen freien Entschluß zu fassen vermocht hätte.

Nun ist uns, zumal aus den frühen christlichen Schriftstellern, die dabei an Wendungen der Schrift anknüpfen, die Vorstellung einer präexistenten Kirche nicht unbekannt. In der Schrift kommen vor allem zwei Stellen in Frage: Gal 4, 26: «Das Jerusalem droben dagegen ist die Freie, das ist unsere Mutter», und Apk 21, 2: «Und die heilige Stadt, das neue Jerusalem sah ich herabsteigen aus dem Himmel von Gott her, bereitet wie eine Braut, die für ihren Mann geschmückt wird.» Beide Stellen schöpfen aus dem Bilder- und Gedankenschatz der jüdischen Apokalyptik (vgl. die zahlreichen Parallelen bei H. Schlier, Der Brief an die Galater, [11]1951, 221–226, und L. Cerfaux, La Théologie de l'Eglise suivant Saint Paul, [2]1965, 305–312). Man kann Eph 5 hinzunehmen, das in Kombination mit andern Aussagen des gleichen Briefes (wie Eph 1, 3 ff.; 2, 14 ff.; 3, 5 ff.) zur Vorstellung einer präexistierenden Kirche im Himmel abgerundet werden kann. Vorausgesetzt wird hier überall, daß diese verborgen bei Gott weilende Kirche mehr ist als eine bloße «Idee», ein Schöpfungsgedanke Gottes, vielmehr eine himmlische Wirklichkeit (vgl. Hebr 12, 22)

– welches immer ihre Daseinsart sein mag –, die auf besondere Weise zum Heilswerk Christi gehört.

Die Vorstellung einer solchen Wirklichkeit – deren Realismus und Aktualität gerade angesichts von Gal 4, 26 nicht abzuweisen ist – steht am Zusammenfluß vieler Ströme: einmal der alttestamentlichen prophetischen Vorstellung eines eschatologischen Neubaus des irdischen Jerusalem (von Is 54, 10ff.; Is 60ff. bis zu den Apokryphen); diese futurische Vorstellung wird in der Apokalyptik zu einer präsentischen: das endzeitlich Wirkliche *ist* schon verborgen bei Gott und braucht nur enthüllt zu werden, einzelnen Sehern wird es auch vorweg gezeigt (Test XII Dan 5, 12). Diese Gegenwärtigkeit der letzten Dinge kann sich mit dem Grundgedanken der Weisheitspekulation verbinden: die Sophia (oder das Pneuma: Wh 9, 17) ist ewig bei Gott, «teilt seinen Thron», ist auch die Erbauerin jenes himmlischen Urbilds des «heiligen Zeltes», das «von Ewigkeit bereitet ist» (Wh 9, 8, vgl. Hebr 8, 2.5; 9, 23; Apk 8, 3–4 usf.), und nach dem Moses das irdische Zelt gebaut hat (Ex 25ff.). Hierzu kann als letztes Moment die platonische Vorstellung einer «intelligiblen Welt» treten, die der sinnlichen gegenüber die wahrere und deren Urbild ist (Philon wird bewußt die Synthese vollziehen), um den Gedanken einer archetypisch-himmlischen Kirche fast unvermeidbar zu machen.

Die Aussageinhalte des Neuen Testament sind nicht «zeitbedingt», auch wenn sie sich durch Anschauungsformen der Zeit hindurch ausprechen. Das «Jerusalem droben» ist für Paulus die verborgene himmlische Dimension der realen Kirche, in der und durch die wir hier und jetzt, mitten in der Zeitlichkeit, durch die Taufe zu Kindern Gottes geworden (Johannes: «aus Gott geboren») sind. In der Apokalypse ist die Offenbarung und Herabkunft dieser Wirklichkeit dem nächsten Äon aufgespart, aber die durch das ganze Werk hindurch sich begebende himmlische Liturgie im «Tempel Gottes» (Apk 11, 19) ist der abrollenden Weltgeschichte gleichzeitig. Und die «Braut ohne Runzel und Makel» im Epheser-

brief ist sicher auch eine reale Wirklichkeit, die nicht einfach
übereinfällt mit der äußerlich erscheinenden irdischen Kirche.

Deshalb sind die ausdrücklich aus der Schrift abgeleiteten
Vorstellungen der Kirchenväter von einer «ursprünglichen
geistlichen Kirche, die vor Mond und Sonne gestiftet ist»,
nicht einfachhin eitel. Der 2. Klemensbrief, der so spricht,
fährt fort: «Sie war nämlich geistlich, wie auch unser Jesus,
aber in den letzten Tagen ist er sichtbar erschienen, um uns zu
erlösen. Die Kirche aber, die geistlich ist, ist in dem Fleische
Christi erschienen, um uns kundzutun, daß, wer sie von uns
behütet im Fleische und sie nicht entehrt, sie bekommen wird
im Heiligen Geiste» (14, 2–3). Im gleichen Passus werden
Christus als das Männliche und die Kirche als das Weibliche
bezeichnet, was keineswegs gnostizistisch (als «Syzygie»)
gedeutet zu werden braucht, sondern aus Eph 5 abgeleitet
werden kann. Entsprechend erscheint im «Hirten des Hermas» die Kirche als alte Frau in prächtigem Gewand, ein
Buch in den Händen, einsam sitzend und den Hörer beleh-
rend (Vis. I, 2), der sie mit «Herrin» anredet (vgl. 2. und
3. Johannesbrief): «Alt ist sie, weil sie vor allen Dingen
gegründet wurde, und die Welt wurde ihretwegen erschaffen» (Vis. II 4, 1). Nun aber findet sich, wo immer dieses Bild
der heiligen, überzeitlichen Kirche auftaucht, nie der Gedanke, sie habe sich, wie Christus, frei zu einer Kenose in die
Zeitlichkeit entschlossen. Ihre Überzeitlichkeit ist – wenn
man bloß angedeutete Linien ausziehen darf – sowohl vor-
weltlich wie übergeschichtlich wie eschatologisch, und vom
letzten her erscheint sie deutlich als etwas durch die Erlösung
Jesu Erwirktes. Die paulinischen Texte lassen sie zugleich als
reine Jungfrau (2 Kor 11, 2) und als Mutter erscheinen, und
beides ist sie durch Christus und für ihn: Irenäus und Hippolyt führen diese Linien aus.

Ein neues Moment erscheint dort, wo die irdische Kirche
als unvollkommen, ja als sündig erkannt wird, und wo sich
von selbst der Gedanke nahelegt, dieser Zustand sei durch
einen «Abfall» von der himmlischen idealen Wirklichkeit

zustande gekommen: wie anders könnte er sonst entstanden sein, falls man die Kirche nicht in zwei voneinander getrennte Realitäten, eine irdische und eine himmlische, auseinanderreißen will? Hier erstmals leiht sich Origenes das gnostizistische Bild der aus dem Himmel in die untere Welt gefallenen «Sophia» aus, die droben mit ihrem Bräutigam Christus vermählt war, der um ihretwillen absteigt, um sie zu retten. Diese Entlehnung ist zweifellos gefährlich; trotzdem kann sie durch eine bloße Kombination biblischer Daten erklärt und gerechtfertigt werden. Gott, sagt Origenes, schuf die Menschen anfänglich als Mann und Frau (was Eph 5 auf Christus und die Kirche hin deutet), beide sollen nicht getrennt werden außer im Fall des Ehebruchs, der hier soweit geht, daß die Ehebrecherin ihrem Mann nachstellt und ihn ans Kreuz bringen möchte. Aber da der Mann Vater und Mutter verläßt, um seinem Weibe anzuhangen (wieder ein Zitat aus Eph 5), deshalb verließ um seiner Kirche willen der Mann Christus den Vater, bei dem er «in der Gottgestalt war» und die Mutter, da auch er ein Sohn des Obern Jerusalem war, und hing seiner hierher herabgefallenen (katapesousēi) Gattin an, und die beiden wurden hienieden zu einem Fleisch, denn um der Kirche willen wurde Christus Fleisch, ist doch «das Wort Fleisch geworden und hat unter uns gewohnt», und nun sind sie eins, da von dem Weibe gesagt wird: «Ihr seid der Leib Christi und Glieder, jeder für seinen Teil...» (in Matth. Com. T. XIV 17; Klostermann 10, 325 f.). Methodius wiederholt das Bild, läßt aber das verfängliche Wort vom «Abfall» weg: «Denn um ihretwillen stieg der Logos, seinen Vater im Himmel zurücklassend, herab, sich mit seiner Braut zu vereinen und indem er sich freiwillig für sie in den Tod überlieferte, starb er in der Ekstase der Schmerzen» (Gastmahl III 8, 70, vgl. 71; GCS, Meth. 35–36). Hier wird das Entscheidende kund, das auch bei Origenes vorausgesetzt war: weder er noch Methodius denken beim Absinken der irdischen Kirche von ihrer himmlischen Wirklichkeit an eine «Kenose», die der freiwilligen Selbsthingabe Christi vergleichbar wäre, man kann die beiden «Abstiege» ihrem Grund und Sinn nach viel eher als gegensätzlich bezeichnen.

Ein letztes Mal taucht die Vorstellung im großen Freskogemälde von Augustins Civitas Dei auf. Denn auch für den Verfasser der «Bekenntnisse» ist die ursprüngliche ideale «Kirche» bei Gott, dem sie «in so keuscher Liebe anhängt, daß sie, obwohl nicht gleichewig, dennoch in keine Veränderlichkeit und Fährnis der Zeitlichkeit von Ihm weg sich auflöst und herabfließt, sondern in seiner allerechtesten Beschauung ruhend verharrt» (Confess. XII 19). Augustin setzt sie der «geschaffenen Weisheit» Jesus Sirachs gleich (1, 4), darin abgehoben von der ungeschaffenen, die der Logos ist. Er bezeichnet sie als «intellectualis», sie ist vor allem die Kirche oder Bürgerschaft der Engel, «domus tua, quae peregrinata non est» (XII 13), aber sie ist auch «unsere Mutter, die da ‚droben‘ und ‚frei‘ ist», «meine allergeliebteste Mutter, wo die Erstlingsfrüchte meines Geistes geborgen sind» (XII 23). Augustin vermeidet es (im XIII. Buch) den «Abfall» in die «distentio» als eine schuldvolle Entfernung von Gott zu schildern; auch in der Civitas Dei wird der Sündenfall nicht als ein Akt der präexistenten Kirche geschildert (wozu Origenes neigt), Augustin verhüllt vielmehr das Werden der moralischen Zer-streuung mit dem Mantel der Schöpfungsgeschichte, so daß – antiplatonisch – die Vielheit der Schöpfung mit ihrem notwendigen Abstand von der himmlischen Einheit als ein Gutes erscheint.

In dieser Hinsicht bleibt Augustin für unser Problem zwielichtig. Aber seine Sicht enthält einen Keim, der sich erst im frühen Mittelalter zu entfalten beginnt und vielleicht einen Anlaß böte, von einer Kenose der Kirche nicht im Sinn des Abfalls, sondern eines Mitvollzugs der Kenose des Sohnes zu reden: die unbefleckte Braut ohne Runzel und Makel erscheint immer deutlicher (wenn wir von der Engelswelt absehen) als einzig in Maria verwirklicht: sie ist Urbild der Kirche, zu der nach dem Epheserbrief die «Mächte und Gewalten» nicht gehören. Und sie geht, vom Schwert durch-

bohrt, mit dem Sohn zusammen den Weg durch die Erniedrigung der Zeitlichkeit bis zum Kreuz. Sollte nicht hier der
theologische Ort sein, wo von «Kenose der Kirche» gesprochen werden müßte? Dies läge umso näher, als die Liturgie
die Sapientialtexte auf Maria anwendet: «Von Ewigkeit bin
ich eingesetzt, von Urbeginn, bevor die Erde ward.» Diese
«logische» Priorität scheint im Licht der Ewigkeit von selbst
überzugehen in die überzeitliche Realität der «Erwählung vor
Grundlegung der Welt, um heilig und untadelhaft vor ihm
(Gott) zu stehen» (Eph 1, 4). Dennoch kann es uns nicht ein-
fallen, dem die ganze Kirche umgreifenden Jawort Marias
Parallelität und Ranggleichheit mit dem trinitarischen Beschluß der Aussendung des Sohnes in die Verlorenheit der
Welt zuzubilligen. Marias Jawort wird von Gott frei als freie
Bedingung seines freien Ratschlusses in diesen eingefügt:
insofern ist es *sein* Werk, nicht das Werk der Kreatur. Nur
eine gnostisierende Sophiologie kann hier die Grenzen verwischen und Maria als eine Art vierte Hypostase der Trinität
beifügen; davor wird gesunde katholische Theologie sich
hüten.

Immerhin ist an dieser Stelle der Übergang von der eigentlichen Kenose, die nur Christus als dem göttlichen Sohn
zusteht, zur uneigentlichen Kenose, die im freien Mitvollzug
seiner Tat der Selbstentsagung besteht, ein ganz enger.

2. Kenose im uneigentlichen Sinn

Keine Kreatur kann sich der «Gottgestalt» entledigen, um
Knechtsgestalt anzunehmen, denn sie ist von ihrem Wesen
her Knecht und Magd. Aber sie ist nach Bild und Gleichnis
Gottes geschaffen und insofern mit «Glorie und Hoheit ge-
krönt» und in die Herrschaft über alle Werke Gottes eingesetzt (Ps 8, 6–7). In dieser Stellung vermag sie zweierlei: sie
kann «Gott die Ehre geben», denn sie hat ihre eigene Ehre
nur als Abstrahl der göttlichen erhalten; damit kommt sie

aber erst in ihre Wahrheit und hat noch keinen (uneigentlich-) kenotischen Akt gesetzt. Man kann noch weitergehen: indem die Kreatur ihre eigene Würde dem Herrn und Schöpfer zur Verfügung stellt, um sich von ihm nach Belieben gebrauchen und verteilen zu lassen, vollendet sie nur ihren Wesensakt als Kreatur, und dies ohne ihre Freiheit aufzugeben, denn auch ihre Freiheit ist eine geschenkte und wird nur innerhalb des Lebens der absoluten Freiheit Gottes richtig verwaltet. Die Selbsthingabe, wie sie etwa das Suscipe-Gebet am Ende der ignatianischen Exerzitien ausdrückt, ist als solche noch kein kenotischer Akt. Diese Hingabe wird erst in dem Augenblick (im uneigentlichen Sinn) kenotisch, wo der eigentliche Kenosisbeschluß Gottes: sich den Händen der Sünder und der Macht der Finsternis auszuliefern, erfolgt ist.

Die Unterscheidung erhält ihren Sinn, wenn man sie mit dem Hingabeakt in andern Religionen vergleicht, wo keine freie Kenose von seiten Gottes angesetzt wird. Auch in solchen Religionen kann die Selbstpreisgabe bis zum völligen Verwaltetwerden des endlichen Seins durch das unendliche gehen wollen. Freilich ist der Begriff der Freiheit, der einem derartigen Hingabeakt zugrundeliegt, ein anderer als der christliche. Denn im christlichen besteht kein Gegensatz zwischen «Rückgabe» der Freiheit der Kreatur an die göttliche Freiheit und persönlicher Verwaltung der geschenkten und vom Geschöpf zu verantwortenden Freiheit. In den Religionen dagegen geht die endliche Freiheit durch den Hingabeakt in der unendlichen auf und unter. Das endliche Wesen wird durch das unendliche gleichsam «ausgekernt», was eine innerhalb des christlichen Denkens – des biblischen überhaupt – völlig unvorstellbare Form von «Kenose» wäre. Denn er setzte voraus, daß die Endlichkeit und die Freiheit des Endlichen nur negativen Sinn hätte; damit wären Sinn und Güte der geschaffenen Welt negiert, selbst dort, wo dies nicht ausdrücklich eingestanden würde (z. B. bei Plotin).

Wo der göttliche Beschluß in christlicher Offenbarung der Kreatur bekannt geworden ist, wird ihre vollkommene Haltung der Überantwortung an Gott die Form eines *Angebots* zum Mitgenommenwerden auf den Weg der Kenose Christi annehmen. Als Angebot, das sich in das Gutdünken Gottes übergibt, unterscheidet sich dieser Akt grundlegend von dem freien souveränen Kenosisbeschluß Gottes selbst. Das Jawort Marias, die sich als Sklavin des Herrn bezeichnet, mit der man nach Belieben alles anfangen kann (Lk 1, 38), schließt wenigstens potentiell – denn es steht ja innerhalb der Heilsverfügungen des biblischen Gottes – ein solches Angebot zum Verbrauchtwerden im Dienst an der göttlichen Kenose mit ein, und es wird von Gott auch in diesem Sinn ernstgenommen. Es ist als weibliches und kirchliches Jawort nie ein Selbstverfügen, sondern ein Sichverfügenlassen, gemäß der Bewegungsrichtung, die der verfügende Gott einschlägt.

Dies muß die Grundform aller kirchlichen (uneigentlichen) Kenose bleiben. Auch wo Kirche der Meinung wäre, ihre innere Haltung und ihre äußere Erscheinungsform vor der Welt im Sinn einer größeren Gleichgestaltung mit dem kenotischen Herrn verändern zu sollen, kann dies nicht willkürlich geschehen, sondern nur im Gehorsam an einen vom Herrn der Kirche her ergehenden Willen oder Wunsch. Ein solcher Wille oder Wunsch ist freilich im Befehl zur Nachfolge und Gleichgestaltung (Phil 3, 10, vgl. Röm 8, 29) an Christus immer schon kundgeworden; somit ist die Kirche dabei auf dem Weg des Gehorsams. Aber dieser ist kein pauschaler, der für die Durchführung dann doch wieder dem Gutdünken des Christen überlassen wäre. Er muß in allen Einzelheiten von den Eingebungen des Heiligen Geistes geformt sein. Diese werden ihm aber nicht von außen zukommen, sondern aus seiner eigenen Freiheit und Einbildungskraft her aufsteigen, so wie Inspiration eben zugleich von oben und von innen kommt. Jedem in der Kirche können für sich und andere solche Inspirationen kommen, wie die Kirche sich der Kenose Christi besser angleichen kann, aber die Kirche wird in dem ihr verheißenen Geist prüfen müssen, welchen Geistes diese Inspirationen sind.

Gerade hier kann man einen Schritt weitergehen und sich
fragen, ob nicht die institutionelle Gestalt der Kirche als ganze
(im uneigentlichen Sinn) kenotisch genannt werden kann.
Dieser Gedanke kann sich dort aufdrängen, wo in der Kirche
die Differenz zwischen dem vollen makellosen Angebot
Marias und dem unvollkommenen, oft kaum vorhandenen
der sündigen Kirchenglieder bedacht wird. Diese Differenz
ist analogisch vergleichbar mit der Differenz zwischen der
christologischen «Gottgestalt» und «Selbstentäußerung» in
die «Knechtsgestalt» hinein. Das Eingehen des Sohnes Gottes
in die Enge der von der Sünde Adams geschwächten Menschengestalt ist in der Tat vergleichbar mit dem Eingewiesen-
sein des vom Heiligen Geist belebten Christen in die Enge der
kirchlichen Institution; beide Unterwerfungen unter eine
starre, nicht zu sprengende Gestalt haben, als Demütigungen,
einen soteriologischen Sinn. Jesus kann diese Enge bis zum
Überdruß verspüren: «Wie lange soll ich noch bei euch bleiben, wie lange euch noch ertragen?» (Mt 17, 17). Die Enge
der nachadamitischen Menschennatur hat vor Gott durchaus
den Charakter einer disciplina für den schuldigen, zum Himmel zu erziehenden Menschen, und man kann sich nicht wundern, daß soviel nichtchristliche Religionen den Leib als ein
Gefängnis oder ein Grab der Seele empfunden haben. Erst
von der Auferstehung Christi her erhält ein anderer Aspekt
der Leiblichkeit das Übergewicht. Dem widerspricht nicht
einmal die wundersame Organisation des menschlichen Leibes,
der ihn zu einem geschmeidigen Werkzeug der Seele, ihrer
Erfindungs- und Ausdruckskraft macht; das gleiche gilt von
jeder wohlgefügten sozialen Institution, die dem Bürger die
innerhalb des Gemeinwohls größtmögliche Freiheit gewähr-
leisten will. Denn beides – der Leib und die Institution –
binden den Geist doch sehr spürbar und schmerzlich an ein
beschränktes System, in Zeit und Raum, in der Beengung, die
die zwischenmenschlichen Beziehungen auferlegen, in der
Festgelegtheit der Ausdrucksmöglichkeiten, in den immerfort
vom Leib und von der Institution erhobenen Forderungen,

damit sie ihren Dienst weiter versehen können: Nahrung,
Schlaf, Erholung hier, Steuern, Gesetzesbeobachtung dort...

Wenn also wirkliche Analogie besteht zwischen der Unterwerfung des Sohnes Gottes unter die Institution des menschlichen Fleisches (zu dem ja die soziale notwendig hinzugehört,
vgl. Mt 17, 24ff.) und dem Unterworfensein des Christen
unter die kirchliche Institution, so durchschneidet diese Analogie doch nochmals die größere Unähnlichkeit: während der
Sohn Gottes sich freiwillig der Knechtsgestalt unterwirft,
kann man von der Ecclesia Immaculata höchstens sagen, sie
lasse die Stiftung der kirchlichen (hierarchischen und sakramentalen) Institution durch den Sohn geschehen. Der Übergang von der «marianischen» zur «petrinischen» Kirche ist
in keiner Weise eine Inspiration der ersteren; es ist einzig der
erniedrigte Sohn Gottes, der sich, vom Geist des Vaters inspiriert, seine Kirche in dieser Weise gleichgestalten will, so, daß
sich sein einmaliger freier kenotischer Akt in der institutionellen Kirchengestalt perpetuiert. Dabei bleibt zu beachten, daß
diese institutionelle Gestalt ebensowenig wie die Leiblichkeit
Christi oder des Menschen überhaupt einseitig als «Kerker»
und «Grab» gedeutet werden kann, ist sie doch gleichzeitig –
als disciplina – das Werkzeug der Vermittlung des göttlichen
Lebens in den Sakramenten und in der praktischen Ausübung
der eingegossenen Tugenden. Sowenig die Weltveränderung,
die Jesus herbeiführen wollte, in der Richtung auf eine Sprengung seiner Leiblichkeit (etwa um einer «Bewußtseinserweiterung» willen) ging, sowenig kann der Christ an den Stäben
der Kircheninstitution rütteln, um durch deren Zerbrechen
in die Freiheit des Heiligen Geistes oder der Kinder Gottes zu
gelangen. Die marianische Kirche, die Immaculata, die
Augustin als die «Columba» bezeichnete, will sich selbst nie
in einen Gegensatz zur Kirche als Institution stellen: die
Mutter Jesu erwartet im Schoß der ganzen sichtbaren Kirchengemeinschaft «einmütig im Gebet» den Heiligen Geist
(Apg 1, 14), der hier abermals als die Einheit von Inspiration
und Institution erscheint.

Man kann sich zuletzt noch fragen, in welcher Weise die alte Theologie vom «himmlischen Jerusalem» als der bei Gott weilenden Kirche in dieser Einsicht marianischer Grundhaltung heute noch fortleben kann. Daß die irdische Kirche in ihrem unsichtbaren Wesen «unsere Mutter», das Jerusalem droben ist, bleibt unverrückbar wahr, und nicht minder, daß ihr wahres Wesen gemäß der Apokalypse eschatologisch erscheinen wird. Aber alle platonisierende Scheidung einer intelligiblen Sphäre, wo die «wirkliche» Kirche hauste, und einer erscheinungshaften Sphäre, in der sie sich entfremdet wäre, fällt dahin. Denn in der Kenose Christi wird der Wille des Vaters durch den Heiligen Geist «wie im Himmel so auf Erden getan», und im gelebten Jawort Marias ist «die allergeliebteste Mutter, bei der die Erstlingsfrüchte meines Geistes geborgen sind», selber auf Erden pilgernd. Bei dieser Pilgerschaft, die bis zum Kreuz und seiner Gottverlassenheit führen kann, besteht grundsätzlich kein Abstand zum Himmel, so daß der Sohn bei der Himmelfahrt und Maria bei ihrer Aufnahme in den Himmel zwar in die Offenheit ihrer Wahrheit eingehen, dabei aber erkennen, daß sie «immer dagewesen sind». Im Paradox dieses Hingelangens und Immer-da-gewesen-Seins ist der letzte Rest von Gnostizismus und Dualismus aus dem Christentum ausgetrieben.

Denn mit der Kenose Christi hat sich die Ewigkeit selbst in Bewegung gesetzt und hat die Zeit mit all ihren Dunkelheiten durchwandert. Zwischen dem Zuhausebleiben des Vaters und dem Fortpilgern des Sohnes besteht kein entfremdender Abstand, weil dieser Sohn nie der verlorene Sohn ist, weil der Geist immerdar Vater und Sohn verbindet, weil die «Ferne» der Kenose eine Weise der innertrinitarischen Nähe und des Ineinanderseins der göttlichen Hypostasen ist. Bei der Kenose des Sohnes bleibt ja seine angestammte «Gottgestalt» beim Vater zurück, bei ihm «hinterlegt», zugleich als Pfand seiner Treue zum Willen des Vaters und zur «Erinnerung» für den Vater, wie sehr er selbst im Weltabenteuer engagiert ist. In dieser Art Zerspannung zwischen Ewigkeit und Zeit ist Gott in sich selbst nicht zerspalten, sondern mehr als je bei sich, weil er den freien Einsatz vollendet, den er bei der Schöpfung begann; als hätte er als Schöpfer mit sich selbst gewettet, daß er das scheinbar Unmögliche durchführen kann: in sich stehende geschöpfliche Freiheiten schaffen und sie trotzdem nicht verloren gehen lassen.

CHRISTOLOGIE UND KIRCHLICHER
GEHORSAM

Christlicher Gehorsam kann im Ursprung nur glaubhaft gemacht werden als Leidenschaft mit Jesus zusammen für das kommende Reich Gottes, und, da Jesus durch Tod und Auferstehung hindurch zum begonnenen und durchzusetzenden Reich geworden ist, als Leidenschaft für die Person und die Sache Jesu Christi. Und beides ist eins. Jede Diskussion über kirchlichen Gehorsam – seine historischen Gestaltwandlungen und die Formen, die er nachkonziliar annehmen sollte –, welche nicht von der Christologie ausgeht, redet von vornherein am Entscheidenden vorbei. Denn die Christologie ist die innere Form der Ekklesiologie, und sie allein bestimmt Nähe und Abstand zwischen dem Gehorsam Christi als des Hauptes und dem Gehorsam der Kirche als des Leibes und der Glieder. Das wird verunklärt, wenn man von dem spezifisch Neutestamentlichen in der Verfaßtheit der Kirche absieht («Volk Gottes» ist primär ein alttestamentlicher Begriff, daher für sich allein genommen ungeeignet, das unterscheidend Christologische in den Blick zu bringen[1]) und so tut, als könne Kirche auch nur einen Augenblick auf sich selbst reflektieren, ohne sich im Spiegel, der Christus ist, zu betrachten (2. Kor 3, 18), um dort zu erfahren, was oder wer sie

---

[1] Es genügt nicht einmal, zu sagen «Volk Gottes» sei der Artbegriff, dem die neutestamentliche differentia specifica fehlt, denn 1. sind Alter und Neuer Bund nicht zwei Arten einer gleichen Gattung; der Bund Gottes ist einzig, er geht aus dem Verheißungs- in den Erfüllungszustand über, aber zugleich aus der Verwerfung des Volkes in die Erwählung des kleinen Restes, der kleinen Herde; somit ist 2. der Volksbegriff dem Alten Bund zugeordnet und erscheint neutestamentlich nur in Zitaten aus dem AT. Wenn das II. Vaticanum einen sicher unzurei-

ist und wie sie sich überhaupt und näherhin heute zu verhalten hat. Sofern «der Herr der Geist ist», wird er Präsenz
genug besitzen (falls die Kirche sie wahrnehmen will), ihr die
heutige Weisung, die zeitgemäße Weise der «Abspiegelung»
unmißverständlich anzugeben. Daß der Geist die Mitarbeit
der Kirche beim Bedenken dieser Weise einfordert, ist selbstverständlich, ist er doch Geist *in* der Kirche; daß diese Mitarbeit vor allem ein offenes gehorsames Horchen auf den
Geist selbst sein muß, ist ebenfalls klar, weil der Geist ja der
Herr ist. Er allein vermag die Spannung zwischen dem Christologischen, das Norm für jede Kirchenzeit bleibt, und dem
Ekklesiologischen der heutigen Zeit aufzuzeigen und durch-
zuhalten: wenn die Bauleute nicht an *dieser* Brückenspannung
bauen, dann bauen sie vergebens. So ist zuerst vom Christologischen zu reden, das maß-gebend ist, und dann erst vom
Ekklesiologischen, das mit all seinen dringenden Zeitfragen
das Gemessene, norma normata bleibt. Das Verhältnis der
Kirche zu Christus ist ebensosehr Mysterium wie Christus
selbst. Zum Geheimnis Christi gibt es nur einen Schlüssel:
Liebe in Glaubensgehorsam. Diese Liebe ist Kriterium der
Zugehörigkeit zur Kirche (1 Kor 16, 22). Wer sein Dasein
nicht in lebendigem Glauben als mit seiner Liebe zu Jesus
Christus koextensiv erklären kann, wird vielleicht vieles von
der Not der Menschheit aller Zeiten und der heutigen insbesondere verstehen, aber das Wesen des Christseins in der
Kirche Christi begreift er nicht. Aus der Liebe zu Christus,
der die leibhaftige Liebe des dreieinigen Gottes zu uns ist,
eine Liebe, die sich in der dialogischen Gebetsverbundenheit
mit Christus äußert und von dieser her in seinem Sinn zu

chenden Kirchenbegriff (den der «societas completa», gar der in
Hierarchen und Laien zerteilten Gesellschaft) durch den Volk-Gottes-
Begriff zu ersetzen suchte, so birgt dieser, wo er abstrakt und absolut
genommen wird, analoge, nur entgegengesetzte Gefahren. Begriffe sind
Schicksale. Man kann nicht genug betonen, daß «Lumen Gentium»
den Volkesbegriff erst einführt, nachdem es von der Kirche als Mysterium
gehandelt hat.

handeln beginnt, haben sich alle theologisch ernst zu nehmenden Gehorsamslehren der Kirche entfaltet.

1. Der apriorische Gehorsam Christi

Die Synopse zeigt uns die Existenz des Menschen Jesus vorwiegend in actu, verbal; Paulus und Johannes deuten sie vorwiegend im Rückblick, der den Kern des Ereignisses heraushebt, nominal. Dort sehen wir den gelebten Gehorsam an den Vater im Geist; hier wortet sich der Gehorsam aus: Röm 5, 19; Phil 2, 6–11; Jo 6, 38 usf. Johannes, der die abschließenden Formulierungen bringt und die Einheit zwischen Vater und Sohn so stark hervorhebt, spricht auch am klarsten von einem mandatum des Vaters (10, 18; 12, 49; 14, 31). Dieser Auftrag umspannt alles. Jesus ist kein Mensch, der sich im irdischen Dasein vorfindet, um von daher, sich besinnend und nach seinem Daseinszweck fragend, einen Willen Gottes zu sichten und zu tun; seine Existenz ist nicht «Geworfenheit», vielmehr ist er in seiner menschlichen Existenz Ergebnis von Sendung (4, 34 usf.) und somit von Gehorsam[2]. Das gleiche drückt von anderer Seite her der Satz aus, daß Gottes Wort Fleisch geworden ist (Jo 1, 14), oder daß Gott seinen Sohn um seines Todesleidens willen zum Gesamterben eingesetzt

---

[2] Gewiß ist im Hymnus Phil 2 das «ekenōsen» (er leerte sich aus), «etapeinōsen heauton» (er machte sich niedrig) und die «Annahme der Sklavengestalt» die Voraussetzung für das «Gehorsamwerden bis zum Tod am Kreuz»: aber diese Voraussetzung, als Akt des Präexistenten, ist die Zurüstung auf das Ergebnis hin; man könnte sagen: es ist ein «transzendentaler» (trinitarischer) Gehorsam, der sich im menschlich-«kategorialen» durchhält und ihm immerfort seine universale, ekklesiologische und kosmische Tragweite gibt. Daß der Hymnus nicht ausdrücklich sagt, wem Christus in seiner Erniedrigung gehorcht (E. Käsemann, Krit. Analyse von Phil 2, 5–11, in: Exeget. Versuche und Besinnungen I, [4]1965, 77), kann auf der Stufe der liturgischen Verwendung und dann der paulinischen Übernahme des Hymnus kein Problem mehr bilden.

hat (Hebr 1, 2; 2, 9), oder daß im «Sohn Gottes» «sämtliche Verheißungen ihr Ja gefunden haben» (2 Kor 1, 19). Jesus ist als der fleischgewordene Auftrag des Vaters also auch die (Über-)Erfüllung aller alttestamentlichen prophetischen Existenzen. Es lohnt sich, einen Augenblick dabei zu verharren. Israel im ganzen ist «der erwählte» Knecht oder Sohn, dazu erkoren, Gott allein zu gehören und in allem seinen Willen zu tun. Man kann sagen, daß es erst als Ergebnis dieser («transzendenten») Erwählung zum Volk wird. Und nun gibt es innerhalb dieser völkischen Erwählung (die freilich in der personalen Erwählung Abrahams wurzelt und sich daraus entfaltet) jene Einzelberufungen, die eine völkische Existenz nochmals – temporär oder endgültig – in einen absoluten Gehorsamsdienst nehmen: Weisungen Jahwes durchzugeben dem Volk, oft so, daß die ganze Existenz zum Symbol des aufgetragenen Willens Gottes zu werden hat[3], durch unerhörte, Aufsehen erregende Leidenszeugnisse (Jeremias) sie beglaubigt, bis schließlich in «meinem Auserwählten» (Is 42, 1) das vollkommene zuständliche Horchen auf Gottes Weisung zusammenfällt mit dem vollkommenen Leiden (im gleichen Vers: Is 50, 4). Der Moses des Deuteronomium steht diesem Bild schon sehr nahe (vgl. Dt 5, 23ff. mit Dt 1, 37; 9, 19 usf.). Der einfache Gehorsam des Volkes und der potenzierte des um des Volkes willen Erwählten wird im Gehorsam Jesu zu seiner Fülle gebracht, ja, weil seine Existenz selbst schon Gehorsam ist, übererfüllt. Dabei ist in Rechnung zu stellen, wie unvollkommen der Gehorsam des alten Volkes war – es klagt sich dessen laut genug in seinen Büchern an – wie mangelhaft oder gezwungen vielfach auch der Gehorsam seiner Führer. Die «transzendente» Erwählung Israels aus Ägypten weist zwar auf das theologische Apriori seiner soziologischen völkischen Existenz, bleibt aber ein reiner Akt *Gottes*, was durch die Widerstände des Volksführers bei seiner Erwählung (Ex 3) und die dauernden Rebellionen des Volkes

---

[3] G. Fohrer, Die symbolischen Handlungen des Propheten (1953).

während des Wüstenzuges drastisch eingehämmert wird. Es gibt keine Periode der Volksgeschichte, in der der Gehorsam des Volkes oder seiner Führer als gesichert gelten konnte; der Abfall, wenigstens der Widerstand (vgl. Jeremias) drohte immerfort. Der «Gottesknecht» bei Deuteroisaias bleibt eine Art Wunschbild. Erst in Jesus entspricht dem theologischen Apriori der göttlichen Erwählung eine ebenso apriorische Antwort des Gehorsamswillens, was der Hebräerbrief ausdrücklich bezeugt (Hebr 10, 5–10).

Die paulinischen und johanneischen Aussagen über diesen Gehorsam schließen eindeutig aus, daß Jesus einen anderen Willen erfüllt als den des Vaters. Weder gehorcht er «seinem Gewissen», seiner «Überzeugung», noch folgt er als Mensch dem Willen seiner eigenen Gottheit; solche Aussagen, selbst wenn sie sich als theologische Folgerungen ergäben, würden die Hauptaussage verdunkeln, die nur durch eine trinitarische Voraussetzung durchgehalten und erhellt werden kann: daß der Eine, der nun in Christus als Mensch vor uns steht, den Willen des Andern tut und daß beide Willen am Ölberg in einer erschreckenden Nacktheit einander gegenüberstehen: «Nicht mein Wille, dein Wille». Zweierlei ist hier sogleich beizufügen.

Das erste ist die Rolle des Heiligen Geistes. Sie versichtbart sich in der Herabkunft des Sendungsgeistes bei der Taufe Jesu, wird aber von Lukas in seiner Jugendgeschichte schon in etwa vorweggenommen, so im Handeln und in der Gewißheit des Zwölfjährigen, dort sein zu müssen («dei»), wo der Vater ist und ihn haben will. (Die Präsenz und Aktivität des Geistes bei der Empfängnis, der Heimsuchung, der Darstellung im Tempel kann als Versichtbarung des theologischen Apriori sowohl der Erwählung Jesu wie seines Gehorsamswillens verstanden werden.) Der Sendungsgeist «treibt» Jesus, wie er auch die Christen als Kinder Gottes «treiben» wird (Röm 8, 14). Es ist nirgendwo die Rede davon, daß der Mensch Jesus in seinem sterblichen Leben etwa gemeinsam mit dem Vater den Geist «hauchen» würde, so daß er mit dem Vater zusammen (in einer Art «göttlichen Mündigkeit») seine Sendung, die im Geist verkörpert wäre, mitbestimmte. Diese göttliche Gemeinsamkeit des Aushauchens des Geistes wird vom Menschen Jesus erst «eingeholt», da er als Mensch seinen Sendungsgeist «ausgehaucht» hat, und in der Wiedervereinigung mit dem Vater als Erhöhter von diesem her über den Geist verfügend (Apg 2, 33) ihn der Kirche senden und einhauchen kann. Solange er auf Erden weilt, konkretisiert der ihn überschwebende Geist ihm den väterlichen Willen, den zu tun seine Speise ist. Und wenn der Geist ihn «treibt», der Stunde entgegen, die ihm die schlechthinnige Überforderung bringen wird, so sagt der Sohn innerlichst Ja zu diesem Getriebenwerden («wie drängt es mich» und zugleich «beängstigt es mich» Lk 12, 50), das auch ihn notwendig dorthin führt, «wohin du nicht willst» (Jo 21, 18), in den Tod nicht nur, sondern in den Bereich des Widergöttlichen, ins innere Wesen der «Sünde», die er, ohne davon Abstand zu nehmen, tragen soll (2 Kor 5, 21).

Das zweite zu Bedenkende ist das Begleitetwerden des Sohnes durch den Vater, das sich ja gerade auch in der Gegenwart des Heiligen Geistes äußert. Diese Begleitung hat eine für uns nicht auszudenkende Intimität, die sich im Gebetsleben des Sohnes und von diesem her in seiner ganzen Existenz äußert. Worte wie die folgenden: «Der Sohn kann nichts aus sich tun, er kann nur tun, was er den Vater tun sieht; was dieser tut, das tut gleicherweise auch der Sohn; denn der Vater liebt den Sohn und zeigt ihm alles, was er tut» (Jo 5, 19 f.), leuchten in die Tiefe des kontemplativen Gebetes des Sohnes hinein. Das Wort Liebe strahlt hier als der innerste Grund gegenseitigen Unverhülltseins auf. Es ist zweifellos nicht nur erschlossene oder geglaubte, sondern erfahrene Liebe: Liebe des Vaters, die im Sichenthüllen im Sohn zum antwortenden Mitvollzug wird: so daß, wie die nächsten Verse zeigen, der sohnliche Mitvollzug im Liebesgehorsam zur Präsenz der väterlichen Autorität in der Welt wird: der Vater «hat das ganze Gericht dem Sohn übergeben, damit alle den Sohn ehren, wie sie den Vater ehren» (5, 22f.); und diese Vollmacht wird bis zur höchsten, dem Schöpfergott allein vorbehaltenen Vollmacht gesteigert: Tote zum Leben zu erwecken (Röm 4, 17; 2 Kor 1, 9).

Aber beide Aspekte: vollkommen objektiver Gehorsam und vollkommen subjektive Liebe sind in der Art, wie das göttliche Pneuma dem Sohn verliehen ist – als Auftrag (Institution) und als dessen liebende Erfüllung – immer schon eins. Belehnung mit der höchsten Vollmacht, Selbständigkeit, Verantwortung fällt in Jesus Christus zusammen mit der absoluten Hingegebenheit an den Liebeswillen des Vaters als des Andern. Und noch mehr: diese tiefste kontemplative und dialogische Intimität, in der der Vater den Sohn begleitet, ist die wesentliche Voraussetzung für den Ölbergsdialog, wo der Vater als Liebender sich verhüllt und sich zu einem reinen fordernden Willen formalisiert, wie im Sohn sich die ganze Liebe in den reinen, geforderten und überfordernden Gehorsam konzentriert, in die alles entscheidende «Kraftprobe» der göttlichen Liebe, in der der Sohn zum «Gottesknecht» und deshalb in seiner Erhöhung zum Kyrios wird, in der auch nach Paulus die Rechtfertigung aller Brüder und die Erlösung des Kosmos sich ereignet und der am Kreuz Erhöhte nach Johannes alle an sich zieht. Die Freiheit, zu der uns «Christus befreit hat» (Gal 5, 1), ist «um einen teuren Preis erkauft» (1 Kor 6, 20; 7, 23) und kann keinen Augenblick von diesem Preis abstrahieren: «Durch den Gehorsam des Einen...» (Röm 5, 19). Das Kreuz ist der Ernstfall der Liebe; und die Menschwerdung hat im ganzen kein anderes Ziel als diesen Ernstfall[4]; sie ist Weg daraufhin und *als* Gehorsamswerk (Kenosis) hat sie schon Anteil daran. Der Ernstfall heißt für Jesus: Gehorsam in der vollkommenen Überforderung; denn wie könnte ein Mensch «die Sünde der Welt hin-

---

[4] Darin sind sich die griechischen Väter ebenso einig wie die lateinischen; vgl. unser «Mysterium Paschale» in: Mysterium Salutis III (Benziger Einsiedeln 1970).

wegtragen»? Wie könnte er «zur Sünde gemacht» werden? Was er nicht kann, wozu keine Menschenkräfte ausreichen, das wird ihm, der das Bewußtsein des Nichtkönnens hat, in der Ohnmacht aufgebürdet. Was er trägt, ist nur vom Vater aus gesehen «nach Vermögen», von ihm aus gesehen und erlebt, ist es «verhältnislos über Vermögen» (2 Kor 1, 8).

Die letzten Worte stammen von Paulus, der seine Existenz im Glauben dem Prägstock Christi unterworfen hat, um seinerseits fähig zu werden, im Dienst Christi Prägstock der Gemeinde zu werden (Gal 4, 19). Was kirchliche Existenz ist, läßt sich von dieser Prägeform her bestimmen.

2. Der apriorische Gehorsam der Kirche

Es genügt nicht zu sagen, die Kirche solle bestrebt sein, jeweils unter der Inspiration des Heiligen Geistes (der ihr wesentlich aus den historischen Situationen entgegenweht), den Willen Gottes zu erspüren und zu befolgen. Damit wäre die forma Christi übersprungen. Was im Leben Jesu als Aufforderung an Einzelne erscheint – alles zu verlassen und ihm (auf seinem einmaligen Weg) nachzufolgen –, das wird von Kreuz und Auferstehung an zur vollendeten Tatsache, die dem Entschluß des Einzelnen, Christ zu werden, bereits vorausliegt. Das Christwerden vollzieht sich in der Taufe als «Gleichgestaltung mit seinem Tode» (Röm 6, 3ff.); aber schon als Christus für alle starb, waren ja alle gestorben (2 Kor 5, 14); wer das erkennt, hat dieses «An-sich» (in dem das «Für-mich» schon liegt: Gal 2, 20; Röm 5, 8 usf.) nachtragend in der eigenen Existenz zu ratifizieren. Dieser Akt der Ratifikation ist ein die Wirklichkeit bejahender Gehorsam und *deshalb* ein Heimfinden zur eigenen Eigentlichkeit. Denn als Sünder waren wir ja Gott und uns selbst Entfremdete, da wir doch vor Grundlegung der Welt vorherbestimmt waren, «im Geliebten» (Sohn), ihm eingegliedert, heilig und untadelhaft vor Gott dem Vater zu stehen (Eph 1, 4f.10), um die Herr-

lichkeit seiner Gnade zu preisen. Sich selbst in seiner Eigentlichkeit bejahen heißt Gottes Ratschluß anerkennen, der uns
durch das Kreuz (Eph 1, 7) in unsere Wahrheit bringt. Gehorsam an den absoluten Gott ratifiziert die Freiheit, zu der
uns Christus am Kreuz aus der Knechtschaft der Sünde befreit hat (Gal 5, 1). Aber weil diese Freiheit sich im «Gehorsam an die Wahrheit» verwirklicht (1 Petr 1, 22), ist, wie von
Exegeten bemerkt wurde, im Neuen Testament nur gedämpft
und irgendwie unbetont von Freiheit die Rede. Denn wir
sind uns selbst «enteignet», um Gott und seiner Liebesfreiheit
zu dienen – und uns so und nur so selber zu finden[5]. Man
kann die Probe machen, indem man den Begriff Freiheit mit
der Wirklichkeit der Magd des Herrn konfrontiert.

Wo Kirche «heilig und tadellos» ist, gemäß ihrer ursprünglichen Erwählung (Eph 1, 4), wo sie die «herrliche Braut
ohne Makel und Runzel oder sonst einen Fehler» ist, «heilig
und makellos» (Eph 5, 27), dort bekennt sie sich, dem Mensch-
werdungsgesetz des Sohnes voll entsprechend, als «Magd des
Herrn» (Lk 1, 38). Diese spricht nicht eigentlich ein von Gott
abgewartetes Jawort als ein ihm gegenüberstehender «freier
Partner», denn mit der Menschwerdung ist die Zeit eines
solchen doppelseitigen Bundes vorbei (Gal 3, 20). Marias
Freiheit läßt Gott über sich verfügen; deshalb die kategori-
schen Futura: «du *wirst* gebären, *wirst* ihm den Namen Jesus

---

[5] Daher: «suscipe universam meam libertatem»: da schon metaphysisch, erst recht christologisch, ein Geschöpf desto freier ist, je mehr
es teilhat an der real sich ereignenden Freiheit Gottes, an seinem sich
durchsetzenden Ratschluß, wie ihn z.B. Eph 1, 3–10 schildert. Schon
metaphysisch (Plotins epistrophē), erst recht christologisch ist die
«Rückwendung» und «Rückgabe» der geschöpflichen in die absolute
Freiheit («a vos, Señor, lo torno») der Akt, in dem allein das Geschöpf
seine Autonomie, sein Selbstsein, seine Sendung finden kann. Der
Begriff «frei» erhält bei Paulus dort Klang, wo er die Absetzung von der
Knechtschaft der Sünde besagt, er verliert an Klang (vgl. schon die
Warnung Gal 5, 13), wo die Hinwendung zu Gott als neue In-Dienst-
nahme geschildert wird: Röm 7, 16ff.; «jam non sibi vivant, sed ei...»
2 Kor 5, 15.

geben» usf. (Lk 1, 31 ff.). Gottes Heilswille tritt auf sie zu als das von Ewigkeit her schon Gesetzte, Gestiftete, Institutionelle. Und doch ist ihr Jawort bis ins Letzte existentiell, es umfaßt nicht nur den seelischen, sondern auch den leiblichen Glauben der Verfügten – und dieser leibliche Glaube wird fortan fruchtbare Jungfräulichkeit heißen –, denn anders als in einem solchen Glauben, durch ihn und mit ihm zusammen würde das Wort Gottes nicht Fleisch. Dieser mütterliche Leib, der je schon (in der Geistüberschattung) ein bräutlicher Leib war, ist vorweg kirchlicher Leib, von dem her und auf den hin sich all das an Christus angestalten wird, was später Kirche heißen wird. Der kirchlich-marianische Gehorsam an den Sohn ist ein vollkommener und dabei völlig unbetonter; er hat die Selbstverständlichkeit der Liebe und des Mutter-Kind-Verhältnisses. Er ist ein bedingungsloser, weil es um die Gleichgestaltung der Kirche mit dem trinitarischen Kreuzesgehorsam geht: so wird die Mutter «gereinigt», wie der Knabe beschnitten wird, obschon beide dessen nicht «bedürften» und so (im buchstäblichen, inkarnierten Gehorsam an «das Gesetz des Herrn» und «des Moses» Lk 2, 22 ff.) in ein falsches Licht rücken. Dann wird Maria als «Fleisch und Blut» zu den ungläubigen Verwandten gestellt und nicht zugelassen, sie dient dem Sohn als Anschauungsmaterial für das von ihm Verlassene, die Sippe, den Alten Bund (Mk 3, 31 ff.). Schließlich wird sie eigens mit ans Kreuz genommen, um dort an seiner Gottverlassenheit teilzunehmen, denn wie der Vater den Sohn verläßt, so verläßt der Sohn die Mutter und unterschiebt ihr, der Kirche, einen anderen «Sohn» (Joh 19, 25 ff.). In alldem ist sie «selig», weil ihre Existenz damit ausgefüllt ist, «das Wort Gottes zu hören und zu bewahren» (Lk 11, 28; 2, 19–51), im johanneischen Sinn darin zu «bleiben». In dieser Urzelle von Kirche kann sich der trinitarische Liebesgehorsam des Menschgewordenen widerstandslos ausprägen, weil sie so gar nicht «Persönlichkeit» spielt, die durch einen mehr oder weniger heroischen Akt auf sich selber verzichtet, um sich in den Dienst Gottes zu begeben,

sondern einfach als «niedrige Magd» vom Blick «Seines Er-
barmens» getroffen wird, des Gottes, der «die am Boden
Liegenden aufhebt, die Hungernden mit Gütern füllt und
die Reichen leer ausgehen läßt» (Lk 1, 48 ff.). Von der Anawim-
Armut her jeder möglichen Gegenwehr (mit «Gütern» von
eigenen Argumenten oder Einwänden und «Verantwortungen») entblößt, kann der Urakt der Kirche das Gott-über-
sich-Verfügenlassen sein, ein Akt, in den die reife Glaubenserfahrung Israels – daß Gott mit den Machtlosen und Ent-
rechteten ist, und daß sein Heilshandeln gerade sie erwählt
und erlöst – ein- und aufgeht. Gehorsam ist für dieses Gott-
Verfügenlassen ein fast schon zu spezieller Begriff; es liegt
ihm in analoger Weise transzendent voraus, wie der kenotische Gehorsamswille des Sohnes als die transzendente Voraussetzung seinem irdischen Knechtsgehorsam vorauslag.

Härter geht es zu, wo Sünder erwählt werden, um Kirche
zu sein; ohne Gewaltanwendung und Demütigung geht es
bei Petrus und Paulus nicht ab. Hartnäckige Widerstände
müssen gebrochen, die «Stolzen» müssen zur Erde geworfen
werden, wo sie «zitternd und bebend» fragen: «Herr, was
willst du, daß ich tun soll?» (Apg 9, 6). Die Schwerter des
«guten Willens» müssen Petrus aus der Hand geschlagen
und seine Glaubensbeteuerungen als Illusionen entlarvt werden. Bevor bittere Tränen geflossen sind, ist der zum «Fels»
Erwählte nicht fähig, die Herde Christi zu weiden. Und unbedingt erst durch Verleugnung, Tränen und Traurigkeit
hindurch kann ihm die Verheißung zuteil werden, daß er
wirklich nachfolgen wird: «dorthin, wo du nicht willst»
(Jo 21, 18f.). Der Griff Christi nach den Aposteln ist der Griff
des Herrn, der von seinem Eigentum (Jo 1, 11) geradezu
zwingend («anankē» 1 Kor 9, 7) Besitz ergreift, so sehr, daß
Paulus kein Verdienst hat, wenn er seinen Verwalterdienst
tut. Bei Maria *braucht* nicht parlamentiert und dialogisiert zu
werden, weil sie als die vollkommene Arme und damit auch
Jungfräuliche a priori verfügbar ist; bei den «Säulen der
Kirche» *darf* nicht parlamentiert und dialogisiert werden, weil

sie nicht «Partner» (oder auch nur «Mittler»), sondern Leib Christi werden sollen. Der Mann namens Simon wird nicht gefragt, ob er Petrus werden will; er *ist* es in der Wirklichkeit, die durch Jesu Tod und Auferstehung nach Gottes Heilsplan geschaffen wird und in ihm (en Christō) seine Kirche ist. So ist Saulus, ohne es zu wissen, immer schon ungefragt (Gal 1, 15) Paulus. Und sogar die Freiwilligkeit seiner Christusliebe ist bereits überholt: «Ich will ihm zeigen, wieviel er für meinen Namen wird leiden müssen» (Apg 9, 16).

Darum ist der Wechsel vom Ort der Entfremdung zum Ort der Eigentlichkeit für den einzelnen Christen wohl an einen Akt des Glaubensgehorsams und der Glaubenshingabe gebunden, aber weder von diesem eigentlich verursacht (sondern von Christi Tun), noch dem subjektiven Akt proportional, sondern vom sakramentalen Akt der Taufe her zu seiner wahren Wirksamkeit entfaltet: Kirche in Christus übernimmt den Glaubenden (der als solcher die Priorität von «Christus Haupt und Leib» anerkennt) im Sakrament in dieses ihm Vorausliegende, ihn aber in seiner Wahrheit und Eigentlichkeit Konstituierende hinein.

Um dieses Frühersein geht es hier vorerst; die katechetische Vorbereitung auf den Übertritt hin bleibt einstweilen noch unbetont. Der Glaube wird Paulus gleichsam als Zugabe geschenkt; wann und wie immer er hinzutreten mag: «aus Gnade seid ihr gerettet worden» (Eph 2, 5). Glaube (und darin liegt Zustimmung zur vorgängigen Tat Gottes) ist Gehorsam an eine schon bestehende Wahrheit. Als Gehorsam wird er neutestamentlich beschrieben (Röm 1, 5; 15, 18): er ist «Gehorsam gegenüber der Wahrheit» (1 Petr 1, 22), gegenüber «dem Evangelium», das diese Wahrheit kundtut (2 Thess 1, 8; Röm 10, 16; 16, 19).

Woher immer dem in die Wahrheit Versetzten der Glaube als Gnade zukommen mag: sicher ist, daß der von Christus am Ort der Kirche Beanspruchte, von ihm in den Dienst an der Wahrheit Enteignete im gleichen Akt mit einer bestimmten, personalen Sendung begabt und belastet wird. Des bisher scheinbar Eigenen beraubt wird der Glaubende nur, um mit dem wahrhaft Eigenen, der kirchlichen Sendung Christi ausgestattet zu werden. Das ist die christologische Form, in die Christus die Seinen hineinnimmt: Armut, Durchsichtigkeit, Gehorsam des Sohnes zum Vater hin ist identisch mit Auftrag, Vollmacht, Re-präsentierung des Vaters auf Erden.

Soll diese Grundform des Gehorsams der Kirche an den Herrn sich auch in ihren Gliedern durchhalten, so läßt sich vorweg sagen: innerkirchlicher Gehorsam ist – trinitarisch-christologisch-ekklesiologisch gesehen – Verzicht zu Verantwortung hin. So mußten die ersten Jünger alles verlassen, um in alles hinein, «bis an die Grenzen der Erde», ausgesendet zu werden. Man rennt also, theologisch gesprochen, offene Türen ein, wenn man heute das zweite Moment: die Verantwortung des Gehorchenden, seine Phantasie, seine geistig schöpferische Leistung, seinen Raum an freier Gestaltung als konstitutiv betont, dieses Moment gar gegen das Verzichtsmoment ausspielt. Historisch sind hier zwischen den beiden Momenten christlichen Gehorchens Akzentverschiebungen feststellbar; theologisch sind sie nicht erheblich[6]. Und man täusche sich auch darüber nicht: die eingeprägte Form, die aus dem innersten Geheimnis Gottes stammt, bleibt für den menschlichen Verstand ein Geheimnis; auf der Ebene des Psychologischen und Soziologischen werden sich die beiden Seiten (Enteignung-Übereignung und Gesendetsein aus der Wahrheit Christi heraus) nie lückenlos ineinanderfügen; der Schmerz aber, der an den Bruchstellen entsteht, kann durchaus christologischer Schmerz sein, da ja die

[6] J. Loosen, Gestaltwandel im religiösen Gehorsamsideal, GuL 24 (1951) 196 ff.; G. Soballa, Gehorsam und Freiheit in den Konstitutionen der Gesellschaft Jesu, ebd. 34 (1961) 366 ff.; A. Brunner, Religiöser Gehorsam heute, ebd. 37 (1964) 177 ff.; H. Krauß, Der Gehorsam gegenüber Menschen in den Ordenssatzungen. Reflexionen zu einer zeitgemäßen Anpassung des Ordensgehorsams, ebd. 39 (1966) 252; H.-J. Wallraff, Mitgliedschaft und Mitverantwortung in den Orden heute, ebd. 41 (1968) 47.

Sendung wesentlich die des Sohnes, das Kreuz ist, mit seiner höchsten Diastase des «Willens» von Vater und Sohn, bis zur Verlassenheit des Sohnes vom Vater. Dennoch wird Teilnahme an diesem Schmerz immer erst von Ostern, also von der Freude her verliehen; Sendung ist wesentlich Freude, und aller Schmerz bleibt eingeklammert in der Freude des Dürfens (vgl. 2 Kor 6, 10).

Kirche entsteht durch das Versetztwerden von erlösten Menschen an den «Ort» des Sohnes; indem sie dies (der Wahrheit gehorchend) ratifiziert, anerkennt sie auch, daß sie gar nicht in sich, sondern «in Christus» existiert, und dort allerdings sie selbst ist. Versuchte sie, außerhalb Christi sie selbst zu sein, so wäre sie in der Selbstentfremdung. Wir haben dafür im Weltlichen nur die Analogie der Liebe zwischen zwei Menschen: der Geliebte wird im Liebenden in seiner Eigentlichkeit bejaht, und zwar nicht (wenn echte Liebe herrscht) als ein anderer, sondern als er selbst, so wie er (in der Liebe freilich) ist. So ist Kirche ein subsistierender Glaubens- (und darin Gehorsams-) Akt an die Liebe des erwählenden und erlösenden Gottes. Und wenn Kirche nunmehr den Auftrag erhält, Menschen die Frohe Botschaft zu künden und sie zu Christus zu führen, dann kann sie das nur tun, indem sie diese Menschen in ihren eigenen, kirchlichen, subsistierenden Glaubens- und Gehorsamsakt einführt. Das ganze Schwergewicht des Folgenden wird darin liegen, zu zeigen, daß alles, was in der Kirche Autorität heißen kann, nichts anderes ist als Kirche in ihrem Glaubensgehorsam zum Herrn, die in ihrer Sendung bemüht ist, Menschen in diesen gleichen Glaubensgehorsam einzuführen. «Wir nehmen jeden Gedanken gefangen in den Gehorsam an Christus hinein» (2 Kor 10, 5).

3. Einführung in den kirchlichen Gehorsam

Das Volk Gottes des Alten Bundes gehört zur (unentbehrlichen) Vorgeschichte der Kirche; ihre wahre Geburtsstunde

146

aber ist die Leibwerdung des Wortes Gottes in einem menschlichen Schoß, der ihn in einem verleiblichten Glaubensakt aufnimmt: Christus wird, indem gleichzeitig Kirche wird. Ein einzelner Mensch ohne Gemeinschaft ist ein Selbstwiderspruch. Alles, was später Kirche und Glaube sein wird, schart sich um die erste christliche Leidenschaft: nur Magd sein zu wollen für den Herrn, und in diesem Arm-Sein und Gefäß-Sein sich belasten zu lassen mit der Frucht des Herrn. Innerkirchlicher Gehorsam, so wurde schon anfangs gesagt, ist außerhalb dieser Leidenschaft unverständlich. Weder ist er Flucht vor Verantwortung in den Tutiorismus reiner Befehlsausführung, noch ist er Flucht in eine äußerlich reibungslos funktionierende Ordnung, im Gegenteil: höchste Selbstaussetzung «auf den Bergen des Herzens», Wille zu immer weiterer Verleiblichung des Gehorsams Christi, und dies zugunsten der «gesamten und vollständigen Welt und darin jedes Einzelnen für sich genommen»[7]. Wenn deshalb im folgenden von Gehorsam in der Kirche die Rede ist, so ist der Sinn des Wirkens Gottes in Christus und seiner Kirche keinen Augenblick vergessen: Heimholung der Schöpfung im ganzen. Diesen Sinn und Zweck hat der Gehorsam des Sohnes (Phil 2, 10) und im Raum seiner Kirche jeder Nachfolgegehorsam.

Wir gehen aus vom Sinn der Charismen in der Kirche, um dann zu fragen, welche Bedeutung in ihrer Mitte ein Amt hat, das die Einheit der Kirche mit Vollmacht repräsentiert, und welchen Sinn innerhalb einer so verfaßten Kirche ein besonders angezielter (ordensartiger) Gehorsam haben kann.

1. Dem einzelnen Glaubenden wird sein Gnadenauftrag «von Gott selbst» (Röm 12, 3), bzw. vom erhöhten Christus (Eph 4, 10f.) zugemessen; die Gottes- und Christusunmittelbarkeit von Glaube und Sendung ist nirgends stärker ausgeprägt als im Neuen Testament; deshalb geht quer durch alle Gemeinschaft die immer neue Versicherung, daß wir *einzeln* vor den Richterstuhl Gottes und Christi treten werden und uns

[7] Exerzitien Nr. 95.

dort verantworten müssen (Röm 2, 6ff.16; 1 Kor 4, 3ff.; 2 Kor 5, 10 usf.). Nicht die Kirche also gliedert die Gnadengaben aus, sondern Gott verteilt sie, vertikal. Aber so, daß die damit Begabten ausnahmslos in den Dienst an die Gemeinschaft Kirche in Christus eingewiesen sind, in die Gliedschaft des einen Leibes «gemäß der Analogie des Glaubens» (Röm 12, 6). Diese Analogie läßt dem Einzelnen seinen Glaubensanteil gliedhaft und entsprechend den Bedürfnissen der Gesamtheit zugeteilt sein; die Ganzheit des Leibes aber hat ihre Einheit nun wieder nicht in sich selbst; der Leib ist nicht «demokratisch» die Summe der Glieder, sondern ist Leib überhaupt nur durch seine Emporbeziehung zum «Haupt» und Ausgliederung aus ihm. Deshalb sind die Gnadengaben der Einzelnen auch nicht nur «demokratisch» in der Horizontale durcheinander eingeschränkt, sondern außerdem und sogar primär durch ihre gemeinsame Emporbeziehung zum Haupt. In einem fort muß Paulus die Christen in den Gemeinden anweisen, sich zu vertragen (Phil 4, 2), einander nicht zu beißen und zu zerfleischen (Gal 5, 15), einig zu sein in der Gesinnung der Liebe und in den Interessen, Streitsucht und Prahlerei zu meiden, vielmehr in Demut je den andern höher zu schätzen als sich selbst (Phil 2, 2–3). Hart können in der Kirche die Charismen aufeinanderstoßen, aber sie widersprechen ihrem eigenen Wesen, wenn sie sich nicht als Teile dem Ganzen unterordnen. Dieses Ganze erscheint freilich je im andern, weil dieser der «Bruder ist, für den Christus starb» (Röm 14, 15; 1 Kor 9, 11). Dadurch wird die Einheit, die Christus ist, im Bruder gegenwärtig, und gegen *diese* Einheit kann ich mit meinem Gliedauftrag nicht anrennen. Beide Stellen, an denen das Wort fällt, handeln von den Starken und den Schwachen, den Mündigen und den Unmündigen. Der Mündige kann es sich leisten, auch Dinge zu essen, die beim Unmündigen Anstoß erregen; um der Liebe, um der Einheit der Kirche willen, die Christus selbst ist, wird er es unterlassen. Den Starken sagt Paulus: «Wenn ihr euch an den Brüdern (den schwachen, für die aber Christus gestorben ist)

versündigt, ... sündigt ihr gegen Christus.» Wenn ihr aber
auf die in eurem Charisma liegende Stärke verzichtet und
scheinbar unmündig dasteht, dann ahmt ihr Christus nach,
«der sich nicht nach dem eigenen Belieben gerichtet hat,
sondern die Schmach der ihn Lästernden auf sich nahm».
Folglich trägt das jedem verliehene Charisma eine doppelte
innere Gehorsamsgrenze in sich: einmal erhält man ein Charisma erst, wenn man im Glaubensgehorsam auf das Eigene
verzichtet hat, um der Einheit Christi in der Kirche zu dienen;
sodann aber wird das persönliche Charisma in seiner Ausübung durch die Einheit in Schranken gehalten, ja bis zur
totalen Selbstverleugnung über sich selbst auf die transzendente Einheit in Christus emporbezogen. Daß Paulus zu diesem härtesten Selbstverzicht fähig war, zeigt er Apg 21 in
seinem Gehorsam gegenüber dem Rat des Jakobus, einen
jüdischen Ritus im Tempel auf sich zu nehmen und dadurch
zu beweisen, «daß an den über dich umlaufenden Gerüchten
nichts ist, du vielmehr das Gesetz treu beobachtest». Damit
wird der Paulinismus des Galater- und Römerbriefes praktisch desavouiert. In diesem Augenblick erhält für den «Starken», der Paulus ist, das Ärgernis des schwachen Bruders das
Übergewicht über den Anspruch seines gottverliehenen Auftrags. Die Einheit der Kirche, die über der Kirche liegt, sich
aber in der kirchlichen Gemeinschaft als Liebe äußert, hat das
Übergewicht über jede «bessere Einsicht», die, von der Liebe
isoliert oder gar gegen sie ausgespielt, nur «Aufblähung» ist
(1 Kor 8, 1), auch wenn es ihr noch so sehr um die Entmythologisierung nichtexistierender Götter und Götzen und damit
um noch so berechtigte Kontestationen geht (8, 5ff.). Genau
dieses Sich-Ineinanderfügen der Glied-Aufträge ist die Ge-
währ für das Wirken des Hauptes im Leib und für das
Wachstum des Leibes in Richtung auf die Einheit des Hauptes
(Eph 4, 16f.), während das Gegenteil bloße «Unmündigkeit»
und ein Verfallensein an die «Verführungskünste des Irr-
tums» ist (4, 14). Höher als alle Charismen, alle von Gott
erlassenen Sonderaufträge (1 Kor 12) steht die Liebe (1 Kor

13), die vor allem nicht sich selber durchsetzt, «nicht das Ihre sucht», das Fremde aber «erträgt». «Der Gott der Geduld» soll den Römern «Einmütigkeit untereinander im Sinne Jesu Christi verleihen» (Röm 15, 5). Man beachte somit: der dem Charisma einwohnende Appell zum Gehorsam richtet den Blick nicht nur zum geliebten Herrn empor, sondern ebensosehr zum geliebten Bruder hinüber, für den Christus starb. Es gibt schlechterdings nichts in der Kirche – auch nicht das nachfolgend zu besprechende Verhältnis von Befehl und Gehorsam –, das sich außerhalb der Liebe abspielen dürfte. «Alles, was ihr tut, sei in Liebe getan» (1 Kor 16, 14); sie ist die bergende Atmosphäre, das letzte Kriterium der theologischen und existentiellen Wahrheit.

2. Keiner ist die Kirche, es sei denn Christus; jeder hat sich gehorchend dem transzendenten Einheitsgesetz, das Christus ist, unterzuordnen, und zwar mitsamt seinem gottverliehenen Auftrag. Nun erhebt sich die Frage, ob die transzendente Einheit – Christus – einer erinnernden und konkretisierenden Repräsentation bedarf und ob Christus eine solche der sichtbaren Kirchengemeinschaft auch eingestiftet hat. Ohne daß wir hier auf die Einzelheiten für die Begründung und Struktur des kirchlichen Amtes eingehen können, muß die erhobene Frage bejaht werden: Amt ist in der (katholischen) Kirche jenes besondere «Charisma», dessen Auftrag die Koordination der Einzelcharismen durch Hinweis auf die Einheit, durch Emporbeziehung zu ihr, durch ermahnende Eingrenzung auf sie hin die transzendente Einheit der Kirche unausweichlich konkret werden läßt. Wären alle Kirchenglieder ihrem eigenen Charisma (und seiner Begrenzung durch die Liebe) restlos gehorsam, so bedürfte es einer solchen Ordnungsfunktion nicht[8]. Aber wie könnte ein Christ, der immer ein Sünder bleibt, es sich zutrauen, seinen vollen

---

[8] Die Frage des Weihepriestertums und seiner besonderen Vollmachten kann in diesem Zusammenhang ausgeklammert bleiben. Vgl. dazu Heinrich Schlier, Grundelemente des priesterlichen Amtes im NT, in:

kirchlichen Gehorsam aufgrund der reinen charismatischen Ordnung zu garantieren, einen Gehorsam, der seiner christologischen Grundgestalt nach im Ernstfall ebenso hart an den *andern* Willen stoßen kann wie der Wille Christi am Ölberg an den Willen des Vaters, und ihm gegenüber wirklich resignieren muß?

Natürlich erhebt sich hier sogleich der Einwand: wie kann ein einzelner menschlicher Wille auch nur annähernd den transzendenten gottmenschlichen und trinitarischen repräsentieren? Die erste Antwort, bei der es zu verweilen gilt, heißt: durch hinweisende Erinnerung, daß es die Einheit Christi nicht nur gibt, sondern daß sie die realste und anforderndste Einheit der Kirche ist. Die Gegenwart des Amtes übt diese erinnernde Funktion auf drei Ebenen aus. Sie erinnert den Einzelnen, daß er durch seinen Glauben in einen härteren Gehorsam genommen ist, als er wahrhaben möchte, einen Gehorsam zuletzt nicht gegenüber dem sogenannten eigenen «Gewissen», sondern gegenüber dem Herrn der Kirche und dem ihm von diesem persönlich anvertrauten «Talent» (Mt 25, 14ff.). Sie erinnert ferner die Gemeinschaft, daß ihre Einheit nicht im bloßen harmonischen Zusammenspiel der persönlichen Charismen liegt, in einer (wie bei einem Kunstwerk) in sich ruhenden, selbstgenügsamen innerweltlichen Ordnung, sondern daß dieses Zusammenklingen selbst gehorsam sein muß dem gekreuzigten und auferstandenen Herrn. Nirgends wächst Kirche auf sich selber zu; wächst sie nach innen, so begegnet sie dem «inneren Menschen, dem in euren Herzen durch den Glauben einwohnenden Christus» (Eph 3, 16f.), wächst sie äußerlich und geschichtlich, dann bräutlich «auf den vollkommenen Mann... den ausgewachsenen Christus» hin (Eph 4, 13). In diesem hinweisenden Erinnern kann das Amt schließlich, auf einer dritten Ebene, Vollmacht von der Einheit Christus her erhalten, Christi

Theologie und Philosophie, 1969, 161–180. Schlier hat die hier vorgetragenen Einsichten seit langem begründet, vgl. etwa: Die Zeit der Kirche, 1956, 129ff., 193ff., 287ff.

Schafe und Lämmer zu weiden, die Brüder zu stärken, Entscheidungen zu treffen, die im Himmel Gültigkeit haben.
Dann ist das Amt nicht nur Zeichen, sondern wirksames, be-
stätigtes, sakramentales Zeichen. Und der es verwaltet, ist
nicht nur ein Lehrer, sondern amtlich-personal – geistig und
leibhaftig – der Einzeuger der Einheit Christi in die Gemeinde
hinein. Diese kann viele Lehrer haben, denn Lehrersein ist
ein Einzelcharisma, aber nicht viele «Väter» (1 Kor 4, 15).
Der Lehrer, sei er Katechet oder Theologe, erforscht und
erklärt die einzelnen Aspekte der Offenbarung und zeigt ihren
Zusammenhang; der Träger des Einheitsamtes verkörpert
jene ungeschriebene und nie endgültig in Buchstaben aus-
formulierbare Regula Fidei, die der lebendige pneumatische
Inbegriff des Glaubens der Kirche ist, sofern er bei Christus
seine Einheit und trinitarisch-einfache Wahrheit hat. Gegenüber den Einzelcharismen, die ihrem Sondergesetz gehorchend («quaerunt quae sua sunt») ihren vielleicht sehr sozialen und altruistischen Interessen nachgehen, denkt der Amtsträger, wenn er sein Amt versteht und lebt, «ea quae sunt
Jesu Christi», der die transzendierende Einheit der Liebe ist
(Phil 2, 21).

Daß es bei dieser Repräsentation der Einheit – im Einzelnen, der sich dauernd auf seinen Glauben und Auftrag hin
übersteigen soll, in der Gemeinde, die sich in der Liebe Christi
auch bei größten Gegensätzen vertragen soll, in der Kirche,
sofern sie sich nur «en Christō» als begründet und geborgen
wissen soll – menschlich gesehen bloß um eine in bleibender
Schwäche und häufigem Versagen ausübbare Dienstleistung
gehen kann, bloß um eine Approximation an ein nie erreich-
bares Ideal, versteht sich von selbst. Amtskirche (Petrus) und
Liebeskirche (Johannes) sind nur einmal zur Deckung gekommen, im Gründer, der aufgrund seiner Transzendenz als
Gottmensch zugleich amtierender Priester und Liebesopfer,
geschlachtetes Lamm sein konnte. Aber die Kirchentheologie
von Johannes 20–21 zeigt uns nicht nur, daß Johannes hinter
Petrus zurücktritt (20, 5), daß Petrus für Johannes amtet (20,

6–8), sondern daß Johannes seine (private) Liebe an Petrus «abgibt» bzw. sie in die anonyme, von Petrus repräsentierte Einheit der kirchlichen Liebe aufgehen läßt (21, 15), während Petrus die unerhörte Verheißung erhält, sein Amt durch den Zeugen- und Liebestod besiegeln zu können, in Gleichgestaltung an seinen Herrn (21, 18f.). Der aber bleibt deutlich der Herr gegenüber dem Knecht, weil allein vom Haupt her über den Verbleib der Liebeskirche in (wie eventuell außerhalb) der Amtskirche verfügt wird (21, 10ff.). Das alles zeigt die bleibende Spannung im Leibe Christi zwischen «Amt» und «Liebe», obwohl diese Spannung in Christus selbst eine immer schon aufgehobene und von ihm her immer neu aufhebbare ist. Und die Christen aller Charismen sind von Johannes wie auch von Paulus aufs dringendste eingeladen, sich um diese Aufhebung zu bemühen.

Sie sollen also die Kirche nicht von der Spannung oder gar vom Riß als einer (psychologisch oder soziologisch) «vollendeten Tatsache» her denken. Die «Tatsache» der Spannung ist da und wird immer da sein, aber sie ist gerade keine «vollendete», sondern eine immer neu (in der Liebe) überholte und überholbare Tatsache. Die Kirche wird nicht erst durch Schismen zerrissen, sondern schon durch solche Christen, die ihren persönlich-charismatischen Auftrag gegen das Amt ausspielen, denn ihr Gehorsam an ihren Auftrag ist kein privater oder auch nur gruppenhafter, sondern wird vom Amt mitrepräsentiert und muß sich *letztlich* im Gehorsam gegenüber der *kirchlichen Einheit* – die nicht das Amt ist, sondern Christus, der freilich vom Amt repräsentiert wird – als christlicher Auftrag bewähren.

3. Wir folgern dreierlei daraus:

a) Es braucht nicht einseitig betont zu werden, daß wir im Amtsträger «Christus sehen sollen», denn jeder Christ kann und soll *unmittelbar* auf Christus hinblicken, so wie er personal-unmittelbar Gnade und Auftrag von Christus empfangen hat und empfängt. Aber wenn er im Amtsträger und sei-

ner von Christus der Kirche eingestifteten Einheitsfunktion
begegnet, so sieht er sich in dieser Begegnung sowohl auf
sich selbst (sein wahres Ich in Christo) wie auf die ihm stets
überlegene Kirche, wie schließlich doch auf die Einheit der
Kirche in Christus verwiesen.

b) Man erkennt, wie mißverständlich die Anwendung des
weltlichen sogenannten «Subsidiaritätsprinzips» auf die Kirche Christi ist: «Soviel Freiheit wie möglich und nur soviel
Einschränkung als notwendig»[9]. Hier wird 1. nicht bedacht,
daß christliche Freiheit keine bürgerliche ist, sondern Freiheit
zum selbstlosen Dienst mit der ganzen Person am Reich
Gottes, und 2. daß die Funktion der Einheit von der Mitte an
den äußersten Rand verdrängt wird. Es kann in der Kirche
die Pflicht der Kontestation geben, wo das Amt sein Selbstverständnis als Repräsentation der Einheit des kirchlichen
Gehorsams teilweise eingebüßt hat; aber dieser Widerspruch
darf sich nur in der Liebe und zugunsten der kirchlichen
Liebeseinheit (die das Amt mit ein- und nicht ausklammert)
vollziehen. Ein Amt, das nicht geliebt wird, kann überhaupt
nicht regieren, und die «brüderliche Zurechtweisung», die
auch dem Amt gegenüber am Platz sein kann (vgl. Paulus
gegenüber Petrus Gal 2, 11–14), hat nur dann kirchliche Gestalt, wenn sie in Liebe das Amt zu seiner wahren Funktion
zurückruft, ja wenn sie die christliche Kunst beherrscht, durch
das Verzerrte (und zu Kritisierende) hindurch das Echte zu
sehen und das von Christus Gestiftete zu ehren. In allen Zer-
reißproben muß der Kontestierende sich bewußt bleiben, daß
er, der ja nur im (kirchlichen!) Gehorsam an Christus widersprechen kann, des Amtes grundsätzlich bedarf, um in einem
Sonderfall dagegen Stellung zu nehmen.

c) Das konkrete Modell für das Verhältnis zwischen Führung und Geführtsein in der Kirche bleibt das Verhältnis des
Menschen Jesus zum Vater im Heiligen Geist: der Vater begleitet den Sohn in der Intimität der Liebe; der Geist des

[9] A. Ebneter, Autorität und Freiheit, in: Schweizer Rundschau 68
(1969) 168–177, Zit. 173a.

Vaters im Sohn ist Auftrag, Ortsanweisung, dadurch aber keineswegs personale Distanzierung (autoritäre Veramtlichung) des Vaters gegenüber dem Sohn. Im Leben Jesu ging das intime väterliche Geleit von vornherein auf die Stunde der «Zerreißprobe» zu; diese Stunde *kann* für den Christen sich einmal als Zerreißprobe des Gehorsams an die Kirche (wo ein solcher wirklich erfordert ist) darstellen; das Leben der Heiligen mit ihren großen Charismen zeugt öffentlich dafür. Kein kirchlicher Vorgesetzter darf von sich aus die Rolle des Vaters am Ölberg spielen wollen; aber sein Gehorsam an Christus kann ihn vielleicht doch zuweilen in eine analoge Situation versetzen. Er wird dann erfahren, daß das Amt nicht nur schwere Last ist – das ist es immer –, sondern daß kirchliches Führen verdemütigend ist. Der Christ hätte ein seltsames, eigentlich heidnisches Gottesbild, wenn er sich einbildete, daß der Vater im Himmel unbewegt und ungerührt, aus der erhabenen Höhe himmlischer «Seligkeit» die Todesangst und Verlassenheit des Sohnes auf Erden veranlassen würde, und nicht gerade in *dieser* Gestalt der Begleitung sein innigstes Einssein mit dem Sohn bekundete: «Auch der Vater ist nicht ohne Pathos (d. h. Leiden)» (Origenes)[10].

4. Hat «Ordensgehorsam» dem kirchlichen gegenüber nochmals eine besondere Struktur? Grundsätzlich gewiß nicht. Er ist, wie die evangelischen Räte überhaupt, nichts anderes als die Heraushebung der formalen Verfaßtheit von Kirche *als Kirche* in einer materialen Existenz. Denn Kirche *ist,* um makellose Braut Christi und ein Fleisch mit ihm sein zu können, ganz arm (um nur von seinem Reichtum zu leben), ganz jungfräulich (um nur seinen Samen zu empfangen und auszutragen), ganz gehorsam (um nur seinen Willen, der der Wille des Vaters ist, auszuführen). Rätestand ist deshalb nichts anderes als der Versuch, in einer Lebensform zu versichtbaren, was Kirche in ihrer Eigentlichkeit ist. Dieser ganz einfache Sachverhalt wird dort verunklärt, wo man die Kirche pri-

[10] Hom. in Ez. 6, 6 (Baehrens 8, 384).

mär soziologisch als ein «Volk» definiert, das dann sekundär in verschiedene sogenannte «Stände» unterteilt wird, wobei dann natürlich der zahlreichste Stand demokratisch den Ton angibt und die Gesetze bestimmt, während die Minoritäten der sogenannten Kleriker und sogenannten Ordensleute sich entweder als Funktionäre und Hilfsarbeiter (Kleriker) oder als Außenseiter und Randsiedler (Räteständler) ausnehmen[11]. Aber von einem sekundären Ausgangspunkt her lassen sich auch nur sekundäre Folgerungen ziehen, die in dem Moment falsch werden, da der primäre Blickpunkt ausfällt. Das Leib-Gleichnis bei Paulus ist ja im Ganzen seiner Gnadentheologie auch nicht mehr als ein Gleichnis, deshalb bleibt die Über-tragung eines Begriffs wie «Funktion» auf den amtlichen wie charismatischen Dienst in der Kirche tief zweideutig, und kann sich, rein soziologisch angewendet, verheerend auswir-ken. Gewiß, «Verrichtungen» (functiones) von Aufträgen leistet jedes Kirchenglied, selbst das Kirchenhaupt tut seine «Verrichtung»; doch wer will etwa den «Ertrag» einer Ver-richtung wie Gebet, Verzicht, Armut, Jungfräulichkeit, Ge-horsam, Geduld, Ertragen von Unrecht usf. bestimmen und aufrechnen? Die äußern Funktionen sind aber in der Kirche

[11] Von der Ständeordnung aus betrachtet, hat Thomas gewiß recht, wenn er den Kleriker- (und Ordens-) Stand als «secundario et instrumen-taliter» auf den Laienstand hingeordnet bezeichnet. Er hat theologisch recht, wenn man das «Subsidiaritätsprinzip» in dem spezifisch kirch-lichen und nicht im weltlich-gesellschaftlichen Sinn versteht. Die Dialek-tik zwischen «Größeren» und «Kleineren» ist in der Kirche nicht auflösbar: wer höher stehen will, soll tiefer und demütiger dienen, die «unanständigen» Glieder sind die mit größerer Sorge geschützten; die Niedrigen sind bei Gott die in Wahrheit Hohen, und die Hohen die in Wahrheit Niedrigen: wobei diese gegensätzlichen Worte in sich selbst doppeldeutig sind. Auf den Stand der zum Dienst an der Gemeinschaft Erwählten angewendet, heißt das: gerade sofern sie die Dienenden sind, sind sie Christus ähnlicher, der ja, obschon Herr und Meister, die zu Tische Sitzenden, die deshalb «größer» sind (Lk 22, 27) bedient – obschon normalerweise der Knecht seinem Herrn aufwarten und sich auf seinen Dienst nichts einbilden soll, ja nicht einmal ein besonderes Dankeswort erwarten darf (Lk 27, 9 f.).

von ihrem inneren Geist untrennbar (wie die Charismen zeigen). Schneidet man die Lebensverbindung zwischen außen und innen (objektivem und subjektivem, institutionellem und existentiellem Pneuma) durch und bestimmt Standesformen und Kirchendienst rein soziologisch, so hat man den Raum des Mysteriums Kirche bereits verlassen.

Ist Räteleben existentielle Dar-lebung von Kirche, so steht nichts im Wege, daß die «Räte» sowohl alle Kirchenglieder, Verheiratete und Ehelose usf. unmittelbar angehen, und trotzdem bestimmte Glieder dieses besondere Kirchliche für die Allgemeinheit darstellen[12]. Das Räteleben ist primär Kirche-überhaupt, und nur sekundär (in der charismatischen Gliedordnung) Einzelmöglichkeit innerhalb von Kirche. Weil es das letztere nur sekundär ist, ist dieses Sekundäre von vornherein offen und hinausstehend in Kirche überhaupt. Dies vorab für Karmel und Gesellschaft Jesu, aber schließlich auch für alle großen Orden[13] aufgewiesen zu haben, ist das besondere Verdienst Erich Przywaras[14]. Aber die Öffnung der Gesellschaft Jesu zum Papst (als eigentlichem Obern)[15], worin sich die innere Transzendenz des Rätelebens anzeigt, läßt

---

[12] So habe ich vor Jahren das Wesen des «Rätestandes» innerhalb der Kirche als «das Besondere des Allgemeinen» und darin als «forma informans» (ecclesiae und ecclesiam) bezeichnet: Zur Theologie der Säkularinstitute, GuL 29 (1956) 191, auch in: Sponsa Verbi (1960) 447.

[13] Vgl. etwa «In und Gegen» (1955) 18f.

[14] Von «Majestas Divina» (1925) über «Crucis Mysterium» (1939) und den Exerzitienkommentar (1935/40) bis zu «Ignatianisch» (1956).

[15] Der Wechsel in der Fassung der Formula Instituti von 1540 zu 1550 ist diesbezüglich vielsagend. 1540: «Soli Domino atque Romano Pontifici, Ejus in terra vicario, servire, post sollemne perpetuae castitatis votum...» 1550: «Soli Domino ac Ecclesiae ipsius Sponsae, sub Romano Pontifice, Christi in terris vicario, servire, post sollemne perpetuae castitatis, paupertatis et oboedientiae votum...» Wenn in der ersten Formel das «atque» theologisch stört und in der zweiten bestens korrigiert worden ist – obschon auch das «Christi in terris vicario» einer weiteren Ergänzung bedürfte –, so hat sich in der zweiten Formel der Gehorsam zum Papst hin ordenshaft in den «drei Gelübden» institutionalisiert.

anderseits auch sichtbar werden, daß wer aus einem oder diesem Orden austritt, damit immer noch im umgreifenden Raum der (alle angehenden) Räte und des im Papst sich für alle konkretisierenden Christus-Gehorsams steht. Das Verhältnis zwischen dem «Besonderen des Allgemeinen» (das Besondere fordert eine gewisse Geschlossenheit) und dem «Allgemeinen» (zu dem das Besondere sich innerlich immer schon öffnet) bleibt fließend und kann auf mannigfache Art bestimmt und verändert werden, ohne daß seine Substanz beeinträchtigt werden müßte. Bloß hört das «Besondere» (das in der Konkretheit des Rätelebens im Gegensatz zur allgemeinen kirchlichen Rätegesinnung besteht: Jungfräulichkeit ist mit Eheleben nicht vereinbar) auf, es selbst zu sein, wenn es mit dem Allgemeinen gleichgesetzt wird. Es büßt eben damit auch seine christliche «Funktion» und eminente Fruchtbarkeit ein. Das Salz wird schal.

Im Räteleben kehrt die allgemeine kirchliche und zuletzt trinitarische Einheit von Gehorsam und Sendung, von Überlassenheit an den Willen des Vaters und verantwortlicher Darstellung dieses Willens in der eigenen Existenz vor der Welt, unverändert wieder. Die praktischen Fragen, die durch diese Grundstruktur aufgeworfen werden, können sich ändern und auch verschärfen – Kompetenz der Führenden, Bestimmung des Verantwortungsbereichs der Geführten, Mitspracherecht bzw. Anweisung für die Obern, den Standpunkt, die Gründe, die Verantwortungen der Untergebenen genau wahrzunehmen usf. – und verlangen immer neue Ausbalancierungen. Hält man sich aber an das ursprüngliche theologische Modell, so werden solche Verlagerungen zugunsten des Gleichgewichts durchaus nicht als primäre Strukturänderung erscheinen. Es wäre verkehrt, wollte man die verschiedenen Spiritualitäten der Eremiten und Zönobiten, der Aktiven und Kontemplativen, der Kongregationen und Weltgemeinschaften so gegeneinander abschließen und ausspielen, daß die Öffnung all dieser Besonderheiten zum Allgemeinen der Kirche darob nicht mehr sichtbar wäre. Wo (christologisch-kirchlicher) Gehorsam und Verfügbarkeit herrschen, dort ergeht auch Sendung und Auftrag, die immer eine Eigenverantwortung des Gesendeten miteinschließt. Die Talente- und Minenparabeln gelten für alle. An diese übertragene Verantwortung ist der Auftraggeber grundsätzlich gebunden, obschon der Ausführende (auch während der Ausführung!) nicht weniger radikal zum Auftraggeber hin disponibel bleibt. Die radikale Disponibilität ist entscheidend; nicht ein Teil der Türe, sondern die ganze Türe, die ganze Existenz dreht sich in einer einzigen Angel; die Verfügbarkeit bleibt auch dann aktuell, wenn die Aufmerksamkeit des Gehorchenden für eine Zeit zur Ausführung eines Auftrags (der den Auftraggeber zusammen mit dem Ausführenden in den Gehorsam an den Herrn hineinbindet) ganz in die Ausführung verlegt werden muß. Eine entfernte Analogie dazu könnte die Unzugänglichkeit der Frau in der ausgehenden Schwangerschaft für den Mann sein, obschon sie gerade *seine* Frucht austrägt; diese Unzugänglichkeit hindert ihre Liebe und Verfügbarkeit zu ihm hin nicht, und sie hat ihre Grenze mit der Geburt (und deren Nachwehen), die hier gleichsam die Auftragserledigung wäre. Das ist aber nur eine Analogie; es dürfte daraus nicht ohne weiteres geschlossen werden, daß das Gehorsamsgelübde zum Beispiel in einer Weltgemeinschaft, wo ein Mitglied einen weltlichen Beruf als «Sendung» übernimmt, beinah gegenstandslos würde oder nur noch einen kleinen Sektor der Existenz berührte. Freilich: der Geist der totalen Disponibilität – worin die drei Räte ihre einheitliche Wurzel besitzen – läßt sich als solcher nicht institutionalisieren; keine Kasuistik des Gehorsams kommt ihm bei, und oft genug ist diese Kasuistik – die heute mehr als je Ausgangspunkt und Gegenstand von psychologisch-soziologischen Erwägungen über den kirchlichen Gehorsam bildet – ein Anzeichen dafür, daß der ursprüngliche Geist der Disponibilität verloren gegangen ist. Dieser Geist ist aber der kirchliche, marianische und christologische Geist, aus dem die Erlösung der Welt gewirkt worden ist und im Ergänzen dessen, was an den Leiden Christi noch fehlt, bis heute und bis ans Ende der Tage gewirkt wird. Die Konkretion dieses Geistes, so schwierig und gewagt sie sein mag, darf nicht verschoben, verflüchtigt, ins Erhaben-Ideale aufgelöst werden[16]. Eine Neugeburt aber ist kirchlich nur möglich aus der innersten Leidenschaft für die Torheit der Liebe Gottes in Christus, die nach Paulus auch der Geist der Kirche zu sein hat[17].

[16] Man ist erstaunt festzustellen, daß es im Jesuitenorden zwar eine Menge Diskussionen über den de facto bestehenden Gehorsam und sein aggiornamento gibt, man aber kaum eine umfassende theologische Grundlegung findet, z.B. in den zahlreichen Darstellungen des «Ignatianischen» bei E. Przywara. Gewiß: in den Exerzitien ist von Ordensgehorsam nicht die Rede, weil diese ja erst zur Standeswahl hinführen, es gibt dort nur «Regeln über die kirchliche Gesinnung», die heute von manchen offen abgelehnt werden (vgl. den in Anm. 9 angeführten Aufsatz von A. Ebneter, 176a); aber auch in der Ignatiusfestschrift (Echter-Verlag 1956) und bei Hugo Rahner: Ignatius von Loyola als Mensch und Theologe (Herder 1964; vgl. allerdings S. 136ff., 375ff.) tritt das Thema nirgends zentral auf. Ist es ein Pudendum geworden? Bei Ignatius entspringt die «Theologie des Gehorsams» zweifellos der dritten Exerzitienwoche (die ja in der Ruf- und Bannerbetrachtung und in den «Drei Weisen der Demut» sich vorweg auswirkt), als die noble Leidenschaft, gerade dem gekreuzigten Herrn in seiner Schwachheit («11. Regel») zu dienen und dabei den Geist «der wahren Braut unseres Herrn Christus, die da ist unsere heilige Mutter, die hierarchische Kirche», so konkret wie möglich in sich auszuprägen, indem man deren Gehorsamsbereitschaft übernimmt (Ex. nr. 353). Es wäre an der Zeit, die Linie von den Exerzitien zu den Konstitutionen durch alle Dokumente hindurch diesbezüglich einmal genau auszuziehen. Ansätze dazu: P. Blet, Note sur les origines de l'obéissance ignatienne (Gregorianum 1954, 99ff.); G. Dumeige, La genèse de l'obéissance ignatienne (Christus, Paris, Nr. 7, 314ff.). Im ganzen hilfreich die Gemeinschaftsarbeit der Brüsseler Jesuiten: Exercices, Institut d'Etudes théologiques, févr.-juin 1971.

[17] «Geist will Leib, Begeisterung ist echt, wenn sie gehorsam sein will... Gehorsam ist einfach die christusförmige Leibwerdung der Begeisterung.» H. Rahner, aaO 375. Anstelle von «Begeisterung» würden wir lieber «Leidenschaft» setzen, existentielle Entschlossenheit, sein Dasein in den zentralen Punkt der Christologie einzusenken, Gal 2, 19–20, in einer «Dankbarkeit», die schon immer «zu spät» kommt, weil der Selbstübergabe an Christus das Übernommensein

durch ihn schon vorangeht. Dies ist wohl auch der Hauptgegenstand der ignatianischen Gebetsdialoge mit dem Gekreuzigten in den Exerzitien (Nr. 53, 61, 147, 198, 199 usf.).

DIE KIRCHE LIEBEN?

1. Fragestellung

Kann die Kirche ein Gegenstand der christlichen Liebe sein? Beginnt man darüber nachzudenken, so steht man vor der Frage perplex. Nichts dergleichen wird uns anscheinend von der Offenbarung her aufgetragen: geliebt werden sollen Gott und der Mitmensch; der letztere mindestens nach dem Maß der Selbstliebe. Die Kirche wird im Hauptgebot nicht erwähnt, sicher nicht *in recto*, und sie *in obliquo* darin zu finden, bedürfte es ziemlich gewundener theologischer Umwege.

Die Kirche wird aber jedenfalls durch die vielfältige, der Neuzeit zu wachsende Kritik an ihr als ein «Gegenstand» konstituiert. Müßte man von dieser kritisch-distanten Haltung aus nicht rückschließend eine mögliche, die kühle Distanz überwindende Haltung der Liebe als die christlich richtige und empfehlenswerte ansetzen? Oder soll man sagen, daß die Gegenständlichkeit der Kirche sich erst durch diese Distanz herstellt, und deren Aufhebung sie als ein Liebesobjekt zum Verschwinden bringen müßte? Das Nicht-Bedenken dieser Frage macht, daß man im Gegenzug zur Kirchenkritik zunächst recht unreflex und ungeschützt von «Liebe zur Kirche» zu reden sich angewöhnt hat. Wenn es aber wirklich erst die Distanzstellung wäre, die die Kirche so objektiviert, daß sie im kritischen Abstand beurteilt, gemessen, abgeschätzt werden kann, dann bedürfte der apologetische Gegenzug, der von Liebe zur Kirche spricht, seinerseits einer kritischen Distanz.

Die in der Kirche geübte Liebe geht auf Gott und die Mitmenschen, von der Mitte Jesus Christus her, in dem beide

Dimensionen der Liebe sich begegnen. Alles an der Kirche scheint nichts anderes zu sein als Vermittlung zu ihm hin, Erinnerung an ihn, Vergegenwärtigung seiner, und nur insoweit erheblich, als es die Liebe zu ihm weckt oder sie wachhält. Dies scheint dann die einzige Möglichkeit, das Institutionelle an der Kirche in den Bereich unserer Liebe miteinzubeziehen. Kann ein Christ die Sakramente lieben? Antwort: Nur sofern sie «Mittel», besser: «Vermittlung» sind, uns in die Unmittelbarkeit der Liebe Christi zu bringen. Im Bußsakrament zum Beispiel kann man die unerhörte Gnade Christi lieben, die durch Bekenntnis, Zuspruch, Absolution hindurch in unverhoffter Weise für mich Sünder konkret wird. Die eucharistischen Gestalten können in die Liebe zu dem sich mir verschenkenden Herrn einbezogen werden: sie symbolisieren ihn nicht nur, sondern enthalten ihn wirklich und wirksam, man schätzt sie nicht wie man das Bild eines abwesenden geliebten Menschen schätzt und liebt, sondern weit transparenter auf den Geliebten selbst hin. Je mehr dagegen ein Aspekt der Institution sich scheinbar als Medium verfestigt, um so problematischer wird er als Gegenstand unserer christlichen Liebe. Kann man zum Beispiel die kirchliche Hierarchie als Institution lieben? Hier dürften sich die Geister scheiden: manche werden, sofern sie die Hierarchie als ein die Unmittelbarkeit zu Christus verdeckendes Establishment sehen, unbedenklich mit nein antworten, die andern vielleicht in polemischem Gegenzug gerade aus der liebenden Anhänglichkeit an die Hierarchie ein Kennmal katholischer Gesinnung machen. Es gibt eine kirchliche *disciplina*, deren Regeln sich im Kirchenrecht niederschlagen; sollte das Kirchenrecht ein Gegenstand christlicher Liebe sein können, und nicht einfach – für ein paar besonders organisierte Individuen – die Liebe zu einem sie interessierenden Spezialfach, das bei andern Römisches Recht oder weltliches Strafrecht heißt? Oder um zuletzt einen Testfall zu nehmen: Wie steht es mit der Liebe zum regierenden Papst (es gab vor nicht langer Zeit eine eigene Liga, die die liebende

Verehrung des jeweils amtenden Papstes auf ihr Banner geschrieben hatte): haftet diese Liebe an seiner Person? (aber
es gab in der Geschichte höchst unliebenswürdige Figuren
auf dem Stuhl Petri). Oder geht sie – allenfalls – durch diese
Person wie durch eine Fensterscheibe hindurch, um sich
Jesus Christus zuzuwenden, der seine Hirtensorge für seine
Kirche in dieser Gestalt irgendwie konkretisiert? Dann ist
auch hier wie in allen andern Beispielen die vermittelnde
Person nur in der Funktion der Durchgabe da, wie der Tele-
phondraht das Gespräch mit der Person ermöglicht, mit der
man zu reden wünscht. Die vergegenständlichende Reflexion
auf das Medium lenkt von der Aufmerksamkeit auf die Person und auf das Gespräch mit ihr nur ab.

2. Jahwe und Israel

Die Gestalt der Liebe im Alten Bund ist vollkommen eindeutig: Israel soll Gott lieben «aus seinem ganzen Herzen,
seiner ganzen Seele und seiner ganzen Kraft»; denn diese
ungeteilte Liebe ist die einzig angemessene Antwort auf
Gottes unbegreifliche Tat: die Erwählung Israels zu seinem
Volk, aus einer großen Zahl mächtigerer, imponierenderer
Nationen heraus. Nichts hat ihn dazu bewegen können, sich
an Israel zu «hängen» (ḥasak Dt 7, 7), als seine freie «Liebe»
einerseits, seine Treue gegenüber den Vätern und der ihnen
zugeschworenen Verheißung anderseits (Dt 7, 8), die selber
Liebe war (Dt 7, 12). Das Gebot der Liebe zu Jahwe taucht
ausdrücklich im gleichen Moment und Zusammenhang auf
wie die Enthüllung des Grundes der Erwählung Israels als
Gottes Liebe zu ihm. Von da an sind in Israel beide Haltungen unzertrennlich: die direkte Liebe zu Gott und – als ihr
Anlaß wie als ihre Wirkung – das Bewußtsein, von ihm aus
Liebe erwählt zu sein. Zwischenmenschliche Liebe, vor allem
die Ehrung von Vater und Mutter, die Achtung des Nächsten
und seiner Güter, die Schonung aller Fremden, die irgendwie

in die Schutzherrschaft Israels aufgenommen sind, wird in Abhängigkeit von der Liebe zu Gott aufgrund des Geliebtwerdens durch Gott gebracht (Dt 24, 18 usf.). Die Propheten können Jahwes Liebe für Israel in Bilder kleiden, die dessen gänzliche Unwürdigkeit zeigen: würde Gottes Liebe es nicht bedecken und schmücken, so wäre nichts Liebenswertes an ihm (Ez 16, 5f.: «Man hat dich aufs Feld hinausgeworfen, aus Ekel vor dir, am Tage deiner Geburt. Da kam ich vorbei und sah dich...»). Und selbst dort, wo Sion oder Jerusalem als die Geschmückte, die Heimgeholte, Getröstete, Gefeierte erscheint, sind alle Kleinodien, mit denen es behängt, alle Ehrungen, mit denen es ausgezeichnet wird, immer reine Gnaden Gottes. Ihre «vollkommene Schönheit» (Ps 50, 2; Klgl 2, 15) ist der Widerschein Gottes auf ihr. Und wenn Jerusalems Bewohner aufgefordert werden, den Mauern entlang zu schreiten, die Türme zu zählen, die Befestigungen zu erkunden, so nur um den kommenden Geschlechtern erzählen zu können, «daß Gott so ist» (Ps 48, 13–15). Zu bemerken ist, daß die gelegentliche Bezeichnung Jerusalems als «Mutter» (Ps 87, 5), «Mutterstadt» (2 Sam 20, 19) noch keineswegs den Klang hat, den der Ausdruck im Neuen Testament (Gal 4, 26) gewinnen wird. Selbst wo die Sprache überschwenglich wird und der Preis der Herrlichkeit Jerusalems Selbstzweck zu werden scheint, bleibt alles, was an ihr liebenswert ist, immer ausdrücklich Gottes Geschenk: «Jerusalem, lege ab dein Trauer- und Elendsgewand, bekleide dich für immer mit der Schönheit der Herrlichkeit Gottes, zieh an den Rock der Gerechtigkeit Gottes, leg auf dein Haupt das Diadem der Glorie des Ewigen; denn Gott will überall unter dem Himmel deinen Glanz zeigen» (Bar 5, 1–3). Es ist hier unerheblich, wie materiell oder spirituell dieser Glanz der heiligen Stadt aufgefaßt wird; bedeutsam ist nur, daß der Preisende, der ihn betrachtet, darin unmittelbar die Herrlichkeit Gottes sich spiegeln sieht... Es kann deshalb wohl zu einem Selbstgefühl Israels kommen, das sich seiner Erwählung und seiner göttlichen Ausschmükkung vor allen Völkern bewußt ist, aber nicht eigentlich zu

einer Liebe Israels zu sich selbst, auch nicht in dem naheliegenden Sinn, daß der einzelne Israelit das erwählte Volk,
zu dem er gehört, zum reflexen Gegenstand seiner Liebe
machte. Im Psalm hat eine solche Liebe, auch bloß als Seiten-
thema, keinen Platz: der ganze Preis geht unmittelbar auf
Gott, mag der Sänger sich mehr als Einzelner oder als Volks-
ganzes fühlen.

3. Jesus und die Kirche

Wo Gottes Wort der Liebe und Treue an Israel – und jetzt an
die Menschheit – Fleisch wird, wiederholt sich zunächst im
Gesamtbewußtsein der Glaubenden das gleiche Verhältnis:
in Jesus drückt sich Gottes freie Gnade und rechtfertigende
Zuwendung zu den Sündern und Verlorenen aus; diese können aufgrund der ihnen zuteil gewordenen Vergebung ein
neues Leben beginnen, das ganz aus der Dankbarkeit gegenüber dem Gnadengeschenk heraus geformt sein wird. Man
muß davon ausgehen, daß Jesus in Wiederholung des deutero-
nomischen Hauptgebotes, das er in die Mitte von Gesetz und
Prophetie rückt, Liebe aus ganzem Herzen für Gott einfordert, daß er bei Johannes als das Gotteswort Liebe für sich
selbst verlangt (Joh 8, 42; 14, 15.21.23.24.28; 15, 21.23f.28;
16, 27; 21, 15; 1 Joh 2, 15; 4, 20; 5, 1f.). Paulus wird den
Ersten Korintherbrief mit seinem Namenszug und mit dem
wohl aus der Liturgie stammenden enthusiastischen Ruf
signieren: «Wer den Herrn nicht liebt, sei verflucht» (1 Kor
16, 22).
Aber dann ist es doch kennzeichnend, daß diese selbstver-
ständliche Wiederliebe des liebenden Gottes in der großen
Epheserbriefstelle, die vom Verhältnis von Mann und Frau
im Licht der christlichen Liebe handelt, eine deutliche Abstufung erfährt. Die Partner sind hier freilich nicht mehr Jesus
und der ihm begegnende Glaubende, sondern ausdrücklich
Christus und die Kirche. Hier wird ganz offen von Liebe
nur bei der Beziehung Christi zur Kirche geredet, bei der

Beziehung der Kirche zu Christus aber werden die Worte «Unterwerfung» (Eph 5, 24) und «Furcht» (ebd. 5, 33) verwendet. Dies verweist natürlich nicht auf eine Abwesenheit von Liebe, sondern auf deren besondere Qualität, abgeleitet daraus, daß, wie der Mann das Haupt der Frau ist, so Christus das Haupt der Kirche, der diese außerdem – in überschwenglicher Erfüllung des Vorgangs in Ez 16 – durch seine Selbsthingabe gereinigt und für sich zur unbefleckten, makellosen Gattin gestaltet hat. Die Differenz in der Qualität der Liebe spiegelt die schon im Alten Bund vorhandene wider: war doch auch dort die «Furcht des Herrn» die bleibende Grundhaltung Israels und aller Kreatur Gott gegenüber, eine Haltung, die in der dankbaren Wiederliebe die schuldige Distanz aufrechterhielt. Wenn die Ausstattung der Kirche durch Christus an diejenige Jerusalems erinnert – sie ist wiederum «voll Herrlichkeit» (eudoxos), «ohne Runzel noch Makel noch etwas dergleichen», vielmehr «heilig und fehlerlos» –, so verhindert hier die Betonung von Gehorsam und Furcht noch stärker als im Alten Bund eine Reflexion der Kirche auf ihre eigene Verfaßtheit; sie ist *durch* ihren Bräutigam und *für* ihn da; auf sich selbst zu blicken bleibt ihr keine Zeit. Bei der Hierarchie Frau-Mann-Christus-Gott kann Paulus zwar die Gleichordnung der beiden ersten Glieder betonen (ohne freilich deshalb die hierarchische Überordnung des Mannes aufzuheben): so sollen Mann und Frau sich einander «gegenseitig unterordnen in der Furcht Christi» (Eph 5, 21), und so ist «die Frau aus dem Mann, der Mann jedoch durch die Frau, alles aber aus Gott» (1 Kor 11, 12). Sobald aber Christus ins Spiel kommt (der sich selber Gott unterwirft: 1 Kor 15, 28; vgl. 1 Kor 3, 23), ist es mit jeder Gleichordnung auch innerhalb dem hierarchischen Verhältnis vorbei: der Abstand zwischen der von Christus zur Kirche absteigenden Liebe und der von der Kirche zu Christus, dem Haupt, aufsteigenden «Furcht», «Ehrfurcht», «Scheu», ist nicht nivellierbar. Das gilt natürlich ebensosehr für das Empfinden der Evangelisten, Johannes nicht ausgenommen: die Erhebung der

Jünger in den Rang von «Freunden» ist nur ein Aspekt der Selbsterschließung einer immer größeren, uneinholbaren Liebe Christi den Seinen gegenüber; in den Abschiedsreden wächst diese Liebe in ihrer Priorität und Einseitigkeit über alles hinaus, was Dialog heißen könnte; und es ist kennzeichnend, daß in der verhaltenen Ostereucharistie am Ufer von Tiberias keiner der Jünger zu fragen wagt: «Wer bist du?», sie wußten ja, daß es der Herr war (Joh 21, 12). Im hohenpriesterlichen Gebet, dem Höhepunkt der Wortoffenbarung, ist Kirche ganz von Jesus her, Gegenstand seines Gebetes; in der Ostersendung geht sie von ihm aus in die Welt, wie er vom Vater gesendet worden war.

So kann sie sich nur geradeaus zu ihm hin verstehen: wie die Reben sich im Weinstock «verstehen». In den Talent- und Minengleichnissen der Synoptiker gab es noch einen Anschein von Gegenseitigkeit: der Herr hatte das Kapital geliehen, die Knechte bringen es mit den Zinsen zurück. Hier aber heißt es einfach: «Ohne mich könnt ihr nichts tun» (Joh 15, 5), auch wenn gleich darauf das Gebot ergeht, Frucht tragen zu sollen (15, 16). Aber es ist vom Vater zu erbittende Frucht. Zudem Frucht, die nicht aus der gleichen souveränen Freiheit – auch wenn diese Frucht Liebe heißt, Gottes- und Nächstenliebe – erstattet, sondern aufgrund eines «Auftrags», mandatum (Joh 13, 34; 14, 15.21) abgeliefert wird: das ist Ausdruck der innern drängenden Logik des Auftrags Jesu selber, den er vom Vater erhalten hat. Gerade die größere johanneische Intimität zwischen Jesus und der Kirche führt zu einer tieferen Inklusion der Kirche in Jesus. Die ganze Realität, die ihm als werdende Kirche gegenübersteht – gutwillig oder halb (Petrus) oder ganz (Judas) versagend –, blickt restlos von sich weg auf ihn hin.

Und wenn das hohepriesterliche Gebet in seinem zweiten und dritten Teil die erste Jüngerschaft und die später «durch ihr Wort an mich Glaubenden» unterscheidet, so kann doch die erste Schar für die letztern niemals zu einem abgehobenen Gegenstand der Anschauung oder besonderen Liebe werden;

vielmehr wirkt sich die Inklusion der gesamten Kirche in die
Liebe zwischen Vater und Sohn – das Thema des hoheprie-
sterlichen Gebets – direkt aus in der Inklusion der nachfolgenden Generation in die erste hinein; «Was von Anfang
war, was wir gehört und mit unsern Augen gesehen, ... das
ewige Leben, das beim Vater war und sich uns geoffenbart
hat..., das verkünden wir euch, damit auch ihr mit uns
Gemeinschaft habt. Unsere Gemeinschaft besteht mit dem
Vater und seinem Sohn Jesus Christus» (1 Joh 1, 1–3). Die
Nachfolgenden haben keine Gelegenheit, zu den Früheren in
ein kritisch-objektives Verhältnis zu treten: sie werden einbezogen in die Kirche der ersten Stunde: sie müssen sogleich
selber Kirche als Gemeinschaft mit dem dreieinigen Gott sein.

4. Paulus

Ein neuer Klang ertönt erst dort, wo eine kritische Distanz
zwischen einer Gemeinde und ihrem Gründer und Leiter
sichtbar wird, bei Paulus, zumal in seinem Verhältnis zu den
Korinthern, aber auch in andern seiner sicher authentischen
Briefe: dem ersten an die Thessalonicher, dem an die Ga-
later, die Philipper. Hier geht es darum, eine Gemeinschaft
von Christen in das vollkommene Kirche-Sein, in den vollen
Gehorsam an Christus einzuüben. Das beginnt bereits mit der
Verkündigung des Wortes, das im Munde des Apostels, als
Vertreters der Kirche, mehr ist als Menschenwort, nämlich
lebendiges Wort Gottes (1 Thess 2, 13), das auch nicht, um
Menschen zu gefallen, verkündet wird, sondern in der Hin-
gabe des Herzens Gott gegenüber (ebd. 2, 4). Hier nun sagt
Paulus: «Obschon wir als Gesandte (apostoloi) Christi unser
Ansehen in die Waagschale hätten werfen dürfen, sind wir in
eurer Mitte so mild aufgetreten wie eine Mutter, die ihre
Kinder hegt. Wir fühlten uns zu euch hingezogen und hätten
euch nicht nur das Evangelium Gottes, sondern (mit ihm
zusammen) auch unsere Seelen hingeben wollen, so lieb wart

ihr uns geworden... Ihr wißt: jeden von euch haben wir
wie ein Vater seine Kinder ermahnt, aufgemuntert, beschwo-
ren, Gottes würdig zu wandeln, der euch zu seinem Reich
und zu seiner Herrlichkeit berufen hat» (ebd. 2, 7–12). Die
ganze Frage des kirchlichen Amtes wird schon an dieser
frühen Stelle, wo es noch um keine kritische Distanz geht, im
Keim sichtbar: als Spannung zwischen einer – nicht benütz-
ten – Möglichkeit, mit beglaubigter Vollmacht aufzutreten,
und einer vorgezogenen Haltung reiner mütterlich-väterlicher
Liebe, in der die Selbsthingabe des Apostels ununterscheidbar
miteinfließt in den überlieferten evangelischen Lebensstrom
von Gott her. In dieser Liebeshaltung geht die Haltung des
Bevollmächtigten (der ermahnen, ermuntern, beschwören
kann) ein und auf, nicht so, als verzichtete sie auf sich selbst
zugunsten der Liebe, sondern so, wie eine feste Substanz sich
in einer andern verflüssigt. Unerörtert bleibt die Frage, wieweit die Übergabe des eigenen Lebens an die Gemeinde einzig
von der Liebeshaltung des Apostels abhängig ist, somit nicht
erfolgt wäre, falls er rein auf seine Autorität gepocht hätte;
indes ist diese Frage doch praktisch mitgelöst durch die auch
in der Verwandlung verharrende Präsenz der Autorität innerhalb der Liebe: gerade das Mutter- und Vaterbild zeigt ja
diese Präsenz sehr deutlich; hier (im natürlichen Bereich) entsteht die Autorität gerade aufgrund der Lebensübergabe.
Immerhin bleibt die Eventualität einer einseitigen Betonung
der apostolischen Autorität hintergründig bestehen (dyna-
menoi en barei einai: 2, 7), sie muß dort aktuell werden, wo
die «Auflösung» der Autoritäts- in der Liebeshaltung gehindert oder verunmöglicht wird durch den Widerstand einer im
Glauben uneinsichtigen Gemeinde wie der der Galater oder
einer kontestierenden Gemeinde wie der der Korinther.

Bei den Galatern, wo fremde Autorität («und wäre es die
eines Engels», Gal 1, 8) sich zerstörerisch gegen die des Apostels gesetzt hat, ist er genötigt, seine ganze gottunmittelbare
(1, 11–16) Autorität zu Ansehen zu bringen, und dies nicht
um sich selbst ins Licht zu setzen, sondern um der Wirksam-

keit seines Apostelauftrags willen (1, 10). Ist aber diese Autorität einmal sichergestellt, so genügt es Paulus, nach kurzem Tadel (3, 1–5) seine Version vom Sinn der Erlösung nochmals objektiv lehrhaft darzulegen (3, 6–4, 7). Er weiß, daß der drohende Abfall der Gemeinde nicht als persönliche Stellungnahme gegen Paulus gemeint war; er entnimmt dies seiner einstigen Aufnahme durch die Galater, als er krank bei ihnen verweilen mußte, und sie sich «womöglich die Augen ausgerissen hätten», um ihm zu helfen: an die damalige Situation anknüpfend sucht er die volle Communio der Liebe wiederherzustellen: «Werdet wie ich, denn auch ich wurde wie ihr» (4, 12–15). Aufgrund dieser vorausgesetzten Communio schließt er sich mit der Gemeinde gegen deren Verführer zusammen, die sie «isolieren möchten, damit ihr um sie werben solltet»: das ist echter Sektengeist, der in Kontestation zur echten Autorität Pauli eine Pseudo-Communio zwischen der Gemeinde und ihren judaisierenden Verführern erzwingen will. Paulus stellt dagegen das echte Umeinander-Werben zwischen der authentischen Autorität und der Gemeinde, und dies nicht nur wenn er anwesend ist, als Schmeichelei, sondern «jederzeit», in der den Zufällen persönlicher Intrigen überlegenen Zeit der Kirche. Und so zieht der Apostel die zu Beginn des Briefs notwendige Extrapolation des Amtes wieder ein und birgt das Amt innerhalb der Liebe: der gleichen kirchlichen und personalen Liebe, die er schon den Thessalonichern gegenüber betont hatte: «Meine Kinder, um die ich wiederum Geburtswehen leide, bis Christus in euch Gestalt gewinnt» (4, 17–19). Im «wiederum» klingt an, daß die damaligen widrigen Zustände sich – jetzt nicht mehr vorwiegend körperlich, sondern geistig – wiederholen, weil die Christusförmigkeit der Gemeinde unterdessen schwer gefährdet worden ist. Aber Geburtsschmerzen sind bei einer «Mutter» das Normale, und wenn Paulus das männliche Bild verwendet – «durch das Evangelium habe ich euch in Christus gezeugt» (1 Kor 4, 15) –, so denkt er zweifellos auch hier an den geistigen Einsatz, die Sorgen und Mühen eines

Vaters für seine Kinder («Nicht die Kinder müssen für ihre
Eltern Schätze sammeln, sondern die Eltern für die Kinder;
ich aber werde mit Freude Opfer bringen, ja mich selbst will
ich gänzlich hinopfern lassen für eure Seelen», 2 Kor 12, 14 f.).
Das Bild im Galaterbrief zeigt also zuletzt wieder die Integration der Autorität in der Liebe, die eine kirchliche, fruchtbar
zeugend-gebärende ist, deren Kraft aus dem Evangelium
stammt, deren Frucht das Realwerden Christi in den Seelen ist.

Dasselbe den Philippern gegenüber, die Paulus ermahnt,
am Wort des Lebens festzuhalten, «mir zum Ruhm für den
Tag Christi, damit ich nicht vergeblich gelaufen bin oder vergeblich mich abgemüht habe» (2, 15 f.). Das Bild des «Ruhms»,
das die glaubende Gemeinde wie ein dem Apostel äußerliches
Werk erscheinen läßt, vertieft sich im nächsten Vers: «Aber
wenn ich auch als Trankopfer ausgegossen werde beim Opfer
und Gottesdienst eures Glaubens, so freue ich mich doch,
und auch ihr, freut euch mit mir» (2, 17 f.). Die Hinopferung
Pauli dort, wo das Lebensopfer der Gemeinde sich vollzieht,
kann diesem gegenüber nicht mehr als äußerlich verstanden
werden: es ist ein anderes, diesmal der Opferliturgie ent-
nommenes Bild für die Fruchtbarkeit und Stellvertretung des
apostolischen Dienstes an denen, die er in die gemeinsame
Freude über das christliche Lebensopfer hineinzieht.

Bleiben die Korintherbriefe, besonders der zweite, in dem
das Auseinandertreten und wieder Zusammentreten von
apostolischer Vollmacht und apostolischer Liebe am deut-
lichsten artikuliert wird. Da anderswo ausführlich darüber
gehandelt wurde[1], seien nur die Hauptlinien hervorgehoben.
Im ersten Brief muß Paulus ein personales Verständnis seines
Amtes abwehren: nicht er ist für die Gemeinde gekreuzigt
worden, nicht auf seinen Namen sind die Korinther getauft
worden (1 Kor 1, 13). Er ist reiner Verweis auf das Kreuz
Christi (1, 17–2, 5). Er ist bloßer «Diener» (diakonos: 3, 5),
höchstens Gehilfe (synergos: 3, 9; vgl. 16, 16), Baumeister
(architektōn: 3, 10; vgl. 9, 2), aber im Haus wohnt nicht er,

[1] Vgl. vor allem: Der Antirömische Affekt, Herder 1974.

sondern der Geist Gottes. Paulus ist nur Knecht (hyperetēs), nur Verwalter (oikonomos: 4, 1). Und von hier aus nun die paradoxe Steigerung des Gedankens: dadurch, daß die Korinther seinem Dienst nicht entsprochen haben, sondern in Zwist und Parteilichkeit leben, stellen sie den ihnen dienenden Apostel auf den «letzten Platz», machen ihn zum «Toren», zum «Kehricht der Welt» und «Abschaum aller». Sie stellen sich selbst an einen Platz, von dem aus er – als der Erfolglose und Versager – von selbst an den letzten Platz gerückt wird. Damit ist das bisher im Brief unbetonte Dienstverhältnis des Apostels beim Aufbau der Gemeinde gestört, die darin verborgen integrierten Elemente treten – durch die Schuld der Gemeinde! – schroff heraus.

Es sind ihrer zwei: die geistliche Vaterschaft und die amtliche Autorität, die sich, durch die Unbotmäßigkeit der Gemeinde (ihr Sich-Blähen: 4, 6.18.19; 8, 1; 13, 4) hervorgereizt, in ihrer Nacktheit und Abstraktheit zeigen müssen. Beide nicht gleichwertig nebeneinander, sondern die Vaterschaft als das Gesetzte, Positive, die bloße Autorität als das Hypothetische, Eventuelle, die drohende Möglichkeit. «Nicht um euch zu beschämen, schreibe ich das, sondern um euch als meine geliebten Kinder zu ermahnen. Denn hättet ihr auch zehntausend Schulmeister in Christus, so doch nicht viele Väter; denn in Christus habe ich euch gezeugt durch das Evangelium» (1 Kor 4, 14f.). Und im gleichen Zug, wie zum Erweis der Fruchtbarkeit seiner Vaterschaft, spricht Paulus davon, er habe den Korinthern Timotheus gesandt, «der mein liebes und treues Kind im Herrn ist» (4, 17): dieser soll, indem er an die Wege des Vaters in Christus erinnert, der Gemeinde auch gleichzeitig beispielhaft vorführen, was im Verhältnis zum zeugenden Vater die Haltung eines «lieben und treuen Kindes» ist. Erst jetzt wird die Eventualität, den Aufgeblähten gegenüber, vorgebracht: «Was wollt ihr: soll ich mit der Zuchtrute kommen oder in Liebe und im Geist der Milde?» Daß so etwas wie die Zuchtrute erwähnt werden muß, liegt einzig an den Aufgeblähten; an ihnen auch, ob die eine oder andere Gestalt der apostolischen Vollmacht sich auswirken soll.

Diese Dualität, die wieder in die Einfalt des gegenseitigen Vertrauens- und Liebesverhältnisses hinein verschwinden soll, bringt der Zweite Korintherbrief zu ihrer ausführlichsten Darstellung. Alles geht aus von der christlichen Normalität des Für-Einander von Apostel und Gemeinde: «daß wir euer Ruhm sind, wie ihr der unsrige seid am Tage unseres Herrn Jesus» (2 Kor 1, 14). Und Paulus versichert vorweg die Gemeinde eines nicht hypothetischen, sondern unbedingten Ja zu ihr (1, 15–22). Dieses Ja bedeutet, auch sofern es Vollmacht einschließt, nicht «Macht», sondern «Dienst»: «denn wir wollen nicht Macht ausüben über euren Glauben, nein, Gehilfen sind wir eurer Freude» (1, 24). Ja, die Drohung mit der Zuchtrute wird vorweg ins Irreale verwiesen: «Ich habe bei mir beschlossen, nicht wieder zu euch zu kommen, wenn ich Betrübnis bereiten müßte... So habe ich die Angelegenheit brieflich mit euch erledigt» (2, 1–3). Auf den hier anschließenden Kreislauf der Freude (zwischen dem Apostel und der Gemeinde, wobei es je auf die Freude an der Freude des andern ankommt), sind wir anderswo eingegangen[2]. Paulus erledigt auch gleich noch den Straffall des von der Gemeinde Ausgeschlossenen und fordert die Gemeinde auf – gibt ihr Gelegenheit –, mit ihm zusammen Liebe walten zu lassen. Nochmals ein kirchlicher Kreislauf: «Wem aber ihr vergebt, dem vergebe auch ich; und wenn ich Vergebung gewährte (falls ich überhaupt etwas zu vergeben hatte), so gewährte ich sie um euretwillen vor dem Angesicht Christi» (2, 10).

Aber das alles ist doch nur Vorbereitung auf den eigentlichen Aussöhnungsprozeß zwischen der gegen Paulus aufgehetzten Gemeinde und ihm. Es wäre unwahrhaftig, ließe er die ganze bestehende Differenz in einer allgemeinen Liebe untergehen; es gilt vielmehr in der Liebe die Differenz ganz auszutragen. Daher zuerst die unerhörte, im Neuen Testa-

[2] Die Freude und das Kreuz, in: Die Wahrheit ist symphonisch (Johannes Verlag, Einsiedeln 1972) 131–146.

ment einmalige Theologie des kirchlichen Amtes (3, 1–6, 10) als unmittelbaren Abglanzes der Herrlichkeit Christi wie auch seiner Todesgestalt; kirchliches Amt existiert nur in der immerwährenden Spannung zwischen beidem, und zwar abgezweckt auf den Dienst an der Gemeinde: «so ist in uns der Tod, in euch das Leben wirksam» (4, 12; vgl. 1, 6). Das «Institutionelle» wird vollkommen «existentiell» ausgelegt, und in dieser Gestalt der Gemeinde als Handhabe gegen die «Aufgeblähten» übergeben: «damit ihr etwas in der Hand habt gegen die, die ihren Ruhm im Äußern... suchen» (5, 12). Der amtliche Dienst aber ist Dienst innerhalb des Passa-Mysteriums Jesu, also Dienst aus seiner uns bedrängenden Liebe und aus dem Mitgestorben mit ihm, so daß der ganze Dienst und alle Kriterien, nach denen er vorangeht, nicht mehr «fleischlich», sondern nur noch «geistig», «pneumatisch» sein können (5, 14–17). Er ist «Amt der Versöhnung», dem Gott das «Wort der Versöhnung anvertraut hat», so daß die Amtsträger «Christi Gesandte» sind, die, um sich Gehör zu verschaffen, auf ihn als den «Träger der Sünde», den Gekreuzigten hinweisen (5, 20–21). Hier eben fällt erneut das Wort vom Gehilfe-Sein, Mitarbeiter-Sein («synergountes» 6, 1), und damit verbunden die Versicherung einer existentiell durchwegs untadelhaften Amtsausübung (in der großen Stelle, die beginnt mit «Niemand geben wir irgendeinen Anstoß» und durch alle Situationen, Tugenden, Paradoxe des Apostolats hindurchführt: 6, 3–10). Dem entspricht als Gegenstück die Anerkennung des «Gehorsams» (hypakoē 7, 15) der Korinther und die im siebten Kapitel (durch die Vermittlung des Titus) sich vollziehende Aussöhnung des Apostels mit der Gemeinde, womit offenbar der damals gesendete Brief im wesentlichen abgeschlossen war.

Bei späterer Gelegenheit folgen Kapitel 10–13, und wenn die Lage auch neu und verschärft ist, so knüpft die Vorstellung des apostolischen Amtes doch unmittelbar an den früheren Brief an. Der kraftvolle Einsatz spricht einerseits vom geistlichen Wandel Pauli und der Geistlichkeit seiner (Amts-)

Waffen, anderseits von deren Fähigkeit, die geistigen Boll-
werke niederzureißen, die sich gegen die wahre christliche
Gotteserkenntnis aufrichten: «Wir nehmen jeden Gedanken
gefangen, um ihn Christus gehorsam zu machen.» Dazu der
seltsame Satz: «Wir sind bereit, jeden Ungehorsam zu strafen,
sobald euer Gehorsam vollkommen ist» (10, 4–6). Der einseitigen Vorführung der apostolischen Vollmacht, wie sie
durch neuen offenkundigen Ungehorsam in der Gemeinde
provoziert worden ist, folgt in diesem Nachsatz schon wieder
das Prinzip, daß in der bloßen Opposition kirchlich nichts zu
erreichen ist, es somit des Gehorsams (als erster Form der
Übereinstimmung zwischen Amt und Gemeinde) bedarf,
damit durch Strafe des Ungehorsams überhaupt wieder Ordnung geschaffen werden kann. Und Paulus, der eben vom
Zerstören der Widerstandsnester gesprochen hat, fügt bei:
neutestamentliche Vollmacht sei «nicht zum Niederreißen»,
sondern zum Aufbauen verliehen (10, 8; 13, 10, im Gegensatz zu Jer 1, 10). Die Handhabung solcher Autorität ist somit nicht zweiseitig, ambivalent – was ja auch vom evangelischen Wort vom «Binden und Lösen» gilt –, sondern eindeutig: Niederlegen kann nur eine Form des Aufbauens,
Binden nur eine solche des Lösens sein. Um dies zu erweisen
bedarf es der langen enthüllenden Belehrung über den Charakter der «Lügenapostel», die in Korinth am Werk waren,
und den des wahren Apostels, der seine amtliche Gleich-
rangigkeit mit dem «Überaposteln» und existentielle Überlegenheit über die Eindringlinge ausführlich darlegt (11,
22–12, 18). Und nach dieser langen Rede die überraschende
Feststellung, bei der selbst der unbefangene Leser von heute
lernen muß, umzudenken:

«Schon lange denkt ihr wohl, daß wir uns vor euch ver-
teidigen wollen. Nein, vor Gott reden wir in Christus, alles
aber, Geliebte, zu eurer Erbauung» (12, 19). Alles über die
Person Pauli Gesagte – bis hin zu seinen Entrückungen in den
dritten Himmel – betraf gar nicht die Person, sondern das
Amt und dessen Beglaubigung. Diese liegt in der Christus-

förmigkeit, die nicht Paulus als Einzelnen, sondern die amtliche kirchliche Existenz als solche betraf; die Person aber nur aufgrund ihres amtlichen Auftrags, ihrer Enteignung in diese hinein; die Person als solche ist «nichts» (12, 11). Und von dieser Voraussetzung aus kann die schwindelerregende Dialektik des letzten Kapitels den kurzen Abschluß bilden: einerseits wieder (wie 1 Kor 4, 21) die Drohung («wenn ich abermals komme, gibt es keine Schonung»: 13, 2), und die Strafe als «Beweis, daß Christus in mir spricht», ein zwar gekreuzigter, aber in Gottes Kraft lebender Christus, so daß auch das kirchliche Amt sich in der Schwäche der Mitkreuzigung «mit ihm aus Gottes Kraft» der Gemeinde gegenüber lebendig erweisen kann. Anderseits die (schon 10, 6 betonte) Unmöglichkeit, in der reinen Opposition zwischen Amt und Gemeinde etwas christlich Fruchtbares zu erreichen, deshalb der dringende Appell des Amtes an «Christus in euch», an das christlich bessere Wissen der Korinther, die nur dann «bewährt» (oder «mündig») sind, wenn sie die Gestalt der Bewährtheit des Amtes anerkennen (13, 6), wobei Paulus sosehr als Person zurückzutreten bereit ist, daß er selber gern als «unbewährt» gälte, wenn nur die Gemeinde das Rechte tut (13, 7). Wieder das Grundgesetz, das schon 4, 12 formuliert worden war: die Schwäche des Amtes (mit Christus zusammen) ist ausgerichtet auf das Starksein der Gemeinde: «Wir freuen uns, wenn wir schwach sind, ihr hingegen stark seid» (13, 8). Dies alles wird in einem vorausgeschickten Brief ausgeführt, damit Paulus bei der persönlichen Begegnung «nicht streng aufzutreten braucht», vielmehr die kirchliche Communio wiederhergestellt ist.

Diese ganze Analyse war deshalb für unser Thema notwendig, weil wir ihr entnehmen, wie genau das Neue Testament das Problem der Liebe des Christen zur Kirche als einer von Christus unterschiedenen, wenn auch rein auf ihn hin verweisenden Instanz kennt. Paulus ist das für die Gemeinde sichtbare «Prägmal» (typos) Christi (2 Thess 3, 9; Phil 3, 17; im gleichen Sinn 1 Kor 4, 16; 11, 1), und als mitzeugender

Vater, mitgebärende Mutter nicht nur hinweisendes, sondern auch wirksames, gleichsam sakramentales Zeichen. Seine ganze Person ist engagiert, aber insofern sie im amtlichen Dienst ein- und aufgegangen ist. Und so kann Paulus bei der Gemeinde *um Liebe werben*, im Namen des von Christus zeugnisgebenden Amtes Gegenliebe der Gemeinde einfordern. Die sprechendste Stelle ist 2 Kor 6, 11–13; 7, 3 (das Dazwischenliegende ist ein Einsprengsel aus einem andern Brief: «Korinther, unser Mund hat sich euch gegenüber geöffnet, unser Herz ist weit geworden. Ihr habt keinen engen Raum bei uns, aber in eurem Herzen habt ihr engen Raum. Nun vergeltet doch Gleiches mit Gleichem – wie zu (meinen) Kindern rede ich –, indem auch ihr (das Herz) weit macht. Gebt uns Raum... Denn soeben habe ich ja erklärt, daß ihr in unserem Herzen wohnt, auf daß wir zusammen leben und zusammen sterben.» Und im letzten Briefteil, drängend und beinah klagend: «Wenn ich euch also in überschwenglicher Weise liebe, soll ich deshalb um so weniger geliebt werden?» (2 Kor 12, 15).

Dieses Schauspiel ist höchst dramatisch, dabei einmalig und unvergleichlich. Denn hier ringt ein Mensch um die Liebe anderer Menschen nicht in seinem Namen, sondern im Namen Christi und Gottes («laßt euch mit Gott versöhnen», 2 Kor 5, 20), und doch so, daß von seiner Person und Stellung als «Gesandter Christi» im «Amt der Versöhnung» nicht abgesehen werden kann. Die Person ist enteignet in die Institution, aber damit gewinnt die Institution die Färbung der Person. Das ist analogielos und weder psychologisch (von der Person aus) noch soziologisch (von der Institution aus) aufrechenbar. Und dies wiederum ist für den natürlichen Menschen, der so gern den Psychologen und Soziologen spielt, recht agacierend. Man spürt geradezu von Brief zu Brief (im ganzen müssen es vier oder fünf gewesen sein) die wachsende Gereiztheit der Korinther, die natürlich auch von außen her gegen Paulus stimuliert werden. Er selber hat Mühe, sein «Sich-Rühmen» gegenüber der psychologischen

Mißdeutung abzuschützen. Er hat auch Mühe, in der menschlich überfordernden, ausweglosen Situation nicht bitter und sarkastisch zu werden. Ist er doch in einer dialektischen Zwickmühle gefangen, die zugleich aufgelöst werden müßte und doch unauflösbar ist: «Ihr seid bereits satt, bereits reich geworden, seid ohne uns zur Herrschaft gelangt. Ja wärt ihr nur zur Herrschaft gelangt, so könnten auch wir mit euch herrschen!» Das sollte nicht so sein. Und doch muß es so sein: «Wir sind Toren um Christi willen, ihr seid klug in Christus» (1 Kor 4, 8–10), in Anwendung des Gesetzes: «So ist in uns der Tod, in euch das Leben wirksam» (2 Kor 4, 12).

Die unerträgliche Spannung liegt darin, daß Paulus – und das mit vollem Recht und innerer Notwendigkeit – sowohl die Kirche als Amt wie die Kirche als existentielle Heiligkeit zu verkörpern hat, und die Liebe für beide Aspekte gleichzeitig einfordern muß. Denn das Amt fordert von sich aus die Ganz-Enteignung des Menschen, im Gedenken an die Ganz-Enteignung Christi (2 Kor 5, 14–15). Das Amt kann ihm aber auch abfordern, daß es aus Liebe die Form der «Zuchtrute» (als Drohung) annehmen muß; ein Hirt ist nicht ohne seinen Stab. Um der Erbauung willen muß mit Strafe gedroht werden, und das Amt kann nicht umhin, auch für diesen seinen Aspekt Liebe einzufordern, weil er objektiv ein Aspekt der Liebe Christi ist. Unnütz hinzuzufügen, daß es hier immer um pneumatische, nicht um «fleischliche Waffen» geht (wie sie die mittelalterliche Inquisition direkt oder indirekt, durch Übergabe an den weltlichen Arm, gebraucht hat): «Wir führen unseren Kampf nicht dem Fleische gemäß» (2 Kor 10, 3, was Eph 6, 13–17 jedem Christen vorschreibt).

5. Objektiv und subjektiv heilige Kirche

Die Synthese, aufgrund derer Paulus Liebe für sich – als Vertreter des kirchlichen Amtes und der kirchlichen Heiligkeit – eingefordert hat, ist wegweisend zur Lösung unserer Titelfrage. Heilig ist nur Gott, und Gott ist nur heilig; aber wo

Gott sich mitteilt, kann er seine Heiligkeit mitteilen, sonst
wäre seine Mitteilung nur eine scheinbare. Die primäre Mitteilung von Gottes Heiligkeit ist die an und in Jesus Christus,
und zwar an den ganzen, Seele und Leib, innen und außen.
Aber Christus ist nie ein vereinzeltes Atom in der Welt; so
weit Gottes Heilsplan mit der Welt zurückreicht – «vor Grundlegung der Welt» –, ist ihm seine Kirche zugedacht und zu-
gestiftet. So freilich, daß das «Geschenk», das Gott ihm, dem
«Geliebten» damit macht, von vornherein durch seine Selbsthingabe, durch sein «Blut» mitgestaltet wird. Man muß nämlich die beiden Stellen am Anfang und am Ende des Epheserbriefes ineinssehen: in der ersten ist es Gott der Vater, der
«uns erwählt hat in ihm (Christus), um heilig und untadelhaft
vor ihm (dem Vater) zu sein in der Liebe..., in ihm (Christus)
haben wir den Loskauf durch sein Blut, die Vergebung der
Sünden» (Eph 1, 4–7). In der zweiten ist es Christus, der
«seine Kirche geliebt und sich für sie dahingegeben hat, indem er sie reinigte..., um sie sich selbst als eine glorreiche,
ohne Makel und Runzel und dergleichen, vielmehr als heilige
und tadellose zuzuführen» (Eph 5, 25–27).

Diese Makellosigkeit der immer schon erwählten und
durch die Hingabe Christi hergestellten Kirche ist von Gott
und Christus her reines Geschenk (daher das dreimalige Lob der
Herrlichkeit seiner Gnade im Prolog: 1, 6.12.14). «Was hast
du, das du nicht empfangen hättest?» (1 Kor 4, 7): dieses Wort,
das der Vertreter der Kirche den Christen entgegenhalten
wird, ist ursprünglich von Gott an die Kirche-überhaupt gesprochen. In der Mitteilung göttlicher und christologischer
Heiligkeit (vgl. Eph 1, 23) ist die Kirche als ganze jeder ihrer
Reaktionen vorweg «Gottes Werk» (Joh 6, 29), «sein Werk,
in Christus Jesus geschaffen zu guten Werken, die Gott im
voraus bereitet hat, damit wir in ihnen wandeln» (Eph 2, 10).

Die Objektivität der der Kirche geschenkten Gnade Gottes,
die entsprechend der christologischen Gestalt der Kirche eine
geistige wie leibliche, inwendige wie auswendige Gestalt hat,
ist die logische Voraussetzung für jede mögliche Reaktion

von seiten der Kirche im Sinne der von Gott im voraus bereiteten Werke, «damit wir in ihnen wandeln». Die Objektivität der Gabe ist als Gottes Gründungsakt Ecclesia in fieri;
diese wird Ecclesia in facto esse mit der Annahme ihrer selbst,
d. h. im antwortenden Tun der von Gott im voraus bereiteten
Werke, also im wirklichen «heilig und untadelhaft sein vor
ihm in Liebe». Aber diese Antwort, als subjektive, kann der
objektiven Gabe der Liebe nicht wie ein selbständiges Subjekt gegenüberstehen (da die guten Werke, in denen wir
wandeln, ja von Gott vorweg bereitet sind), deshalb behält
die Ecclesia in facto esse auch als Antwortende das objektive
(vorausbereitete) Moment in sich: sie trägt ebenso unmittelbar ein Moment subjektiver wie objektiver Heiligkeit in sich.
Dem antwortenden Jawort Marias geht die objektive Gna-
dentatsache der unbefleckten Empfängnis logisch voraus, der
Liebesgemeinschaft der Kirchenglieder geht «das Wasserbad
vom Wort begleitet» (Eph 5, 26) und «das einzige Brot»
(1 Kor 10, 17) voraus, aufgrund dessen die Mahl-Teilnehmer
ein einziger Leib auch in subjektiver Liebe sein können. Und
zu diesem objektiven Vorweg des Wortes und Sakramentes
gehört das Vorweg des kirchlichen Dienstamtes der Versöhnung, dessen objektive «Herrlichkeit» (2 Kor 3) uns Paulus
mit so bewegenden Worten und Bildern beschrieben hat.

Jene, die wirklich antworten, sind sich dieses bleibenden
Vorausseins der objektiven Heiligkeit und Liebe immerdar
klar bewußt. Ihnen braucht nicht in Erinnerung gerufen zu
werden: «Was hast du, das du nicht empfangen hättest? Hast
du es aber empfangen, was rühmst du dich, als hättest du
nicht empfangen? Schon seid ihr satt! Schon seid ihr reich!»
(1 Kor 4, 7 f.). Aber ebenso wahr ist das andere: daß zwischen
dem Moment der göttlichen Vorbereitung und Geschenk-
übergabe (zuletzt in der Kreuzeshingabe Christi) und dem
Moment der aus der Kirche erfolgenden Antwort einer «makellosen, untadelhaften» Liebe kein zeitlicher Abstand klafft:
als wäre die Aufnahme des dargereichten Geschenkes erst
noch Sache der Überlegung von seiten der Beschenkten, als

sei Christus in seinem Wirken nicht fähig, sich diese makellose Braut in aller Wahrheit «herzustellen» (parastēsai). Man kann noch sosehr, von der Unvollkommenheit und Sündigkeit der empirischen Kirche beeindruckt, in der idealen Liebeskirche eine «eschatologische» Größe sehen: eschatologisch kann in diesem Fall keineswegs bedeuten: noch nicht wirklich, noch rein zukünftig; die ideale Kirche muß real sein, wenn man Gottes und Christi Tat nicht der Unfähigkeit bezichtigen will, und diese Realität – als subjektiv-objektive Heiligkeit der Liebe – ist die Voraussetzung und der immerwährende Bezugs- und Richtpunkt für alles Streben der unvollkommenen Christen.

Paulus hat in seiner zugleich objektiv-amtlichen wie subjektiv-existentiellen Heiligkeit (die sich ganz als empfangene weiß und verdankt) den Gemeinden ein Modell des Apriori der heiligen Kirche vorstellen wollen und für dieses Modell, wie wir sahen, ihre Liebe eingefordert. Man muß aber beachten, daß er dieses Modell nicht als ein ablösbares, isoliertes, individuelles den Gemeinden gegenüberstellt, sondern damit einen doppelten inklusiven Akt verbindet: er *setzt* die vollkommene Gemeinschaft und Gegenseitigkeit zwischen sich und der jeweiligen Gemeinde, und er *fordert* von der Gemeinde, dieser Setzung entsprechend zu leben. Erstens ist er nicht allein; schon in den Briefunterschriften bildet er mit seinen Mitarbeitern eine Gemeinschaft, vielfach empfiehlt er sie und gesellt ihnen andere bei, die in den Gemeinden selbst leben: «Nehmt mich zum Vorbild, liebe Brüder, und seht auf die, die nach unserem Vorbild wandeln» (Phil 3, 17; vgl. 1 Thess 1, 7). Es gibt, trotz allem Ringen und Laufen nach dem Kampfpreis, in der Kirche solche, die «vollkommen sind» (Phil 3, 15). Und Paulus setzt zweitens das wolkenlose Liebesverhältnis als den Ort der wahrhaftigen kirchlichen Begegnung: beide sind nur in der vollen Gegenseitigkeit, was sie sind (2 Kor 1, 14; 2, 3; 3, 1–3; 6, 11–13; 7, 2; Röm 15, 14; Phil 4, 1; 1 Thess 2, 19; 4, 10); von diesem gesetzten Verhältnis aus läßt er, drittens, alle christlichen Imperative ergehen. Was anläßlich Röm 6 für das Verhältnis zwischen Christus und dem einzelnen Gläubigen immer schon bemerkt worden ist: daß die Imperative, etwa mit Christus gestorben und auferstanden zu sein, auf den Indikativen aufruhen, daß der Christ tatsächlich mit Christus gestorben und auferstanden *ist*, hat nicht minder für des Christen Verhältnis zur Kirche zu gelten oder genauer: für das Verhältnis der als empirischen immer unvollkommenen und strebenden Kirche zu ihrer in Christus je schon erfüllten idealen Realität, die sowohl objektiv wie subjektiv vollkommene Antwort an Gott und an Christus ist.

Das Urphänomen, auf das sich das Streben des Christen hin auszurichten hat, ist nicht ein isolierter Christus in Glorie, noch weniger ein isolierter Jesus von Nazareth, der auf den Straßen von Galiläa wandert, einige Schritte voraus, während die Jünger «bestürzt und schweren Herzens folgten» (Mk 10, 32; vgl. Lk 9, 51). Es ist vielmehr das vom Kreuz her («in seinem Blut»: Eph 1, 7) verwirklichte hochzeitliche Zueinander Christi und seiner Kirche, die sein «Leib», seine «Fülle» und seine «Braut» ist. Jedes andere Bild Christi bleibt angesichts seiner Wirklichkeit abstrakt, was unmittelbar zur Folge hat, daß die Realität Kirche an einer zu tiefen Stelle eingestuft wird. Blicken wir aber auf diese Hochzeitlichkeit, so wird umrißweise schon die Antwort auf unsere Titelfrage absehbar: Gegenstand unserer Liebe ist das in dieser Hochzeit sich verwirklichende Ganze. Er ist Christus (als Gabe und Exponent des dreieinigen Gottes), sofern alles Liebenswerte an seiner Kirche von *ihm* «hergestellt» ist; er ist aber auch jene Elongatur Christi, die seine Kirche ist, sofern diese ihm die erwirkte und doch freie Antwort – als *Gemeinschaft* der Liebenden – zuträgt.

6. Die «Taube» und die «Mutter»

Man weiß, wie von den Paulustexten her die Theologie der Väter angeregt wurde, Bilder der ideal-realen, archetypischen

Kirche zu entwerfen[3], in denen die eigentliche und für den
Glauben belangvolle Wirklichkeit der Kirche aufleuchtete,
weshalb eine besondere Ekklesiologie für die irdisch-sichtbare Kirche sich für die Väter weitgehend erübrigte. Im
Zentrum dieser Bilderfülle steht, anschließend an Stellen wie
Gal 4, 26 («das Jerusalem droben, unsere *Mutter*, ist frei»)
und Hebr 12, 22f. («ihr seid *hinzugetreten*... zum himmlischen
Jerusalem...»), das Bild der Mutter im Vordergrund, als
jener Wirklichkeit, der man sich außer dem Vater Gott (oder
Christus) *verdankt*. Daß diese Mutter zugleich in ihrer Verbindung mit Christus «Jungfrau» ist (2 Kor 11, 2; vgl. Apk
14, 4) und in dieser jungfräulichen Mütterlichkeit in enger
Verbindung mit der Mutter Christi stehen muß, braucht uns
im Augenblick nicht zu beschäftigen. Die Vätertheologie der
«Mutter Kirche» ist oft und gründlich dargestellt worden;
wir gehen auf die Fülle der Texte und ihrer Aspekte hier
nicht ein.

Aber Augustin hat, indem er von der Bezeichnung der
Kirche als «immaculata» (Eph 5, 27) sich auf das Hohelied
zurückbesann, wo die Braut «columba mea, immaculata
mea» (5, 2) genannt wird, in seiner Theologie der «Taube»
ein sonst wenig beachtetes, für uns wichtiges Moment der
Kirchentheologie thematisch gemacht. Er nennt Columba
jenen Teil der Kirche, in dem diese nicht nur objektiv immaculata, sondern subjektiv vollkommen liebende Gemeinschaft
ist, und das natürlich, sofern diese Gemeinschaft als «Braut»
und «Leib» Christi in vollkommener Verbundenheit mit ihm
sein Werk der liebenden und welterlösenden Hingabe mitvollzieht. Daß die «Taube» wirklich Gemeinschaft der Liebenden ist, enthebt sie dem Verdacht, eine mythische, gnostische Hypostasierung von etwas zu sein, was bei Licht besehen
nur eine «Institution» ist; daß sie aber als «Leib» und «Fülle»
existiert, läßt sie nicht als eine Christus gegenüberstehende
Wirklichkeit erscheinen: es ist «der Heilige Geist, der in den

---

[3] Einige weniger bekannte hat Hugo Rahner gesammelt in: Symbole
der Kirche, die Ekklesiologie der Väter (O. Müller, Salzburg 1964).

Heiligen wohnt, aus denen jene silberne Taube im Feuer der Liebe geformt wird (conflatur)» (ep. 98, 5): der gleiche Geist, der in Christus die erlösende Wirksamkeit ist. Diese Gemeinschaft der christlich Liebenden ist sowohl personal wie ontisch, und in beiden Hinsichten wirkend und fruchtbar.

Sie ist es, die das Kind zum Taufbrunnen trägt und ihm zur Gemeinschaft in Christus verhilft (ep. 98, 5). Sie ist es, die durch ihre wesenhaft verzeihende Liebe den christlichen Sündern die Sündenvergebung (mit-)erwirkt, auch dann wirksam, wenn das Sakrament durch einen unwürdigen Amtsdiener gespendet wird, denn der eigentliche kirchliche Träger der Vollmacht zur Schuldvergebung ist nach Augustin die Columba: «Columba tenet, columba dimittit» (de bapt. 3, 18, 23), «columba ligat, columba solvit» (sermo 295, 2). Sie wirkt durch ihr Gebet, durch die «orationes sanctorum spiritualium qui sunt in Ecclesia», die «das unaufhörliche Seufzen der Taube sind» (de bapt. 3, 17, 22), und durch den Frieden der Einheit, zu dem alle Guten gewillt sind: «Ein und derselbe Geist vergibt (die Sünden), der allen in der Liebe miteinander verbundenen Heiligen verliehen ist, ob sie sich leiblich kennen oder nicht» (de bapt. 6, 4, 6).

Nun ist zwar für Augustin nicht die Rede davon, daß von dieser geistlichen Realität das Prinzip des Amtes, das die Sakramente verwaltet, getrennt werde. Aber Petrus werden die Schlüssel «in typo unitatis» verliehen; und seine «Darstellung» steht mit der dargestellten Wirklichkeit in einem solchen Zusammenhang, daß beide wie Außen und Innen des selben zu gelten haben. Nur so kann Augustin die donatistische Irrlehre von innen her überwinden: nicht die persönliche Heiligkeit des Amtsträgers ist die Bedingung für ein wirksames Binden und Lösen, aber die personale Heiligkeit der wahren Kirche, als columba, bindet und löst nicht ohne das amtliche Prinzip. Wir brauchen hier nicht zu untersuchen, ob Augustin die von ihm aufgestellte Aussage, daß die Columba und das kirchliche Amt aneinander gebunden sind, tief genug begründet, solid genug untermauert hat, oder ob – zumal in der frühen Zeit – das Amt zusehr nur der äußerlichen Schicht der Kirche zugeordnet bleibt. Wir können uns viel eher auf das Amtsverständnis Pauli zurückbesinnen, das ohne Zweifel im Zentrum der Kirche angesiedelt ist, und dieses Kirchenverständnis sich durch Augustins Columba-Theologie im Ausdruck bereichern lassen.

Indem bei Augustin die personale Seite der Liebesgemeinschaft bei der Vermittlung der göttlichen Gnaden in der Kirche stärker hervortritt, erhält der Gedanke, daß der Einzelne sich nicht nur einem abstrakt-isolierten Gott oder Christus, sondern gleichzeitig der Mütterlichkeit der Kirche verdankt, selber eine personale Wärme und psychologische Anschaulichkeit, die wohl noch hinausgeht über das von Paulus aufgestellte Verhältnis der Mütterlichkeit und Väterlichkeit des Apostels gegenüber der Gemeinde. Natürlich erfordert auch die Annahme einer Gnaden-Fruchtbarkeit der Gemeinschaft der Heiligen in der Kirche den Glauben, aber dieser wird anziehender, wenn man sich von einer solchen Gemeinschaft getragen, angenommen, ja geläutert weiß. Man wächst dem wesentlichen Zentrum der Kirche entgegen, man lernt, sich nicht mehr nur von andern tragen zu lassen, sondern selbst andere mitzutragen, wie das schon Methodius in seinem «Gastmahl» anschaulich dargestellt hat: «Die vollendeteren Seelen, die schon inniger die Wahrheit umfangen, ... werden so zur Kirche und Lebensgenossin Christi, ihm als Jungfrau verlobt und angetraut, auf daß sie... als Helferinnen der Verkündigung mitwirken zur Erlösung der anderen. Die aber noch unvollkommen sind und erst Anfänger in den Lehren, werden von den Vollendeteren in Schwangerschaft der Erlösung mitgetragen und wie im Mutterleib geformt, bis sie geboren und ins Dasein gezeugt sind, ... dann sind diese wiederum dank ihrem Fortschritt zur Kirche geworden und wirken nun mit zu anderer Kinder Geburt und Aufzucht» (3. Rede, 8). Kirche wird so zu einem dynamischen Prozeß von außen nach innen; wer dank der innern Kraft der «caritas unitatis» (Augustin, de bapt. 6, 34, 66) selbst ins Innere gelangt, beginnt nach dem Gesetz der Liebeseinheit zu leben und mitwirksam zu werden.

An diesem genauen Punkt dürfte Augustin innehalten. Er kennt die Notwendigkeit der Gläubigen, sich nicht nur Gott, sondern auch der Kirche zu verdanken, ebenso die Pflicht, in die Liebe der «Taube» hineinzuwachsen; doch geschieht dies für ihn nicht dadurch, daß man sich diese heilige Kirche zum Gegenstand seiner Liebe aussieht, sondern daß man an ihrer Realität und ihrer Gesinnung ihrem Herrn und Bräutigam gegenüber Anteil zu nehmen beginnt. Es ist wohl nicht Augustin, sondern Quodvultdeus, der in einer Predigt ausdrücklich zur Liebe der Kirche ermahnt: «Die Liebe zu dieser Mutter, die euch geboren hat, ... liebt sie von ganzem Herzen, und in dieser Liebe liebt auch eure Mitknechte und Brüder, die Diener Gottes (gemeint ist der Klerus) mit reiner Liebe» (PL 40, 692f.). Wir werden diesen naheliegenden Schritt von der Verdankung zur Vergegenständlichung der Kirche als Liebesobjekt nicht als eine Verfälschung des Christlichen erachten; immerhin liegt darin eine gewisse Gefahr: dort zu reflektieren, wo es um den reinen Liebesvollzug zu Christus und zu den Brüdern hin gehen müßte. Augustin spricht von der innersten Kirche am liebsten als von der «pax» und der «unitas»; diese sind freilich zu lieben («nos amemus pacem Christi [!], gaudeamus in unitate»: Psalmus c. partem Donati, PL 43, 28), aber sie sind das, was je durch die Liebe der Teilnehmenden sich verwirklicht.

Der sichtbare, institutionelle Aspekt der «Taube» wird selbstverständlich von dieser Liebe mitgetragen und umfangen, auch in seiner nicht unmittelbar personalen, sondern materiellen Realität: diese ist etwa beim Wort Gottes der Buchstabe, beim Sakrament das Wasser, das Brot, der Wein, beim Amt das institutionelle, juristische Moment. All das wird in der kirchlichen Liebe so einbezogen, wie etwa ein Mensch seine Heimat liebt: eine Landschaft, der er sich indirekt mitverdankt, weil hier das Haus seiner Eltern gestanden hat, weil hier die Sprache gesprochen wurde, die seine Erzieher und Freunde gesprochen haben usf. Inneres und Äußeres läßt sich in menschlichen Verhältnissen und in einer Religion der Menschwerdung nicht adäquat scheiden. Und wenn die Kirche an ihren Rändern schwer erträglich und leicht kritisierbar wird, so müßte das notwendige «Ertragen des Unerträglichen» und dessen eventuelles Kritisieren noch immer aus der Gesinnung der Mitte, der «pax» und «unitas caritatis» her geleistet werden. Das heißt nun gerade nicht, daß die einzelnen Aspekte der Kirche als Institution zu Gegenständen einer reflexen Liebe gemacht werden: dies könnte geradezu dem tieferen kirchlichen Geist widersprechen.

Anders scheint Ignatius von Loyola in seinen «Regeln über das Fühlen mit der Kirche» (Exerz. 352–370) zu reden, denn hier reiht er eine ganze Litanei von katholischen Gegenständlichkeiten auf, die man «loben» soll: all die Dinge, die von der Reformation über Bord geworfen worden waren: häufigen Sakramentenempfang, liturgische Andachten, evangelische Räte und Gelübde, die diese betreffen, Reliquien, «Stationsandachten, Wallfahrten, Ablässe, Jubiläen, Kreuzzugsbullen und das Anzünden von Kerzen in den Kirchen», Fasten, äußere Buße, Kirchenschmuck, Bilderverehrung usf. Sieht man näher zu (und erkennt man auch den blitzenden Humor in dieser Aufzählung), so geht es um eine Grundhaltung: die gehorsame Bereitschaft gegenüber «der wahren Braut Christi, die da ist unsere heilige Mutter, die hierarchische Kirche», und ihre Verfügungen, «stets bereiten Geistes, um Gründe zu ihrer Verteidigung zu finden und in keiner Weise zum Widerstand gegen sie» – und das auch angesichts der Mißstände (362), die nicht durch öffentliche Kontestation, sondern nur durch klugen persönlichen Einsatz wirksam gebessert werden können. Das Landschaftliche und Atmosphärische wird nicht in seiner kruden Materialität verteidigt, sondern als «Lebensraum» um das Mutterhaus und in ihm; und es ist kennzeichnend, daß Ignatius nicht von «Liebe *zur* Kirche» spricht, sondern von Bereitschaft zu ihr hin, offenbar um selber in ihre Liebe zu Christus – und durch Christus zu allen Menschen – einbezogen zu werden.

7. *Wie liebt die Kirche?*

Unsere Frage wird keine eindeutige Antwort erhalten. Denn wir können noch so tief in die Liebe der Columba hineinwachsen, wir werden nicht aufhören, uns ihr mitzuverdanken, ja werden im Vordringen erst merken, wie viel und wie immer mehr wir ihr verdanken. Denn die Liebe in ihr, die nun auch in uns überhandnimmt und der Vergegenständlichung entwächst, nimmt zu in der Erfüllung der personalen *Gegenständigkeit* innerhalb der alles umgreifenden und ermöglichenden Liebe Christi, schließlich der trinitarischen Liebe. Je mehr man in der Gemeinschaft der Heiligen an Liebe zum Verteilen erhält, umso mehr hat man zu danken, umso tiefer fühlt man sich enteignet. Umso weniger wird aber auch die Gesamtheit der Gemeinschaft der Heiligen der Versuchung erliegen, die ihr im Heiligen Geist von Gott her geschenkte Liebe einfach als die eigene zu annektieren. Hier liegt ein rational schwer auflösbares Problem, weil der Heilige Geist, der in unserem Geiste «Abba, Vater!» rufen lehrt, alles falsch-demütige Fremdtum überwindet und uns die Unbefangenheit (parrhēsia) der zum Haus gehörenden Kinder vermitteln will. Trotzdem bleiben Vertrautheit und Anbiederung zweierlei, und das besonders wenn die Kreatur sich angesichts Gottes befindet. Was das Mittelalter den «timor castus» als inneres Moment der christlichen Liebe – auch noch im ewigen Leben – genannt hat, ist nicht überholbar und ein inneres Existential der Liebe der Kinder Gottes.

Damit dürfte klar sein, daß man die Liebe der Kirche zu Christus, so innig man ihre gegenseitige Einigung auch fassen mag, von seiten der Kirche her nicht als die «Selbstliebe» eines mystischen Organismus auffassen kann. Bekanntlich hat Augustin an mehreren Stellen die Liebe zwischen Christus und der Kirche, die im Verhältnis von Haupt und Leib stehen, nach dem Modell der Selbstliebe zu formulieren versucht[4]. Aber wenn man die Stellen näher ansieht, so sprechen sie jeweils aus dem Standpunkt Christi, nicht aus dem der Kirche; der Akzent liegt völlig auf dem Mysterium der christologischen Oikonomia und Dispensatio, aufgrund der jener, «der sich selber niemals entließ und verließ, zu sich selber kam» (in Joh tr 69, 3) und so der Weg war, der zugleich begangen wird und sich selber (in der Kirche) geht. Desgleichen kann Christus zugleich der Hirt und die Türe sein, und der Hirt, der durch die Tür eingeht, so wie «das Licht gleichzeitig die Gegenstände und sich selbst offenbart, das Wort etwas und sich selber ausspricht, der Verstand eine Sache und sich selber versteht». Am Hirtsein gibt er den Leitern seiner Kirche Anteil, und er selbst wird in der Dispensatio mit ihnen zusammen ein Hirt, aber kein anderer als er ist Tür, durch die alle zum Vater eingehen müssen (In Joh tr 47, 1–3). Von diesem Mysterium seiner Kenose aus (die keine «Selbstentfremdung» ist) kann Christus sich auch durch andere hindurch selber verkünden (Enarr. Ps 74, 4), er kann sich andern, die doch er selbst sind («wir wurden nicht nur zu Christen, sondern zu Christus»), sich selber zeigen und so sich selber belehren (In Joh tr 21, 7–8), er kann andere in sich heiligen, indem er sich in ihnen und für sie heiligt (In Joh tr 108, 5), er kann der Schenkende und zugleich in seinen Gliedern der sich selbst Empfangende sein (Enarr. Ps 67, 25–26), er kann – in seiner Kirche – «Größeres wirken» als in sich selbst (In Joh tr 72, 1).

Das alles bleibt unumkehrbar, und so ist auch die Formel der Selbstliebe Christi in seiner Kirche, sofern sie sein Leib ist, nicht reversibel; sie schließt sich übrigens wörtlich an die Aussage Pauli an, daß der Mann, der die Frau als sein Fleisch liebt, «sich selbst liebt» (Eph 5, 28). Noch immer unter diesem Vorzeichen müssen die etwas ungeschützten Formeln

---

[4] Einige wichtige Stellen sind gesammelt in meiner Textauswahl: «Augustinus, Das Antlitz der Kirche», in: Menschen der Kirche, 1. Band (Benziger, [2]1955) 118–127.

Augustins aufgefaßt werden, daß wir «nicht nur zu Christen wurden, sondern zu Christus» (In Joh tr 72, 1), daß «ihr Christus seid» (In Joh 108, 5); denn Augustin hat an vielen Stellen betont, daß damit die Distanz nicht nur des einzelnen Gliedes zum Haupt, sondern der Kirche als ganzer zu Christus immer die des Knechtes und der Magd zum Herrn bleibt (z. B. Enarr. Ps 122, 5); er ist weit entfernt, in jenen distanzlosen Christomonismus zu verfallen, der noch vor kurzem kirchlich verurteilt worden ist[5]. Die Kirche überläßt es, immer nach Augustin, dem Herrn, sie als Braut oder «Freund» zu bezeichnen, von sich her bekennt sie sich als Magd und «Knecht», freilich nicht so, daß sie damit der auf sie und in sie eindringenden göttlichen Liebe einen Widerstand falscher Demut entgegensetzen wollte, der schließlich auf eine Verweigerung des einigenden Aktes herauskäme. Wie ist die Annahme der Freund- und Brautschaft in Wahrhaftigkeit vereinbar mit dem bleibenden Bewußtsein der Knecht-Situation?

Sie ist es nur unter der Voraussetzung des Wirkens des Heiligen Geistes, der der Verwirklicher aller göttlichen Initiativen und Einigungen ist, und als Pneuma der Liebe und persongewordenes Geschenk Gottes ebenfalls «der Geist der Wahrheit» (Joh 16, 13), der beide Seiten des Wirklichen gleichzeitig zur Geltung bringt: die Unterscheidung und deren übergreifendes Ziel: die Einigung. Als solcher ist das Pneuma schon zwischen Vater und Sohn wirksam: «Ich und der Vater sind eins» ist unmittelbarer Ausdruck des Ziels der Einigung und des Wesens des Geistes selbst, in dem doch der Sohn in Ewigkeit bekennen wird: «der Vater» als der Ursprung «ist größer als ich». Dieses trinitarische Verhältnis ist die innere Voraussetzung für die Möglichkeit der Einigung zwischen Christus und der Kirche (und in ihr der Menschheit), und – weil diese Einigung das Ziel der Schöpfung ist – die innere Voraussetzung für die Möglichkeit der Schöpfung

[5] Vgl. das indizierte Werk von K. Pelz, Der Christ als Christus (Berlin 1939).

selbst, und der Sinn ihrer unendlichen Differenz von Gott, die als «major dissimilitudo» (DSch 860) alle noch so intime Einigung durchherrscht: nicht ernüchternd und erkältend, sondern im letzten beseligend, weil sie das Bewußtsein der Gnadenhaftigkeit der Liebe ermöglicht. Und dies nicht so, daß die Gnadenhaftigkeit den unendlichen Abstand zwischen dem Herrsein Gottes als des Begnadenden und dem Knechtsein der Kreatur als der Begnadeten anleuchtet, denn die innere Voraussetzung für das Gott-Geschöpf-Verhältnis, das trinitarische Verhältnis nämlich, begründet die Wahrheit des Gott-Geschöpf-Verhältnisses in etwas Tieferem und Umgreifenderem; anders könnte das Bewußtsein der Gotteskindschaft, das Abba-Vater-Rufen im Heiligen Geist, die Unbefangenheit der Parrhesia sich ja niemals in den Herzen ausbreiten. Man muß vielmehr sagen: damit ein Geschöpf zu einem Gotteskind in Christus werden und sich als ein solches fühlen und richtig benehmen kann, ist das Bewußtsein von einem lieben und doch unendlich erhabenen, von einem erhabenen und doch unendlich lieben Vater vonnöten, und gleichzeitig die Einsicht, daß die Erschaffung des Kindes die Voraussetzung für seine Miterzeugung mit dem ewigen Sohn aus dem Schoß des Vaters besagt. Und sofern die Erschaffung nur als die Voraussetzung für dieses Mitgezeugtwerden (die «Adoptivkindschaft») im Bewußtsein des Kindes lebt, fallen in diesem Bewußtsein die beiden göttlichen Akte (oder «Natur» und «übernatürlich») nicht auseinander, ist deshalb im «timor castus» die Liebe der Einigung nicht durch die erkältende Reflexion auf die «major dissimilitudo» gefährdet. Man kann dies auch so ausdrücken, daß man sagt: das «major» der «dissimilitudo» liegt in der Erfahrung der Gottesliebe gar nicht auf seiten der Kreatur, die gleichsam immer von neuem von Gott abgestoßen und in die Distanz «zurückgestellt» werden müßte, um in der Wahrheit zu verbleiben. Das ist nicht so, weil die Kreatur ja in ihrem innersten Wesen «Gottes Bild hin zu seinem Gleichnis» ist. Das «major» der «dissimilitudo» liegt vielmehr auf seiten Gottes und erscheint *in* den Akten seiner Einigung: je tiefer und inniger Gott in der Einigung sich selbst offenbart, desto göttlich-überwältigender und uneinholbarer erscheint das Wesen seiner Liebe, desto höher ragt sie über der begnadeten Kreatur auf. Die Qualität der sich schenkenden Liebe ist es, die den von ihr Erfüllten zum anbetenden Verstummen bringt, somit das Moment des Apophatischen ist, das nicht (wie die palamitische Theologie meint) «hinter» der Erscheinung und Mitteilung Gottes als das Unzugängliche verharrt, sondern *in* der Epiphanie und echten Mitteilung als solches kundwird.

In dieser allgemeinen Kennzeichnung des Verhältnisses von «timor» und «amor» hat die besondere Liebe der Kirche zu Christus nunmehr hervorzutreten; nicht als die untergeordnete Art einer Gattung, sondern als der für jedes gottmenschliche Liebesverhältnis unentbehrliche, einmalige Knoten- und Durchgangspunkt. Die einzelnen personalen Gottverhältnisse der Geschöpfe gehen nicht an diesem Punkt vorbei unmittelbar zu Gott, sondern werden in ihm zusammengerafft, um als solche überhaupt an der Katholizität der göttlichen Liebe und Einheit Anteil zu erhalten. Sobald eine persönliche Liebe bereit ist, in Wahrheit «nicht das Ihre zu suchen» (1 Kor 13, 5), sondern empfangend und gebend offen zu sein für die Liebe Gottes zu allen, wird sie zu einer Art Sammellinse für die zwischen-gott-menschliche Liebe, das heißt, sie wird christusförmig. Sie wird es aber nicht aus eigener Erfindungs- und Schöpferkraft, sondern weil Christus in seiner Liebe den liebenden Menschen einen Raum der Teilnahme öffnet, der genau der Raum der heiligen Kirche ist. So wird, nach des Origenes Wort, die zur katholischen Liebe enteignete und entselbstete Seele zu einer «anima ecclesiastica», einer Seele, die die kirchlichen Dimensionen erreicht und Kirche in ihrem Wesensraum mitkonstituieren hilft. Dieser Raum ist, wie sich zeigte, immer schon erfüllt von der Liebe der Mutter des Herrn und ihrem unbegrenzten Jawort und eben deshalb ist er auch ein unbegrenzt offener Raum, der sich über keiner erreichten Zahl von «kirchenförmigen»

Seelen schließen kann. Augustin und viele nach ihm sahen in diesem Raum vor allem das «obere Jerusalem» mit seinen «Myriaden von Engeln», mit der «Festversammlung und Gemeinde der Erstgeborenen», den «vollendeten Gerechten» (Hebr 12, 22f.); aber man wird zusehen müssen, daß damit die Hochzeitlichkeit zwischen dem menschgewordenen Wort Gottes und seiner Braut Kirche nicht aus dem Mittelpunkt des Bildes herausrückt. Kirche als heilige ist wesentlich dem Welterlösungswerk Christi verbunden, sie «ergänzt, was an seinem Leiden noch fehlt» (Kol 1, 24), was man von den Engeln nicht sagen kann.

Die Liebe der heiligen Kirche *ist* Teilnahme an der Liebe Christi, die ihrerseits beides ist: die Gestalt der wirksamen Liebe des dreieinigen Gottes zur Welt, und die Einsammlung der Liebe in der Welt zu Gott hin. Somit ist die Liebe der heiligen Kirche – als Teilnahme daran – zugleich hingerichtet auf diese Liebe Christi; aber Teilnahme kann nicht einfachhin durch Gegenständlichkeit wiedergegeben werden. Denn Christus ist von der Kirche nicht adäquat abgrenzbar, obschon er ihr Richtpunkt und ihre Mitte ist, die sie sich selber nicht geben könnte. Was das heißt, wird nochmals aus dem Vergleich mit dem Geschlechtlichen deutlicher, wie ihn Paulus in 1 Kor 6 zieht. Geht es doch bei der Einigung von Mann und Frau, durch die «die beiden ein Fleisch» werden, auch nicht mehr um adäquate Gegenständlichkeit; die Überschreitung der Grenze besagt zumindest das Ende des «Sich-selber-Gehörens» (1 Kor 7, 4; vgl. 6, 19), aber positiv noch mehr: Gemeinsamkeit des Einandergehörens; im «einen Fleisch» liegt für den Menschen schon der Beginn des «ein Geist». Von hier der Gedankengang Pauli: die Leiber der Christen gehören ihnen nicht, sie sind Glieder Christi; hängt ein Christ einer Dirne an, so wird er «ein Fleisch» mit ihr, aber da er zuvor zum Leib Christi gehört, so steht dieses «ein Fleisch» in tiefstem Widerspruch zu seiner Wirklichkeit, mehr noch: zur Wirklichkeit «Christus-Kirche», von der er ein Moment ist. «Wer dagegen dem Geist anhängt (kollästhai:

engstens anhangen, festhaften), der ist ein Geist mit ihm»
(6, 17): wobei «Geist» hier nicht im Gegensatz zu «Fleisch»
steht (was im ganzen Vorherigen: 6, 13–16 vorausgesetzt ist),
sondern die Intensivierung der leibhaften Einheit besagt:
Pneuma ist die höchst reale Wirklichkeit des Heiligen Geistes,
der uns mit dem Sohn zusammen aus dem Schoß des Vaters
geboren sein läßt, und deshalb auch selbst an der gleichen
«Hauchung» teilnehmen läßt, die sich ursprünglich in Gott
zwischen Vater und Sohn ereignet. Man sieht hier, wie das
Bild des Gegenüberseins von Mann und Frau sich selber übersteigt in das Bild des einen Leibes und Geistes, das seinerseits
inadäquat bleibt, weil es den dreieinigen Prozeß einerseits
und die Differenz Gott-Kreatur anderseits nicht einzufangen
vermag.

Deshalb muß man die Liebe der heiligen Kirche als ein
Mysterium betrachten, das nur im Rahmen der göttlichen
Offenbarung situiert und von ihr her – umsichtig tastend und
nur annähernd – erhellt werden kann. Es darf selbstverständlich nicht darum gehen, die Personalität derjenigen, die in
dieser heiligen Kirche leben und sie zusammen bilden, in
Frage zu stellen oder sie christomonistisch oder pantheistisch
aufzulösen. Eine andere Frage ist allerdings, was diesen Per-
sonalitäten zustößt, wenn sie durch den Heiligen Geist «ein
Geist mit Christus» werden und sich immer tiefer einbeziehen
lassen in den innertrinitarischen Prozeß selbst. Sie gewinnen
dadurch eine übernatürliche Ausweitung und erreichen so
etwas wie eine gegenseitige Osmose oder Circumincession,
zunächst im Glauben und im Wirken (in der «Austauschbarkeit der Verdienste»), endgültig in der «Schau», der vollendeten Communio des ewigen Lebens. Diese Circumincession der im von Christus eröffneten Raum wahrhaft Liebenden bildet – auf der bleibenden Grundlage der in sich selbst
transzendierenden Einzelpersonen – das Bewußtsein der
Kirche.

Wir werden – wie oben gezeigt – von ihr nicht sagen, daß
sie sich selber liebt. Wir werden auch nicht sagen, daß sie Gott

195

oder Christus rein gegenständlich liebt. Denn das Geheimnis des einen Leibes und Geistes liegt jenseits von Gegenständlichkeit und Selbigkeit. Man muß bei der einen Grundaussage verharren, daß die Kirche (in ihrer Weiblichkeit Christus gegenüber) innerhalb ihrer Liebe ganz zu Christus, zu dem in ihm erscheinenden Gott und zu Christi und Gottes Weltanliegen hin transzendiert. Man darf aber diese Aussage durch eine zweite Grundaussage ergänzen und sagen, daß, sofern und soweit die Einheit von Kirche und Christus sich im «einen Geist» verwirklicht, die absolute Liebe sich hier selber liebt, was nicht Selbstliebe heißt, sondern Liebe in ihrer Absolutheit und Selbstzwecklichkeit, wie sie im Heiligen Geist ewig, als das letzte Produkt der Gottheit, der Begegnung von Vater und Sohn entsteigt.

8. Nochmals: die Kirche lieben?

Das scheinen verstiegene Spekulationen zu sein, an deren Inhalt der einfache Christ, der sich in einer sichtbaren und so vielfach fragwürdigen Kirchengemeinschaft weiß, bei weitem nicht heranreicht. Für ihn bleiben viel näherliegende Fragen: Wie stellt man sich halbwegs richtig zu diesem so vielschichtigen Phänomen wie der empirischen Kirche ein, zumal dann, wenn man die Sicherheit hat, gewisse Seiten an ihr kritisieren zu müssen (im Moment ist es gleichgültig, welche), anderseits ihr nicht einfach den Rücken kehren möchte, sondern eine Anzahl lebenswichtiger Werte an ihr entdeckt, die man für sich bejaht und an denen man teilhaben will.

Wir wollen hier nicht in die sehr verzweigten Probleme der partiellen Identifikation mit der (oder einer) empirischen Kirche und der Kirchenkritik eintreten. Wir stellen nur fest: Kirchenkritik kann nur sinnvoll und schöpferisch sein, wenn man sich nicht (partiell) mit irgendeinem Aspekt der Kirche identifiziert, sondern mit ihrem Kern, wobei mit diesem nicht eine nur unsichtbare, ideale Kirche gemeint ist, sondern eine immer auch empirische, von Christus her stammende, von Anfang an mit einem Amt versehene. Der Kern, das Wesen, mit dem ich mich identifiziere, gestattet mir allenfalls eine kritische Einstellung zu peripheren Aspekten. Der Kern aber ist nicht ein (unerfülltes) Postulat, sondern eine aus dem Werk Gottes in Christus erfließende Wirklichkeit: etwas Gegebenes im stärksten Wortsinn, etwas gnadenhaft Geschenktes. Etwas, das schon da ist und an dem teilzunehmen auch mir angeboten und, wenn ich will, geschenkt wird. Und weil dieser Kern Frucht der Liebe Christi und selbst Liebe *ist* – und zwar definitionsgemäß als Teilnahme an der absoluten Liebe –, so kann nichts, was in mir Bedürfnis und aktiver Entwurf von Liebe ist, diesem Kern fremd sein. Deshalb muß ich, sofern ich verstanden habe, was Kirche im Kern ist, die Kirche lieben, und zwar gerade nicht als etwas «anderes», mir Gegenüberstehendes, sondern als die schon gegebene Wirklichkeit dessen, was in mir Sehnsucht, Anlage, Möglichkeit ist, als die Fülle dessen, was in mir jedenfalls nur partiell und einseitig vorhanden ist. So kehrt sich, wenn es um Wesen und Kern der Kirche geht, die Formel von der partiellen Identifikation geradezu um: ich, der Partielle, gelange zur totalen Identifikation mit mir selbst nur durch eine totale Identifikation mit der Kirche.

Da sie mir aber – nicht nur als Idee, sondern als Wirklichkeit – vorgegeben ist, kann ich sie mir nicht nach Belieben ausmalen, wie sie sein sollte, um dann mein Phantasiebild zu lieben, sondern *darf* sie als den bestmöglichen Entwurf von Liebe Gottes in der Welt akzeptieren, weil sie ja von Gott erdacht und «hergestellt» (Eph 5, 26) ist. Alles, was an ihr diesem Kern nicht entspricht – sei es strebend unterwegs zu ihm oder gar von ihm abgewendet, von ihm weg wandernd – kann von der Mitte her und auf die Mitte hin kritisiert werden, somit auch von der Liebe her auf die Liebe hin, und nicht von der selbst abständigen Peripherie her. Das wiederum heißt, daß wir Kirche einzig aus dem Zentrum ihrer Liebe her kritisieren können, also nicht sosehr in einer Liebe *zu* ihr, als in ihrer Liebe selbst. In der Liebe zu ihr objektivieren wir sie und unterscheiden zwischen ihrer und unserer Liebe. Aber hier gilt wirklich: il n'y a pas deux amours. Und gälte es auch nur so, daß ich meine Liebe, die sich ja nie mit der im Kern der Kirche glühenden Liebesfülle decken kann, intentional nach der kirchlichen Liebe auszurichten versuche, und ebenso intentional mit den Augen der heiligen Kirche ihre eigene Unheiligkeit (zu der ich gehöre) zu betrachten und zu werten suche. Der Blick vom Innersten auf die peripheren Schichten kann je nachdem ein Blick des Zornes, der harten Forderung oder der Nachsicht und Vergebung sein. Beides läßt sich bei Jesus Christus feststellen, aber gewiß das Erste nicht ohne (wenigstens verborgen) das Zweite. Und wenn die Nachsicht, etwa einem einzelnen Sünder gegenüber prädominiert, so wird sie unweigerlich in Forderung übergehen: «Geh hin und sündige nicht mehr.»

Für den einzelnen Christen kann das Verhältnis zwischen Strenge und Nachsicht nicht beliebig zur Auswahl stehen; er wird sich vielmehr der Parabel vom unbarmherzigen Knecht erinnern: «Du böser Knecht, jene ganze Schuld habe ich dir erlassen... Hättest nicht auch du dich deines Mitknechtes erbarmen müssen, so wie ich mich deiner erbarmt habe?» (Mt 18, 32f.). Das gilt auch dann, wenn er sich über einzelne Personen oder Verhältnisse aufregt, die anderen mehr als ihm selbst Unrecht tun. So wird er sich das Wort an die Donnersöhne gesagt sein lassen: «Ihr wißt nicht, welche Art von Geist ihr habt» (Lk 9, 55). Sie hätten nicht den Geist Christi, wenn sie es als selbstverständlich erachteten, daß sie ihn haben und aus der Perspektive des Hauptes über die Kirche als seinen sehr unvollkommenen Leib zu Gericht sitzen; sie hätten ihn nicht einmal dann, wenn sie sich mit der gleichen Selbstverständlichkeit auf einen der zwölf Stühle setzen würden, die Jesus seinen Jüngern zuwies, als er ihnen «das Reich vermachte» (Lk 22, 29). Den Standpunkt des Hauptes hat überhaupt nur das Haupt selber, und die Vertretung des Hauptes kann nur übernehmen, wem ein amtlicher Auftrag dazu übergeben wurde. Gewiß sollen alle aus den Worten des Herrn – auch aus den strengen – den Geist des Herrn kennenlernen und sich anzueignen suchen, aber ihr Standort bleibt innerhalb jener Kirche, die im Evangelium eine Fülle von deutlichen Anweisungen erhalten hat, welches ihr Rang und Platz ist und wessen sie sich nicht vermessen soll. Innerhalb der Kirche, weder oberhalb noch außerhalb noch auch am Platz der Kirche selber. Denn hier kehrt der Gedanke wieder, daß jedes Kirchenglied sich der Kirche zu verdanken hat und daß es dieser Haltung des Sichverdankens ihr gegenüber auch in der christlichen Mündigkeit nicht entwachsen kann. Das Kirchenglied ist ein Christ nicht durch einen abstrakten Christus, sondern durch den mit der Braut – der Una Columba immaculata – vereinigten Bräutigam, durch die Einheit von Haupt und Leib. Kein Christ kann der Sohnesliebe zur mütterlichen Kirche entwachsen.

Er kann sich in seiner christlichen Liebe höchstens entwickeln, indem er den anfänglichen Anschein eines Gegenüber von Christ und Kirche, einer Gegen-ständlichkeit immer mehr überwindet, um sich mit der Gesinnung der Kirche in ihrem Kern zu identifizieren. Dies würde gerade nicht heißen, daß er der Kirche als einer fälschlich objektivierten Größe entwächst in eine rein personale Beziehung der Liebe zu Christus und zu den Brüdern hinein, sondern daß er in die Kirche so hineinwächst, daß er als Kirche, in ihrem Geist und in ihrer Gestalt, die Akte kirchlicher Liebe zu Christus und zu den Brüdern mitvollzieht – nicht privat, sondern in der Circumincession mit allen «animae ecclesiasticae». An den Heiligen kann jeder erkennen, daß dies möglich ist, wie das zugeht, und wie wenig es die besondere Persönlichkeit eines Einzelnen nivelliert. Den Heiligen ist es eigen, kirchliches Pneuma und kirchliche Institution in keinen Gegensatz zu stellen, sondern die Einheit beider als Folge der Menschwerdung Gottes zu erkennen. Auch dort, wo sie Institutionelles zu kritisieren haben, weil die Erbsündeneigung des Menschen und seine Trägheit es immer wieder mißbraucht, tun sie es aus der wahren Einheit von Pneuma und Institution heraus. Für die Welt der Sakramente aus der Ehrfurcht vor deren Heiligkeit heraus, für die Sphäre des Amtes aus einer grundsätzlichen Gehorsamsbereitschaft heraus, die an bestimmten Stellen widersprechen, ja kontestieren kann, um das reine Gehorsamsverhältnis wiederherzustellen. Denn die Heiligen lieben in der ungetrennten kirchlichen Einheit von Pneuma und Institution den Geist Jesu Christi, der Knechtsgestalt annahm, sich selbst erniedrigte und gehorsam wurde bis zum Tod, sogar bis zum Tod am Kreuz.

PNEUMA UND INSTITUTION

I. Das Füreinander von Personen

Wir werden uns im folgenden in jenem schwebenden Zwischenbereich bewegen, den Romano Guardini als einen dritten zwischen dem Bereich der Natur und dem der Gnade, konkret zwischen Schöpfungs- und Erlösungsordnung angesetzt hat, und der aus solchen Wahrheiten und Werten besteht, die an sich in der Natur- und Schöpfungswelt fundiert sind, dort aber erst, wie ein «Katzenauge», im Angestrahltwerden durch die Gnade aufleuchten. Man kann auch, einen Schritt tiefer gehend, diese Einteilung überholen, indem man im Geiste Henris de Lubac eine innere Transzendenz der Naturordnung, dort, wo sie in menschlicher Freiheit gipfelt, über sich hinaus ansetzt, ohne deshalb von ihr her einen Anspruch auf die Ordnung der Gnade, die freie Selbsterschließung der göttlichen Innenwelt anmelden zu können und zu wollen. Alles Reden vom Menschen hängt immer an der Entscheidung, ob man seines Angestrahltwerdens vom Licht der Gnade innewerden will oder nicht, wobei das Licht ja vor allem auch die Einmaligkeit der Person hervortreten läßt: aus dem Licht ertönt die Stimme, die den Einzelnen bei seinem Namen anruft, dem «neuen Namen, den niemand kennt als nur, wer ihn empfängt» (Apk 2, 17). Von diesem Namen her erfährt der Mensch erst im letzten, wer er endgültig ist, entscheidet sich deshalb auch das tiefste zwischenmenschliche Geschehen, mit dem wir einsetzen wollen, um von seinen folgenreichsten Formen her zu deren Voraussetzungen vorzudringen. Es geht zunächst um Allbekanntes, das dann auf seine verborgenen Wurzeln hin untersucht werden soll.

1. Sich-zeigen[1]

Jede Äußerung eines Menschen einem andern gegenüber ist, als Wort, Gebärde, Handlung, das Nachaußen eines Innen. Das Innen ist deshalb innen, weil es des Menschen Freiheit ist, die sich nur selber ent-schließen kann. Man kann sie von außen beschleichen, sie zu umzingeln suchen, indem man die Motive erforscht, die sie bewegen können; meint man, sie sei wehrlos ihren stärksten Motiven preisgegeben – das heißt: sie existiere gar nicht –, dann zerstört man den Innenraum des Menschen und verwandelt ihn in ein jedermann zugängliches Forschungsfeld der Psychologie. Dieses mag zwar seinen Äußerungsformen nach auf eine gewisse Innerlichkeit verweisen, aber sie wird nur eine ganz relative, weil durch eine (wesensmäßig allgemeine) Logie in ihren Gesetzlichkeiten und ihrem Funktionieren erkennbare sein. Wie die bewegenden Motive, so sind dann auch die üblichen Ausdrucksformen, vor allem die Sprache, in ihrer Objektivität erforschbar: ihre synchronisch-diachronische Veränderung kann teils aus ihren eigenen Gesetzen, teils aus ihren soziologischen Bedingtheiten wissenschaftlich festgestellt werden. Damit ist das sich selbst entschließende und erschließende Innen der persön-

---

[1] Der Ansatz des vorliegenden Versuchs, der von zwischenmenschlichen Beziehungen ausgeht, um ein Licht auf das trinitarische Geheimnis zu werfen, ist naiv. Er ist ebenso einfältig wie der parallele Versuch Richards von St. Victor in seinem «De Trinitate», der hinter die augustinische Einsicht zurückfällt, daß die innergöttlichen Hervorgänge (Hypostasen, «Personen») innerhalb der einen göttlichen Substanz bestenfalls nach dem Gleichnis der immanenten Akte des menschlichen Geistes (Erkenntnis, Wille), nicht aber nach zwischenmenschlichen Akten gedacht werden dürfen. Thomas von Aquin hat in seiner Summa Theologica die letzten Konsequenzen aus dem augustinischen Ansatz gezogen (vgl. Paul Vanier, Théologie trinitaire de S. Thomas d'Aquin. Evolution du concept d'action notionnelle, Montréal-Paris 1953), und nur wenn man das mit ihm tut, vermeidet man die Schwierigkeit des griechischen Ansatzes, die Person des Vaters (als deitas fontalis) gedanklich *vor* seinem Zeugungsakt ansetzen zu müssen. Eine neue dezidierte Stellungnahme für die thomanische Lehre findet sich bei M.-J. Le Guillou, Le Mystère

lichen Freiheit bis ins letzte verobjektiviert; Verhaltungs-
forschung am Menschen unterscheidet sich jedenfalls nicht
mehr wesentlich von der am Tier.

Gesteht man der einzelnen Person – innerhalb aller psychologisch-soziologischen Bedingtheiten, die ihr als einem Glied
einer in der Materie koexistierenden Gesellschaft notwendig
zukommen – einen Freiheitsraum zu, so ereignet sich bei jeder
freien personalen Äußerung etwas Unerhörtes. Durch das
konventionelle Gefüge menschlicher, organischer und sozia-
ler Ausdrucksformen öffnet sich ein Raum, zu dem es von
außen keinerlei Zugang gibt, der deshalb gegenüber allem
Gewohnten den Charakter eines Wunders, somit eines Faszi-
nosums hat. In der lautlichen Gebärde des Sprechens, in jeder
sprechend-ausdrückenden Gebärde überhaupt wird eine un-
widerrufliche Tat gesetzt, durch die etwas bisher in der gemeinsamen Welt nicht Existierendes als daseiend gesetzt
wird. Das bisher Unzugängliche, das im Innern der Person
vielleicht schon lange existierte oder das erst jetzt, im Entschluß zu existieren und sich zu äußern begann, ist für andere

du Père, Paris 1973, deutsch: Das Geheimnis des Vaters, Johannes Verlag
Einsiedeln 1974; desgleichen Karl Rahner, Systematischer Entwurf einer
Theologie der Trinität, in: Mysterium Salutis 2 (1967) 369–397, der aber zuletzt den Hypothesencharakter des psychologischen Ansatzes herausstellt.
    Das begrifflich einwandfreie thomanische System – das sich bewußt
ist, nur eine Annäherung an ein unlüftbares Mysterium zu sein – krankt
wie der ganze augustinische psychologische Ansatz an der Schwierigkeit,
Relationen im Innern der göttlichen Substanz nicht als Beziehungen
zwischen Personen einsichtig machen zu können. Ferner muß es
die Übernahme des platonischen «bonum diffusivum sui», der göttlichen Selbsthingabe, auf die opera Trinitatis ad extra einschränken,
da der Sohn zunächst «nach der Weise der Erkenntnis» hervorgeht, und
erst der Geist «nach der Weise der Liebe». Wie kann hier ein Satz wie
der aus den Abschiedsreden: «All das Meinige ist dein und all das
Deinige ist mein» (Joh 17, 10), der natürlich eine Aussage preisender
Liebe ist, als der Ausdruck eines immanent trinitarischen Verhältnisses
verstanden werden? Wird hier nicht einfach die Zuhilfenahme des
«modernen personalistischen Denkens» notwendig, das «die Beziehung
eines ‚Ich' zum ‚Du' als der Person wesentlich zugehörig» ansieht?

– einen oder viele – zugänglich geworden und ihrem Zugriff preisgegeben. Das Wort «Preisgeben» ist vielsagend, es stammt aus dem französischen «donner en prise», wörtlich: zur Erfassung, Erbeutung übergeben. Darin zeigt sich ein Vielfaches: einmal, daß das sich äußernde Subjekt sich – sein Eigenstes – in eine ganz anders geartete Außenwelt einschreibt, in der es in einer objektivierten Form repräsentiert wird. Sodann, daß andere Subjekte Macht über diese Form bekommen und damit indirekt auch über das Subjekt selbst: es kann «beim Wort genommen» werden; dieses Wort kann aber von seiner ursprünglichen Intention abgebogen, verdreht und in dieser Ungestalt als «Beute» abgeschleppt werden. Schließlich erhellt daraus, daß jedes Wort, das aus der Personmitte herstammt, ein Wagnis ist: es bestehen wahrscheinlich mehr Chancen, daß es im Sinn des Gängigen, Durchschnittlichen mißverstanden als in seiner personalen Einmaligkeit begriffen und angenommen wird; es ist ein «Zeugnis», ein Martyrion, das zumeist vor «Ungläubigen»

Selbst wenn im geschöpflichen Bereich Personen nicht mit dieser Relation gleichgesetzt werden können, «so wird doch hier die Möglichkeit sichtbar, die unerschaffene Person als reine Beziehung auf ein Du zu fassen, weil das göttliche Sein reine Aktualität ist» (L. Scheffczyk, Der eine und dreifaltige Gott, Mainz 1968). Und geschöpflich gesehen ist die volle Entfaltung der immanenten Akte einer Person erst die Folge eines interpersonalen Anrufs, einer Hingabe. «Der Mensch ist primär nicht ein Ich, das auch fähig ist, Du zu sagen, sondern kraft des Angesprochenseins als Du wird er in ursprünglicher Art fähig, Ich zu sagen... Vom Ich als Ausdruck des in sich stehenden Selbst anthropologisch ausgehen, heißt... bereits, die Empörerhaltung des Menschen als seine Wesensgrundlage sanktionieren» (Ernst Michel, Der Partner Gottes, Heidelberg, 100f.). So rückt die Beziehung zwischen Personen in den ersten Rang der Bilder und Gleichnisse für das Wesen Gottes – ist sie doch das Werthöchste innerhalb der Schöpfung – und darf als Verstehenshilfe ebenso verwendet werden wie das psychologische Schema, falls es nur bereit ist, sich (wie das letztere!) in seiner Tragweite kritisieren zu lassen. Zu solcher Kritik vgl. W. Simonis, Trinität und Vernunft, Frankfurter Theologische Studien 10, Knecht 1972. Von einer Konstruktion der Trinität aus der personalen Anthropologie kann natürlich keine Rede sein. Cf. L. Scheffczyk in: Mysterium Salutis 2, 200f.

abgelegt wird, das deshalb die Person, sofern sie sich wirklich als Einmalige äußern will, sorgsam erwägen und sparsam gebrauchen wird, zumal sie es, einmal verantwortlich geäußert, nicht mehr zurücknehmen kann.

Natürlich existiert keine Person rein für sich in abstrakter Einmaligkeit (wie die Engelwesen des hl. Thomas jedes einmalig in seiner « Art » sind), sondern immer auch als Individuum einer Gattung, so daß, wie gesagt, die Mitteilung durch ein materiell-konventionelles Medium hindurch erfolgt, in welchem alles Gesprochne sich einebnet und relativiert: Insofern kann man eine gemachte Äußerung « zurücknehmen », sie verleugnen, uminterpretieren, so ergänzen, daß ihr Sinn in anderem Licht erscheint, kann somit das Enthüllte wieder – wenigstens weitgehend – verhüllen, das Eingeschriebene verwischen, den Ernst der einmaligen Aussage im Unernst der menschlichen « Sprachspiele » verschwinden lassen. Die Konventionen amortisieren den Schock personaler Einmaligkeit der Preisgabe. Eine analoge Amortisation erhält das Faszinosum der je-einmaligen Person in ihrer Liebens-Würdigkeit durch das gattungshafte Faszinosum des Eros, das der Mensch, falls es vom Personalen getrennt wird, mit dem Tier gemein hat, und das als bestimmte Form der personalen Hingabe zum notwendigen oder wenigstens möglichen Medium der Vermittlung wird. Davon wird nachstehend noch die Rede sein. Auch das Medium des Eros, sofern es vom Personalen sich abhebt, ist ein solches der Relativität, ja oft der unpersonalen Beliebigkeit, wobei an ihm besonders deutlich eine Eigenheit der gesamten medialen Sphäre hervortritt, nämlich die personale Sphäre vorauszusetzen, ohne sie ernsthaft aktuell werden zu lassen, sie spiegelhaft nachzuahmen – zuweilen nachzuäffen –, ohne sie darstellen oder ersetzen zu können, weshalb der Eros das Mayahafte der Welt besonders verdeutlicht. Er schwört « ewige Liebe und Treue » und « meint » sie auch im Augenblick, obschon er zuletzt nicht aus der eigenen Freiheit handelt, sondern im Dienst der Natur steht, die durch ihn ihre Zwecke verfolgt.

Wo aber personale Freiheit sich in ihrer Äußerung wahrhaft preisgibt, ist es ihre Absicht, eine andere Freiheit in ihrem personalen Kern anzurühren. Selbst dann, wenn sie beinah sicher ist, in ihrem Zeugnis mißverstanden und mißbraucht zu werden, hegt sie eine letzte Hoffnung, mit ihrem
Wort, wie es gemeint ist, vernommen, verstanden, empfangen
zu werden. Sie könnte indes eine solche Hoffnung gar nicht
hegen, wenn sie nicht selbst schon die Erfahrung gemacht
hätte, was es heißt, ein personales freies Wort in sich zu vernehmen, zu verstehen und zu empfangen; welches Glück und
welche Bereicherung der eigenen Freiheit es bedeutet, in der
eigenen Indetermination die Fähigkeit zu besitzen, sich dergestalt vom Eigensten eines Andern bestimmen und prägen
zu lassen. Aufgrund solcher Betroffenheit erwächst der
Wunsch, andere in der selben Weise zu (be-)treffen, weil in
solcher gegenseitigen Eröffnung der Freiheitsräume und
Austausch der personalen Entschließungen das Erfüllende
personalen Daseins liegt. Die Haltung, in der jeder dem andern gegenüber steht, ist die von Fülle und Leere zugleich:
Fülle, weil es das Kostbarste, die Möglichkeit zu aller Bestimmung, die Freiheit ist, die sich dem Ankommenden gegenüber entblößt und bereithält; Leere, weil diese Freiheit
sich zum Gefäß des Ankommenden macht. Das Paradox
dieser Fülle und Leere ist das eigentliche Geheimnis der personalen Freiheit, da beide Aspekte sich immer gegenseitig
fordern und auch steigern, in einer untrennbaren Gesamt-
haltung, die gleichzeitig aktiv und passiv ist, sich aktiv um
die bestmögliche Passivität bemüht, um alles Ankommende
aufzunehmen, und passiv alle Vor-Urteile und Vor-Entschei-
dungen der eigenen Aktivität abwehrt, um das Ankommende
nicht zu präjudizieren. Das Paradox ist nicht die Zusammen-
setzung zweier entgegengesetzter Haltungen, keine coinci-
dentia oppositorum, sondern etwas ganz Einfaches, das man
mit dem Wort Bereitschaft bezeichnen kann[2]. Diese Bereit-

---

[2] Vgl. in diesem Buch das Kapitel: Jenseits von Kontemplation und
Aktion?

schaft wird freilich erst aufgrund der Erfahrung des Betroffenwordenseins durch ein fremdes personales Wort aktuell; aber potentiell war sie schon vorher da, weil die Person sonst gar nicht hätte betroffen werden können. Insofern käme der interpersonale Dialog überhaupt nie in Gang, wenn in der menschlichen Person nicht immer schon ein dialogisches Apriori vorhanden wäre.

Dieses wird man, um verständlich zu sein, am besten mit erotischen Kategorien beschreiben, sie aber in eine Sphäre transponieren, die dem leiblich-sinnlichen Eros überlegen ist, und von der dieser als abkünftig gedacht werden muß. (Auch wenn das Tierreich in der Stufenfolge des Werdens dem Menschen vorausliegt: es ist um seinetwillen da).

Im Bewußtsein der eigenen Freiheit liegt als erstes die Faszination nicht durch sich selbst, sondern durch *Freiheit überhaupt*, die nur als überlegene, in der Sehnsucht nach deren Selbsterschließung in meine Freiheit hinein gedacht und erfahren werden kann. Eigene Freiheit ist, solange sie nicht von der andern aufgebrochen worden ist, in sich verschlossen, ohne Hoffnung, sich durch die Schale des Unfreien hindurch äußern zu können. So ist – zweitens – die primäre «Erfahrung» eine «weibliche»: eine solche des Durchbrochen- und Bestimmtwerdens, um sich dann seinerseits – «männlich» – bestimmend äußern zu können. Um dies als möglich zu erweisen, muß vorgängig jene Form der Freiheit bekannt sein, in die hinein aktive Zeugung erfolgen kann. In alldem liegt – drittens – eine ebenfalls apriorische Ahnung dessen, was Fruchtbarkeit ist. Sie ist die erfüllende Entsprechung zu der einheitlichen Haltung, die wir mit Bereitschaft bezeichneten, also etwas, das jenseits von bloßer Sehnsucht nach Erfülltwerden und von bloßem Drang nach Erfüllen des Andern liegt, das weder bloß weibliche noch bloß männliche Haltung ist. Die Person trägt beide Haltungen in sich, aber als «Bereitschaft zu...», ausgerichtet auf «Freiheit überhaupt», also nicht als sich in Person (als «Syzygie») zusammenschließend: deshalb muß das Zielhafte etwas sein, das sich – einstweilen unabsehbar – aus der Begegnung der Freiheiten, die sich reziprok weiblich-männlich zueinander verhalten (also je beide Prinzipien in sich bergen), ergeben wird. Die Frucht ist das Unverhoffte. Sie muß es sein, weil keiner absehen kann, wie er von der andern Freiheit eingeformt werden wird und was geschehen wird, wenn es ihm selber gelingen sollte, eine andere Freiheit einzuformen. Dieses Nichtwissen ist gegenseitig; und obschon die Faszination «etwas» verheißt, eine Sprengung, ein Darüberhinaus, ist doch dessen Was und Wie nicht zu berechnen. So geht die Hoffnung auf Gelingen und Erfüllung wirklich aufs Unverhoffte.

Man kann hier aber auch die ungeheure Gefährdung einer solchen offenen Hoffnung wahrnehmen. Nichts ist wehrloser als eine apriorisch offenstehende Bereitschaft. Vielleicht läßt sich ihr ein Instinkt für das wahrhaft Erfüllende und wider das falsche Erfüllung Verheißende beilegen; aber dieser Instinkt kann nicht so beschaffen sein, daß er die Naivität der Bereitschaft einschränkte und mit Abwehrorganen bewaffnete; die ursprüngliche Bereitschaft ist kindlich, und Kindlichkeit ist verführbar. Deshalb: «Wer einen von diesen Kleinen, die glauben, verführt, für den wäre es besser, ihm würde ein Eselsmühlstein um den Hals gehängt und er würde ins Meer geworfen» (Mk 9, 42par). Er pervertiert die offene Erwartung im Kind, die auf die Freiheit geht und auf deren unbekannte verheißene Frucht, die ihr entsteigen muß, und läßt sie verfaulen, ehe sie reifen konnte.

2. Eheliche Begegnung

Wir haben versucht, von oben her, aus dem Personalen, in die eheliche Begegnung der Geschlechter einzudringen. Um diese in ihrer Leiblichkeit zu erreichen, bedarf es nur noch der Zerlegung jener immerwährenden Reziprozität von weiblicher und männlicher Haltung bei der Begegnung zweier Personen in die leibliche Reziprozität, bei der die beiden Rollen nunmehr auf die beiden Partner verteilt erscheinen. Dies ergibt nun zwar eine Rolleneindeutigkeit für die körperliche Sphäre, die sich gewiß auf die gesamtpersonale der beiden auswirken wird, ohne indes die beschriebene Gegenseitigkeit aktiv-passiver Bereitschaft bei beiden Partnern aufzuheben (in C. G. Jungs Terminologie wäre hier von Anima beim Mann, von Animus bei der Frau zu sprechen).

Die Physiologie der Ehe interessiert uns hier nicht, sondern nur die Tatsache, daß die Sphäre des Geschlechtlichen, die die gesamte leibliche Sphäre zu ihrem Ausdrucksfeld braucht, zu einer Sprache und Gebärde der interpersonalen Liebe werden kann und soll. Ein erster Ausdruck dafür ist die Tatsache der geschlechtlichen Scham, die die leibliche Sphäre der gegenseitigen Hingabe ausdrücklich einbezieht in den Bereich der personalen Freiheit, welche sich einzig dem Kern der andern Freiheit erschließen will; denn nur dort kann sie «ankommen» und empfangen werden. Eine solche Einbeziehung braucht nichts von ungesunder, von falschem Begehren mitgeprägter Tabuisierung des Geschlechtlichen an sich zu haben, sie läßt dem Körperlichen und seiner «An-sich-Sichtbarkeit» seinen untergeordneten Rang, erhebt es nicht zu einem Ding-an-Sich: es hat sein Maß genau an dem personalen Willen, innerhalb der ehelichen Begegnung das eigene Sein als ganzes zu einem freien Geschenk für den Partner zu machen. Und dies gerade auch, sofern leibliche Fruchtbarkeit zu einer Funktion der erwarteten geistigen Frucht der freien Begegnung gestaltet werden kann. Die leibliche Frucht nimmt in ihrer Weise, auf ihrer Ebene teil an dem Geheimnischarakter und der Unverhofftheit des aus der geistigen Begegnung Erhofften: niemand weiß – obschon es das alltäglichste Faktum ist – wie aus der leiblichen Begegnung von Mann und Frau ein neues freies, personales Wesen hervorgehen kann; und sofern Freiheit der umzingelnden Wissenschaft ewig entgleitet, kann man sagen, daß wir es auch in alle Zukunft hinein nie wissen werden.

Nun aber braucht das Kind gar nicht zu kommen. Es ist ein Darüberhinaus-Geschenktes. Eine leibliche unfruchtbare

Ehe ist keine verfehlte, keine notwendig unglückliche Ehe; eben darum kann man die Zeugung von Nachkommenschaft nicht als den Erstzweck der Ehe bezeichnen. Vielmehr geht es primär um eine Radikalisierung (in die leibliche Sphäre hinein) dessen, was im ersten Abschnitt über personale Begegnung gesagt wurde. Die Radikalisierung liegt in der Leibwerdung der personalen Hingabe, deren Ausschließlichkeit – *dieser* Mann und *diese* Frau – die zeitlich-räumliche Form ist, in der die Je-Einmaligkeit der Personbegegnung sich inkarnatorisch darstellt. Schließt doch jetzt diese Einmaligkeit der anderen Freiheit dessen Leibsphäre ein.

Das Entscheidende wird aber erst gesehen, wenn beachtet wird, daß die gegenseitige Bereitschaft, einander zu empfangen, durch die Einbeziehung der Leibsphäre zu jener gegenseitigen Enteignung und Selbstübergabe führt, wie Paulus sie ausdrückt: «Die Frau hat kein Verfügungsrecht über ihren Leib, sondern der Mann, ebensowenig hat der Mann ein Verfügungsrecht über seinen Leib, sondern die Frau» (1 Kor 7, 4). Gilt dies aber, dann sind beide enteignet, aufgrund ihrer freien Bereitschaft und Selbstübergabe aneinander, so daß imgrunde keiner über eine leibliche Begegnung verfügen kann, zu der zwei Einwilligungen erfordert sind. Und dies ganz gleichgültig, wer von beiden schließlich die Initiative zur Begegnung ergreift. Das personale Zusammenkommen der beiden Enteigneten ist nur in dem Dritten möglich, das – lange vor dem Kommen des Kindes – jenes aus ihren beiden Freiheiten zusammentretende Objektive ist: ihr Gelöbnis, in dem jeder die Freiheit des andern und ihr Geheimnis endgültig bejaht und sich diesem Geheimnis überantwortet. Objektiv ist es nur darum zu nennen, weil es mehr ist als das Nebeneinander ihrer beiden Subjektivitäten, obschon es anderseits deren schöpferisches Produkt ist, ihr einsgewordener Wille (einander zu gehören), der sich über und zwischen sie stellt, weil keiner von beiden die entstandene Einheit für sich beanspruchen kann. Objektiv ist es deshalb, weil beide, um in ihrer gegenseitigen Enteignung gemeinsam recht zu handeln, auf dieses ihr Produkt hinzublicken haben, mehr auf dieses als auf den Partner, der, im Idealfall, in seiner völligen Enteignung bereit ist und zur Verfügung steht.

Dieses Objektive, das auch das ihre gemeinsame Liebe Inspirierende ist, kann unterschiedslos der Geist ihres Liebesbundes und dieser Bund als die beide überragende Institution heißen. Das gilt schon innerhalb des rein personalen Gesichtspunkts. Denn natürlich besteht auch der andere, gesellschaftliche Gesichtspunkt, wonach eine Ehe ein soziales, öffentliches Ereignis ist, das im Gefüge der Gesellschaft seinen Platz hat und seine Rolle spielt, vom Gemeinwesen zur Kenntnis genommen, eingeordnet und in gewissen Grenzen auch um des Gemeinwohls willen geregelt werden muß. Hier wird ein Eherecht formuliert, dem die Verheirateten unterstehen, das zwar auf das personale Wesen der Ehe Rücksicht nehmen soll, aber direkt das Gemeinwohl, genauer den bestmöglichen Ausgleich zwischen dem Wohl der einzelnen Familie und dem der Gesellschaft zum Anliegen hat. Jenes Objektive, Inspirierende zwischen zwei einander völlig Hingegebenen entgleitet diesem Recht fast ganz, weil dieses zunächst mit der durchschnittlichen menschlichen Natur, damit auch mit ihrem Egoismus und ihrer Unbeständigkeit rechnet und die Schäden, die sie anrichtet, einzudämmen sucht, während die gegenseitige vollkommene personale Enteignung beinah den Grenzfall darstellt, und der besondere objektive Geist eines solchen Liebesbundes nur das Produkt der beiderseitigen vollen Übereignung ist. Freilich ist der Satz Pauli, daß in der Ehe jeder Partner leiblich dem andern gehört, als ein allgemeiner formuliert, aber die kirchliche – auch kirchenrechtliche – Norm, die er hier aufstellt, ist an der Idealität Christi abgelesen, in dessen Sphäre solche Enteignung möglich ist, wie der nachfolgende Satz zeigt: «Entzieht euch einander nicht, es sei denn mit gegenseitigem Einverständnis auf einige Zeit, um euch dem Gebete zu widmen und dann wieder zusammenzukommen...» (1 Kor 7, 5). Der inspirierende gemeinsame Geist erscheint hier als ein Gebetsgeist, konkret als Heiliger Geist, der in seiner Anregung zu dieser gemeinsamen Zeit der Enthaltsamkeit seinen Ursprung verrät. Dies gilt für christliche Ehe allgemein; der durchgehende nüchterne Realismus des ganzen Kapitels zeigt es.

Aber auch ein Blick auf das andersgeartete vorausgehende sechste Kapitel kann es bestätigen. Hier geht es nicht um die Ehe im besonderen (die «Ehebrecher» werden nur innerhalb einer langen Reihe von Übeltätern erwähnt), sondern um die Hinordnung des Leibes im ganzen (es ist auch von Bauch und Speise die Rede), der Sexualität im besondern auf Christus. «Der Leib ist nicht für die Unzucht da, sondern für den Herrn, und der Herr für den Leib... Wißt ihr nicht, daß wer einer Dirne anhängt, ein Leib ist mit ihr? Es heißt ja: ‚Die beiden werden ein Fleisch sein.' Wer dagegen dem Herrn anhängt, ist ein Pneuma mit ihm» (1 Kor 6, 13.16 f.). Die Stelle meint nicht Jungfräulichkeit im Gegensatz zu christlicher Ehe, sondern die Enteignung und Indienstnahme des Leibes mit all seinen Kräften – auch dem Eros – im Rahmen der selbstlosen christlichen Liebe. Und da diese in Christus eine inkarnatorische Bewegung hat, weil das Treuewort Gottes in Christus die Richtung auf Fleischwerdung einschlägt und sich so in seiner Treue beweist, kann der nachfolgende Satz gewagt werden: «Fliehet die Unzucht! Jede andere Sünde, die ein Mensch begeht, bleibt außerhalb seines Leibes; wer aber Unzucht treibt, versündigt sich an seinem eigenen Leibe. Wißt ihr (aber) nicht, daß euer Leib ein Tempel des Heiligen Geistes ist, der in euch wohnt, den ihr von Gott empfangen habt, und daß ihr euch nicht selbst angehört?» (1 Kor 6, 18 f.). Wieder ist von einer Enteignung die Rede, und zwar nicht aus eigener Spontaneität, sondern weil Gott in seinem Heiligen Geist von den Christen Besitz ergriffen hat, aufgrund des leiblichen Kreuzesleidens des Sohnes («denn um einen [teuren] Preis seid ihr erkauft»: V. 20). Dieser leibliche «Preis» ist dem «Geist», dessen Tempel wir geworden sind, nicht äußerlich, da das leibliche Bild der «Verschmelzung» mit der Dirne übertragen wird auf die Einigung mit dem

Herrn, die zwar «ein Pneuma» mit ihm zusammen ergibt, in
der aber der (leibgewordene) Herr ausdrücklich «für den
Leib» da ist; so könnte anstelle von «ein Pneuma mit ihm»
durchaus auch stehen: «ein Leib mit ihm», wie die eucharistischen Texte bestätigen. Die Spitze der Argumentation liegt
in der – durch die pneumatische Einigung mit dem Herrn
erreichte – Parallele zwischen der Leibwerdung und Leibhaftigkeit der Liebe Gottes zu uns im Kreuz Christi, und der
Leibwerdung und Leibhaftigkeit der entselbsteten Liebe des
Christen – sie sei jungfräulich oder ehelich –, die in ihrer
Inkarniertheit (mit der geschlechtlichen Kraft in der Mitte)
sich in ihrer Wahrheit erweist. Nur so kann gesagt werden:
«Jede andere Sünde bleibt *außerhalb* des Leibes; wer aber
Unzucht begeht...» Die Bewegung der Enteignung, die wir
vorher als eine gegenseitige zwischen den Gatten beschrieben,
geht hier ausdrücklich von der Liebe Gottes aus, und diese
«enteignet sich» gerade in ihrem Eingehen in die «Knechtsgestalt» des fleischlichen Menschen, um dabei «gehorsam zu
werden bis zum Tod» (Phil 2, 6ff.), seiner Enteignung die
letzte Konkretheit und Beweiskraft zu geben. Hier taucht das
Modell für das reziproke Enteignetsein der Gatten, somit für
ihren Gehorsam auf, und für die Emphase, mit der in 1 Kor
6 und 7 dieser Gehorsam in *innerlicher* Kontinuität mit der
(erotischen) Leiblichkeit gesehen wird. Gerade diese, die des
Menschen spontanste Kraft zu sein scheint, wird in den
Dienstgehorsam genommen und dem Verfügen des Gegenüber anheimgestellt, und zwar (weil auch dieses enteignet ist)
unter der Inspiration des Dritten, das in der Enthüllung des
christlichen Apriori sowohl «der Herr» wie «der Geist»
heißen kann. «Der Herr»: sofern auch das eheliche Zueinander dem vorausgesetzten (inkarnatorischen) Zueinander von
Herr und Leib unterstellt ist: «Der Leib ist... für den Herrn,
und der Herr für den Leib da.» Aber weil der Herr ja in seinem Leibgehorsam selbst enteignet und gehorsam bis zum
Tod war, und darin «vom Geist getrieben wurde» (Lk 4, 1),
wird er nur in seiner Einheit mit dem Geist zusammen zum

Modell: einerseits «der Herr ist der Geist» (2 Kor 3, 17), er existiert nur als der vom Geist vollkommen Geführte, Durchherrschte, dem «der Geist ohne (einschränkendes) Maß» verliehen ist (Joh 3, 34); anderseits: der Geist «wird nicht von sich aus reden, sondern reden, was er hört, ... weil er von dem Meinigen nehmen und es euch verkündigen wird» (Joh 16, 14). Dies zeigt, wenn wir auf die gegenseitige Hingabe der Gatten zurückblicken, nochmals deutlich, daß das gemeinsame Gesetz ihrer Liebe sowohl (christologisch) ihrer eigenen Haltung willentlicher Übereignung entspringt (also kein von außen auferlegtes Gesetz ist), wie wirklich als ein schöpferisches, fruchtbares Drittes (pneumatologisch) beide überragt und sie zu den Akten ihrer Hingabe inspiriert. Der Person- und Freiheitscharakter dieses objektiven Dritten wird, um es nochmals zu sagen, demonstriert an der möglichen leiblichen Frucht der Einigung, dem Kind, das mehr ist als die Summe des Zusammengetanen, nämlich das unverhoffte Produkt ihrer transzendentalen Hoffnung, und das, einmal vorhanden und heranwachsend, ihre elterliche Liebe unerbittlich in Dienst nimmt, sie aber auch immer wieder von Grund auf erneuert, denn es ist selbst die Enthüllung und Demonstration dieses Grundes, der in seinem Selbstsein leibhaftig aufgetaucht ist.

Die Sphäre des leiblich-sinnlich Erotischen verliert in der Ehe auf die Dauer zumeist seine Faszination. Dann kann das christologische Apriori der Leibwerdung als «Gehorsam bis zum Kreuz» aktuell werden. Das sagt, daß die inkarnatorische Dimension der ehelichen Hingabe sich zwar nicht zurücknimmt ins Rein-Geistige, aber der Wille zur Endgültigkeit der Selbstenteignung sich nunmehr stärker als Treue, als «Bleiben» offenbart. Diese bleibende Treue wird vielleicht auf das objektive christologisch-pneumatische Gesetz durchsichtiger als früher, und sie kann, wenn die leiblichen schöpferischen Funktionen erlöschen, stärker unter die transzendierende Hoffnung desjenigen treten, der «gegen alle Hoffnung hoffend geglaubt hat, daß er der Vater vieler Völker werde», obwohl er «nahezu hundert Jahre alt war und auch der Mutterschoß der Sara erstorben war... Er gab Gott die Ehre und war vollkommen überzeugt, daß der, der die Verheißung gab, auch die Macht hat, sie zu erfüllen», der Gott, «der die Toten lebendig macht und das Nichtseiende ins Dasein ruft» (Röm 4, 18–21.17). Die Gesetze des irdischen Absterbens haben im Christlichen keine Entsprechung (falls der Christ sich nicht schuldhaft dem christlichen Gesetz entzieht), weil in Christus gerade die Entsagung und der Kreuzesgehorsam Quellen der Fruchtbarkeit sind.

Schließlich erkennt man, daß das Ereignis der gegenseitigen Übereignung, das sich nur unter der Überwölbung durch den lenkenden und inspirierenden Geist der Liebe vollzieht, alles eher ist als Selbstentfremdung des Einzelnen. Dieser kommt nicht anders zu sich selber als durch den Anruf der anderen Freiheit, der ihn zur Entschließung seiner eigenen Freiheit begabt, und dieser Entschluß wird gerade dann mündig, wenn er sich nicht zögernd immer wieder zurücknimmt, sondern sich selbst zusammenrafft, um sich ein für allemal zu verschenken. Gelingt die volle gegenseitige Enthüllung der Personen in ihrem Hingabewillen, so ist dieser eben damit auch als endgültig gesetzt; von einer «Ehe auf Probe», bei der man sich grundsätzlich nur bedingungsweise einläßt, kann unter dem Gesetz der Liebe keine Rede sein. Vielmehr würde durch solche ein- oder beiderseitige Vorbehalte die Liebe von ihrem Wesen entfremdet und damit auch die Person in ihrer Selbsterschließung gehindert. Also wird das Gesetz der Liebe auch dann, wenn es sich gegenüber den egoistischen Wünschen, dem Haltmachen und Zurückweichen des Menschen als ein unerbittlich und beinah drohend forderndes, ganz objektiviertes durchhält, dabei nicht zu einem fremden; sondern es wird zur Erscheinung des vor sich selber fliehenden Selbst, die es zur Konfrontation mit sich zwingt. Was am vorgehaltenen Spiegel als fremde «Institution» erlebt werden kann, erweist sich bei der Reflexion des Subjekts auf deren Herkunft als der ursprüngliche freie Entschluß des Subjekts selbst.

Dieses wird hier in seiner unverfallenen Idealität genommen: als fähig zu der Enteignung, auf die hin es entworfen und als freies angelegt ist. Nun ist diese Idealität unter sündigen Menschen nicht als real vorauszusetzen: ihre Freiheit wird auch im Anruf von anderer Freiheit nie zu einer endgültig bedingungslosen Hingabe befreit; um dieser Idealität nachzustreben, bedarf sie deshalb eines *realen* Modells zu ihrem eigenen Ideal, eines Modells, das ihr nicht nur als fremdes, überragendes vorgestellt, sondern ihr gleichzeitig als zugeeignetes, einwohnendes geschenkt wird. Diese doppelte Bedingung erfüllt das Modell Christi und seines Geistes: es steht ideal über dem versagenden menschlichen Geist, und wohnt diesem real ein im Mysterium der Eucharistie («Christus wohnt durch den Glauben in euren Herzen» (Eph 3, 17) und der Pneuma-Verleihung («denn Gottes Liebe ist ausgegossen in euren Herzen durch den Heiligen Geist, der euch verliehen worden ist» Röm 5, 5).

3. Geist der Eucharistie

Paulus stellt das Verhältnis von Christus und der Kirche als das ideale Modell über die christliche Ehe; wenn wir im folgenden zunächst von der Eucharistie handeln, muß die Eigenart dieses Modells im Auge behalten werden. Sie liegt vor allem in dem Paradox, das beim Vergleich Christi mit einem Gatten, der Kirche mit einer Gattin die letztere sowohl als für den Gatten *schon* existent wie als *noch nicht* existent vorgestellt wird. Wo die Gegenseitigkeit (durch den Vergleich mit dem Eheverhältnis) als bereits bestehend angesetzt wird, heißt Christus (zunächst als «Haupt» bezeichnet) «der Retter des Leibes» (Eph 5, 23). Wo aber dieser Rettungsvorgang näher geschildert wird, entsteht der Eindruck, die Kirche, zwar im voraus geliebt, entstehe doch eigentlich erst im Verlauf dieses Vorgangs: «... wie Christus die Kirche geliebt und sich für sie hingegeben hat, um sie zu heiligen, indem er sie reinigte im Wasserbad durch das Wort. Er selber wollte die Kirche sich als eine Herrliche zuführen (bzw. herstellen, parastēsai), ohne Flecken und Runzeln oder dergleichen, sondern heilig und makellos» (5, 25–27). Die Sinnbreite des fraglichen griechischen Wortes darf nicht eingeengt werden: die «Gattin» Kirche ist und ist zugleich nicht real; sie existiert einerseits in einer Uneigentlichkeit und Verfallenheit, aus der sie durch die Selbstenteignung des Gatten befreit wird, und fängt in dieser Befreiung doch erst an, die zu sein, die sie als diese bestimmte Gattin zu sein hat. Anderseits muß – für eine volle Menschwerdung Christi – vorausgesetzt werden, daß seine menschliche Freiheit durch einen vollkommenen menschlichen Anruf zu sich selbst und zu ihrer restlosen Hingabe erweckt wird, so daß eine «Vorgabe» der heiligen und makellosen Kirche nicht nur als Idee (Eph 1, 4), sondern – in Maria, der erweckenden Mutter – als Realität angesetzt werden muß, auch wenn diese Vorgabe schließlich wieder von der nachherigen Hingabe Jesu her ihre volle Erklärung erhält. In dieser Weise ist zwar das beispielhafte Handeln Christi der Kirche im ganzen voraus (damit ist die Göttlichkeit und Gnadenhaftigkeit seiner Tat festgehalten) und ist doch menschenförmig, indem diese Tat trotz aller Priorität mitmenschlich, antwortend ist.

Und wenn nunmehr seine eucharistische Hingabe als das die Kirche als «Gattin» und «Leib» Herstellende bedacht wird, kann vorausgesetzt werden, daß die Vorgabe der Antwort, das Jawort Marias zur Menschwerdung, auch selbst vorweg «eucharistische» Form und Dimension haben muß, was einfach heißt, daß es die Gnade erhalten hat, grundsätzlich dem göttlichen Willen keine Grenzen, bewußte oder unbewußte, zu setzen, sondern sich – weiblich – a priori in alles Gewollte hinein verfügen zu *lassen*. Das freilich ist, nach dem oben Gesagten, keine reine Passivität, sondern jene Bereitschaft jenseits von aktiv und passiv, die in Maria zwar prävalent weiblich betont ist, aber den männlichen Willen zu entsprechen nicht vermissen läßt, wie in Christus die gleiche

Bereitschaft, sich grenzenlos hinzugeben, zwar prävalent männlich ist, aber sehr wesentlich die weibliche Komponente in sich enthält: über sein mögliches eigenes Verfügen von Gott her verfügen zu *lassen*.

Jesu Leben ist auf die «Stunde» hin ausgerichtet, in der er (in der Passion) nur noch verfügt wird, aber gerade über dieses passive Verfügtsein vorweg (in der Eucharistie) verfügen kann: im Sinn der von Gott gewollten Verströmung. Auf die letztere hin geht seine ganze bange (Lk 12, 50) Sehnsucht (Lk 22, 15). Schon die schlichte Formel der Einsetzungsworte zeigt den Zusammenfall von Verfügen und Verfügtwerden: «Dies ist mein Leib, der für euch dahingegeben wird» (Lk 22, 19), «Dies ist mein Blut, . . . das für euch vergossen wird» (Mk 14, 24). Das «Hingegebenwerden» weist, wie das «Vergossenwerden» noch deutlicher zeigt, auf die Passion und die Kreuzigung. Wenn die Urkirche und Paulus mit ihr aus dem Faktum der Auferstehung Jesu den Schluß auf die universale Heilsbedeutung des Kreuzes (die im Vorgang selbst unerkennbar bleiben mußte) ziehen wird – «um unserer Sünden willen ward er dahingegeben, und um unserer Rechtfertigung willen auferweckt» (Röm 4, 25) –, so lag diese Wahrheit als «heilig-öffentlich Geheimnis» bereits in der Gebärde zutage, mit der Jesus am Tisch sein Fleisch und Blut als hingegebenes und vergossenes darreichte. Die Geste des Sichgebens liegt zeitlich dem gewaltsamen Passionsgeschehen voraus und zeigt damit, daß sie auch der seinshafte Grund dafür ist, weshalb das nachfolgende grausame Geschehen universale Heilsbedeutung gewinnen konnte. Das freie Sich-Geben aber will «bis ans Ende» (Joh 13, 1) gehen, und das «Ende» kann nur sein, daß das Sich-Verfügen übergeht in ein reines Verfügen*lassen* und Verfügt*werden*. Alles Passive an der Passion: Fesselung, Verhöhnung, Geißelung, Annagelung, Durchbohrung. . ., ist Ausdruck des aktiven Hingabewillens, der selber notwendig über die Grenzen des Selbstbestimmenkönnens hinausgeht in die Grenzenlosigkeit reinen Bestimmenlassens. Ein solcher Hingabewille, der in der eucharistischen Selbstverteilungsgebärde vorweg über alle Schranken menschlicher Endlichkeit hinausgeht, müßte als prometheische Hybris erscheinen, falls er nicht selbst schon Ausdruck eines vorausliegenden Bestimmt- und Verfügtseins wäre. Das sieht das ganze Neue Testament genau, wenn es die ganze Selbsthingabe Jesu an die Seinen und an die Welt («für euch und für die Vielen») als die Inkarnation des göttlichen Wortes und Vollendung der göttlichen Verheißung schildert, die Endtat des Gottes, der aus Liebe zu seiner von ihm geschaffenen Welt und in Treue zu seinem mit ihr eingegangenen Bund sein Kostbarstes dahingibt (Röm 8, 32; Joh 3,16). Und weil der göttliche Rettungsplan von vornherein das Zueinander Jesu und der Welt (mit der Kirche als Kern) im Blick hat, kann über diesem Zueinander auch der subjektiv-objektive Geist schweben, dem Jesus gehorcht, der ihn treibt und inspiriert, der im Ursprung Maria überschattet und nach vollbrachter Passion von Jesus der Kirche eingehaucht wird.

Die Menschheit Jesu – sein «Fleisch und Blut» oder sein «Leben» (Joh 10, 15) – ist somit schon von der Menschwerdung her eucharistisch angelegt, sofern sie die leibhaftige Gabe Gottes an die Welt ist; die Verwirklichung dieser Hingabe in Abendmahl, Leiden und Auferweckung ist nur die Durchführung dieser immer schon gemeinten und real angelegten und begonnenen Hingabe. Und sofern das «Ins Ende Gehen» der Liebe soteriologische Absicht hat, muß es durch Leiden die Weigerungen der Sünde «hinwegnehmen» (Joh 1, 29), sie sich selbst aufladen und sie vor Gott zur Verurteilung repräsentieren (2 Kor 5, 14.21; Gal 3, 13; Eph 2, 14–16). Das «Für-uns» ist keineswegs bloß juristisch-moralisch-satisfaktorisch gemeint, sondern darüber hinaus real und in gewisser Weise «physisch»; es ist meine Gottverlassenheit, die in meiner Sünde steckt, mein Sterben in der Gottferne ins Dunkel ewigen Todes hinein, das Christus im «Geliefertsein» erfährt, und zwar notwendig tiefer und endgültiger als irgendein bloßes Geschöpf solches erfahren könnte. Sofern er als Einziger «von oben» (Joh 8, 23) stammt und schon sein ins Daseintreten ein Akt des Sichverfügen-Lassens ist (Joh 6, 38; Hebr 10, 5–10), unterfaßt er mit seinem unvergleichlichen hypostatischen Leiden jedes mögliche zeitliche oder ewige Leiden eines geschaffenen Menschen. Deshalb hält er, nachdem er die ganze Tiefe des Todes ausgelotet und die ganze Weite des Auferstehungslebens gewonnen hat, nunmehr «die Schlüssel des Todes und der Hölle» (Apk 1, 18). Gerade durch den Entzug seiner intimsten «Speise» von Gott her (Joh 4, 34) – und vielleicht birgt sich hinter Mk 14, 25 wirklich auch ein eucharistisches Fasten Jesu – macht Gott ihn zu einer Speise für die ganze Welt. Im Leiden wird seine ganze menschliche Substanz «verflüssigt», um in die ihn Empfangenden eingehen zu können, und zwar so, daß er die gegen das Flüssigsein göttlicher Liebe sich stemmenden Klumpen der Sünde mitauflöst, sie in die erfahrene Gottverlassenheit zerläßt, aus der sie ihrem Wesen nach bestehen.

Und nun läßt sich die Folgerung ziehen: die eucharistische Gebärde der Selbstverteilung Jesu ist eine endgültige, eschatologische und damit irreversible Gebärde. Das Wort Gottes, das Fleisch geworden ist, um verteilt zu werden, ist von Gott endgültig verteilt worden und wird aus diesem Gegebensein nie mehr zurückgenommen. Weder die Auferstehung aus den Toten, noch die Himmelfahrt als «Rückkehr zum Vater» (Joh 16, 18) sind eine gegenläufige Bewegung zur Menschwerdung, Passion und Eucharistie. Die Abschiedsreden sprechen hier klar genug: «Ich gehe und komme zu euch» (Joh 14, 28), «ihr seht mich, denn ich lebe, und auch ihr werdet leben» (Joh 14, 19). Wenn Jesus sagt, er gebe sein Leben, um es wiederzunehmen; er gebe es freiwillig, habe die Macht, es zu geben, und die Macht, es wiederzunehmen (Joh 10, 18), so zeigt die Fortsetzung der Rede: «Und ich gebe ihnen das ewige Leben» (10, 28), daß hier von einer Zurücknahme des einmal Gegebenen oder der Gebärde und Zustandes des Gebens und Gegebenseins keine Rede sein kann. Die «Verflüssigung» der irdischen Substanz Jesu in eine eucharistische Substanz ist unumkehrbar; sie dauert nicht nur – wie ein

«Mittel» – bis ans «Ende» der Weltzeit, sie ist der glühende
Kern, um den (nach der Jugendvision Teilhards de Chardin)
der Kosmos kristallisiert, oder besser: von dem her er durch-
glüht wird. Man muß sich klarmachen, was mit dem Vorweisen der Wundmale am Auferstandenen theologisch in der
Tiefe ausgesagt wird: daß der Zustand der Hingegebenheit
während der Passion eingeht und aufgehoben wird in den
nunmehr ewigen Zustand Jesu Christi, daß infolgedessen
zwischen seinem himmlischen und seinem eucharistischen
Zustand keine Differenz seiner Zuständlichkeit angesetzt werden kann. Die gänzliche Selbstüberlassung Jesu nach seiner
Verteilung beim Abendmahl, da er in der «Stunde der Finsternis» sein Schicksal, den Sinn und die Gestalt seines Erlösungswerkes dem Gutdünken des Vaters, der Auslegung des
Heiligen Geistes, der es in der Kirche weiterführen wird, an-
heimstellt, ist so abschließend, daß sie keinesfalls mehr in ein
Selbstverfügen zurückgenommen werden kann. Die Aktivität, die von vornherein in seiner Bereitschaft gelegen hatte,
wird dabei nicht zurückgenommen; man kann sagen, daß
sie sich nicht nur durchhält, sondern in dieser Hingabe erst
ganz zur Erfüllung kommt. Freilich ist Jesus nach der Passion nicht mehr der leidend Überforderte, dessen menschliche
Kraft für das Aufgeladene nicht ausreicht («Alles ist dir
möglich: Nimm diesen Kelch von mir»: Mk 14, 36), er ist
durch die Überforderung hindurch auch der in seiner Menschheit zu den Dimensionen des göttlichen Heilswillens Aus-
geweitete und ist dadurch «zum Kyrios und Messias gemacht»
(Apg 2, 36), «zum Kyrios erhöht» (Phil 2, 11). Aber er ist
«der Löwe» (Apk 5, 5) doch nur, sofern er für alle Ewigkeit
«das Lamm wie erwürgt» ist (Apk 5, 6), das auf Gottes Thron
steht. Das bedeutet viel mehr, als daß er bloß aufgrund seiner
erworbenen Verdienste vor dem Vater als Fürbitter waltet
(Röm 8, 34; Hebr 7, 25; 9, 24; 1 Joh 2, 1); er steht, wie die
Fortsetzung des Johannesbriefs sagt, in diesem Amt als «Süh-
nung (oder ‚Sühnopfer': hilasmos) für unsere Sünden, nicht
nur für die unsern, sondern auch für die der ganzen Welt»

(1 Joh 2, 2; vgl. Hebr 2, 17). In einem andern Bild sagt es der Hebräerbrief, wenn er Jesus als den Hohenpriester zeigt, der «mit seinem eigenen Blut ein für allemal in das Allerheiligste eintrat» (9, 12), da er sich «kraft ewigen Geistes selbst als makelloses Opfer Gott dargebracht hat» (9, 14). In dieser geheimnisvollen Wendung ist der ihn zum Selbstopfer führende Geist ebenso ewig und endgültig wie der Geist, in dem er von den Toten erweckt (1 Petr 3, 18) und der von der Kirche in der Epiklese auf die eucharistischen Gestalten herabgerufen wird.

Aber ehe wir weiter auf den Zusammenhang zwischen Pneuma und Eucharistie reflektieren können, muß ausdrücklich auf den Ursprung von allem, den Vater, zurückgedacht werden.

4. Rückgang zum Vater

Der Zugang dazu wurde schon eröffnet, als sichtbar wurde, daß der Geist, der Jesus lenkt, auch der Geist ist, der Maria – als die Urzelle der Kirche – überschattet, der von der Passion her in die nunmehr entsühnte Kirche eingehaucht wird. Die Hingabehaltung des Sohnes unter dem Antrieb des Geistes hat somit keinen letzten Ursprung in sich selbst, sondern ist in der übergreifenden Einheit des Geistes auf ein umfassendes Ziel hin verfügt: die Erlösung der Welt. Diese Hingabehaltung ist Unterwerfung unter einen Heilsplan des dreieinigen Gottes, den Plan, der ursprungshaft vom Vater ausgeht. Der Sohn ist in seiner spontanen Hingabe dem Vater gehorsam. Und er versteht diesen Gehorsam als ein Dürfen, weil er sich selbst und alles ihm vom Vater Zukommende, auch die Möglichkeit seiner Selbsthingabe, dem Vater gegenüber verdankt. In diesem Sinn ist er als Sohn Eucharistie, das heißt Danksagung überhaupt. Sein Menschwerdungsunternehmen ist kein titanisches Wagnis, keine Episode, in der ein unbewehrter Held es mit der ungeheuren Überlegenheit des «Drachen» (Apk 12, 3 usf.), aufnimmt und ihn zuletzt in den Abgrund stürzt (20, 20); der ganze apokalyptische Kampf ist ein Zweit-letztes gegenüber der Haltung des Vaters, der seinen Sohn dahingibt für die von ihm geliebte Welt. Nicht der Sohn beginnt sich von sich her zu verströmen, er ist als der Sohn immer schon am Verströmtwerden, er läßt die Gebärde des Vaters an sich und in sich geschehen und versichtbart sie innerhalb seiner Menschwerdung und Passion. Man muß hier bloß den alten Satz, die Sendungen seien die Verlängerung der innergöttlichen Hervorgänge nach außen, bis in das konkrete Ende der Passion und Eucharistie hinein ernstnehmen.

Die Spontaneität und männliche Schöpferkraft, die der Sohn in seinem Weltwerk ohne jeden Zweifel kundtut, wird so zur Versichtbarung der ursprünglichsten, nicht hinterfragbaren Quelle schöpferischer Güte, des Vaters. Und was in der Schöpfungsordnung dem Mann an hervorbringender Kraft übergeben wird, ist nochmals Abstrahl und Verweis auf den väterlichen Urquell. «Deshalb beuge ich meine Knie vor dem Vater, von dem jede Vaterschaft im Himmel und auf Erden ihren Namen hat» (Eph 3, 14): die «Vaterschaft im Himmel» kann auf diejenige des Sohnes hin ausgelegt werden, dem der Vater «gegeben hat, Leben in sich selbst zu haben, und er gab ihm die Vollmacht, Gericht zu halten..., damit alle den Sohn ehren, so wie sie den Vater ehren» (Joh 5, 26f.23); von hier aus läßt sich verstehen, daß alte Ordensregeln (vorab die Regula Magistri und, ihr folgend, die Benediktsregel) den Vatertitel auf Christus beziehen, ja das Vaterunser an Christus gerichtet sein lassen. Die «Vaterschaft auf Erden» hat, sofern sie immer in der Gefahr der Hybris steht, ihre Regel an dieser christologischen Vaterschaft zu nehmen, die dauernd über sich hinaus auf die Quelle des ewigen Vaters verweist. Auch sie ist, wie diese, eine ihre Kraft weiblich empfangende und dienend weitergebende Potenz.

Die Mysterien der innergöttlichen Ausgänge bleiben für uns unentschleierbar, keine Analogie aus Schöpfung und Heilsökonomie reicht hin, um eine ungebrochene Aussage über das trinitarische Leben zu gestatten. Am verwirrendsten ist die *heilsökonomische Umkehrung des Verhältnisses zwischen Sohn und Geist:* während der Geist innergöttlich aus dem Vater und dem (oder durch den) Sohn hervorgeht, wird der Sohn durch den Geist Mensch und durch denselben Geist in seiner Sendung geleitet. Als der, der sich in der Selbstentäußerung seiner Gottgestalt unter den Willen des Vaters stellt, läßt er auch den vom Vater ausgehenden, vom Vater verfügten Geist über sich die Macht einer Regel des väterlichen Willens gewinnen, um diesen auf ihm in Fülle ruhenden Geist am Ende seiner Sendung in Tod und Auferstehung (und Eucharistie) aus sich ausströmen zu lassen: sowohl zum Vater hin («in deine Hände...») wie zu Kirche und Welt hin («damit hauchte er sie an...»). In dieser Umkehrung wird aber deutlich, daß der Geist innerlich am ökonomischen Geschehen beteiligt ist: sofern auch der Geist, der die führende Rolle in der Menschwerdung übernimmt – der Sohn *läßt* sich verfügen – und den Willen des Vaters (und darin des dreieinigen Heilsbeschlusses) zur Befolgung präsentiert – der Sohn gehorcht dem Vater im Heiligen Geist –, auf einen Aspekt seiner Gottgestalt verzichtet: das überschwengliche Produkt der Liebe zwischen Vater und Sohn zu sein. Man darf die Aussage wagen: sofern der Geist dieses innergöttliche Produkt ist, stellt er das Urbild dessen dar, was am Anfang als das Transzendieren eines vollkommenen menschlichen Für-einander-Seins geschildert wurde. Denn in der Tat ist der göttliche Vater zwar wohl die unerschöpfliche, ewig fließende Quelle der Gottheit, aber doch so, daß er in seinem väterlichen Zeugungsakt nichts von der Gottheit für sich zurückbehält, das er dem Sohn nicht immer schon überantwortet hätte, weshalb der Sohn, als das vollkommen antwortende Ebenbild des Vaters ebenfalls nichts für sich zurückbehalten kann, das er dem Vater nicht in Danksagung und Bereitschaft zurück anböte. Gerade in dieser gegenseitigen Restlosigkeit des Füreinander liegt der Ansatz für den Hervorgang des Geistes: Vom menschlichen Erfahren in einem unbedingten Fürein-

ander her – also in «Bild und Gleichnis» menschlicher Analogie – erscheint gegenseitige Liebe immer als ein Mehr-als-
Verständliches, Mehr-als-Übersehbares: beiden Liebenden
widerfährt etwas, das über den Erwartungshorizont ihrer
Hingabe hinausgeht, das dennoch kein unpersönliches
Schicksal ist, sondern nur als ein ihrer personalen Liebe ent-
stammendes Wunder erlebt wird; im Blick auf die biblische
Offenbarung des Pneumas kann dafür auch gesagt werden:
ein Wunder, das, wie die «Personifikation» ihrer gegenseitigen Hingabe, als die «Gabe in Person» erscheint; wieder
anthropomorph gewendet: die immerwährende Überraschung,
daß die gegenseitige Liebe mehr in sich birgt, als der Liebende
hätte vermuten können: die Erfahrung, daß Liebe für das Begreifen uneinholbar ist, obschon es das Wesen des Begreifens
ist, sich im «Seinlassen» des andern zu vollenden, so daß das
von den Liebenden Ausgehauchte wieder nicht als ein Fremdes (ein «Geist aus der Flasche») erscheint, sondern als das
von beiden gemeinsam «eigentlich Gemeinte», das sich ihnen
in ihrer Einigung «schenkt»: zugleich Darstellung der Gestalt dieser Gegenseitigkeit wie deren Bezeugung. Als Frucht
ist der Geist dann ebensowohl das Zutagetreten der innersten
«Subjektivität» der Begegnung von Vater und Sohn wie
deren «Objektivität», an der die einander restlos Hingegebenen ein Maß ihrer Liebe erhalten, das, weil es ein ewiges
Übermaß ist, je neu zum Ansporn ihrer Hingabe wird.

Wo ökonomisch die liebende Bereitschaft des Sohnes zum
Vater sich in Gehorsam hinein entäußert (der aber keine Entfremdung der liebenden Bereitschaft, sondern nur deren
Metamorphose in eine soteriologische Gestalt ist), dort muß
der Aspekt der Subjektivität des Geistes eine entsprechende
Verbergung in seinen objektiven Aspekt hinein mitvollziehen,
damit der ökonomische Gehorsam allererst möglich wird.
Dies erklärt die dem Sohn vorangehende Initiative des Geistes: durch sie muß die Instanz geschaffen werden, der gegenüber Gehorsam geleistet werden kann: schon im Akt der
Menschwerdung selbst, in die der Sohn sich verfügen läßt,

wie im Menschgewordenen, der dem Vater nunmehr in dessen Repräsentation oder Objektivierung durch den Geist gegenübersteht. Diese Repräsentierung des Vaters durch seinen von ihm ausgehenden, aber primär ihn objektiv vorstellenden Geist ist die Folge und Entsprechung zu der in den Modus des menschlichen Gehorsams sich (kenotisch) entäußernden Liebe des Sohnes zum Vater. In dieser soteriologischen Modalisierung des Verhältnisses zwischen Vater, Sohn und Geist liegt der Ursprung für alles, was im theologischen Sinn als «*Institution*» bezeichnet werden kann: sie ist eine Metamorphose der Liebe dort, wo absolute in ökonomische Trinität übergeht, ist aber deswegen keine Entfremdung dieser Liebe. Eine Verbergungsform kann sie insofern genannt werden, als menschlicher Gehorsam in bestimmten Weisen seines Vollzugs auch Entfremdung von der Liebe sein kann, während er in der Weise, wie Christus ihn dem Geist (und in ihm dem Vater) gegenüber vollzieht, höchster Beweis der Liebe bleibt, ja, innerweltlich gesprochen, erst eigentlich *wird*. Die grenzenlose Bereitschaft des christologischen Gehorsams dem väterlichen Willen gegenüber ist die erstmalige Einführung in die Welt einer überweltlichen, aus dem Innenbereich Gottes stammenden Offenheit für das geliebte Du.

Aber in diesem Übergang ist noch ein Weiteres zu sehen. Im Ansichtigwerden ihrer personifizierten Liebe als Frucht und Gabe im Heiligen Geist erscheint die Liebe zwischen Vater und Sohn nicht nur über sich hinaus *vollendet*, sondern auch über sich hinaus *geöffnet*, jeder Exklusivität entbunden; ihre von Anfang an «gemeinte» Entschränkung, die sich einstweilen nur zwischen zwei Bestimmten auswirken konnte, wird im Geist zu Entschränkung-überhaupt. Auch in dieser Hinsicht ist der Geist der Inbegriff der Mitteilung Gottes «nach außen». Obschon es der Sohn ist, der Mensch wird, weil der ursprünglichste Geber, der Vater, der Welt sein Einzig-Kostbares hingibt (und der Sohn sich selbst im Geist dieses väterlichen Gebens geben läßt und selbst gibt), muß und kann doch erst der Geist den in der Welt Beschenkten die Mentalität des absoluten Schenkens beibringen. Objektiv ist es wahr: «Wenn Gott für uns ist, wer ist dann wider uns? Wenn er seines eingeborenen Sohnes nicht geschont, sondern ihn für uns alle dahingegeben hat, wie sollte er uns mit ihm nicht *alles* geben?» (Röm 8, 31 f.). Aber subjektiv verstehen wir das erst, wenn «die Liebe Gottes in unsere Herzen ausgegossen ist durch den Heiligen Geist, der uns gegeben wurde» (Röm 5, 5). Indem der Vater den Sohn nach außen und in den Gehorsam sendet und ihm den Geist als die objektive Gestalt seines Willens gibt, blickt er über den Sohn hinaus auf die Welt, die er liebt (Joh 3, 16), und verfügt den Geist in seiner Objektivität zur Norm und zum übergreifenden Band zwischen dem Sohn und dem, was dessen Werk in der Welt werden soll. Die Aussendung des Geistes nach der Auferstehung wird diese Verfügung des Vaters wirksam werden lassen, und die Evangelien sind sichtlich bemüht, die verschiedenen theologischen Aspekte dieser Verwirklichung ins Licht zu setzen.

Der Geist wird vom Vater in die Welt (die einstweilen von der Kirche repräsentiert wird) gesandt (Joh 14, 26), und zwar bei Anlaß der Vollendung des Werkes des Sohnes, die das im Gehorsam vollbrachte Zurücksenden des Geistes des Sohnes zum Vater hin einschließt (Lk 23, 46), deshalb die kenotische «Inhibierung» aufhebt und die ewige Gegenseitigkeit der Hauchung des Geistes nunmehr auch in die Welt hinein aktuell werden läßt. Dies kann sich ausdrücken als eine Geistsendung vom Vater auf die Bitte des Sohnes hin (Joh 14, 16), als ein Senden des Vaters «in meinem Namen» (14, 26), noch stärker: als eine Aussendung des vom Vater ausgehenden Geistes durch den Sohn vom Vater her (15, 26), wobei zuletzt nur noch das Senden des Sohnes ausgesagt wird: «Ich werde ihn euch senden» (16, 7). Das rechtfertigt der fünfte und letzte Geistspruch der Abschiedsreden (16, 12–15), der verheißt, daß der Geist die Dinge des Sohnes der Welt auslegen wird, denn «alles, was der Vater hat, ist mein, und so habe ich gesagt: er wird von dem Meinigen nehmen und es euch künden». Die Verwirklichung des Verfügens über den Geist schildert Johannes an Ostern, da er die trinitarische Hauchung im verklärten Christus versichtbart und in die Kirche hinein erfolgen läßt (20, 22), während Lukas darauf besteht, diese Hauchung, eben weil sie trinitarisch ist, durch den (in der Himmelfahrt) zum Vater zurückgekehrten (somit auch in seiner vollendeten Menschheit mit dem Vater zu *einem* Hauchprinzip gewordenen) Sohn erfolgen zu lassen (Lk 24, 49; Apg 2, 33).

Beides ist somit wahr und gehört zusammen: der Vater ist es, der im Heiligen Geist den Sohn, der sein Weltwerk vollendet hat, mit der Kirche verbindet; er schenkt gleichsam dem Sohn die Kirche als die Frucht seines Erlösungswerkes, und dieses Geschenk erfolgt durch Einbeziehung der Kirche (und durch sie der Welt) in die personale Gestalt ihrer gegenseitigen Liebe. Aber nicht minder verfügt der auferstandene Sohn – als Haupt der Kirche – über den Geist, der nunmehr als lebendiges Wasser auch aus «seinem Leibe» entströmt (vgl. Joh 7, 38; 19, 34; 4, 14), was nicht möglich war, solange er auf seinem Gehorsamsweg unter der Weisung des Geistes stand («denn der Geist war noch nicht da, weil Jesus noch nicht verherrlicht war», Joh 7, 39). Dieses freie Verfügen des Auferstandenen über den Geist bleibt aber ausdrücklich verknüpft mit dem Ausgang des Sohnes vom Vater, wie die angeführten ersten Geistsprüche der Abschiedsreden zeigen («den Vater bitten» usf.).

Da der Geist vom Vater und vom verherrlichten Sohn her in die Kirche gesendet wird, da anderseits die Kirche noch in der Vergänglichkeit lebt und an den Leiden Christi teilnehmen, im Sterben ihm ähnlich werden muß (Phil 3, 10 f.), wird die Gestalt, in der der Geist auf und in die Kirche gesendet werden wird, beide Modalitäten zeigen: die der ökonomischen Objektivierung als «Institution» und die der innertrinitarischen «Gabe» (als der personifizierten Intimität und insofern objektivierten Subjektivität). Und sofern die Kirche immer auch eine fehlende, sündige ist – was Christus nicht war –, kann die ökonomische Objektivierung des Geistes scheinbar eine noch stärker fordernde, gesetzhafte Gestalt annehmen. Freilich nur scheinbar, denn nichts könnte fordernder sein als der Wille des Vaters gegenüber dem die Sünden der Welt tragenden Sohn, wie die Ölbergsszene zeigt. Anderseits kann man beim Sohn auch im Ringen dieser Szene nicht von einer «Entfremdung» gegenüber dem Vater und dem seinen Willen («institutionell») repräsentierenden Geist sprechen. Beim Sünder dagegen ist es anders. *Er* ist es, der dem Willen Gottes mehr oder weniger entfremdet ist; *er* kann deshalb die institutionelle Form des Geistes als eine Entfremdungsform dessen, was er als Sünder unter Liebe und Barmherzigkeit verstehen möchte, empfinden. Die institutionelle Klammer, in die der Geist den Sünder nimmt, um ihn zu dem zu führen, was der Glaube, die Hoffnung, die Liebe *eigentlich* meinen, ist ihrem Wesen nach eine Befreiung zum Selbstsein des Christen, und wird nur von seinem sündigen Widerstreben als eine Fessel und Bevormundung empfunden.

5. Der Geist und die Kirche

Aus dem Gesagten erhellt zunächst der innige Zusammenhang, ja die gegenseitige Voraussetzung zwischen Eucharistie und Heiligem Geist. Die Objektivierung des Geistes war die Voraussetzung für die Vollendung des kenotischen Gehorsams des Sohnes und damit für die Verflüssigung seiner ganzen Substanz in der Eucharistie, und eben diese Verflüssigung war wieder die Voraussetzung für die Freiwerdung des Geistes in die Kirche und durch sie in die Welt hinein. Damit ist ein erster Grundsatz für das Verhältnis zwischen Geist und Kirche gewonnen: es kann in der Kirche nichts Pneumatisches geben, das nicht christologisch gedeckt wäre, sich nicht in die Sprache der Eucharistie, der Hingabe des eigenen Fleisches und Blutes, der Selbstverströmung bis zum Aufstechen des Herzens und des Ausrinnens von Wasser und

Blut umsetzen ließe. Darauf muß Johannes gegen die Gnostiker insistieren: daß das Zeugnis Gottes für die Wahrheit seiner Hingabe von den Dreien gegeben wird: «dem Geist, dem
Wasser und dem Blut, und diese drei sind eins» (1 Joh 5, 8).
Es gibt keine Verbindung von Geist und Kirche (mit ihrem
Tauf-wasser), keine Geisttaufe, die die Wassertaufe vollenden
würde, wenn nicht das Blut als drittes, eigentlich inkarnato-
risch-eucharistisches Moment vermittelt. Und ferner kann
diese Verbindung von Geist und Kirche erst dann erfolgen,
wenn das Blut in der Einheit von Kelch und Lanze wirklich
vergossen wird. Denn natürlich ist der historische Jesus kein
bloßer Mensch, der nur «unter» dem Geist stünde, wie der
alttestamentliche Mensch unter dem Gesetz stand, vielmehr
«bleibt» der Geist auf ihm (Joh 1, 33), und zwar ein «Geist
ohne Maß», den ihm Gott gibt und in dem er die Worte Gottes sprechen (Joh 3, 34) und die bösen Geister verjagen kann
(Mt 12, 28). Aber dieser Geist, in dem er auch zum Vater auf-
jubelt (Lk 10, 21), bleibt doch der Seine, den er bei allen Belehrungen der Jünger und des Volkes und allen gewirkten
Zeichen den andern noch nicht vermitteln kann. Es bedarf
dazu jenes Ganges «ins Ende» (Joh 13, 1), den Jesus nicht
zu verfrühen vermag, dessen Stunde ihm vom Vater geschenkt werden muß, damit gleichzeitig sein «Wasser und
Blut» und sein «Geist» freiwerden kann. Die christologische
Grundlage aller Geistbewegung in der Kirche, an die Paulus
auch die pentekostalisch bewegten Korinther zurückbindet
(1 Kor 1), bleibt Kriterium der Echtheit und der Unterscheidung der Geister. Ist dieses Kriterium gewährleistet, dann
mag sich in der Kirche alles Unverhoffte ereignen, was Kenn-
zeichen des Geistes von den Tiefen der Gottheit her ist, dann
mögen sich die «größeren Werke» kundtun, die Jesus seiner
Kirche aufgespart hat (Joh 14, 12).

Man kann diese Gegenseitigkeit auch anders ausdrücken:
das Bewegtwerden des Christen durch den Geist zu etwas
Bestimmtem kann nur erfolgen, wenn der Christ zurückzugehen strebt in den vollkommenen Gehorsam Christi, in

seine Indifferenz zum Willen des Vaters. Sonst besteht Gefahr, daß der Christ seine eigenen Antriebe und Wünsche mit Eingebungen des Heiligen Geistes verwechselt. Indem Jesus die Seinen das Vaterunser lehrt, läßt er sie zuerst um die Selbstheiligung des Namens Gottes in der Welt bitten, dann um die Durchsetzung seines Reiches und endlich um die Verwirklichung seines Willens auf Erden wie im Himmel. Eine solche Verwirklichung kann nicht vom Menschen her – mit bestimmten sozialen und politischen Programmen – ins Werk gesetzt werden, ehe der Mensch die Gesinnung in Gottes Reich und die innere Heiligkeit seines Namens (das heißt Wesens) sich hat einprägen lassen. Wie eine bestimmte Pfingsttheologie die eucharistische Gesinnung überspringt, so überspringt eine bestimmte politische Theologie in ihrer Ungeduld die Stunde der Selbstdurchsetzung des Reiches, dessen Gesinnung sich immer wieder am klarsten in den Seligpreisungen der Bergpredigt offenbart.

Wir können ausweitend sagen: in der Kirche Christi lebt der Heilige Geist immer zugleich als objektiver und subjektiver: als Institution oder Regel oder disciplina, und als Inspiration und liebender Gehorsam an den Vater und Kindschaftsgeist. Beides ist voneinander untrennbar, da wir unter dem Gesetz Christi stehen, der in uns Gestalt annehmen soll, und zwar nicht einmal nur als der auf Erden sich mühende Gottesknecht, sondern auch als der Auferstandene und zum Himmel Gefahrene (Eph 2, 6), so daß unser «Leben mit Christus zusammen in Gott verborgen ist». Gewiß, «wenn Christus, unser Leben, erscheint, werdet auch ihr mit ihm zusammen in Herrlichkeit erscheinen» (Kol 3, 3f.), und dann wird der Institutions-Aspekt des Geistes so verschwinden, wie er für den auferstandenen Herrn verschwunden ist: in den Kindschafts-Aspekt hinein, weil wir dann den Gehorsam nicht mehr zu lernen brauchen, sondern ihn im Instinkt und als unsere Freiheit haben werden, und der Geist nur in seinem göttlichen Ursinn – als Zeuge und Anfacher der Liebe – uns objektiv überragen wird.

Bis dahin aber gilt es zu erstreben, daß wir die objektive Rahmenordnung der Kirche, das normative Wort der Heiligen Schrift und die normative Tradition nicht als eine Verfremdungsform des Heiligen Geistes empfinden, die ihn und uns in unserer Kindesfreiheit fesselt, auch nicht als etwas Gleichgültiges, das nur für einige, zum Beispiel Theologen, von Belang ist, sondern als ein Recht für Freie und Liebende, als ein geisterfüllter Buchstabe, als eine von lebendigem Glauben getragene, oft mit dem Herzblut der Heiligen bezahlte Weitergabe des Ursprungs, als etwas, wodurch wir leben, wie wir es wenigstens bei der kirchlichen Feier der Eucharistie zu verstehen gewohnt sind. Aber die Eucharistie ist nur die Mitte einer umfassenden kirchlichen Lebensordnung, die andern Sakramente umrahmen sie und sind ihr zugestaltet, die kirchlichen Lebensformen, jede mit ihrer Endgültigkeit – Taufe-Firmung für alle, Ehe für diese, Priesterweihe für jene, gelobte Räte für noch andere – gliedern die kirchliche Gemeinschaft als die grundlegenden «Charismen», die alle zunächst den Einsatz des gesamten Lebens eines Gläubigen meinen und einfordern. Dies ist so, weil die kirchliche Lebensordnung von der Idealität der kirchlichen Antwort an die eucharistische Ganzhingabe Christi her denkt; die abschwächenden Privilegien und Lizenzen, die der menschlichen Gebrechlichkeit Rechnung tragen, kommen zu diesen Grundentscheidungen erst sekundär hinzu. Die Kirche nimmt den Gläubigen bei seiner Lebensentscheidung für Christus beim Wort: dieses Wort ist im lebendigen Glauben, Hoffen, Lieben, also im einwohnenden Heiligen Geist gesprochen, und sie hält es dem, der es gesprochen hat, in der gleichen Dauerhaftigkeit vor Augen, in der es gemeint war und die ihm objektiv eignet. Sie bindet den Glaubenden, der als Mensch der Erde die Neigung hätte, dem Boden entlang zu kriechen, am Spalier ihrer objektiven Ordnung empor, woran er sich seiner Bestimmung gemäß entfalten und Früchte tragen kann. Das, wozu der fleischliche Mensch sich gezwungen fühlt, ist eben das, was der geistliche ersehnt. Dabei muß er freilich mit dem ihm ins Herz gegebenen Heiligen Geist in der kirchlichen Ordnung das sehen wollen, was das Spiegelbild des inneren Geistes ist, und den Geist nicht in einen Gegensatz zu einem künstlich und polemisch isolierten «Establishment» hochspielen. Da beide Aspekte unverzichtbar sind, müssen sie auch immer neu einander angepaßt werden: es gibt Seiten der äußern Disziplin, die von der innern Inspiration her verlebendigt, vielleicht zurechtgerückt werden müssen, aber es gibt ebenso vieles an der gleichen äußern Form, das lebendig genug wäre, echte innere Begeisterung auszulösen, wollte man es nur wahrnehmen, wie es sich im Heiligen Geist darstellt, unverzerrt von den optischen Linsen, durch die man es betrachtet. Das scheinbar Starrste, der Buchstabe der Schrift, zeigt sich als das Geisterfüllteste, wenn man nicht durch bestimmte exegetische Methoden den Geist aus dem Buchstaben abläßt wie eine Flüssigkeit aus einem lecken Gefäß. Echte, auch streng wissenschaftliche Exegese braucht das keineswegs zu tun, sie kann ganz im Gegenteil geisthafte Dimensionen erschließen, die dem naiven Leser verborgen geblieben waren.

In welcher Weise und unter welchen Bedingungen die großen theologischen Artikulationen der kirchlichen Überlieferung – etwa feierliche Definitionen, aber auch anderes, wie große charismatische Sendungen Einzelner, inspirierte Bewegungen liturgischen und geistlichen Lebens, auch die großen Linien des Kirchenrechts das Leben des Gläubigen bestimmen können und müssen, ist hier nicht im einzelnen zu untersuchen. Wichtig im Zusammenhang ist lediglich, daß für ihn die objektiv gestalthafte Kirche nicht als ein starres, kerkerartiges Gerüst erlebt werden darf, sondern als ein «pneumatisches Gebäude», in dem jeder sich als ein «lebendiger Baustein» einfügen soll (1 Petr 2, 5) – und Petrus, der Fels, spinnt das Bild weiter aus, indem er dieses Gebäude auf dem «auserwählten Eckstein» aufgebaut sein läßt, der zwar von den Menschen verworfen, von Gott aber zur Grundlage ausersehen worden ist: der Steincharakter Christi selbst bestimmt auch den des auf ihm aufgebauten pneumatischen Hauses. Der Christ hat im Heiligen Geist nicht utopisch in leeren Raum hineinzubauen und niegesehene Taten zu erfinden, denn Gott ist nicht unser Werk, sondern «sein Werk sind wir, in Christus Jesus geschaffen zu guten Werken, die Gott im voraus bereitet hat, damit wir darin wandeln» (Eph 2, 10). Und wir brauchen nicht zu fürchten, daß es dem Heiligen Geist Gottes etwa an Phantasie gebräche, wenn er uns diese Werke voraus entwirft und uns dazu inspiriert, oder daß wir dabei um unsere eigene Erfindungskraft gebracht würden und nur wie Kleinkinder eine Vorlage nachzeichnen müßten. Das gilt auch gegenüber der von «Gott im voraus bereiteten» Gestalt der Kirche; sie ist von der Art, daß wir unsere ganze Geisteskraft einsetzen können und müssen, um sie so zu verwirklichen, wie sie von Gott erdacht und bereitet ist: der in ihr waltende objektive Heilige Geist ist ein ständiger Anruf, eine ständige Herausforderung des Geistes, den wir träge in uns schlummern lassen.

Die objektive Normativität des Geistes in der Kirche öffnet uns immer wieder über unsere geschlossenen persönlichen Entwürfe hinaus zu den in Christus aufgegangenen trinitarischen Dimensionen. Die Kirche entprivatisiert uns. Sie läßt uns an paradoxen Erfahrungen teilhaben, die nur im gekreuzigten *und* auferstandenen Christus möglich sind: «Von allen Seiten werden wir bedrängt, aber nicht (hoffnungslos) in die Enge getrieben, wir sind in Zweifel versetzt, aber nicht in Verzweiflung, verfolgt, aber nicht im Stich gelassen, zu Boden gedrückt, aber nicht vernichtet; allzeit tragen wir Jesu Tötung am Leibe herum, damit auch das (Auferstehungs-)Leben Jesu an unserem Leibe offenbar werde» (2 Kor 4, 8–10). Solche Angleichung des Lebens des Christen an das Leben Christi wird nur verständlich, wo man die trinitarische Dimensionen des letzteren sieht, die ja auch die einzigen sind, die ein Geschehen wie Christi Tod und Auferstehung verständlich machen. Was Paulus hier beschreibt, ist die eucharistische Erfahrung: wie der hingegebene Leib Christi zum innern Gesetz des Leibes (das heißt: der konkreten Existenz) Pauli wird, wie die eucharistische Existenz Pauli in eine kirchliche Existenz, in ein Glied am Leib Christi, einen lebendigen Stein am Bau Christi verwandelt wird. Eucharistie ist von Kirche untrennbar, sie entsteht nur in und für Kirche, so wie Kirche nur durch sie entsteht. Da aber Kirche vom Heiligen Geist des Vaters und des Sohnes «durchtränkt» ist, ist der Geist des Gläubigen, der lebendig glaubend die Eucharistie feiert und empfängt, immer schon ins Trinitarische geweitet – eben weil die Kirche als Gemeinschaft und als Gestalt ihn überragt, und er deshalb angewiesen ist, nicht einsam, sondern «mit allen Heiligen zusammen die Breite und Länge, Höhe und Tiefe zu ermessen und die Liebe Christi zu begreifen, die alles Begreifen übersteigt, um erfüllt zu werden zur ganzen Fülle Gottes hin» (Eph 3, 18f.).

UMKEHR IM NEUEN TESTAMENT

1

Umkehr ist ein Begriff, der nichtbiblischen und biblischen Religionen gemeinsam ist. In ihr vollzieht sich eine freiwillige Veränderung des Menschen, die seine sittliche Haltung und die daraus erwachsenden Werke, aber auch und vor allem seine religiöse Haltung Gott oder dem Göttlichen oder Absoluten gegenüber betrifft. Im Buddhismus etwa oder im Neuplatonismus geschieht die religiöse Umkehr durch einen Stillstand der geistigen Bewegungsrichtung der gesamten Existenz, die vom Absoluten weg in die Endlichkeit, von der Realität in den Schein, von der Selbstlosigkeit in den Durst, die Gier und den Egoismus hineinstrebte. Sie vollzieht dann eine geistliche Wendung, die einer physischen Wendung um hundertachtzig Grad entspricht; wenn sie bisher sich stromabwärts treiben ließ, schwimmt sie jetzt gegen den Strom zur Quelle zurück. Ist schon die Umkehr selbst – als Stillstand – eine Anstrengung, so wird es auch dieses «gegen den Strom Schwimmen» sein, wenigstens anfänglich, denn später erweist es sich, daß solche Rückkehr zum Ursprung dem tieferen Bedürfnis des Wesens entspricht, daß der Verzicht auf die Selbstsucht den Frieden der Seele verschafft.

So gibt es ein Wissen um Wesen und Notwendigkeit der Umkehr weit über den Rahmen der biblischen Offenbarung hinaus. Dies zeigt, wie wenig der biblische Ruf zur Umkehr den Menschen vergewaltigt, ihn nur von außen trifft. Aber der biblische Ruf ist mehr als nur die Entdeckung dessen, was dem menschlichen Herzen zum Frieden gereicht, eine Entdeckung, die aus der Unruhe, dem Unglück, der irdischen

Unersättlichkeit dieses Herzens selbst erfolgen kann, und sich dann – auch wenn sie «Religion» ist – als eine therapeutische Methode, das Herz zu befreien und zu befrieden enthüllt. Er ist vielmehr ein aus dem Absoluten – biblisch: von Gott her – ertönender, personaler Ruf. Klingt er von oben oder von zuinnerst? Der Mensch, der «zu seinem Herzen sagte: Ich und ich allein!» und: «Niemand sieht mich» (Is 47, 8.10): er ist von einem andern Ohr und Auge gesichtet worden. Die geschlossene Sphäre seiner Freiheit ist für einen Andern durchsichtig. Und daß sie das ist, erspart ihm das Schwerste der Umkehr; er ist in «seiner Blöße» und damit in «seiner Schande» schon aufgedeckt (Is 47, 3) und braucht nur noch einzugestehen. Dieses göttliche Auge und Ohr, das zur anrufenden Stimme wird, ist in der Bibel die zuvorkommende Gnade. Weil er von Gott gerufen wird, steht der Mensch auf seinem Weg still und horcht, und wenn er den Ruf verstanden hat, kehrt er, wenn er will, in der Kraft des Anrufs sich um.

Aber obschon die rufende Stimme Gottes den Menschen schon im Alten Testament mit einer elementaren Kraft trifft und ihn ergreift, einer so großen Kraft, daß über sie hinaus kaum eine Steigerung vorgestellt werden kann, besteht doch nochmals ein Wesensunterschied zwischen dem Umkehrruf im Alten und im Neuen Bund. Und auf den letzteren möchten wir hier unsere Aufmerksamkeit konzentrieren.

2

Zwar scheint, wenn man nur auf die Worte achtet, der Schwellenübergang vom Alten zum Neuen Bund ein geringer. Mit dem gleichen Ruf: «Kehrt um», «Wendet euch», trifft der Täufer Johannes die ihm zulaufenden Menschen und beginnt Jesus seine Predigt vom nahenden Reich Gottes, und wiederum mit dem gleichen Ruf enden alle großen Predigten der Apostelgeschichte. Auch die Motivierung scheint die gleiche zu sein: für die Umkehr ist es höchste Zeit, Gott ist drauf und dran, einzugreifen, «die Axt ist an die Wurzel gelegt», Gottes Reich «steht auf der Türschwelle», und nach dem Tod und der Auferstehung Jesu ist nur eine kurze Frist gewährt bis zu seiner richtenden Wiederkehr. Die Stimmen, die dies künden, tönen im Alten und Neuen Bund gleicherweise von Gott her, sie vermitteln die Weisung Gottes, sind seine Herolde, sprechen in seinem Auftrag, beidemale mit dem innern «Beweis von Geist und Kraft». Und doch gibt es zwischen den Testamenten zwei wesentliche Unterschiede.

Im Alten Bund ist der Partner Gottes zunächst und zumeist ganz eindeutig das Volk. Als Volk ist es erwählt, als Volk aus Ägypten herausgeführt und durch die Wüste wunderbar geleitet, als Volk wird ihm ein Land, das Gott gehört, zugewiesen. Als Volk glaubt es Gott und folgt seinen Weisungen oder wird ihm untreu und hängt fremden Göttern nach. Als Volk wird es gestraft, solange bis es die Strafe nicht mehr erträgt, umkehrt, zu Gott schreit und von Gott in das Intimverhältnis des Bundes zurückgenommen wird. Und da seine Schuld übergroß geworden ist, wird es als Volk von Gott verworfen, aus dem Land in die Verbannung deportiert, seiner Gebets- und Opferstätte beraubt, so daß es die von Gott selbst angeordnete Vermittlung zu ihm entbehren muß. Und wieder trifft, da es genug gebüßt hat, die prophetische Stimme, die im Namen Gottes redet, sein Ohr und verheißt ihm die Rückkehr. Natürlich gibt es durch das ganze Alte Testament eine unerhört eindrückliche Galerie großer Einzelgestalten, denen Einmaliges, Unvergeßliches widerfährt, die wie gewaltige, oft überdimensionierte Fresken vor die Augen des Volkes gemalt sind: von Abraham bis zu Joseph (dessen Erzählung das Herz fast ebenso rührt wie die Geschichte vom verlorenen Sohn), von Moses und Josue über Gideon, Samson, Jephte zu Samuel, zum tragischen Saul und zum unschuldigen und schuldigen David und dann durch die Reihe der Könige hindurch, von den großen Propheten flankiert, bis zu den dichterischen Gestalten, die zur Weltliteratur gehören: Job, dem Gottesknecht, dem Salomo der Weisheitssprüche, des Hohenliedes und der Eitelkeitspredigt, Jonas, Judit, Tobias,

Ester... Alle diese Gestalten, und auch die kleineren dazwischen, haben persönliche Schicksale, die – von denen des Volkes abgehoben – für sich zu stehen scheinen: Moses hat einen Zweifel an Gottes Treue und wird dafür gestraft: er darf das verheißene Land nur von ferne schauen. David sieht von seinem Dach aus das Weib des Uria, nimmt sie sich und läßt den Gatten umkommen, die Strafe trifft ihn furchtbar, persönlich und in seiner Sippe. Elias steht als Einsamer dem ganzen abtrünnigen Volk gegenüber, in einem tollkühnen Glauben fordert er es – beim Opfer auf dem Karmel – heraus, und siegt dabei mit seinem Gott allein. Und wieder muß er einsam vor Jezabel in die Wüste fliehen, in der er todmüde am liebsten stürbe.

Sieht man aber näher zu, so sind alle diese gewaltigen Einzelschicksale doch nur Personifikationen, Symbole, Typen des Volksschicksals. Man hat von einem «Groß-Ich» des Volkes gesprochen (de Fraine), das sich – analog zu andern altorientalischen Völkern mit ihren Königen – in einer Führergestalt repräsentiert findet; in Israel kann diese Gestalt Patriarch oder Lenker oder Richter oder König oder Prophet oder Priester sein. Alle diese Gestalten ragen gleichsam nur halben Leibes aus dem Volksschicksal auf, wie gewisse unvollendete Skulpturen Michelangelos aus dem Fels. Es ist kaum auszumachen, ob das Schicksal des Volkes sich mehr in ihnen personifiziert, oder ob ihr persönliches Schicksal sich in das des Volkes hinein auswirkt: tiefer gesehen bildet beides einen Kreislauf. Jedes Volk verschafft sich Umriß und Ausdruck in repräsentativen Gestalten: es schaut sich in ihnen an, erkennt darin sein Wesen und nimmt sie sich zum Maßstab. So Israel mit Abraham und Moses, David und Jeremias, Job und Judit; es ist weniger wichtig, genau festzustellen, wieviel an jeder Gestalt wörtlich Geschichte und wieviel Projektion des eigenen Sein-sollens und Sein-müssens ist. Job und Jonas sind extreme Beispiele des letztern.

Darum betrachtet Israel in den Sünden seiner Könige seine eigene Sünde, in ihrer Buße seine eigene Buße. Beides, Sündenfall und Umkehr haben immer ein kollektives Moment. Schon das Schmachten unter dem Joch der Philister ist eine Art kollektiver Bußandacht; diese Bußandachten werden immer ausdrücklicher: in den liturgischen Klageliedern während des Exils, in der großen Sühnezeremonie im 9. Kapitel von Nehemias, im Flehgebet Daniels (Dan 9) für den gebrochenen Bund. Solche Bußandachten gibt es im Neuen Bund nicht mehr. Warum?

3

Im Übergang vom Alten zum Neuen Bund erfolgt eine soziologische Veränderung, die gleichzeitig nach zwei Seiten hin geht: einerseits wird die Statue vollends aus dem Felsen gelöst, der Einzelne steht vollkommen für sich, als Person, vor seinem Gott. Anderseits wird das Volk, das vorher ein «Israel nach dem Fleische» war (1 Kor 10, 18), zu einem geistigen «Israel Gottes» (Gal 6, 16), dessen Standort im Bund sich völlig verändert hat: es steht Gott nicht mehr eindeutig als der geschöpfliche Partner gegenüber, sondern ist «der Leib Christi», der selbst als Gottessohn und Sohn der Menschen der leibhaftige Bund ist. Damit hat sich auch das Verhältnis des Einzelnen – der erst jetzt wirklich ein Einzelner geworden ist – zum Volk Gottes, der Kirche, grundlegend verändert. Beide Aspekte gehören innig zusammen; wir können das aber erst zeigen, wenn wir vorläufig jeden für sich behandelt haben.

a. In das neue Israel tritt man nicht durch Geburt, «nach dem Willen des Blutes, des Fleisches, des Mannes», sondern durch die Taufe ein, die eine «Geburt aus Gott» ist. Deshalb haben jetzt die Heiden ebenso Zugang wie die Juden. Das Volkhafte im alten Sinn ist aufgelöst und hat einer Unmittelbarkeit des Einzelnen zu Gott Platz gemacht. Das ist so, weil Gottes Wort, das bisher wie ein Allgemeines, das ganze Volk Betreffendes, auf Israel zukam, Fleisch, das heißt ein einzelner Mensch geworden ist, der als solcher je einzelnen Menschen begegnet. Dies soll nicht sagen, daß Jesus sich um das Volk Israel nicht mehr gekümmert hätte; zu ihm ist er ja gesendet, seine verstreuten Schafe zu sammeln, seine Kücken wie eine Henne um sich zu scharen. Dennoch: sofern er Mensch ist, kann er je nur Einzelne, ob sie isoliert oder als Jünger- oder Volksschar vor ihm stehen, ansprechen. Mit dem Adressanten wechselt auch der Klang der Rede. Es gibt jetzt, wie nirgends im Alten Testament, das persönliche Gespräch: die Weisungen, Verweise, Belehrungen, Tröstungen an Petrus, an einzelne Jünger oder an die Zwölf, an einzelne Kranke, die vor Jesus geführt werden, an einzelne Sünder, denen er mit einem nur ihnen zugedachten Wort die Sünden erläßt und sie auf ihren weitern Weg sendet. Weil Gott in Jesus so persönlich und unausweichlich nah und präsent wird, hebt sich durch das Licht dieser Gegenwart der ihm begegnende, mit ihm konfrontierte, von ihm beleuchtete Mensch ebenfalls in das Licht der Einmaligkeit, die er für Jesus hat, und die ihm von Jesus zugesprochen und geschenkt wird. Was dabei geschieht, ist freilich das Gegenteil der Bildung eines exklusiven esoterischen Kreises; die Begegnungen vollziehen sich größtenteils unter dem Blick der Öffentlichkeit oder wenigstens vor Zuschauern, zum Beispiel das Gespräch mit der Sünderin (Lk 7), die ihn im Haus des Pharisäers salbt, oder mit der Ehebrecherin (Joh 8), der er angesichts der Schriftgelehrten und Pharisäer die Sünden vergibt, oder das Gespräch mit Maria in Kana oder das Wort an sie und an Johannes vom Kreuz herab. Mitten in der Volksversammlung, «in medio ecclesiae», hebt Jesus den Einzelnen heraus, so wie er Petrus stets vor den übrigen Jüngern lobt oder tadelt, oder Thomas, den Ungläubigen, aus der Reihe der zehn andern vortreten läßt. «Private» Begegnungen sind entweder durch die Furcht des Besuchers veranlaßt, wie bei Nikodemus, oder sie sind der Besuch Jesu bei einem vereinsamten Menschen, um ihn mit einer Heilsbotschaft in die Gemeinschaft zurückzusenden, wie Maria Magdalena am Ostermorgen. Der Blinde in Mk 8, 22ff. wird von Mitmenschen gebracht; Jesus nimmt ihn bei der Hand

und führt ihn vor das Dorf hinaus, um ihn dort zu heilen und
dann zu den Menschen zurückzusenden: hier ist die Personalisierung durch eine örtliche Entfernung ausgedrückt, aber
diese geschieht durch ein an der Hand Geführtwerden: es ist
Gang in die Einsamkeit unter der Führung Jesu (vgl. Mk 7,
33), und nicht so weit weg, daß nicht Beobachter den Vorgang
sehen und beschreiben können. Zuweilen gibt es ein «Abseits», das Distanz von der Straße, vom Unglauben, von der
Betriebsamkeit ist: der Abendmahlssaal, der Ölgarten, der
«einsame Ort» (Mk 6, 32), an den Jesus die Jünger führt, aber
dort alsbald wieder von der Menge eingeholt wird. Die Personalisierung durch Jesus bedeutet in keiner Weise eine Pri-
vatisierung. Das ist sosehr ein Grundcharakter aller evangelischen Konfrontationen, daß dieser sicher nicht auf das
Konto der Evangelienredaktion für die Gemeindeunterwei-
sung zu setzen ist.

Jeder, der vor Jesus tritt und von ihm «ins Auge gefaßt»
wird (Joh 1, 42), steht als dieser Einzelne vor ihm, der das
Wort Jesu aufzunehmen und zu beantworten hat, der dadurch
vielleicht zum erstenmal im Leben in eine ganz personale
Verantwortung aufgerufen und mit ihr beladen wird. Man
sieht das sehr schön beim geheilten Blindgeborenen (Joh 9),
am überwältigendsten aber beim Anruf an den toten Lazarus
(Joh 11), der, wiederum vor allen Umstehenden, den uner-
hörtesten Akt persönlichen Gehorsams zu vollziehen hat; er,
der Tote, muß antworten, und kein Lebender kann ihm seine
Antwort (die Jesus ihm schenkt) abnehmen. Zwischen den
beiden johanneischen Kapiteln steht, im 10., das stärkste Wort
des Neuen Testaments für die Personalität der christlichen
Berufung. Hier wird das Wesen des «guten Hirten» beschrieben und dieser einerseits von den «Dieben und Räubern»
(wohl vor allem den Zeloten), anderseits von den «Mietlin-
gen» (das können die schlechten Hirten des jüdischen Volkes
sein) unterschieden. Von ihm wird gesagt: «Er ruft seine
eigenen Schafe jedes bei seinem Namen und führt sie hinaus;
wenn er die eigenen alle hinausgeführt hat, schreitet er vor

ihnen her, und die Schafe folgen ihm, weil sie seine Stimme kennen» (Joh 10, 3–4). Während das Hirtenbild vom Alten Bund herkommt, ist das Verhalten des neuen Hirten allem Überkommenen entgegengesetzt. Einmal «führt er hinaus», um den Schafen «voranzugehen». Gewiß, auch Gott hat das Volk aus Ägypten, dem Haus der Knechtschaft herausgeführt und ist ihm durch die Wüste vorausgegangen. Aber der Zusammenhang zeigt, daß der neue Hirte nicht aus Fremde und Sklaverei herausführt, sondern aus der Mitte des Volkes Israel selbst, aus seinem «Gehege» (eigentlich dem «Vorhof» des Tempels, *aulē*, in dem sich Jesus bei dieser Rede aufhält)[1], und zwar nicht alle Schafe, sondern nur auserwählte, die «seine eigenen» genannt und «einzeln beim Namen» gerufen werden. Es ist ein Anruf, dem das einzelne Schaf aus einem doppelten Grund folgen kann: einmal weil es seinen eigenen Namen, der hier ertönt, kennt, sodann aber weil es die Stimme des neuen Hirten kennt. Es besteht somit eine Gegenseitigkeit der Erkenntnis – «ich kenne die Meinen, und die Meinen kennen mich» (10, 14) – und diese personale Gegenseitigkeit ist erst neutestamentlich begründbar: «wie mich der Vater kennt und ich den Vater kenne» (10, 15). Es ist eine christologische, zuletzt trinitarisch begründete Gegenseitigkeit, die durch den Herausruf aus dem alten Volk in eine neue personale Intimität hineinführt, außerhalb der alten Bundeshege, in die Ungeschütztheit der Welt, aufrechterhalten nur durch die Stimme des Vorausschreitenden und das Hören und Erkennen dieser Stimme durch die Nachfolgenden. Auch kehrt sich die zentripetale Bewegung Israels zunächst um – Jesus ruft bei Johannes geradezu aus Israel heraus! –, um dabei freilich ein neues Zentrum zu gewinnen, Jesus selbst, der sein Leben für seine Schafe dahingibt, damit so *eine* Herde und ein Hirt entstehe.

Die Konfrontierung mit Jesus, die so oft bei Krankenheilungen und Sündenvergebungen geschildert wird, ruft den

---

[1] Vgl. I. de la Potterie, Le Bon Pasteur, in: Communio 11, Roma 1969, 938f.

Menschen aus der eigenen Versunkenheit und Anonymität in die Selbstpräsenz, denn nur in dieser kann er das ihm zugedachte Wort, die ihn meinende Tat Gottes entgegennehmen. Der geistig Schlafende wird geweckt, der Zerstreute gesammelt, der Entfremdete in seine Eigentlichkeit zurückgeholt. Er muß in den Glauben auftauchen, in die wache Bereitschaft zu Gott, die durch die Begegnung mit Jesus vermittelt und erwirkt wird; man kann dieses Auftauchen im folgenden Dialog verfolgen: «Wenn du etwas kannst, so komm uns zu Hilfe aus Erbarmen mit uns. Jesus erwiderte ihm: Ach, ,wenn du kannst'!... Alles ist dem möglich, der glaubt. Sogleich rief der Vater des Kindes: ,Ich glaube, hilf meinem Unglauben'» (Mk 9, 22–24).

Dieses Auftauchen in die eigene Wirklichkeit, in die man aber nur durch die Konfrontation mit Jesus aufgerufen wird, ist der zentrale Akt der Umkehr. Alle Hüllen, in die das Ich sich versteckt und entfremdet hat, sind abgefallen, die Seele steht nackt vor Gott. Sie hat sich nicht durch eigene Anstrengung entkleidet, die Nacktheit ist ihr geschenkt. Sie hat sich nicht eigens umgewendet; sie steht bereits in der Richtung, aus der her der Ruf ertönt. Dieser reißt sie herum (Joh 20, 16) und legt ihr die adäquate Antwort in den Mund: «Maria!» – «Rabbuni!» Diese Entblößung meinen die «Seligkeiten» am Anfang der Bergpredigt. Die detaillierten Anweisungen des Täufers, was der Bekehrte an seinem Verhalten ändern muß (Lk 3, 10–14), liegen hinter uns; das Leben wird anders sein, weil es aus der Tat Gottes, die es umgekehrt hat, gelebt wird: «Was müssen wir tun, um die Werke Gottes zu verrichten? Jesus antwortete ihnen: Das ist das Werk Gottes, daß ihr an den glaubt, den er gesandt hat» (Joh 6, 28f.). Natürlich hat die erwirkte Haltung der Umkehr fortzudauern, deshalb die Entlassungsworte Jesu: «Geh hin und sündige nicht mehr», die Warnung vor dem Rückfall, wenn der böse Geist einmal aus dem gereinigten Haus ausgetrieben ist (Mt 12, 43ff.). Der Akt der Umkehr soll als Zustand fortdauern, aber so, daß er ein wacher Akt bleibt und nicht in einen schlummernden

«Zustand» abgleitet: hierher gehören alle das öffentliche Leben Jesu abschließenden und seine äußere Abwesenheit vorbereitenden Ermahnungen zur Wachsamkeit.

Das alles ist eminent personal. Immer sind es Einzelne, die vor dem einzelnen Jesus stehen. Auch wenn er zum Volk spricht, sind die Einzelnen in der Menge angeredet. Die Bergpredigt beweist es, auch wenn ihre Anrede zwischen «du» und «ihr» in fast verwirrender Form wechselt. «Wenn *ihr* betet, macht es nicht wie die Heuchler... Willst *du* beten, so geh in *dein* Kämmerlein, ... *Dein* Vater wird es *dir* vergelten. Auch sollt *ihr* beim Beten nicht plappern... *Euer* Vater weiß ja, was *euch* nottut.» Das «ihr» ist schon ein kirchliches, in dem jeder sich als ein «du» weiß, das als einzelnes gemeint und angefordert ist. Deshalb kann in dieser Kirche, wo bei den Tiefenentscheidungen zu Gott und zu Christus kein «Ich» sich hinter dem «Wir» verstecken darf, der Einzelne auch nur personal behandelt werden. Wo es um sakramentales Binden und Lösen geht, nämlich um die Entscheidung, ob ein Mensch – ja oder nein – mit seinem Leben zu Gott und zu Christus steht, ist so etwas wie ein pauschales, anonymes Handeln vollkommen undenkbar. Eine sakramentale Generalabsolution für schwere Sünden ist vom Evangelium her gesehen als Normalfall ein Widerspruch in sich. So etwas wäre allenfalls im Alten Testament denkbar gewesen, wo das Volk als ein Kollektiv dasteht und mit dem Sühneblut der Bundesschließung besprengt werden kann. Im Neuen Bund gibt es kein Kollektiv mehr.

Wo es deshalb in der Zeit der Kirche um das eigentliche Handhaben der Schlüssel geht, das Binden und Lösen, das sich bewußt ist, auf Erden etwas im Himmel Gültiges und Mitvollzogenes zu tun, geht es immer um den einzelnen Sünder. Ein Schuldiger, den Paulus 1 Kor 5, 3–5 aus der Gemeinde ausschließt, den er 2 Kor 2, 6 wieder in sie aufnimmt, ist ausdrücklich ein Einzelner, dessen Schuld klar umrissen wird, der auch öffentlich als ein Ärgernis bekannt ist. Dies ist festzuhalten, noch bevor über die äußere Form der Sünden-

vergebung durch die Amtsträger – ob sie öffentlich oder in
der Ohrenbeichte zu geschehen hat – etwas ausgesagt wird.
Personal ist der Vorgang auf jeden Fall, dort wo das von
Christus (Mt 16 und 18) den Aposteln übergebene «Binden
und Lösen» in seiner ganzen sakramentalen und rechtlichen
Ausdrücklichkeit vorgenommen wird. Denn hier wird Kirche
angewiesen, im Gehorsam Jesus gegenüber dessen Vollmacht
zu übernehmen, den «Sünder zu stellen» (vgl. 2 Thess 3, 14),
ihn «in Gegenwart aller zurechtzuweisen» (1 Tim 5, 20) und
dafür, wie Paulus es in den Korintherbriefen ausdrücklich tut,
das Einverständnis und sogar den Mitvollzug der Gemeinde-
mitglieder einzufordern. Dieser Akt der Kirche, der den Einzelnen angesichts der Gemeinde isoliert, um ihn dann auf die
rechte Art der Gemeinde wieder eingliedern zu können, ist
die von Jesus selbst vorgesehene Weise, den Je-Einzelnen in
die Konfrontation mit ihm aufzurufen, in der die Umkehr und
von ihr her die mögliche Heilung und Sündenvergebung fortgeführt werden kann. Das Sakrament der «Confessio» ist in
diesem Sinn das existentiellste aller Sakramente, gerade sofern
es die Doppeldeutigkeit von Confessio einschließt: preisende
Hinwendung zu Gott in gleichzeitiger Umkehr als Bekenntnis
der Schuld.

b. Die wirkliche Isolierung des Einzelnen in seiner Kon-
frontation mit Jesus ist aber keine Negierung, sondern eine
Überbietung des Volks- und Gemeinschaftsbegriffs des Alten
Bundes. Nicht nur ist der Augenblick der Isolierung des Einzelnen heraus aus der Menge, in der er sich verbirgt, das Mittel, ihn nachher auf eine neue, bessere Art in diese wieder ein-
zugliedern, sondern der Vorgang der Isolierung, in der der
Einzelne personalisiert wird, *ist* als solcher auch schon der
Vorgang seiner Sozialisierung. Denn in Konfrontation mit
Jesus ist er ja keineswegs allein, sondern aufs intensivste
durch den Stifter und damit den Repräsentanten aller wahren
Gemeinschaft in Anspruch genommen. Christliche Umkehr,
als Aufgerufensein durch Jesus, vollzieht sich nicht im Mono-
log zwischen dem minderen und dem besseren Selbst des

Menschen, sondern im Dialog zwischen dem Schuldigen und dem ihn anfordernden Herrn. In diesem aber fordert ihn gleichzeitig Gott und die christliche Gemeinschaft für sich an. Gott zuerst – *er* ist hier in Jesus der Rufende –, und nur von Gott her die Gemeinschaft, die christlich gesehen die Stiftung, ja als «Leib Christi», die Elongatur Jesu ist. Das Wort: «was ihr dem geringsten meiner Brüder getan habt, habt ihr mir getan», ist, als das zentrale Gerichtswort, nach dem eines Menschen Dasein endzeitlich beurteilt wird, auch das Kriterium, nach dem eines Menschen Gemeinschaftsgeist gerichtet wird.

4

Gewiß, man kann hier auch die Kontinuität zwischen Altem und Neuem Bund feststellen. Denn das Volk des Alten Bundes ist durch das tätige Wort Gottes, das es in Ägypten anruft und über alle Hindernisse hinweg «aus dem Haus der Knechtschaft herausführt», allererst zu einem Volk geworden. Und dasselbe tätige Wort Gottes, das in Jesus Christus Fleisch wird, ist der Ursprung auch des neuen Volkes. Beide Völker müssen sich immerfort ihres Ursprungs bewußt bleiben, der sie entlassend hütet, um überhaupt das Volk zu bleiben, das sie sein sollen. Aber die Diskontinuität ist ebenso groß, wenn nicht größer. Das fleischliche Volk wird durch eine einmalige Aktion des Wortes Gottes vor Gott hingestellt, es ist als Volk mit seinen Beziehungen von Mensch zu Mensch im Anruf und in der Herausführung ein für allemal gebildet. Das geistliche Israel, die Kirche, entspringt je neu aus der Beziehung des Einzelnen zu Gott in Christus: jene Gottgeburt, die in der Taufe geschenkt wird, reißt den Einzelnen aus der natürlichen horizontalen Verbundenheit mit andern Menschen heraus: er ist «ein neues Geschöpf» (2 Kor 5, 17; Gal 6, 15), das ein «neues Leben» führt (Röm 6, 4), ein «neuer Mensch» ist (Eph 4, 24; Kol 3, 10), dessen soziale Kontinuität mit seinen Mitmenschen einzig durch Jesus Christus hindurch führt. Er allein ist es, der im Auftrag des Vaters und in der Kraft des Heiligen Geistes die Kirche aus sich entläßt, und zwar die sichtbare Kirche in ihrer Aktualität und Strukturiertheit, und jene größere, potentielle Kirche, die die Menschheit im ganzen ist: für alle hat ja Jesus genuggetan und allen das ewige Leben verdient.

So ist Umkehr gleichzeitig Versöhnung mit Gott und mit den Brüdern; das letztere aber in einer logischen Nachordnung zum ersten: da die Mitmenschen meine Brüder durch und in Christus werden. Die logische Nachordnung kann zu einer zeitlichen Vorordnung werden, dort, wo die Brüder im Auftrag Christi die Ermahnung des Sünders übernehmen und ihn der Umkehr entgegenführen. Die Briefe der Apostel sind voll von solchen Anweisungen zur brüderlichen Ermahnung, wie sie sie auch selber betätigen, im Auftrag und in der Nachfolge des Evangeliums selbst (Mt 18, 15f.). Denn nunmehr kann der Bruder die Stelle Jesu Christi vertreten und den Prozeß der Personalisierung des Sünders in seiner Isolierung («unter vier Augen») einleiten. Dieser Prozeß kann, sofern der Sünder sich nicht aus der Gemeinschaft heraus verloren hat – dann wird das Amt zuständig –, sondern nur, wie alle, in mehr oder weniger großer Gefahr steht, abzugleiten, durchaus auch ein gegenseitiger sein: «Ermahnt einander...» (Kol 3, 16 und öfter). Indem beide Teile sich von Christus gerufen und ermahnt wissen, können sie einander dieses tiefere Wissen ins Bewußtsein rufen und einander in die vielleicht zeitweilig verschleierte Wahrheit zurückhelfen. Auch durch vergegenwärtigendes, erinnerndes Beispiel kann dies geschehen, durch das man «glühende Kohlen» auf das Haupt eines Gegners häuft (Röm 12, 20).

In derartigem Tun der Gemeinde liegt jene Kraft der Sündenvergebung, die der Vaterunserbitte gemäß jedem Christen verliehen ist und an erster Stelle anzuwenden ist; der Gang zum Amt und zu dessen Richterspruch kommt erst dann in Frage, wenn dieses normale Tun nicht mehr ausreicht und fruchtet (Mt 18, 17f.). Dann muß die Personalisierung (und damit die Resozialisierung) des Sünders jene Form annehmen, die Christus als den mit der Gerichtsvollmacht Gottes Ausgerüsteten stellvertritt, um den wahrhaft dem Gericht Gottes Verfallenen aus seiner Verfinsterung in das Licht der Offenbarkeit durch das Bekenntnis hinauszuführen (Joh 3, 21; Eph 5, 13f.).

5

Nun ist es bezeichnend für den Geist des Neuen Testaments, daß Christus einen Fehlenden öffentlich rügt und damit die Umstehenden einladet, seinem Tun beizustimmen, ohne sich pharisäisch vom Schuldigen zu distanzieren. Sie werden Zeugen einer Umkehr und vollziehen mit dem Schuldigen, Umkehrenden, innerlich dessen Bewegung mit. Man kennt im Evangelium die sogenannten «Chorschlüsse», in denen das umstehende Volk für das einem Einzelnen Widerfahrene Gott lobpreist, zugleich in Furcht und in Dankbarkeit am Ereignis beteiligt. So will auch Paulus, daß die Gemeinde sich an seinem Richterspruch über einen bestimmten Schuldigen aktiv beteilige. Er selber hat, körperlich abwesend, im Geist die Gemeindeglieder in sich gesammelt, um mit ihnen zusammen «in der Vollmacht unseres Herrn Jesus» den Schuldigen zu exkommunizieren (1 Kor 5, 3f.); noch mehr Raum gewährt er der Gemeinde bei einer Wiederversöhnung, obschon er auch hier die Führung behält: «mit der Strafe, die ihm von der Mehrheit zuerkannt wurde, mag es nun sein Bewenden haben. Verzeiht ihm nun und tröstet ihn.» Und er fügt bei: «Mit meinem Schreiben wollte ich euch ja auch prüfen, ob ihr in allem gehorsam seid.» Wenn sie es sind, d. h. wenn sie im Heiligen Geist sich vollkommen einig wissen mit dem durch Paulus führenden Amt, so kann dieses dem versöhnenden Wirken der Gemeinde den Vortritt lassen: «Wem aber ihr vergebt, dem vergebe auch ich» (2 Kor 2, 6–10). Das Sakrament der Confessio setzt also zu seinem idealen Vollzug den vollkommenen Gehorsam und liebenden Glauben der

Gemeinde voraus, so daß Paulus sagen kann: «Wir sind bereit, jedweden Ungehorsam zu strafen, sobald nur euer Gehorsam vollkommen ist» (2 Kor 10, 6). Das steht eigentlich meilenfern von allem, was wir uns unter Ohrenbeichte vorstellen: sie scheint uns ein «privater» Vorgang zwischen einem Sünder und einem Priester zu sein, ein Vorgang, aus dem jeder Zuhörer, erst recht eine ganze Gemeinde ausgeschlossen ist. Paulus möchte das Gegenteil; die Gemeinde sollte innerlich, weil der Vorgang sie im tiefsten angeht, an jeder Umkehr und jeder Beichte beteiligt sein.

Es gibt, sagten wir, in der Kirche nichts Privates, und zwar ist ein Vorkommnis umso weniger privat, je personaler es ist. Aus dem Personalen entspringt neutestamentlich unmittelbar das Soziale, es hat gar keine andere Quelle und keine andere Daseinsberechtigung als von der personalen Begegnung mit Gott in Christus her. Der ältere Bruder in der Parabel *muß* sich freuen, daß dem jüngeren verziehen worden ist, ja er soll in solcher Gesinnung sein, daß er das Verzeihen des Vaters unmittelbar mitvollzieht und das Fest der Versöhnung unmittelbar mitfeiert. Anderseits geht es nicht an, daß die Brüder sich unter Umgehung des Vaters versöhnen. Pascal sagt das in einem Fragment seiner Pensées: «Gott wollte nicht ohne die Kirche absolvieren; wie sie an der Beleidigung teilhat, so soll sie nach seinem Willen auch am Verzeihen teilhaben; er gesellt sie seiner Vollmacht zu, wie die Könige es bei ihren Parlamenten tun. Wenn sie aber ohne Gott löst oder bindet, ist sie nicht mehr die Kirche; wie das auch beim Parlament der Fall ist: wenn der König einen begnadigt, muß diese Gunst vom Parlament eingetragen werden, ratifiziert aber das Parlament ohne den König, oder weigert es sich, die Verfügung des Königs zu bestätigen, so ist es nicht mehr das Parlament des Königs, sondern eine Körperschaft in Revolte» (ed. Chevalier Nr. 818).

Weil aber anderseits alles an der Begegnung mit Christus hängt, dem vom Vater «das ganze Gericht übertragen» wurde, kann niemand einfach unter Umgehung der persönlichen Gerichtssituation die allgemeine Vergebung voraussetzen. Zwar heißt es: «Wer mein Wort hört und dem glaubt, der mich gesandt hat, der hat das ewige Leben und kommt nicht ins Gericht, sondern geht vom Tode zum Leben über.» Aber gleich darauf heißt es doch: «Ich richte, wie ich höre. Mein Urteilsspruch ist gerecht, denn ich folge nicht meinem Willen, sondern dem Willen dessen, der mich gesandt hat» (Joh 5, 22. 24. 30). Auch wo die Verurteilung nicht erfolgt, findet jene Konfrontation statt, die zugleich die unumgängliche Personalisation ist, weil Christus kein beliebig urteilender Mensch ist, sondern das auf Gott den Vater horchende Wort: durch ihn hindurch allein vernimmt der Sünder die Gerechtsprechung Gottes.

So lassen sich in allem, was neutestamentlich Umkehr heißt, der Ernst und die Freude nicht trennen. Der Ernst hat sein Maß nicht daran, wie schwer ich meine Schuld einschätze, sondern daran, was in der Begegnung mit Christus dieser an mir enthüllt: vielleicht – wie bei der Samariterin – etwas viel Schwerwiegenderes, als mir bewußt war. In diesen Ernst ist die ganze Gemeinde oder Kirche miteinbezogen. Auch als ganze – mit ihrem Bischof an der Spitze, der ihr «Engel» genannt wird – muß sie unter das enthüllende Gericht des Logos treten (Apk 2–3), dessen «Augen wie Feuerflammen und dessen Füße wie in der Esse geglühtes Erz sind» (Apk 1, 14f.), um bis an den Rand der völligen Verwerfung gedrängt (vgl. den Brief an Laodicea) der Begnadung teilhaft zu werden. Je ernsthafter wir auf Erden dieses Gericht der Gnade an uns sich vollziehen lassen, desto mehr dürfen wir hier schon an der Freude des Herrn teilhaben und die Zuversicht hegen, dem Gericht des Zornes zu entrinnen.

EINSAMKEIT IN DER KIRCHE

1. Rückzug auf Tradition

Sehr viele Christen fühlen sich heute in der Kirche vereinsamt. Und wir gehen wohl nicht fehl, wenn wir dies verdeutlichen durch: von der Kirche weg vereinsamt. Der Raum, der ihnen in aller menschlichen Einsamkeit und vielleicht Verlassenheit eine letzte Geborgenheit zu bieten schien, wird unsicher, unheimlich, un-heimatlich; die bergenden Wände rücken auseinander und lassen den Wind von außen und die Leere des Nirgends herein. Die Kirche hört anscheinend auf, ein feststellbarer Ort zu sein. Man hat das Gefühl, daß sie selber nicht mehr weiß, ob sie ein solcher Ort ist, und deshalb in ihrer Unsicherheit den in ihr Wohnenden keine Sicherheit mehr vortäuschen kann.

Man forscht ihre Gesichtszüge aus und erkennt sie nicht mehr. Sie scheint eine andere geworden. Mit diesem neuen Gesicht, das man nicht kennt, das sie selbst nicht zu kennen scheint, kommt man nicht aus. So hält man sich an das vertraute Gesicht, das entschwunden ist, man lebt mit der Kirche wie man mit der Photographie einer verstorbenen Gattin auf seinem Schreibtisch lebt; man lebt mit der Kirche Pius' X., oder des XI., oder des XII. Oder allenfalls mit der Kirche Johannes' XXIII. Und weil es schwierig ist, allein mit einem Gedenkbild zu leben, sucht man ein paar andere Christen, denen es ähnlich ergangen ist, die auch das Gesicht der Kirche früher erkannt haben und es jetzt nicht mehr erkennen, und wenn man mit ihnen zusammen ist, scheint es, als belebe sich das Bild der Verstorbenen, als fange sie zu sprechen an wie beim Tischchenrücken. Irgendwelche Botschaften werden einem herübergeklopft; gibt es heute nicht viele Privatoffenbarungen, Muttergotteserscheinungen, die einem den Halt zu bieten scheinen, den die offizielle Kirche einem verwehrt? Sichere Weisungen scheinen da zu ergehen, während in der irdischen Kirche alle Normen wanken: was gestern unter Gewissenzwang eingeschärft wurde, wird heute dem freien Ermessen anheimgestellt; und nach welchem Maßstab soll der Freigesetzte zu urteilen sich getrauen? Man sagt ihm alles und nichts, sagt ihm Widersprüchliches, je nachdem, wen er fragt. Über Nacht ist er als mündig erklärt und aus einem kaum oder gar nicht begonnenen, noch viel weniger abgeschlossenen Unterricht entlassen. So wird die Tendenz fast unwiderstehlich, selber Kirche zu (re-)konstruieren, obschon man mit diesem Totenkult schon sehr nah an die Sekte heranrückt.

Man tut es allein, indem man auf sein Gedächtnis, seine frühere Erfahrung vertraut, oder man legt seine Erinnerung mit der Erinnerung anderer zusammen, wobei das Gewesene durch die Gemeinschaft der sich Erinnernden eine gegenwärtige Realität zu werden scheint. Und die Erinnerung hat selbst eine Tiefe von Erinnertem in sich, sie wußte sich damals schon als Tradition, sie war von einem Strom getragen, der von weit, von den Urvätern herkam und sich in der Weitergabe bewährt hatte. Denn es gab ja in dieser Weitergabe nicht nur Geburten, neu anrückende Generationen, es gab vor allem auch Tode, und die Verschmelzung der erinnerten Kirche mit diesen Toden war das sicherste Siegel ihrer Verläßlichkeit. «Wohlversehen mit den Sakramenten unserer heiligen Kirche...» Sie war die begleitende, das ganze Leben einhüllende Kirche. Und die Geistlichen am Totenbett in den Häusern oder in den Spitälern wußten die rechten Worte, ob sie redegewandt oder linkisch sprachen. Sie führten keine Worte im Mund, deren Aussprache am Bett eines Sterbenden ihre Hohlheit aufzeigt. Sie sagten zuversichtlich «Erlösung» und dachten nicht daran, diese in «Befreiung» umzufunktionieren, als sei das stellvertretende Sterben Jesu nur eine spätere Erfindung der Kirche, um es als weltverändernde Tä

253

tigkeit Jesu zu verharmlosen. Mochten die Juden durch Jahwe aus der Knechtschaft Ägyptens «befreit» worden sein; das war nur ein vorläufiges Bild für die Erlösung des ganzen Menschen Jesu am Kreuz. Sonst wäre doch die Erscheinung des Auferstandenen sinnlos gewesen – oder ein Hohn auf die so gar nicht erlöste, weiterhin sterbende Welt. Wie einsam und von der Kirche verlassen wäre ich, wenn einer mich in meinem Todeskampf mit solchen «Befreiungen» abspeisen wollte! Wir sollten uns ein paar Priester suchen, die noch den alten Glauben haben und sollten mit ihnen zusammen eine Art Insel zu bilden trachten, an der vielleicht auch noch manche Schiffbrüchige landen könnten; und wer weiß: wenn einmal der Rest der Kirche untergegangen sein wird – durch ihre schwärende Krankheit aufgezehrt –, könnte ja unsere Insel zum einzigen Festland geworden sein. Und was wir darauf produzieren, könnte zu einer solchen Mangelware werden, daß man uns das, was man heute mit Verachtung straft, einmal dankbar abkauft. Ist das nicht eigentlich zu erwarten, da eine Kirche nur dauern und Tradition schaffen kann, wenn sie selbst auf dem Prinzip der Tradition aufruht? Zersetzt sich das Geschichtslose nicht von selbst?

2. Auch Tradition hat begonnen

Aber imgrunde sind zweitausend Jahre ein kurzer Zeitraum. Die Kirche, an deren Tradition wir so hängen, mit Recht so hängen, war an ihrem Geburtstag ohne Tradition. Oder in der Wiege mit einem Geschenk begabt, das ihre kommende Tradition auf eine uns vielleicht wenig behagende, von uns wenig reflektierte Weise geprägt hat.

Es ist übrigens schwer zu sagen, wann die Kirche Christi begonnen hat. Die Kirche Christi, nicht jener «Gottesstaat», den man mit den ersten Gerechten, mit Abel, anheben lassen kann.

Die Urzelle der Kirche Christi ist doch wohl die Zelle der Jungfrau von Nazareth, und während ihres Gesprächs mit

dem Engel Gabriel nimmt diese Kirche erstmals Gestalt an:
sie ist der Ort, wo der Sohn des Vaters sich auf Erden nieder-
lassen kann, wo er «von den Seinen aufgenommen» wird, wo
er sich nähren, wachsen, zur Welt kommen kann. Die Kirchenväter haben in Maria das Urbild der Kirche gesehen,
meistens in einem Vergleich – wie Maria den Sohn Gottes
leiblich zur Welt bringt, so bringt die Kirche im Taufbrunnen den mystischen Christus geistlich zur Welt –, der
aber doch mehr ist als ein Vergleich, weil Maria ihren Sohn
«früher im Geist als im Schoß empfing», ihr Glaube und ihre
Bereitschaft das Prinzip war, das von seiten der Welt die
Menschwerdung möglich machte. Nun kann man wohl sagen,
daß Maria in einer gewissen Tradition steht – «der Herr ist
mit dir»: der Gott ihrer Väter, den sie kennt –, da sie um Sara
und Hanna und Judit und die Mutter des Samson weiß. Aber
dieses Wissen hilft ihr im Augenblick nicht viel, denn was jetzt
von ihr verlangt wird – «den Sohn des Allerhöchsten» zur
Welt zu bringen –, ist ohne Vergleich. Sie ist durch die Forderung Gottes isoliert, sie kann nicht rechts und nicht links
schauen, sondern nur gradeaus der Forderung in die Augen.
Die Welt um sie her ist wie versunken. Sie ist angesprochen,
sie allein, in einer Vereinzelung, in der sie niemanden um Rat
fragen kann (am wenigsten Joseph), sie hat kein Geländer,
auf das sie sich stützen kann, um die nötigen paar Schritte
über den Abgrund zu tun, sie hat nicht einmal einen andern
Boden unter den Füßen als den schmalen Willen Gottes (wie
eine Seiltänzerin), und sie hat bloß ihre Glaubensbereitschaft,
um nicht abzustürzen. Dieser Glaube ist, wiewohl er ihr angeboten ist («Du hast Wohlgefallen gefunden»), nichtsdesto-
weniger ihre eigene Leistung, etwas, das sie aus ihrem Herzen
gebären muß wie ein Kind. Soviel wird ihr gegeben, daß sie
erkennen kann: der Glaube, den sie zu leisten hat, liegt in der
Fortsetzung des Glaubens ihrer Väter: «Gott der Herr wird
ihm den Thron seines Vaters David geben..., seine Herrschaft wird kein Ende haben.» Aber diese Fortsetzung ist zugleich jäher Unterbruch: die ganze Tradition war Verheißung,

Erwartung. Daran war man gewöhnt. Und nun ist auf einmal, unvorbereitet, Erfüllung. Jesus wird es lieben, Menschen auf solche Art, ohne Ankündigung kopfüber in den Glauben zu stürzen: Martha: «Ich weiß, daß er auferstehen wird bei der Auferstehung am Jüngsten Tag.» Jesus: «Ich bin die Auferstehung und das Leben... Glaubst Du das?» Ohne Gewährung einer Bedenkzeit. Bei Maria genügt es nicht, daß sie passiv geschehen läßt, sie weiß, daß sie sich aktiv einstellen muß, *sie* ist angefordert. Deshalb die notwendige Frage: «Wie wird das geschehen, da ich keinen Mann erkenne?» Das heißt: wie muß ich mich verhalten, um zu entsprechen? «Der Engel gab ihr zur Antwort: ‚Heiliger Geist wird über dich kommen und Kraft des Höchsten dich überschatten, darum wird auch das, was geboren wird, heilig genannt werden, Sohn Gottes'.» Nochmals erhöhte Einsamkeit, gerade dort, wo höchste menschliche Gemeinsamkeit stattzuhaben pflegt. Geforderte seelisch-leibliche Hingabe an das Unfaßliche, das überschattet (Plotins «*monos pros monon*» war nie wahrer); und erst nach diesem Hinweis auf diese totale Vereinsamung – die Geburtsstunde der Kirche – legt der Engel Marias Hand in die verwandte Hand: «Siehe, auch deine Base Elisabeth...» Die freilich in ihrer Empfängnis eine andere Einsame war; hatte sie doch von dem ob seines Unglaubens mit Stummheit geschlagenen Zacharias empfangen müssen. Aber Anfänge von Tradition sind in ihrem Innersten traditionslos – außer daß (oder weil) Gott selber sich tradiert.

Vom Leben Jesu, das mit jedem Schritt Tradition der kommenden Kirche begründet, soll hier nicht im einzelnen die Rede sein. Er bleibt, vom Geist gemahnt, als Zwölfjähriger im Tempel zurück; er weiß, daß er muß (so erklärt er nachher), aber er hat kein Vorbild, das er nachgeahmt hätte. Er läßt sich von Johannes taufen: vielleicht sein verwegenster Entschluß, sich als einen Reuigen auszugeben: vorbildlos. Er geht vom Geist getrieben in die Wüste, um sich dort der Versuchung auszusetzen. Er tut es nicht auf den Spuren des Elias, der fliehen mußte. Er antwortet dem Satan zwar mit Worten der Schrift, aber wem waren solche Angebote je gemacht worden? So geht es fort: jedes Wort, jede Tat ist Schöpfung, Stiftung, Ursprung; steigend aus Vergangenheit, aber unableitbar aus ihr. Und wenn Jesus sich mit Sündern und Verstoßenen gesellig gibt, so nicht, wie man törichterweise gemeint hat, weil er sich menschlich solidarisch fühlt mit einer Bevölkerungsschicht, die er soziologisch «befreien» will, sondern weil er das weltliche Antlitz des göttlichen Vaters ist, das den Isolierten in ihrer innern und äußern Vereinsamung begegnet.

Aber nun soll auch sichtbare Kirche werden: er beruft die Zwölf. Vielleicht ist es nicht gemütlich, so plötzlich mit Namen aus der Volksmenge aufgerufen zu werden und vortreten zu müssen. Aber noch relativ harmlos verglichen mit dem, was diesen Männern als Gruppe wie als Vereinzelten bevorsteht. «Damit sie mit ihm seien.» Sie werden in Dinge eingeweiht, die sie nicht verstehen, mit Sendungen beauftragt, die sie einstweilen nur mehr oder weniger mechanisch ausführen können. Zuweilen fragt man sie aus, dann geben sie mehr oder weniger schiefe Antworten. «Versteht ihr denn immer noch nicht?» Einmal trifft Petrus einigermaßen das Richtige, aber gleich zwei Verse weiter verpatzt er das Ganze wieder und muß als ein Satan tituliert werden, der keine Gottesgedanken in sich hegt. Und dann wieder im folgenden Vers: «Wer mein Jünger sein will, verleugne sich selbst, nehme sein Kreuz auf sich und folge mir.» Man hat gerätselt, ob Jesus das wirklich gesagt haben kann. Ob er seine Kreuzigung voraussah oder nur ein Gleichniswort ausspricht. Wie dem sein mag, die Nachfolge, die er verlangt und verlangen wird – von Anfang an hieß es ja ohne Einschränkung: «Damit sie mit ihm seien» – geht nicht nur bis zu einem bestimmten Punkt. Wenn schon Nachfolge: sie hätten sich alle mitkreuzigen lassen müssen. Einer, der sich später durch Unglauben auszeichnen wird, macht wirklich den Vorschlag: «Laßt uns mit ihm gehen, damit wir mit ihm sterben.» Ein anderer beteuert, wenn alle ihn verließen, er werde es nicht tun. Umsonst: Genau das, was geschehen *müßte*, *kann* nicht geschehen. Mit dem Ereignis im Abendmahlssaal zerbricht im Überschwang der Erfüllung alles, was noch als Tradition bezeichnet werden könnte. «Dies ist mein Fleisch, mein Blut» ist in der Tradition analogielos. Es steigt senkrecht aus dem Herzen des Gottmenschen auf. Daran ändert nichts, daß es das Blut des neuen und ewigen Bundes ist, das Stierblut ersetzend, das Moses in der Wüste zum Altar und zum Volk hin gesprengt hat. Ebensowenig ändert es etwas, daß «eure Väter in der Wüste das Manna gegessen haben und gestorben sind». Und es ist: «Mein Blut, das für euch und die Vielen vergossen wird.» Für euch also, die ihr das eure nicht vergießen werdet, sondern es mich allein tun laßt, weil jetzt der Hirte geschlagen und die Herde zerstreut werden soll. Eucharistie ist somit Vorwegnahme der Einsamkeit am Kreuz, weil die, welche folgen sollten, «jetzt» gar nicht folgen können, sondern bestenfalls «später» (Joh 13, 7.36). Deshalb läßt Johannes, bei dem das steht, Jesus die von ihm Wegfliehenden ausdrücklich selber entlassen («laßt diese gehen»: 18, 8); damit wird diese Flucht mitsamt der Verleugnung Petri in den umgreifenden Heilswillen Gottes eingeboren: «So sollte sich das Wort erfüllen, das er gesprochen hatte: ‚Keinen von denen, die du mir gegeben hast, habe ich verloren'» (18, 9). Das Wort steht parallel zum Gebet Jesu bei Lukas, das die Absicht Satans überwindet, die Jünger wie Weizen zu sieben, so, daß vielleicht keiner in dem Sieb hängen bliebe (Lk 22, 31).

Die Eucharistie, von Jesus verteilt und von den Jüngern genossen, eint diejenigen vorweg im kommenden Tod des Herrn, die nunmehr der Voraussage des Herrn entsprechend «zersprengt werden» (Mk 14, 27). Aller Beteuerung der Jünger, mitgehen zu wollen (Mk 14, 31), steht die schroffe Verleugnungsvorhersage des Herrn entgegen. Die Streuung und Vereinzelung beginnt am Ölberg: der Herr teilt selbst in Gruppen; die drei, die als Zeugen und Mitbeter in der Nähe sein sollten, schlafen ein. Jeder ist auf sich gestellt, soll sich für die Stunde der Einsamkeit vorsehen, eindecken: «Wer

einen Beutel hat, soll ihn mitnehmen, ebenso einen Vorrats-
sack, und wer nicht hat, verkaufe sein Obergewand und kaufe
ein Schwert», um sich wenigstens seines Lebens wehren zu
können, «denn ich sage euch», führt Jesus hier unvermittelt
fort, «daß dieses Schriftwort an mir erfüllt werden muß: ‚Er
wurde unter die Gesetzlosen gezählt' (Is 53, 12), denn meine
Angelegenheit rührt an ihr Ende» (Lk 22, 36–37). Indem
Jesus in die Sphäre des Endes eintritt, gerät er in die gefährliche Gegend der Gesetzlosen, in der jeder Einzelne (außer
ihm) sich mit Vorrat, einem Schwert versehen muß. Angesichts seiner eigenen Vereinsamung klingt das alles wie Ironie,
entsprechend auch das Schlußwort am Ölberg an die Versager: «Schlaft nur weiter und ruht euch aus, siehe die
Stunde ist jetzt da; der Menschensohn wird in die Hände der
Sünder überliefert...» (Mt 26, 45). Es ist die Stunde, da nicht
nur Judas vom «apostolischen Dienst abgewichen ist, um an
seinen eigenen Platz hinzugehen» (Apg 1, 25), sondern auch
der einsam schluchzende Petrus und die übrigen, die sich
weiß Gott wo verborgen halten. Hier überall wird durch die
Klammer des unerbittlichen «Muß-Sein» ($\delta\varepsilon\tilde{\iota}$)[1] des Heilsratschlusses das irdisch gesehen Erwünschte und Uner-
wünschte, Sein-Sollende und Nicht-sein-Sollende zusammen-
gehalten. Gott selbst handelt mit der menschlichen Sünde
und mit dem schuldlosen Sohn in einem einzigen Akt, dessen
Gemeinsames Einsamkeit heißt[2]. Die Stiftung der Eucharistie,
die Einbeziehung derer, die nicht dabei sein werden, in das
einsame Ereignis, bei dem sie dabei sein *sollten* und auch
wollten und dann doch *nicht konnten*, ist der irdische Aus-

---

[1] Über die Gestalt dieses $\delta\varepsilon\tilde{\iota}$ vgl. K. Rahner, Der Christ in der modernen Welt, in: Gnade und Sendung (1959) 25 ff.
[2] Ich übergehe hier die theologisch wichtige Episode von Joh 11, in
der Jesus seine kommende Kreuzesvereinsamung vorweg an Maria und
Martha von Bethanien verteilt, indem er ihr Gebet um Erhörung unbe-
antwortet und Lazarus sterben läßt. Der Zusammenhang mit Eucharistie
und Passion wurde aufgezeigt in: Die Messe, ein Opfer der Kirche?, in:
Spiritus Creator, Skizzen zur Theologie III (Einsiedeln 1967) 166–217.

druck dieser unerbittlich einschließenden Klammer, die alle, auch die verzweifelt sich Herausstrampelnden, im Netz Gottes gefangen hält.

Dann das Kreuz selbst. Zentral die Sammlung der «Sünden der Welt» auf dem «Lamm Gottes», und jede Sünde heißt Entfremdung von Gott, Vereinzelung vom dreieinigen Leben weg. Deshalb zentrale Gottverlassenheit – wie Mattäus und Markus sie in ihrem einzigen Kreuzesschrei ausdrücken – inmitten der völligen Menschenverlassenheit, da der Gekreuzigte nach den beiden Evangelisten nicht nur von den Umstehenden, sondern auch von den beiden Mitgekreuzigten verhöhnt wird – gerade auch noch in seinem Verlassenheitsschrei. Man wird nicht fehlgehen, wenn man die lukanischen und johanneischen Milderungen dieser restlosen Härte als Interpretamente vom innern (jetzt verborgenen) Sinn und nachträglichen Erfolg der Verlassenheit her deutet. Nur der johanneische Bericht vom Aufstechen der Seite und dem Ausfluß von Blut und Wasser nach der Geistaufgabe ist von einem so unerfindbaren Realismus und wird mit solcher Feierlichkeit bezeugt, daß an seiner Geschichtlichkeit nicht zu zweifeln ist. Man weiß auch, wieviel die irdische Trinität von Geist, Wasser und Blut für Johannes bedeutet: ganz offenkundig Grundlegung und Wesen der katholischen Kirche (1 Joh 5, 8). Die ganze Vätertheologie von der «Ecclesia ex latere Christi»[3] liegt in dieser johanneischen Symbolik im Keim beschlossen.

[3] Die Texte hat K. Rahner in einer gleichnamigen (unveröffentlichten) Studie gesammelt. Vgl. S. Tromp, De Nativitate Ecclesiae ex Corde Jesu in Cruce, in: Gregorianum 13 (1932) 485–527; ders., De Spiritu Sancto, anima Corporis Mystici, in: Textus et Documenta nr. 1 und 7 (Gregoriana 1932); ders., Corpus Christi quod est Ecclesia, Bd. III: De Spiritu Christi Ecclesiae Anima (Rom 1960) 60 ff.: Ecclesia condita in Cruce. – Verwandte Themen: Hugo Rahner, De dominici pectoris fonte potavit, in: ZKTh 55 (1931) 107 ff.; ders., Flumina de ventre Christi, die patristische Auslegung von Joh 7, 37.38 (1941), aufgenommen in: Symbole der Kirche, Die Ekklesiologie der Väter (O. Müller, Salzburg 1964) 175–235.

3. Gemeinschaft aus Einsamkeit

Die Sammlung der Jünger vor der Passion war eine vorläufige. Sie bezeugt den Willen Jesu, ein neues Israel zu versammeln, denn die zwölf Erwählten sollen die zwölf Stämme des alten im Endurteil Gottes richten. Aber eine christliche Gemeinschaft, die aus einer innersten Teilnahme am Mysterium Jesu mit seinem Vater in der Einheit des Heiligen Geistes lebt, kann die vorösterliche Jüngerschaft gar nicht sein. «Der Geist war noch nicht da, weil Jesus noch nicht verherrlicht war» (Joh 7, 39), und dazu mußte die Herde zerstreut und der Hirt geschlagen werden. Alles Begonnene muß nochmals abgetragen und in den Ursprung zurückgeführt werden, deshalb muß auch Maria unter dem Kreuz stehen und selber abermals Mutter werden. Und das in der Vereinsamung, die sie an der des Sohnes teilhaben läßt, da er, der Gottverlassene, sich ihr entzieht und ihr den Jünger Johannes zum Sohn gibt. Hier wird mit Händen greifbar, wie Kirche aus der Einsamkeit entsteht, nicht nur wie eine getrennte Wirkung aus der Ursache, sondern in der Kontinuation der Ursache in ihre Wirkung hinein. Denn die vom Einsamen zusammengefügte Gemeinschaft – Maria-Johannes – ist die Fassung zweier aktuell Verlassener durch einen Verlassenen; das Produkt: Gemeinschaft Mutter-Sohn, kann von der Verlassenheitssituation aller drei weder jetzt noch in Zukunft abstrahieren. Johannes bleibt gleichsam festgebannt an diesem Ursprungspunkt, hier unterbricht er seinen Bericht, um selber sein Zeugnis zu bezeugen, das hier sein Zentrum und seinen Höhepunkt erreicht: «Der das gesehen hat, der hat es bezeugt, und sein Zeugnis ist wahr. Und Jener *(ekeinos:* wahrscheinlich Jesus, vgl. 1 Joh 2, 6; 3, 5.7.16; 4, 17) weiß, daß er die Wahrheit sagt, damit auch ihr glaubt» (Joh 19, 35). Dazu zwei bestätigende Schriftzeugnisse: «Kein Bein soll an ihm zerbrochen werden»: damit der Eine, Einsame in seiner Eröffnung als ein Heiler, Integraler mitgeteilt werde, und «sie werden auf den schauen, den sie durchbohrt haben» (wie

Apk 1, 7, aus Zach 12, 10): damit «sie», die Vielen, schließlich «alle Geschlechter der Erde» mit ihren Gemeinschaften, den Blick nicht abwenden von der einsamen Wunde, der sie sich verdanken.

Das Wesen der kirchlichen Gemeinschaft, ihr Verbindendes, Soziales, tiefer Einigendes als jede andere irdische und fleischliche Gemeinschaft, strömt aus der letztmöglichen Einsamkeit hervor, in der einer um «der Vielen willen» zum absolut Einzelnen, von Gott und den Menschen Verlassenen wurde. *Wie sollte an einer solchen Gemeinschaft das Mal des Ursprungs nicht immerfort haften bleiben!* Man kann natürlich einwenden, daß im Paschamysterium alles in den «dritten Tag», in den Jubel der Auferstehung mündet, daß hier in der Freude zusammengeführt wird, was während des Leidens zerstreut war, daß im Licht der Liebe die Versöhnung zwischen Gott und der Welt («mein Vater und euer Vater, mein Gott und euer Gott») und entsprechend der Verstreuten untereinander gefeiert wird. In diesem Licht bricht Jesus in Emmaus das Brot, ißt er vor den Augen der Jünger das Stück gebratenen Fisch, läßt sich von ihnen betasten. Gewiß wird Eucharistie am Auferstehungstag gefeiert. Aber sie bleibt deshalb nicht minder «bei jedem Essen dieses Brotes und Trinken dieses Kelches Verkündigung des Todes des Herrn, bis er kommt» (1 Kor 11, 26). Von Ostern her ist sie «Anamnese der Passion»: Gemeinschaft, die sich in großer Dankbarkeit ihres Ursprungs vergewissert.

Entsprechend redet der Hebräerbrief mit kaum verschleierten Worten von dem «(Opfer-)Altar» der Christen, an dem die «dem Zelt Dienenden», die Juden, nicht teilnehmen dürfen, und das Geschehen an diesem Altar wird beschrieben vom Vorbild des am großen Versöhnungstag erfolgenden Opfers her, da der Hohepriester mit dem Blut des geschlachteten Tieres das Allerheiligste betrat, während die Reste des Tieres außerhalb des «Lagers» (d. h. zur Zeit Jesu der Stadttore) verbrannt wurden. Das Opfer Jesu wird hier – entsprechend andern Stellen des gleichen Briefes (vgl.

Hebr 9, 12.14.15.24–26) – als ein gleichzeitiges Vor-Gott-Treten mit seinem eigenen Blut und Von-Gott-weg-Sterben, somit als die endlich gelungene vollkommene Einigung in der endgültigen Trennung (Verbrennung außerhalb des Lagers) geschildert, ein Paradox, in das die am Altar feiernden und teilnehmenden Christen nun auch existentiell beteiligt werden sollen: «Gehen wir also zu ihm hinaus, außerhalb des Lagers, indem wir seine Schmach tragen (denn wir haben hier keine bleibende Polis, sondern streben nach einer kommenden), opfern wir also durch ihn Gott jederzeit ein Preisopfer» (Hebr 13, 10–15 a): beides in einem.

Die seltsame Zerteilung Jesu, von der hier die Rede ist – das Blut in den Himmel vor das Angesicht des Vaters gebracht, der Leib außerhalb des gottgeweihten Weltbezirks verbrannt (man muß beinah an die außerweltliche Verbrennung der unheiligen Stadt Babylon in der Apokalypse denken: ihr Fleisch verzehrt, sie selber im Feuer verbrannt: 17, 16; der Rauch ihres Brandes von fern gesichtet: 18, 17) –, führt uns in das tiefste Mysterium der Kreuzverlassenheit und damit auch der kirchlichen Einsamkeit ein: Wenn Mattäus und Markus den Schrei Jesu hebräisch und griechisch wiedergeben: «Mein Gott, mein Gott, warum hast du mich verlassen?», so scheint der johanneische Jesus diesen Ruf von vornherein zu dementieren, indem er am Ende der Abschiedsreden sagt: «Siehe, es kommt die Stunde, und sie ist schon da, wo ihr zerstreut werdet, ein jeder nach seiner Seite, und mich einsam läßt. Doch bin ich nicht allein, weil der Vater mit mir ist» (Joh 16, 32). Dieses Nicht-Alleinsein Jesu (vgl. Joh 8, 16.29) kann nur eine innere Kennzeichnung seiner Verlassenheit sein. Wenn Jesus «Gottes Sohn» ist, wie der Hauptmann unter dem Kreuz nach dem großen Schrei erkennt, dann kann seine Verlassenheit auch keinen anderen als trinitarischen Charakter haben. Das heißt: sie ist eine ökonomische und soteriologische Offenbarungsform der innergöttlichen hypostatischen Beziehungen. Der Sohn existiert in Gott nicht anders als vom Vater kommend und zum Vater gehend, und als «gezeugt, nicht geschaffen», in einer qualitativ andern Art, als sie von den Geschöpfen ausgesagt werden kann. In dieses Kommen und Gehen hinein wird ökonomisch die Realität der Weltsünde gestellt, nicht als ein äußerliches Hindernis, sondern als eine vom Sohn in sich hineingenommene, ihm als Person eignende Wirklichkeit, die wesensmäßig von Gott verurteilt und verstoßen werden muß. So nimmt die unaufhebbare Beziehung zwischen Vater und Sohn die Modalität der Verstoßenheit, des Abbruchs der Beziehungen, der Unzugänglichkeit des Vaters an. Und der Heilige Geist, der in Gott ewig der Ausdruck dieser gegenseitigen Beziehung ist, hält diese jetzt im Modus des Auseinanderhaltens aufrecht, der das Gegenteil ist eines Gleichgültigwerdens füreinander, vielmehr absolute Liebe, gerade durch absolute Entbehrung ihrer selbst bewußt. Und dies für den Sohn am Kreuz ohne Überblick über die Dauer der Trennung, die zeitlos, endgültig erscheint. Denn im Kreuzereignis ist ja die ganze Sünde der Welt gegenwärtig, somit auch die ganze Zeit der geschichtlichen Erstreckung, in der sie vollbracht wird, konzentriert.

Göttliche Gemeinschaft *als* gottmenschliche Trennung: dies ist gewiß das am schwersten zu verstehende Stück der zentralen dogmatischen Wahrheit: «Er wurde um unserer Übertretungen willen hingeopfert und um unserer Rechtfertigung willen auferweckt» (Röm 4, 25). Trotzdem weisen alle Daten der Gottes- und Christuslehre konzentrisch auf dieses Mysterium hin, und aus ihm entspringt die Kirche. Denn nun können wir sagen: Kirche wäre nur sekundär Gemeinschaft, wenn Christus am Kreuz (ihr Ursprung) nur ein menschlich-Einzelner wäre. Kirche käme dann eigentlich nicht über die Summierung von einzelnen an den Gekreuzigten Glaubenden hinaus, wie man das in vielen protestantischen Ekklesiologien feststellen kann. Nein: die absolute Verlassenheit des Sohnes muß als solche schon eine Gemeinschaftsgestalt haben, primär eine trinitarische, wie sie eben beschrieben wurde, die aber auch eine Wiederspiegelung im menschlichen Bereich hat: im

Umstandensein des Kreuzes «von fern» durch die «heiligen Frauen» und im Vermächtniswort Jesu an Maria und Johannes, mit dem, wie auch schon gesagt, innerhalb der Verlassenheit aus jeder Gemeinschaft heraus (Maria-Jesus und Jesus-Johannes) neue, kirchliche Gemeinschaft (Maria-Johannes durch Jesus) gestiftet wird.

Und was vom gekreuzigten Sohn gilt, das gilt auch von dem in seinem Tod ausgehauchten Geist: dieser ist gewiß Geist ewigen Lebens und ewiger Gemeinschaft zwischen Vater und Sohn, aber in diesem Ausgehauchtwerden ist er es im Modus des Sterbens in der Gottverlassenheit. Er *ist* der Liebesgeist, der im trinitarischen Erlösungsratschluß die Verkörperung und Verbürgung dieser Weise ist, wie Gott alle Entfremdung der Sünde in sich einschließen, untergreifen und überholen will. Als der den Sohn in sein «Ende» begleitende Geist hat er ein für alle Male die Erfahrung dieses Endens mitgemacht und kann, wenn er an Ostern der versammelten Kirche eingehaucht wird, von dieser zu seinem Wesen gehörenden Erfahrung nicht mehr abstrahieren.

4. Einsamkeit: ein Existential der Kirche

Das Mal der Herkunft: Einsamkeit, bleibt der Kirche auch als Gemeinschaft aufgeprägt. Und zwar, wie eben gezeigt wurde, nicht jene allgemein menschliche Einsamkeit, die das Los jedes Einzelnen auch dann ist, wenn er sich in irgendeiner Form soziologisch vergesellschaftet. Auf der soziologischen Ebene kann der Mensch gleich wahr als ein *zōon prolitikón* und als ein *animal singulare* beschrieben werden. Auf der theologischen Ebene, wo es um das Verständnis der Kirchengemeinschaft geht, steht es anders. Diese ist ein Ort von Einsamkeit, gerade sofern sie Kirche ist.

Sie ist es in einem ersten, noch äußerlichen quantitativen Sinn, sofern sie konstitutiv «kleine Herde» ist. Man kann diese Anrede Christi an die Seinen nicht als zeitbedingt ansehen, gültig nur für die ersten Jünger, sowenig man das Wort vom «engen Weg» und «schmalen Pfad» gegenüber der «breiten Straße» relativieren kann. Dies macht die Problematik jener Epochen der Kirchengeschichte aus, in der Kirche sich mehr oder weniger mit dem Staat oder mit der Gesellschaft decken zu können meinte. Denn einmal kommt dann sogleich die Problematik Augustins in Sicht, wer denn nun unter den vielen Scheinchristen, den «Gemimten», wie er sie nennt, die wirklichen Christen sind, welche die eigentliche, von Christus gemeinte Kirche bilden, und sodann wird für das allgemeine Bewußtsein die Welt der Nichtchristen an den geographischen Rand der sogenannten Christenheit verdrängt (Islam) oder innerhalb kleiner Isolierzellen zusammengepfercht (die jüdischen Gettos) oder, wo dezidiert Nichtchristliches innerhalb der Christenheit selber auftaucht, dieses mit dem Feuer und Schwert der Inquisition verfolgt, was gewiß nicht der Denkart Christi entspricht.

Aber die Kirche ist einsam auch in einem innerlichen qualitativen Sinn, sofern das Wort Jesu von der Aussendung «wie Lämmer unter die Wölfe» nicht als überholbar angesehen werden kann. Die kleine Herde gedeiht oder vegetiert nicht nur in einer indifferenten Umgebung, sie hat sich auf eine feindliche und aggressive Übermacht gefaßt zu machen. Und diese Situation ist von der Kirche nicht nach Belieben auszuwählen, sie ist die normale Lage der Jünger, beruhend auf einer ausdrücklichen Sendung Jesu (Mt 10, 16), mit zahlreichen Verheißungen, wie verhaßt sie sein werden und was ihnen alles Unangenehmes zustoßen wird, und von ebensovielen «fürchtet euch *also* nicht» unterbrochen, bis bei der letzten Weisung Jesu diese Sendung universalisiert wird: zu «allen Völkern» hin, für «alle Tage bis ans Ende der Welt», im Namen seiner eigenen «Allgewalt» und das «Alles» seiner Lehre betreffend (Mt 28, 18–20), universalisiert in einer unabschließbaren Progression von «Jerusalem und ganz Judäa und Samaria bis an die Grenzen der Erde» (Apg 1, 8). Die Kirche Jesu ist in der Kraft dieser Sendung wesenhaft zentrifugal, im Gegensatz zur immer zentripetalen Bewegung des alten Israel, das immerfort – in seinen eschatologischen Wunschbildern – von den Grenzen der Erde und der Diaspora heimgetragen zu werden hofft in die zentrale Heimat. Deshalb passen die alten prophetischen Texte, auf christliche Feste angewandt – etwa die Texte des Tritojesaia 60, 1 ff. auf Epiphanie – nur unvollkommen. Die Erlösungsbewegung im Neuen Bund ist nicht die der Sammlung, sondern die eucharistische der Verströmung: die Bewegung Jesu, der sich aus seiner Selbstverteilung an die Welt, die zugleich sein sühnendes Vergossenwerden für sie ist, nicht mehr zurücknimmt.

Die Apostel jedenfalls sind hinausgesendet worden; es gibt frühe Listen, in welchen Ländern ein jeder von ihnen missioniert hat und gestorben, zumeist gemartert worden ist; diese Listen mögen unecht sein, sie malen nur anschaulich aus, was in der Sendebewegung Jesu angelegt war: die Gesendeten sind Kirche, indem sie die gelebte Gemeinschaft Jesu im Rücken haben und vor sich die nichtkirchliche Welt, der die Frohe Botschaft gepredigt werden soll. Sie sind dabei nicht an eine einzelne nicht zu bewältigende Situation festgebannt, sondern erhalten Erlaubnis zu einer Freizügigkeit: «Wo man euch nicht aufnimmt und auf eure Worte nicht hört, da verlaßt das Haus oder die Stadt und schüttelt den Staub von euren Füßen» (Mt 10, 14; vgl. Lk 10, 11: «gegen euch»; Mk 6, 11: «ihnen zum Zeugnis»). Was wir von den Zwölfen nicht im einzelnen wissen, das erfahren wir von Paulus, der der Apostel Christi dadurch ist, daß er Gemeinden gründet, sie auch wieder besucht, aber wesentlich weiterzieht und keine Rast hat, ehe er nicht an den Grenzen der bewohnten Welt angelangt ist. An ihm läßt sich ablesen, was es heißt, «keine bleibende Stätte auf Erden zu haben», somit zum neutestamentlichen «wandernden Gottesvolk» zu gehören.

Damit ist freilich keine Empfehlung eines äußerlichen Vagantentums gemeint, vor dem schon die Apostelbriefe warnen (vgl. 2 Thess 3, 6–12), dem gegenüber die Didache mißtrauisch ist und Benedikt seine Klöster errichten wird. Natürlich sollen die Christen die irdische Welt wie andere Menschen in Ruhe bewohnen, aber ihr Verhältnis zur Welt ist ein anderes: «was die Seele im Leib ist, sind die Christen in der Welt: die Seele ist ausgesät in alle Glieder des Leibes wie die Christen in alle Städte dieser Welt; die Seele wohnt im Leib und ist doch nicht des Leibes, so wie die Christen in der Welt sind und doch nicht von der Welt» (Diognetbrief 5, 1–3). Die Existenzform der zentrifugalen Ausstrahlung in die Welt ist, theologisch gesprochen, kontemplativen wie aktiven Orden, Kongregationen, Weltgemeinschaften und Laienvereinigungen gemein[4]. Sie ist es der Kirche im ganzen. Man kann zwischen der Gemeinsamkeit *(koinōnia)*, die am einigen Tisch des Herrn entsteht, und der Einsamkeit, in der dieser Tisch gedeckt wurde und in die auch die Einzelnen nach dem Mahl wieder verstreut werden können, keinen Gegensatz aufrichten. Es gibt in der Kirche keine Geschlossenheit, die nicht zugleich offen wäre, aber auch keine Offenheit, die (etwa als ein vager Pluralismus) nicht von einer Geschlossenheit um den Herrn und seinen Tisch her entstünde. Man kann sich fragen, wieweit die «geschlossenen Türen» am Osterabend («aus Furcht vor den Juden») dem Willen des Herrn entsprechen, der durch sie hindurch erscheint[5]; hier wird zu distinguieren sein. Es gibt die notwendige Geschlossenheit der Einheit im Herrn, im Glauben und in den Sakramenten, in der Gemeinsamkeit der Glieder innerhalb des einen Leibes: sie ist unentbehrlich, damit von der Kirche etwas Echtes und Erkennbares in die Welt ausstrahlen kann. Es gibt aber auch die überflüssige und schädliche Geschlossenheit einer sich furchtsam und autistisch in sich selbst abschließenden Kirche, die ihrer wesentlichen Sendung untreu wird, zumeist weil sie Angst vor der christlichen Einsamkeit hat.

Da der Geist weht, wo er will, und weder abzuhalten (durch

[4] Für die Gesellschaft Jesu neuestens: L. Renard S. J., Un type d'appartenance communautaire, in: NRTh 1974, 61–88.

[5] Vgl. darüber: «Durch geschlossene Türen», in: Spiritus Creator, Skizzen zur Theologie III (1967) 439–448.

jenes Verkleistern aller Ritzen, wie es Christine in Strindbergs Traumspiel vornimmt) noch zu kanalisieren ist («du hörst sein Sausen, weißt aber nicht, woher er fährt noch wohin er treibt»), «zieht» es in der Kirche immer. «Gemütlich» ist es nicht in ihr, falls sie vom Geist der Seligpreisungen durchweht wird. Es kann beinah als ein kirchliches Gesetz angesehen werden, daß dem Christen darin wahre Begegnungen im Geiste geschenkt werden, falls er sich ihrer nicht possessiv bemächtigen und sie dauern lassen will, sondern, aus der Einsamkeit herkommend, bereit ist, sie auch wieder in die Einsamkeit gehend preiszugeben. Die Begegnung zwischen Maria und Elisabeth ist eine zentrale kirchliche Episode, sie bleibt dennoch Episode, da jede der Frauen ihre eigene Sendung im Schoß trägt; beide Sendungen konvergieren zwar, sie werden einander kreuzen, aber stellen die Mütter in verschiedene Bahnen und Bereiche. Und die Söhne auch wieder. Es ist genug, wenn Franz und Dominikus sich einmal umarmen. Ein tiefes gegenseitiges Erkennen, ein Austausch des Innersten, wie zwei Zellen sich berühren und ihren Kern tauschen, und dann, nach der geistigen Befruchtung, der neue Aufbruch.

Der Täufling wird in die Gemeinschaft der Kirche aufgenommen in einem Akt, den er ganz allein verantworten, auf eine Frage hin, die er ganz persönlich beantworten muß. Er steht, umgeben von der kirchlichen Gemeinschaft, in einer Einsamkeit, die der Marias mit dem Engel vergleichbar ist. Er muß Ja sagen zu seinem Anruf durch Gott, zu seinem einmaligen Auftrag, den er noch nicht übersieht, zu seinem persönlichen Sterben und Auferstehen in Christus. Indem er dieses Ja spricht, tritt er ein in die Gemeinschaft all derer, die ein analoges Ja sprechen durften. In der Taufe, die ihn in die Gemeinschaft initiiert, wird er mit seiner ganzen Person unter Wasser getaucht, wo er weder hören noch sehen und noch viel weniger sprechen kann: er muß lernen, Einer vor Gott und für Gott zu sein. Dann in der Mitte des Christseins der eucharistische Tisch und die Begegnungen mit andern Christen:

das Mahl endet mit dem «Hinaus!» («Ite, Missa est») und die Begegnungen waren Initialzündungen für den Welt-Auftrag jedes Einzelnen. Sie bieten kein in sich beruhigtes Ich-Du, in dem bloß ein inwendiges Leben zirkuliert. Der dreieinige Gott ist aufgebrochen, der Sohn ist vom Vater ausgesandt, und der Geist zwischen ihnen ist durch beide in die Welt ausgegossen. Und Ausgießung heißt ja christlich zumeist Vergeblichkeit. Selten steht diese nicht am Ende eines christlichen Weges, auch wenn ihm unterwegs noch so viele Erfolge geschenkt wurden. Man braucht nur nachzulesen, was Paulus aus seinem römischen Kerker schreibt:

«Beeile Dich, zu mir zu kommen, denn Demas hat mich aus Liebe zu dieser Welt verlassen, er ist nach Thessalonich gegangen, Kreszens nach Galatien, Titus nach Dalmatien, nur Lukas ist noch bei mir... Alexander der Schmied hat mir viel Böses zugefügt... Bei meiner ersten Verteidigung hat mir niemand beigestanden, alle haben mich verlassen, möge es ihnen nicht angerechnet werden. Der Herr hat mir zur Seite gestanden und mich gestärkt, auf daß durch mich die Heilsbotschaft verkündet werde... So entrann ich dem Rachen des Löwen» (2 Tim 4, 10–17).

Paulus gebraucht hier ein Bild, das dem Danielbuch entlehnt ist (er hätte mit dem Vergleich des Herrn auch vom Rachen der Wölfe sprechen können. Anderswo verwendet er in der Tat das Bild der in die Herde einbrechenden reißenden Wölfe: Apg 20, 29); das Danielbuch war den Christen von den ersten Jahrhunderten an vertraut (nicht umsonst kommentiert schon Hippolyt dieses Werk) und bleibt es bis in die Zeit der romanischen Kathedralen. Es erhält neue Symbolkraft in der Zeit der zerfallenden Volkskirche, ganz besonders in der Zone der schweigenden Kirche, in der sich jeder einzelne Christ zwar der Kirche Christi verpflichtet und verbunden weiß, aber als Einzelner einer unabsehbaren überlegenen Meute gegenüber den Mut des Bekenners auf sich nehmen muß.

Freilich, etwas ganz anderes ist das, was sich im «freien

Westen» als «schweigende Kirche» bezeichnet: die Gruppe des stillen, hartnäckigen Protestes gegen das, was von dieser Gruppe als die Richtung der «offiziellen», ihrer Meinung nach von der Orthodoxie abgeirrten Kirche angesehen wird, und wovon sie sich – wie oben im ersten Abschnitt geschildert – auf die «Tradition» zurückzieht. Die Kirchengeschichte kennt allerdings die schmerzlichsten Dilemmata: mehrere Päpste gleichzeitig, ohne daß die Gläubigen eindeutig wissen konnten, zu welchem sie zu stehen hatten; sie kennt auch für gewisse Gegenden ein solches Verblassen des kirchlichen Geistes bei den amtlichen Führern, daß man berechtigt war, von ihnen an die Kirche der Heiligen und der großen evangelischen Tradition zu appellieren, die aber immer noch irgendwo innerhalb der lebenden gegenwärtigen Kirche vertreten war. Ein Bruch mit der Hierarchie aus Gründen des Reformeifers hat nirgends das Heilmittel gegen innerkirchliche Schäden sein können, viel eher lag dieses Heilmittel bei kleinen Zentren, in denen evangelische Nachfolge neu und bedingungslos gelebt wurde und von denen aus wieder ursprünglich kirchlicher Geist in das verwirrte Volk ausstrahlte. Dieser kirchliche Geist ist nie an einer Polarisierung von Konservativ und Progressiv interessiert. Er verlegt die Integralität des Glaubens nie in eine numerische Vollzähligkeit von geglaubten Dogmen (die ja gar nicht zählbar sind, deren meiste nur Ausformulierungen des einen Zentraldogmas der erlösenden Menschwerdung Gottes, des Dreieinigen, sind), sondern in ein Leben aus der Wahrheit, die immer eine *vorgegeben* kirchliche ist und deshalb einen echten Gehorsam der wirklichen, nicht der selbsterfundenen Kirche gegenüber einschließt.

Es kann sein, daß der Einzelne heute die kirchliche Einsamkeit in einer ihm unheimlichen Weise, die er nicht für möglich gehalten hätte, zu spüren bekommt. Er sollte sich aber, auch in der Schwierigkeit, Orientierung zu finden, keinem Schwindelgefühl überlassen, sondern daran festhalten, daß der Geist Gottes als Feuersäule seinem Volk durch die Wüstennacht vorangeht. Sicherlich kann ein ökumenisches Konzil, wie das Zweite Vatikanum, nicht geirrt haben, auch wenn aus seinen Sätzen zunächst einseitige, des Gleichgewichts entbehrende Schlüsse gezogen werden. Sicherlich sind die theologischen wie praktischen Grundorientierungen des gegenwärtigen Pontifikats und des überwiegenden Teils des Weltepiskopats der lebendigen Überlieferung treu. Abwegige Entwicklungen zeigen sich durch eine eigentümliche Sterilität an; «die Dornen wuchsen auf und erstickten das Gesäte»: man kann es bereits beobachten und wird es noch deutlicher sehen. Entschieden gilt dies von jenen Teilen großer Orden, die, ihrem Gründungscharisma untreu, sich selbst in dürres Erdreich verwandeln, in dem Gedeihen unmöglich ist. «Wer nicht mit mir sammelt, zerstreut.» Bis dieser Beweis des Lebens und seines Gegenteils sich durchsetzt, kann einem Einzelnen, kann einer ganzen Gemeinde sehr viel Einsamkeit zugemutet werden; eine jahrelange schiefgelagerte, der evangelischen Wurzeln entbehrende, modisch verzerrte Verkündigung muß ausgehalten werden, von der Kanzel und aus den Massenmedien her, und das christliche Gewissen, der kirchliche Instinkt des Zuhörers muß die Unterscheidung der Geister betätigen. Die Jungen, denen die Lehre gar nicht oder nicht mehr in ihrer ursprünglichen Leuchtkraft vorgetragen wird, haben es noch schwerer; ihnen ist zugemutet, sie aus der Verschüttung auszugraben, dann ihr spezifisches Gewicht gegenüber dem, was ihnen als Alternative angeboten wird, zu prüfen. In östlichen Ländern gelingt das, gerade weil es schwierig ist und eine oft abenteuerliche Entdeckungsfahrt verlangt. Umso klarer kann dann das ursprüngliche evangelische Licht aufstrahlen. Christliche Halbheiten konvergieren dagegen von selbst zu nichtchristlichen Ganzheiten hin: mancher gehaltlose progressistische Entwurf, der sich «kritisch katholisch» nennt, gleitet von selbst zu seiner marxistischen Vollgestalt ab. Oder eine Erlösungslehre, die konsequent in eine innerweltliche Befreiungslehre «umfunktioniert» wird, rutscht von selbst aus dem neuen in das alte

Israel zurück. Überall, wo der Angelpunkt der christlichen Dogmatik: Kreuz (als Solidarität mit den Sündern, die die Liebe verloren haben), Karsamstag (als Solidarität mit den in der Abwendung von Gott Gestorbenen), Ostern (als ewiges Licht in das ewige Dunkel eingesenkt) zugunsten eines inner-weltlichen Heils verschoben wird, weiß der Christ, daß ihm das, worauf alles ankommt, vorenthalten wird.

Er darf von der Kirche das Brot des Wortes und der Sakra-mente verlangen. Er kann von ihr nicht fordern, daß sie ihm als ganze den unfehlbaren Weg der Heiligkeit vorlebe. Genug, wenn er in dieser Kirche «aus Juden und Heiden», dieser «durcheinandergemischten» (Augustin) Kirche aus Sündern, zu der er selbst als ein Sünder gehört, die Orientierung zum erlösenden Gott hin erhält. Zudem hat er die Heilige Schrift, die er heute in sorgfältigsten, im besten kirchlichen Geist übersetzten und kommentierten Ausgaben lesen kann, wenn anders er bereit ist, sie nicht nach seinem eigenen Geist sek-tiererisch zu verdrehen und auszuwählen. Er sollte tief genug Christ sein, um zu wissen, daß Einsamkeit in der Kirche zum Dasein in der Kirche gehört, deshalb seine kirchliche Einsam-keit nicht in falschem Pathos gegen die existierende Kirche aufsteigern und sektenhafte Pseudo- und Anti-Kirchen gegen die Catholica gründen, die nur beweisen würden, daß er vor der kirchlichen Einsamkeit auf der Flucht ist und sich dort «drei Hütten» baut, wo keine Bleibe ist, weil auf Tabor von der Passion des Herrn die Rede war und Jesus selber zu seiner werdenden Kirche zurückdrängt.

5. Wege der Christen

Daß die wirkliche Kirche Christi etwas anderes, Geheimnis-volleres ist als die ausgedachte abstrakte Kirche der Soziolo-gen, zeigt sich in der ganzen Kirchengeschichte daran, daß die Erneuerung der wirklichen Kirche jeweils von mutigen Einzelnen ausging, die die Einsamkeit nicht scheuten, und *dafür* Anhänger gewannen, während die abstrakte soziologische Kirche von vornherein auf die Gruppe und ihre Dynamik zusteuert und die Brisanz der christlichen Einsamkeit nicht einkalkuliert, so daß die Gruppen keine wahrhaft apostolische Wirkung erzielen.

Man versteht die großen Bewegungen des patristischen und frühmittelalterlichen *Mönchtums* nicht, wenn man sie nicht als ein Drängen der Kirche in ihren Einsamkeits-Ursprung zurück auffaßt: in die Nazareth-Kammer, in den Ruf der Zwölf aus der Volksmenge heraus, in den Ursprung der Kirche-Braut aus der geöffneten Wunde zwischen den Rippen des Zweiten Adam. Und auch in die vierzig Wüstentage Jesu, während denen die Idee der zu gründenden Kirche im zähen Ringen gegen die Versuchungsbilder des Dämons sich konkretisierte. Auch wenn Antonius und Evagrius und Benedikt nicht in die Wüste gingen, *um* mit dem Dämon zu kämpfen, so blieb ihnen bei ihrem Versuch, in die Unmittelbarkeit zum Ursprung zurückzugelangen, gerade dieser Kampf nicht erspart; er hat ihre Einsichten, Predigten, den ganzen Stil ihrer Gründung, wo solche erfolgte, mitgeprägt: benediktinisches Mönchtum ist wesentlich solche Wacht am Ursprung, wo die großen kirchlichen Entscheidungen fallen, Wacht in der Unbeweglichkeit der *stabilitas*, die aber geistige Treue im Ausharren beim Quell bedeutet, und in der *communitas*, die doch die Vereinzelung der Zelle, des personalen Gehorsams (einer in der Person des Abtes verkörperten Kirchenautorität, die aber durchscheint in die Gottautorität), des einsamen Abstiegs der Demut bis auf den Brunnengrund nicht in Frage stellt. Alles kirchliche Jungfrauentum ist, ob äußerlich einsam oder gemeinsam, je Berufung zur Verwirklichung marianisch-kirchlicher Brautschaft, deren Exklusivität sich immer als Quell von kirchlicher Gemeinschaft und Fruchtbarkeit versteht. Hier gerade hat man die Unterscheidung echter kirchlicher «Mystik» und einer sekundär sich auswirkenden «Mystologie» wohl zu beachten: die letztere könnte mit individualistischen, aus der Antike nachwirkenden Vollkommenheitslehren die echten theologischen Beweggründe einer

274

Berufung zur Einsamkeit teilweise verunklären, obwohl nie völlig verwischen. So steht der echte kirchliche Sinn des alten, schon vorreformatorischen *Karmel*, auch der seiner großen spanischen Reformatoren außer Frage, selbst wenn seine Mystik vielleicht erst durch Therese von Lisieux vor jeder mystologisch verfremdenden Übermalung völlig befreit wurde. Therese hat den zentralen kirchlichen Charakter der karmelitanischen Einsamkeit, ihren apostolischen Sinn durchaus begriffen, gerade dort, wo die marianisch-kirchliche totale Hingabe der Karmelitin sich über alle soziologischen Nützlichkeitserwägungen erhebt, und die Tragweite ihrer Lebensform sich im reinen «Umsonst» der Verschwendung des eigenen Daseins an den sich verdunkelnden Gott offenbart.

Und wenn benediktinische «Wache» die unmittelbare Verwirklichung der «Wachet!»-Parabeln am Schluß der synoptischen Evangelien bildet: Nichtschlafen der Jungfrauen in der Nacht, wann immer der Bräutigam heimkehren mag, Nichtschlafen der Knechte, die der Herr wachend findet, Nichtschlafen mit gegürteten Lenden und brennender Fackel, Versuch des Nichtschlafens am Ölberg – dann ist karmelitanische Existenz die im nichtsterbenkönnenden Sterben oder nichtlebenkönnenden Leben (Teresa von Avila) Existenz in der ursprünglichen Todeswunde («in tua vulnera absconde me»), und damit wesentlich in der Sichtlosigkeit Gottes, unter verhängten Bildern, unter der Wolke, im «halberleuchteten unterirdischen Gang» (Therese von Lisieux), in einem apriorischen Entzug von Kraft, wie dem wunderwirkenden und dem gekreuzigten Jesus die eigene Kraft (wie einem Blutspender) abgezapft wird zugunsten der andern. Die vielfältigen Versuche in der heutigen Kirche, Einsiedlertum neu zu beleben, müssen von hier aus beurteilt werden: ob sie von dieser Radikalität, Kirche im Ursprung ihres Ausströmens sein zu wollen, beseelt sind.

Bei den zur Welt hin geöffneten *Orden* und andern Gemeinschaften ist zwar die äußere Kirchlichkeit sichtbarer, dafür die Gefahr größer, sich im Hinausgehen vom Ursprung zu entfernen. Ein sprechendes Symbol bleibt Charles de Foucauld, der bei der einsamen Quelle ausharrt – in der eucharistischen Anbetung und Mitverströmung – während seine Söhne und Töchter dieses Verharren mit dem Hinausgehen in die äußern Wüsten der Welt zu verbinden trachten. Dasselbe bei Franziskus, dem mit den Stigmen lebendig Gekreuzigten, Dominikus, dessen Aktion ein Überborden bleibender Kontemplation sein will, schließlich Ignatius, der diese bleibende Kontemplation nicht mehr äußerlich von der Aktion getrennt, sondern in ihr mitströmend will. Und allen Abirrungen einzelner Teile der von ihnen ausgegangenen großen Orden zum Trotz setzt sich ihr ursprünglicher Impuls immer wieder durch. Ohne die Exercitia Spiritualia, in denen der Einzelne umso weiter vorankommt, «je mehr er sich abseits abscheidet von allen Freunden und Bekannten und von aller irdischer Sorge, um sich so desto bereiter zu machen, seinem Schöpfer und Herrn zu nahen und an ihn zu rühren» (nr. 20), kann das ignatianische Erbe nicht weitergetragen werden. Ein so hellsichtiger Geist wie der Madeleine Delbrêls, die im Dichtesten einer kommunistischen Vorstadt von Paris arbeiten wollte, hat das untrüglich gewußt:

«Wie einer, der Paris verläßt, um in die Wüste zu gehen, ihr von weitem zulächelt; wie ein Reisender aufatmenden Herzens die langen auf offenem Meer verbrachten Tage erwartet, wie der Mönch mit seinem Blick die Klausurmauer streichelt, so öffnen wir gleich beim Aufstehn unsere Seele den kleinen Einsamkeiten unseres Tagewerks. Denn sie sind nicht weniger groß, erregend und heilig als alle Wüsten der Welt; derselbe Gott bewohnt sie, er, der die heilige Einsamkeit ausmacht. Weil unser Herz das Erwarten verlernt hat, versagen uns die Brunnen der Einsamkeit, die unsere Wanderwege umsäumen, ihr überbordendes lebendiges Wasser. Wir kleben abergläubisch an der Zeit: wo unsere Liebe nach Zeit giert, spottet Gottes Liebe der Stunde; in einem Augenblick kann eine verfügbare Seele von ihm überwältigt werden. ,Ich werde dich in die Einsamkeit führen und dort zu deinem

Herzen reden.' Unsere Einsamkeiten vermitteln uns Gottes Wort deshalb so verworren, weil unser Herz nicht anwesend ist»[6].

Madeleine spricht hier das Programm der *Weltgemeinschaften* («Säkularinstitute») aus, die aus der Einsamkeit Gottes in die vollkommene mitmenschliche Solidarität hinausgehen, ohne einen andern Vorbehalt als den Jesu Christi: «in allem uns gleichgeworden außer der Sünde». Und wenn diese Weltgemeinschaften heute die Avantgarde der Kirche in der modernen Welt bilden, so nur kraft des gelebten Paradoxes, das kein anderes ist als das Paradox der Kirche Christi selbst: im Ursprung und Quellpunkt des Christentums verharrend strömt sie mit diesem Ursprung und Quellpunkt in die Welt hinaus. So wie schließlich Christus, im Willen des Vaters fixiert, die Bewegung dieses Willens bis zum letzten Sünder («dem Geringsten meiner Brüder») mitvollzogen hat. Die Situation der Mitglieder von Weltgemeinschaften ist theologisch gesehen nicht paradoxer als die eines jeden Christen, weil sie nur die Situation der gesamten Kirche zur Veranschaulichung bringt. Und wenn einmal der Kirche die Erlaubnis entzogen würde, kontemplative und andere Klöster zu halten, so wäre, da Weltgemeinschaften, solange es Christen gibt, immer möglich sind, theologisch nichts Unentbehrliches verloren. In ihnen liegt je nur der Ausgangspunkt für ein einsames Wirken «draußen»; Gemeinschaft ist für sie gelegentlicher Sammelpunkt und Rückenstärkung, wie für den gewöhnlichen Christen der Sonntagsgottesdienst, bloß konkreter, durch die Befolgung der evangelischen Räte leibhaftiger. Dennoch wird diese Konkretheit der Gemeinschaft nicht zu einem Getto; sie ist die Bedingung der Möglichkeit für das Wirken des Einzelnen als ein kirchliches, somit der Ort, wo die Kirchlichkeit des einsamen Wirkens je neu geprüft, verifiziert und berichtigt wird.

Das Exemplarische, das in der Gestalt der Weltgemein-

---

[6] Aus: Nous autres gens des rues (Seuil 1966) 84f.

schaften hervortrat, soll die Gestalt der *christlichen Ehe* nicht verdunkeln. Auch sie ist ein bevorzugter Ort, an dem die christliche Einsamkeit sich erproben und wirksam von der trostlosen Vereinsamung vieler modernen Ehen absetzen muß. Die personale Treue der Gatten, wie eine unauflösliche Ehe sie fordert, reift und stählt sich nur in einsamen Entschlüssen, die jeder Gatte zuletzt nur vor Gott finden kann, wo er sein Eheversprechen niedergelegt hat. Das Kreuz Christi und seine Verlassenheit kann dabei oft zur Gestaltwerdung des verborgenen göttlichen Antlitzes werden. Anderseits ist die Tiefe der in einer Ehe durchzustehenden Treue christlich nur von der Verbundenheit beider Mysterien her erhellbar: Trinität und Inkarnation.

6. Wege der Heiligen

Die sichtbare, hierarchische Kirche, deren Glieder die katholischen Christen sind, ist für sie eine oft schwer zu ertragende Mutter. Ihre Mütterlichkeit erscheint oft als ein bloßes überliefertes Wort, das gerade in der Gegenwart jeden hilfreichen Sinn eingebüßt zu haben scheint. Die Taufe hat man ihr nicht persönlich abverlangt, das Brot des Wortes ist in ihrem Laden schlecht, man kauft es anderswo oder backt es selbst, und von da gehen manche dazu über, sich auch das eucharistische Brot anderswoher zu verschaffen. Und was von Rom stammt, kommt einem so antiquiert vor, daß ihm keinerlei väterliche noch mütterliche Eigenschaft anzuhaften scheint.

Hier wird es wirklich Zeit, sich zu erinnern, daß es nicht zwei Kirchen gibt: eine ideale – die Kirche der Heiligen – und eine reale: die eben gekennzeichnete sündige Kirche. Nicht eine unfehlbare und eine fehlbare. Nicht eine unsichtbare, die die wahre katholische wäre und durch alle Konfessionen hindurchginge, und eine sichtbare, die eben doch nur eine von den vielen Spielarten des Christlichen ist. Das letztere zu meinen, ist eine der Folgen eines oberflächlichen Ökumenismus, hinter die bereits viele nicht mehr zurückzugehen gewillt sind, und die doch bloß eine falsche Schlußfolgerung aus bestimmten richtigen Prämissen ist. Dieser Gedanke, der uns so schwer fällt: daß es nicht zwei Kirchen gibt, kann uns dadurch erleichtert werden, daß wir uns erinnern: die reale empirische Kirche war immer und ist auch heute die Kirche der Heiligen. In beiden Bedeutungen des Wortes: sie war und ist die Kirche, für die die Heiligen einstanden und an der sie litten – und die Kirche, die in einem ausgezeichneten Sinn von den Heiligen gebildet wird.

Man weiß: die Spannung war von Anfang an da. Der gleiche Paulus, der eine Gemeinde als die Gemeinschaft der Heiligen anspricht, ihren Glauben, ihren Eifer, ihre Liebe rühmt, kann sie beinah im gleichen Atemzug ob ihrer Unheiligkeit rügen: zu seiner Verwunderung wurde ihm von den Angehörigen der Chloe berichtet, «daß es Spaltungen unter euch gibt» (1 Kor 1, 11), und näherhin «Zwistigkeiten, Reibereien, Händel, Streitigkeiten, Verleumdungen, Ohrenbläsereien, Anmaßungen, Unordnungen» (2 Kor 12, 20); er muß Exkommunikationen vornehmen, die Überheblichkeit der Pneumatiker demütigen, die Rücksichtslosigkeiten der progressiven «Starken» gegenüber ihren schwachen Brüdern tadeln, für die doch Christus ebenso gestorben ist, die skandalöse Trennung von Arm und Reich sogar bei der Feier der Eucharistie brandmarken. Aber am Schluß jedes Briefes faßt er sie alle wieder in die Einheit zusammen: «Es grüßen euch alle Brüder. Grüßt einander in heiligem Kusse, ... meine Liebe gehört euch allen in Christus Jesus» (1 Kor 16, 20 ff.). Oder: «Freut euch, meine Brüder, werdet vollkommen, ermuntert euch gegenseitig, seid einig und friedfertig, dann wird der Gott der Liebe und des Friedens mit euch sein... Die Gnade des Herrn Jesus Christus und die Liebe Gottes und die Gemeinschaft des Heiligen Geistes sei mit euch allen» (2 Kor 13, 11 ff.). Erst die Gnostiker, die Montanisten und Donatisten, schließlich alle Sektierer, nahmen zwei Kirchen an: eine äußerliche, fehlerhafte und die reine und wahre, die ihre.

Für die Kirchenväter war das Paradox der Kirche, die zugleich die makellose Braut Christi, die heilige Mutter Kirche war und jene unvollkommene, an der so viel auszusetzen und zu korrigieren blieb, ein schmerzliches Mysterium, das man doch auf keine Weise umgehen konnte. Origenes etwa, der seine absolute Kirchentreue mit so bewegenden Worten ausgedrückt hat, hat auch die Verrottung des Klerus seiner Zeit beinah unter Tränen beschrieben. Und Augustinus, dessen platonische Herkünfte ihm naheliegten, die Unterscheidung zwischen einer wahren Kirche in der überirdischen wahren Welt und einer «gemischten» in der irdischen Welt der Scheinbarkeit und Irrealität anzusetzen, hat – gerade als Gegner der Donatisten – der Versuchung, den Faden zwischen beiden zu durchschneiden, heldenhaft widerstanden und als Bischof und Heiliger die organische Einheit dieser beiden scheinbar einander so fremden Aspekte vertreten. Er hat nicht einmal der Versuchung nachgegeben, die wahre Kirche als den im Himmel beheimateten, aus Engeln und seligen Menschen bestehenden Gottesstaat und die sündige Kirche als den aus dem Himmel gefallenen, mühsam durch die Zeitlichkeit hindurch seinen Rückweg suchenden Teil der Civitas Dei zu beschreiben; er tut das, was Gnostiker vor ihm getan hatten, nicht, sondern sieht auch die irdische, pilgernde Kirche als eine solche aus Heiligen und Unheiligen an. Wir brauchen auf seine nähern Deutungen des Paradoxes hier nicht einzugehen; wichtig aber ist, daß für ihn der wahrhaft heilige Teil der Kirche, in der sie «Braut ohne Runzel und Makel» ist, aufs engste mit der erlösenden Funktion des Bräutigams Jesus Christus zusammengesehen wird. Wenn ein Sünder durch den Bischof mit der Kirche wiederversöhnt wird (wir würden sagen: wenn in der sakramentalen Beichte eine Absolution erteilt wird), dann ist es die «Columba», die «Eine Taube» des Hohenliedes, die heilige Braut Christi, die mit ihm zusammen verzeiht und in die Einheit der Liebe wieder aufnimmt[7]. Sie ist es deshalb, die die Glieder der un-

[7] Sermo 181, 1–7 (PL 38, 979–983).

teren und äußeren Ringe in den höchsten und innersten Ring empor zu erziehen hat, eine Vorstellung, die schon früheren Vätern geläufig war, ja eigentlich auf Paulus zurückgeht, da ja schon bei ihm im gleichen Organismus die schwachen Glieder in die Obhut der starken gegeben worden waren. Wer intimer am Wesen der heiligen Kirche teilnimmt, dem wird nach Augustin eben dadurch mehr kirchliche Verantwortung für die weiter Abstehenden aufgeladen. Was wir heute «partielle Identifikation» mit der Kirche, mit dem Dogma nennen, wäre für ihn das eindeutige Zeichen christlicher Unvollkommenheit gewesen. Es wäre auch für Origenes ein Symptom dafür gewesen, daß ein Christ noch nicht zu einer «anima ecclesiastica» durchgestaltet ist.

Wir dürfen hier für die gesamte Kirchengeschichte verallgemeinern und sagen: im katholischen Kirchenbereich gilt der Satz: je heiliger ein Christ, desto mehr identifiziert er sein Dasein und Schicksal mit dem Dasein und Schicksal der Kirche. Und zwar so, daß er zugleich weiß: die heilige Kirche gab es immer schon vor mir, ihrer Einheit mit Christus verdanke ich mich als Christ: ihr gehören die Geschenke Gottes: die Taufe, die Eucharistie, die Wiederversöhnung, die Heilige Schrift, die Verkündigung, die Erziehung und Mahnung, die Gemeinschaft der brüderlichen Liebe. Das alles ist mir uneinholbar voraus und ist in der Kirche des Ursprungs auch immer schon Realität, selbst wenn es in den schwächeren Gliedern immer noch unerfüllte oder halberfüllte Forderung ist.

Damit stehen wir angesichts des grundlegenden Gesetzes für alle kirchliche Reform: sie ist immer Reform aus dem Ursprung – und ebendamit *Reform aus der Einsamkeit* und der Heiligkeit. Von Je-Einzelnen, die sich vom Wort Gottes in den Ursprung haben zurücklocken lassen und dort der Forderung standgehalten haben, sind die nachhaltigen, durchgreifenden Reformen der Kirche ausgegangen. Dies heißt nicht die Bedeutung von Reformkonzilien – wie desjenigen von Trient oder des Zweiten Vatikanums – herabsetzen, aber die Programme, die sie aufstellten, wären bloßes Papier geblieben und hätten sich in der Vermittlung von Ordinariaten, Zentralstellen, Synoden usf. in potenziertes Papier verwandelt, wenn nicht Einzelne und Heilige dagewesen wären, sie aus eigener Initiative in Leben umzusetzen. Die immense Wirkung der Gründung Loyolas[8], aber auch das Handeln Neris, Borromäus', Pius' V. und so vieler anderer Heiliger jenes Jahrhunderts haben die Kapitel und Kanones von Trient in gelebte Wirklichkeit verwandelt. Wir Heutigen haben nach der Sphäre der kirchlichen Heiligkeit Ausschau zu halten, die uns noch fehlende herbeizubeten, die geschenkte nicht als eine unseren Vorstellungen unangepaßte abzulehnen, angeblich weil auch die Programme der Heiligen oft durch unzeitgemäße Ideologien getrübt waren und erst durch die kritischen Scheidewasser der Soziologen geklärt werden müssen.

Heilige erhalten Auftrag in die Kirche hinaus aus einer – man darf sagen – überkirchlichen Begegnung mit dem Ursprung, aus dem Kirche entsteht. Wir wiederholen dies nochmals, um daraus abzuleiten, daß die Heiligen keiner andern Kirchen-*Erfahrung* bedürfen als der Erfahrung des Ursprungs, um zu wissen, wie sie Kirche neugestalten sollen. Der Gehorsam gegenüber ihrem einsamen Auftrag ist ihr Vorrat an Erfahrung. In diesem Gehorsam liegt ein Negatives: der Verzicht auf «Eigenliebe, Eigenwillen und Eigennutz» (Exerzitien Nr. 189), und in dieser negativen Erfahrung geben sie Raum für die Weise, wie Gott sich in ihnen positiv erfahrbar machen will. Die heutigen zahlreichen Versuche, Kirche um jeden Preis zu erfahren, indem man die Sphäre des verzichtenden Glaubens überspringt und stattdessen Erfahrung nach psychologischen und soziologischen Methoden (der Gruppendynamik) produziert, wird nie zum gewünschten Ziel

---

[8] Besser überblickbar als je zuvor dank dem Werk von André Ravier S. J., Les Chroniques Saint Ignace de Loyola, Nouvelle Librairie de France 1973; ders., Ignace de Loyole fonde la Compagnie de Jésus, Desclée de Brouwer, Paris (1973).

führen. Das so Erfahrene kann nicht mehr sein als die zusammengekommene Gruppe, die bestenfalls nach einem Gemeinschaftserlebnis ihre Erfahrungen mit andern Gruppen, die ebenfalls etwas erfahren haben, austauschen, aber aus solchen Partikularitäten und Empirismen würde man ohne das Apriori des auf Selbstreflexion verzichtenden Glaubens nie zur Dimension der Catholica gelangen. Diese erscheint in solcher Perspektive immer als die *abstrakte* Organisation, das «System», das «Establishment», die «Institution», der die lebendige organische Gruppe als das Konkretum gegenübersteht: damit ist der theologische Kirchenbegriff an der Wurzel gefälscht. Das gilt auch angesichts der Wahrheit, daß die Catholica sich je in Ortskirchen und in den einzelnen Eucharistiefeiern verwirklicht; aber dies nur dann, wenn die Teilkirchen und Einzelfeiern sich ausdrücklich zur Catholica hin zu übersteigen bereit sind. Wiederum besagt diese auf das Partikuläre verzichtende Transzendenz keine Absolutsetzung des Äußerlich-Organisatorischen an der Weltkirche, als ob dieses das allein oder auch nur hauptsächlich Katholische an der Catholica wäre; da sie eine sichtbare Kirche ist, gehören der organisierte Apparat, die Ordinariate, die römische Kurie mit dem Papst an der Spitze fraglos dazu, so wie zu einem leiblichen Menschen nicht nur die personale Seelenspitze gehört, sondern außer dem Körper auch das Milieu, die Sippe, das Brauchtum, die Überlieferung, ja all das, was als mechanische Voraussetzung für das Funktionieren des Geistigen unentbehrlich ist. Und da das Christentum eine Religion der Inkarnation ist, kann man dieser ganzen Körperlichkeit der Kirche keineswegs den Platz einer bloßen Äußerlichkeit, gar Entfremdung zuweisen; Institution gehört zur Organizität der Kirche wie das Knochengerüst zu einem lebendigen Menschen. Es ist nicht erstarrtes Leben, sondern innere Voraussetzung für differenzierteres Leben. Trotzdem ist diese Organisation nicht das Katholische an der Kirche; dieses liegt zentral in der Kirche als «Braut», als «Columba», als Sphäre der Heiligkeit.

Die Heiligen stiften Kirche. Sie empfangen sie einsam vom Herrn und verbreiten sie als Communio. Exemplarisch bei den Ordensstiftern, doch braucht es keineswegs immer so spektakulär zuzugehen. Es gibt den unscheinbaren Heiligen des Alltags, der ohne Aufsehen durch die Menge schreitet und unter seinem Schreiten ordnen sich die Herzen, wie die Eisenspäne sich nach einem durchziehenden Magneten ausrichten; er selber weiß nicht darum. Auf diese Weise werden – durch Veränderung der Herzen – die Strukturen der Gesellschaft geändert. Durch Veränderung der Strukturen allein werden die Herzen nicht verändert, die Gewalt und der «Imperialismus» nicht überwunden. Es ist gut, daß sich der Papst um den Weltfrieden bemüht, aber auch gut, daß er keine Divisionen hat, um ihn zu erzwingen. Es wäre aber auch christlich naiv zu meinen, der Weltzustand im ganzen, die Verfassung des Alten Äons, sei durch menschliche Anstrengung aus den Angeln zu heben. Klügere Marxisten wissen das wohl und beschränken ihre Bestrebungen auf das Mögliche. Es wird vom Menschen in dieser Welt viel verlangt: zu hoffen wider jede innerweltliche Hoffnung, sich anzustrengen im Kampf mit den Mächten des Kosmos, auch im Erringen von Siegen, im Verschieben der Fronten nicht zu vergessen, daß er vor der Übermacht der Weltmächte zuletzt unterliegen muß. Was dem natürlichen Menschen widersprüchlich scheint, kommt dem kirchlichen Menschen natürlich vor: daß er nur unterliegend siegen wird. Denn er steht ja nicht mehr im Alten Testament, wo man den Philistern etwas abgewinnen konnte, sondern im Neuen, unter dem Gesetz von Kreuz und Auferstehung. Und vom Kreuz Christi her erwächst der Kirche alle Fruchtbarkeit. Für den christlichen Gedanken der Fruchtbarkeit durch Untergang verwendet Augustinus das drastische *Bild vom Dünger*.

Zunächst ist es Sinnbild des Alten Äons im ganzen: unsere Lebenszeit ist «wüste Zeit, sterbliche Zeit, Versuchungszeit. Wüste Zeit: aber das Wüste des Dungs liege auf dem Acker, nicht im Haus. Die Trauer betreffe die Sünde, nicht die betrogene Begierde. Was ist wüster als ein gedüngter Acker? Schöner war der Acker, ehe die Ladung Mist ausgeschüttet wurde: er mußte sie erhalten, um zur Fruchtbarkeit zu gelangen. So ist das Wüste dieser Zeitlichkeit ein Zeichen: uns sei diese Wüstheit Wachszeit zur Frucht[9].» Und nun genauerhin: «Wovon wird denn diese Erde fett, wenn nicht von der Fäulnis des Irdischen? Das wissen die, die den Acker bebauen, und die es nicht tun, weil sie ständig in der Stadt leben, mögen von den der Stadt benachbarten Gärten ersehen, mit welcher Sorgfalt aller verächtliche Auswurf der Stadt hier verwahrt wird, von Leuten, die ihn sogar um Geld erwerben, daß man ihn dorthin trage... Wer würdigt sich, Mist zu betrachten? Was der Mensch zu betrachten verabscheut, das sorgt er zu verwahren. Was schon verbraucht und weggeworfen schien, wandelt sich zurück in Fett der Erde, Fett in Saft, Saft in Wurzel..., verteilt sich durch die Zweige. Sieh, was du in der Fäulnis des Dungs verabscheutest, im Schwellen und Grünen des Baums bewunderst du's![10]». Endlich genauestens zu unserem Thema: «‚Wie Dünger über das Feld hin verstreut, so sind über das Totenreich unsere Gebeine verschleudert' (Ps 140, 7)... Dünger der Erde ist etwas Verächtliches. Aber was den Menschen verächtlich erscheint, befruchtet die Erde. Denn es heißt auch in einem andern Psalm: ‚Die Leichen der Heiligen liegen und es war keiner, der sie begrub' (Ps 78, 3). Alle diese Leichen wurden zum Dünger der Erde. So wie die Erde gewisse Fette aus verächtlichen und weggeworfenen Dingen gewinnt, so gewinnt aus dem, was die Welt verachtet, der Boden ein Fett, daß daraus die Ernten der Kirche üppiger strotzen. Ihr wißt ja, Brüder, das Verächtliche dieser Erde, mit dem man die Erde befettet – ich will es nicht nennen, es schickt sich nicht, davon zu reden –, es ist eine Art Dung, Kot, Abfall. Was aber tut Dieser – um mich nun seiner Worte zu bedienen? ‚Vom Boden hob er den Machtlosen auf

[9] Sermo 265, 4, 5 (PL 38, 1184).
[10] Sermo 361, 11, 11 (PL 39, 1604–1605).

und aus dem Kot erhöhte er den Armen' (Ps 112, 7–8). Hingestreckt nämlich ist er über den Boden, wie Dünger der Erde, zerrissen ist er über die Erde hin: so lag jener Lazarus schwärend da, und wurde doch von Engeln aufgehoben in Abrahams Schoß. ‚Kostbar ist im Angesicht des Herrn die Leiche seiner Heiligen' (Ps 115, 15), so verächtlich er der Welt ist, so kostbar ist der Dung dem Landmann: Wißt ihr nicht, daß ‚Gott das Verächtliche dieser Welt erwählte und das Nichtige, als ob es wäre, um das Seiende abzufertigen' (1 Kor 1, 28)?»[11]

Das Bild ist schließlich nur paulinisch: die ganze Welt wird verglichen mit Jesus Christus als «Mist» erachtet (Phil 3, 8), aber der Apostel selbst von der Welt und wohl auch von der Gemeinde als «der letzte Dreck» angesehen (1 Kor 4, 13). Es klingt bitter («ihr geehrt, wir verachtet!»), gelassen und beschwingt zugleich: steht Paulus nicht so seinem Herrn am nächsten? Und wird sein Verachtetsein so nicht Quell des kirchlichen Lebens? In diesem Zusammenhang nennt er sich Vater (1 Kor 4, 15).

In dieser Situation kann für den Heiligen ein letztes, schwerstes Problem aufbrechen: daß er, dessen «Fühlen mit der Kirche» in Christus vollkommen und vorbildlich ist, gerade darum gegen empirische Kirche, vielleicht auch die hierarchische Kirche, im Namen des Evangeliums Stellung zu nehmen hat. Während im Kirchenvolk von unten (der «Basis») her kontestiert wird, kann es sein, daß der Heilige es von oben (von der «Spitze», die sendungshaft an Christus rührt) tun muß. Er kann das nicht als Einzelner tun, sondern nur als verkörperte Kirche, also zugleich in der Sendung vom Herrn her und im kirchlichen Gehorsam zum Herrn hin, was auch Gehorsam an die von ihm gestiftete und durchlebte Kirche ist. Er muß zugleich gehorchen und widerstehen. Das ist eine Situation, die nicht mit weltlicher Politik, sondern nur mit der Geduld des Evangeliums duchgetragen werden kann und

---

[11] Enarr. in Ps 140, c 21, n 37 (PL 37, 1829–1830).

von vielen Heiligen durchgetragen worden ist. Sie verurteilt sie zu einer Immobilität, die wie engste Einkerkerung ist, da sie von ihrer Sendung her nicht zurück, aber im kirchlichen Gehorsam nicht voran dürfen. Sie werden von den sich drehenden Mühlenrädern der Kirchenleitung zermahlen, um das «reine Brot» zu ergeben, das Ignatius von Antiochien durch die Zähne der wilden Tiere zu werden hoffte. Viele können, wenn sie einen Auftrag haben, nicht stillhalten, sondern wollen ihn um jeden Preis selber durchtragen. So manche Führer der mittelalterlichen Armutsbewegungen vor Franziskus. Dieser wußte stillzuhalten, es blieb ihm auch gar nichts anderes übrig, als er sein eigenes Werk durch die Schuld seiner Leute in die Brüche gehen sah. Inigo, der sich nach dem Antiochener Ignatius nannte, starb unter einem Papst, Paul IV., der seine ganze Idee aufzuheben, seine Gesellschaft ins alte Mönchtum zurückzuverwandeln vorhatte. In dieser Nacht mußte sein Leben untergehen. Den Segen des Papstes, den der Sterbende flehentlich erbat, erhielt er wegen Nachlässigkeit der Seinen nicht mehr. Jesus ist an Israel gestorben, warum sollte der Heilige nicht an der Kirche sterben? Petrus erhält sein Vermögen, den Herrn «mehr zu lieben als diese» (Joh 21, 15) von der Columba, von Maria-Johannes. Warum sollte Johannes, da er sein Privileg abgab, nicht von dem Ehrgeizigen, der ihn «mit bösen Reden verdächtigt», sogar seine Anhänger «aus der Kirche ausschließt», an den Rand gedrängt werden? (3 Joh 10). Genug, daß ihm die Verheißung wurde, er werde «bleiben», auch über seinen eigenen Tod hinaus.

287

JENSEITS VON KONTEMPLATION
UND AKTION?

Die Frage, ob es christlich ein Jenseits von Kontemplation und Aktion gibt, wird heute oft gestellt. Wir können sie bejahen, vorausgesetzt, daß man weiß, was Kontemplation und was Aktion christlich bedeuten; dann sehen wir beide zu einer geheimnisvollen Einheit verschmelzen, in der die Einzelglieder sich auflösen. Dagegen müßte man die Existenz eines Jenseits energisch verneinen, wenn man dabei eines der Glieder als überholt hinter sich lassen wollte, und dieses eine wird natürlich – in unserer aus lauter Aktion bestehenden Welt – die Kontemplation sein. Von ihr müssen wir deshalb ausgehen, um dann zu sehen, wie sie sich mit der Aktion verträgt, wie sie sogar die Aktion innerlich in sich hegt. Es geht im ersten Abschnitt nur darum, ein paar elementare Dinge in Erinnerung zu rufen, die jeder Christ wissen müßte, aber viele vergessen zu haben scheinen.

Vom Sinn christlicher Kontemplation

Es ist müßig, über Worte zu streiten. Wir können ohne weiteres zugeben, daß der Ursprung des Wortes Kontemplation nicht semitisch, sondern griechisch ist, und daß es die Neigung der hellenischen Seele ausdrückt, durch die vergängliche Erscheinungswelt das unvergängliche Wesen der Dinge zu betrachten. Man wird sich aber hüten, dieses Hindurchschauen auf das Wesen (die Idee) einseitig mit einem dualistischen Weltbild zusammenzubringen; wenn Platon die beiden Aspekte der Wirklichkeit unterschied, so hat doch niemand stärker als er auch ihre Einheit gesehen (man denke an seinen

«Staat» und dessen großartig aktive Haltung), und die gleiche kontemplative Neigung wie bei den Platonikern findet sich bei den Aristotelikern und Stoikern, die niemand eines Dualismus in ihrer Weltschau zeihen kann. Derselbe das Wesen aus den Erscheinungen erschauende Blick hat immer wieder größte Gestalter der Geistesgeschichte ausgezeichnet, Goethe zum Beispiel, der ebenfalls jedem Dualismus von «Kern und Schale» feind war, und die jüdischen Denker Philo, Spinoza und Husserl, den Begründer der Phänomenologie.

Ja, es steht von vornherein zu erwarten, daß die Sache[1] «Kontemplation» im alttestamentlichen Raum noch tiefer beheimatet sein muß als im griechischen. Denn wo Gottes souverän personale Freiheit am Anfang aller Dinge steht, wo also der Schöpfung eine letzte Nichtnotwendigkeit eignet und sie in der «Allheit» (Sir 43, 27) Gottes einen kaum verstehbaren Raum einnimmt (als «Tropfen am Eimer»), da wird der geistige Grundakt der Kreatur zu einem reinen Empfang ihrer selbst, in der tiefsten Verwunderung darüber, daß sie ist, daß unfaßlicherweise Gott sich gewürdigt hat, sie existieren zu lassen. Von diesem Akt hat der kontemplative Grieche keine Ahnung; für Platon existieren die Seelen ja von Ewigkeit her und in Ewigkeit hin. Und der angebliche Dualismus zwischen Wesen und Schein hebt sich (im «Timaios» und in den «Gesetzen») auf in einen Monismus, in dem Götter und Menschen einen einzigen harmonischen Reigen zusammen tanzen. Der biblische Mensch dagegen darf es keinen Augenblick als selbstverständlich, als (endgültig) «gegeben» ansehen, daß er existiert, und noch viel weniger, daß der ewige personale Gott ihn frei anspricht. Wenn die Propheten mit ihrem ständigen «Höre Israel» gegen die «Wortvergessenheit» des Volkes ankämpfen, so widersprechen sie einer Haltung, die schon Bescheid zu wissen meint, wo immer neu vom Ursprung Bescheid erwartet werden müßte. Alles, was

---

[1] Nicht der Terminus. Dazu vgl. «Das betrachtende Gebet», 1955.

Israel ohne Konsultation Jahwes auf eigene Faust unternimmt, ist immer falsch, weil «eure Gedanken nicht meine Gedanken sind, und meine Wege nicht eure Wege, Spruch Jahwes» (Is 55, 8). Es gibt handgreifliche Mittel, sich des Denkens und Willens Gottes zu versichern: den Gang zum Propheten, die Befragung des Orakels, aber auch geistigere: die «Betrachtung bei Tag und bei Nacht des Gesetzes Gottes», um, an «Gottes Bäche gepflanzt», in der Praxis die rechten Früchte zu tragen (Ps 1, 2ff.; vgl. Ps 63, 7; 77, 13; 119; 143, 5). Das Wort Gottes ist es, – und das ist immer auch seine Tat, sein großes und gnädiges Wirken für das Volk – das der Glaubende sich immerfort «vor Augen hält», «vergegenwärtigt», um handelnd in Gottes Wegen zu verharren.

Im Übergang zum Neuen Bund fallen die äußerlichen Mittel, sich des göttlichen Wortes zu versichern, dahin, denn nun lebt Gottes Wort («quem vos nescitis» Joh 1, 26) in seinem Inbegriff unter uns, und dieses Wort erfüllt die alte Verheißung: es gießt uns den Geist Gottes in die Herzen. Durch beides vollendet sich das Verhalten des Menschen zum sich offenbarenden und an sich Anteil gebenden Gott. War im Alten Bund dieser Gott als eine freie, für sich seiende Person kundgeworden, so waren doch Wesen Gottes und Wesen der Kreatur streng getrennt geblieben: hier «alles Fleisch ist Heu», dort: «Gottes Wort bleibt in Ewigkeit». Jetzt ist Gottes Wort Fleisch geworden, und das Unbegreifliche – wirklich von keiner Theologie auch nur annähernd Verstehbare – geschieht, daß wir «teilhaft werden der göttlichen Natur» (2 Petr 1, 4), eines Wesens also, das in keiner Weise unser ist, in dessen Intimität wir aber durch den eucharistisch sich verteilenden Sohn und den uns verliehenen göttlichen Geist eingeführt werden. Nicht nur wird uns «etwas», ein gedanklicher Inhalt von Gott her kund, den wir zu unserem Wissensschatz hinzufügen können; Gott ist sowohl das absolute Sein wie die absolute Personalität, er ist beides zugleich als die absolute dreieinige Liebe, die uns in der Hingabe des Sohnes zugänglich wird, wenn wir uns seinshaft und personal zu-

gleich «hinüberversetzen» (Kol 1, 13) lassen: Welch ein Um-
lernen, welch ein tägliches, stündliches Sich-Umgewöhnen
aus der Sphäre der reinen Kreatürlichkeit in die der Gesin-
nungen Gottes! Glauben, Hoffen, Lieben: das ist der in unser
Bewußtsein auftauchende Abklang des in uns wesenden Gott-
lebens; an uns, diesen reinen Widerhall zunehmen zu lassen,
bis er zum dominierenden Motiv unseres Lebens geworden
ist. Aber solches Wachstum kann nicht so erfolgen, daß wir
etwa bloß die praktischen Konsequenzen aus etwas zögen,
was wir theoretisch schon wissen, sondern so, daß wir der
lebendigen Praxis Gottes (von der keine Theorie einen hinreichenden «Begriff» vermitteln kann) in uns Raum gewähren. Dies als ein Sich-einführen-Lassen – wie das eines Gastes,
dem seine neuen Räume gezeigt werden –, ein Gesagt- (und
zugleich Geschenkt-)bekommen und ein Sich-Einprägen, um
im Neuen so bald wie möglich daheim zu sein. Ist diese Haltung kontemplativ oder aktiv? Die Frage wird verwirrender,
wenn wir – um beim Gleichnis zu bleiben – nicht von irgendeinem freundlichen Gastgeber, sondern von der ewigen Liebe
geladen sind, die uns in ihren Gaben nicht irgend etwas «Liebes» erweist, sondern das Wesen von Liebe überhaupt offenbart, um deretwillen auch alle endlichen Personen und Dinge
liebenswert sein können, und die – weil sie selbst dreieinige
Personalität ist – nicht als ein im Hintergrund stehendes, in-
transitives, alles nur indirekt beleuchtendes Prinzip fungiert,
sondern transitiv und thematisch in ihren Gaben geliebt werden muß. Gewiß ladet uns die immer schenkende und somit
tätige Liebe zu einem Mitschenken ein; aber dies lernen wir
nur, wenn wir die sich schenkende Liebe lieben, und dazu
bedarf es einer nie überholbaren Haltung des Empfangs, des
Seinlassens, der Kontemplation. Hätten wir das Leben nur
im farbigen Abglanz, so möchte solche Kontemplation unmöglich und müßig sein; aber christlich sehen wir im Strahl
(dem menschgewordenen Sohn) wirklich die Sonne selbst:
«Wer mich sieht, sieht den Vater.» Und das Sehvermögen ist
das göttliche Leben in uns, der Heilige Geist.

Gottes Wort ist in die Welt gesandt, um in ihr tätig zu sein, aber es trennt sich nie vom Sendenden, um etwa selbsttätig, ohne den Vater, einen ein für allemal erhaltenen und verstandenen Auftrag auszuführen. Joh 5, 19f. zeigt uns, daß der Sohn nichts aus sich selber tun kann, sondern nur das zu wirken vermag, was er den Vater tun sieht. Dieses kontemplative Sehen des Tuns des Vaters ist die Wurzel des Mittuns des Sohnes: was der Vater tut, das tut gleicherweise auch der Sohn. Es sind nicht zwei Taten, sondern eine einzige: der Vater handelt im Sohn. Die Begründung dafür wird nicht vorenthalten: denn der Vater liebt den Sohn und zeigt ihm alles, was er tut. Das Offenbaren der Tat des Vaters an den kontemplativen Sohn ist Liebe – diese vor allem betrachtet der Sohn im dargebotenen Inhalt – und das Gezeigte schauend wird er in die gleiche identische Tat einbezogen. Der Sohn betrachtet also keinen in sich seligen, ruhenden, untätigen Gott, keine platonische Idee, kein aristotelisches «Sich-denken des Denkens», sondern einen Vater, der seine Liebe durch Handeln offenbart. Er ist es ja, der die Welt sosehr liebt, daß er den Sohn dahingibt. Der Sohn kontempliert diese Liebe des Vaters, indem er sich ins Hingegebensein verfügt weiß und es mittätig ratifiziert. Was der Sohn sieht, ist die immerwährende Einladung des Vaters, sich mit ihm zusammen für die Welt bis zum Äußersten einzusetzen. Was der Sohn im verborgenen, im öffentlichen Leben und im Leiden tut, ist Frucht dieser ursprünglichen Schau.

Für uns folgt daraus unmittelbar[2], daß wir in der glaubenden Schau des Heilswirkens Gottes in Christus in das Mitwirken eingeladen werden, daß aber auch wir aus uns selber nichts tun können, sondern hinschauen müssen auf das Gezeigte, um nicht eigene eitle Pläne ins Werk zu setzen, sondern einzustimmen in das Tun Gottes. Christliche Kontem-

[2] Vgl. dazu: «In Gottes Einsatz leben». Einsiedeln 1971.

plation begegnet der Liebe Gottes nicht anders als in deren Einsatz für die Welt; aber dieser Einsatz ist kein beliebiger (man würde heute sagen «kategorialer»), sondern die Tat der absoluten («transzendentalen») Liebe Gottes selbst; wer in diesem Einsatz nicht den ewigen Urgrund der Liebe selbst aufscheinen sähe, der nicht nur um seines Wirkens willen, sondern an und für sich selbst liebenswert ist, der hätte keinen christlichen Blick auf Gott hin getan. Er hätte vielmehr die selbstzweckliche Liebe in das Innerweltliche hinein verzweckt, und diese Umkehrung der Ordnung – Gott um der Welt willen da – rächt sich sehr bald durch vollkommenen Atheismus.

Aber weiß denn der Glaube nicht soweit Bescheid, daß er sich nicht dauernd an die Rockschöße des Wortes klammern muß, sondern mündig in selbstverantwortliches Tun entlassen werden kann? Diese Alternative ist, wie das Beispiel Jesu gezeigt hat, falsch. Es gibt christlich kein vergangenes Gehörthaben des Wortes, das sich nicht in gegenwärtigem Hören fortsetzen müßte. Es ist nicht wie bei der Predigt am Sonntag: man hat vernommen, vielleicht beherzigt, und kann am Werktag die Konsequenzen daraus ziehen. Denn wir handeln nicht neben oder außerhalb Christus, sondern als seine Glieder, vom Haupt her bewegt. Es gibt ein unbetontes, unmerkliches Zeichen des Einverstandenseins im Glied, das dem Wink des Hauptes gehorcht. Wenn das Glied, wie beim Christen, eine menschliche Person ist, wird dieses Einverständnis zu einem personalen Akt, der, aktuell erweckt oder habituell mitgehend, im Fundament alles christlichen Handelns eingemauert werden muß. Es gibt bei den Söhnen Gottes ein «Getriebenwerden» vom Geist des Vaters (Röm 8, 14). Ein solches meint natürlich keine tatenlose Passivität, wohl aber eine Verfügbarkeit, so offen, daß sie jedem, auch dem unerwartetsten Wink gehorcht. Das Wort, das Gott uns als Weisung für unser Handeln zuspricht und das Jesus Christus heißt, muß immer zuerst erlitten werden, bevor sich sein Einsatz in den unsern verwandeln kann. «Pati Deum», sagten die Griechen, wenn es um unmittelbare Gotteserfahrung ging; «Pati Verbum» können die Christen sagen, wenn sie den Schoß ihres Geistes öffnen, um den «Samen Gottes» (1 Joh 3, 9) in sich zu empfangen. Maria bleibt hier Paradigma: aktiv-passive Bereitschaft zum *ganzen* Wort, nicht ahnend, wie es sich in ihr, mit ihr zusammen, artikulieren wird.

Das Leiden des Wortes als entscheidende Tat

Christlich fruchtbar ist unser Wirken, sofern es aus dem Prinzip des göttlichen wirkenden Wortes stammt. «Ich wirke, doch nicht ich, Christus wirkt in mir», läßt Pauli Ausspruch sich sinngemäß entfalten. Innerweltliche Aktion ist immer endlich, auch die äußern Taten Christi waren es. Aber diese Endlichkeit wird überstiegen vom wirkenden Urgrund her. Gott setzt sich nicht endlich und bedingt, sondern unbedingt für die Welt ein. Und zwar auch schon in den endlichen Taten während des Lebens Jesu. Ein Blinder wird geheilt: wenig genug verglichen mit der unzähligen Menge der verbleibenden Blinden. Aber im Einsatz Gottes sind sie alle gemeint und erreicht. In dem, was nicht viel mehr ist als ein Gleichnis, ist die Wahrheit gegenwärtig. Wie ist das möglich? Dadurch, daß die Bereitschaft Jesu, sich nach dem Willen des Vaters einzusetzen, ebenso grenzenlos ist wie dieser Wille selbst. Das ist die einzig mögliche Art, wie eine machtlose Kreatur dem göttlichen Einsatz koextensiv werden kann. Und der Vater sprengt die Endlichkeit jeder möglichen weltlichen Aktion dadurch, daß er den Sohn in die Passion führt: hier wird durch Gott in ihm gekonnt, was der bloße Mensch nicht kann: die Blindheit aller Sünder wird ihm aufgeladen, damit sie sehend werden. Das Kreuz ist, als Leiden, die wirksamste Tat, die dort noch kann, wo menschliches Wirken – das liebevollste! – nichts mehr ausrichtet, vielmehr gesteigerte Verstockung bis zum «Hinweg mit ihm!» auslöst. Die Möglichkeit aber, daß Aktion sich in der Passion vollenden kann, liegt darin, daß die alle christliche Aktion fundierende Kontemplation (als Bereitschaft zum ganzen Willen Gottes) deren Grenzen aufsprengt und den ganzen Raum der Aktion mit ihrer Aufnahmebereitschaft für das Handeln Gottes ausfüllt. Diese ist ja immer größer als die sichtbare weltliche Tat, und dieses Größere, falls es vorhanden ist, macht sie zur christlichen Tat. Die Bereitschaft aber (die Ignatius «indiferencia» nennt) war die höchste ethisch-religiöse Leistung des Menschen: aktive Bereitung des Geistes, des ganzen Menschen, zum Nichtwiderstand gegen Gott. Wo diese Bereitschaft erreicht ist, kann Gott, wenn er will, den Menschen über dessen menschliches Können hinaus mit seiner Tat belasten. Dann leistet der Mensch buchstäblich mehr, als er kann. Vom Mehr der kontemplativen Bereitschaft geht eine Luftlinie – über alle Berge und Täler innerweltlicher Aktion hinweg – zur christlichen Passion: in ihr realisiert sich voll das in der Bereitschaft liegende aktive und fruchtbare Moment.

Von hier aus verstehen wir, weshalb jene Teilnahme am Kreuz, die man von Johannes vom Kreuz her «dunkle Nacht des Geistes» nennt, vornehmlich rein kontemplativen Berufungen vorbehalten ist. Gott nimmt jene, die er tiefer in die Kreuzesnachfolge einführen will, aus den Zerstreuungen und Vorwänden der weltlichen Aktion hinaus, um sie sich gleichsam als reines Bereitschaftsmaterial für die Form der Passion aufzusparen. Aber es geht nicht bloß um die Erfahrung der dunklen Nacht, die ja relativ selten ist, wenn auch allen kontemplativen Berufungen vielfache Verdunkelungen zuteil werden. Es geht auch, in der kontemplativen Berufung, um ein immer reineres Herausarbeiten der totalen Bereitschaft zu Gott, in der wir das eigentliche Prinzip christlicher Fruchtbarkeit erkannten: einer brennenden Bereitschaft, für das Heil und die Erlösung der Welt verwendet und verbraucht zu werden, einer Bereitschaft, die sich notwendig als personales Angebot, als Gebet der Hingabe ausdrücken wird. Therese von Lisieux hat erkannt, daß dieses Gebet, wenn es echter Ausdruck einer unbegrenzten Bereitschaft ist, sich «im

Herzen der Kirche» ereignet, angeschlossen an die unendliche Fruchtbarkeit und Wirkkräftigkeit des marianischen Jaworts. Und daß dieses Gebet, als innerstes Schwungrad, aller äußern Aktion der Kirche ihre unbedingte Fruchtbarkeit verleiht. Es geht nicht an, an dieser Erkenntnis Thereses irgendwelche Abstriche zu machen. Diese betende Bereitschaft ist potentielles und sehr oft in irgendeinem Maße aktuelles Kreuz und damit das ernsteste «Engagement» der Kirche für die Welt.

Es ist keine Rede davon, daß dieser Einsatz von den weltlich wirksamen Einsätzen, wie die «leiblichen Werke der Barmherzigkeit» sie fordern, dispensiert. Therese hat in der Enge ihres Klosters jede Gelegenheit wahrgenommen, tätige Nächstenliebe zu üben, gemäß der Lehre ihres «Kleinen Weges» (natürlich muß auch im kontemplativen Kloster für menschliche Aktion ein Raum sein). Und die Christen in der Welt haben darüber nachzusinnen, auf welche Art sie ihr Leben am wirksamsten für die Mitmenschen engagieren können. Aber sie fühlen, falls sie lebendig sind, daß ihnen etwas Entscheidendes fehlt, wenn nicht unter dem wirren Weltgeräusch der tragende Orgelpunkt sich durchhält, der, wie die Erfahrung lehrt, immer neu – in Gebet und erneuerter Bereitschaft zu Gott – ausdrücklich angeschlagen werden muß, wofür man vielleicht öfter eine «kontemplative Pause» in die Aktion einlegen muß.

So greifen Aktion und Kontemplation vielfältig unlöslich ineinander. Christlich nicht zwei adäquat voneinander trennbare Momente, weil die horchende, empfangende, offene Bereitschaft der Grund aller Aktion ist, und diese sich selbst muß übersteigen wollen in ein tieferes Leisten, das – als Passion – Gottes Handeln im überforderten Menschen ist. Christliches Leben ist insofern immer schon jenseits von beiden Momenten, die sich eben nicht äußerlich ergänzen, sondern innerlich durchdringen.

Wer die Kirche nur soziologisch versteht, kann diese Durchdringung nicht begreifen; und er wird deshalb dazu neigen, das christliche Tun nach weltlichen Ergebnissen zu messen. Aber eine solche Kirche ist nicht der Leib Christi. Kirche ist exemplarisch grundgelegt in der Kammer von Nazareth, wo das Jawort der Jungfrau reine Verfügbarkeit (Kontemplation) zu größter Wirkung (Aktion) hin war – und für immer bleibt.

ZUR ORTSBESTIMMUNG
CHRISTLICHER MYSTIK

1. Vorblick auf die Bibel

Jeder, der über dieses Thema einigermaßen Bescheid weiß, kann bestätigen, daß man mit ihm einen Irrgarten, gar ein Minenfeld betritt: das Nebeneinander der beiden Worte «christlich» und «Mystik» löst eine wohl nie abschließbare Diskussion aus. Schon dadurch, daß das eine als Adjektiv, das andere als Substantiv gebraucht wird, wird anscheinend nahegelegt, daß man sich im allgemeinen einen Begriff davon gebildet hat, was Mystik ist, und daß man «christliche Mystik» als eine Ab- oder Unterart dieses Allgemeinbegriffs ansieht. Man erkennt sogleich die Konsequenzen: Phänomene des subjektiven christlichen Lebens, die man als höchstwertige anzusehen gewohnt ist, fallen dann automatisch in den Kompetenzbereich der allgemeinen Religionswissenschaft, und die Besonderheit und Einmaligkeit des Christlichen wird, wenn es gut geht, auf seinen objektiven Bereich, Dogma und Institution, eingeschränkt.

Wir wollen – um solche Sprünge zu Konklusionen zu vermeiden – langsam vorgehen. Eine erste Feststellung: das Wort «Mystik», «mystisch» ist in der Bibel nicht gebräuchlich; im Neuen Testament kommt es gar nicht vor. Im Alten verwendet einzig das im Stil hellenisierende Weisheitsbuch einmal das Wort «mystēs» (12, 6), um – mit der Sprache der spätern Mysterienreligionen – die verabscheuungswürdigen Kultgebräuche der Kanaaniter zu geißeln, «dieser grausamen Kindsmörder, Eingeweideverzehrer bei Gastmählern mit Menschenfleisch, dieser Eingeweihten (mystas) im Laufe blutiger Orgien». Ein andermal (8, 4), von der göttlichen Weisheit redend, die Gottes Beisitzerin und die «Wirkerin des Alls» ist, nennt es sie «eingeweiht (mystis) in das Wissen Gottes». Beide Stellen sind ohne literarischen Einfluß auf die Tradition geblieben. Dagegen wird in dieser das Adjektiv «mystikós» geläufig verwendet, um etwas zu bezeichnen, was mit dem «Mysterion» zusammenhängt. Dieses Substantiv kommt schon in der Septuaginta (vgl. Th. W. IV 809 ff.) zuweilen vor, um ein menschliches «Geheimnis» auszudrücken: so die Geheimpläne des Königs (Tob 12, 7.11; Judt 2, 2), Kriegsgeheimnisse (2 Makk 13, 21), Geheimnisse eines Freundes (Sir 22, 22; 27, 16f.21), die es alle nicht auszuplaudern gilt. Zum erstenmal bei Daniel erhält das Wort den Sinn eines «eschatologischen Geheimnisses, d. h. einer verhüllten Ankündigung der von Gott bestimmten, zukünftigen Geschehnisse, deren Enthüllung und Deutung allein Gott und den von seinem Geist Inspirierten vorbehalten ist» (vgl. Dan 2, 28.29.47). Dieser Sinn wird in der apokalyptischen Literatur verallgemeinert; aber an den zentralen Stellen des Neuen Testaments, bei Paulus, präzisiert er sich auf das Christusmysterium, das von Gott dem Vater vor Grundlegung der Welt vorausbestimmt, vor den Äonen verborgen gehalten, jetzt am Ende der Zeiten der Kirche durch den Apostel kundgetan worden ist (vorab 1 Kor 2, 6–16; Eph 3; Kol 1), wobei der Verborgenheitscharakter durch die Offenbarung (apokalypsis) nicht einfach aufgehoben wird: das Verborgene ist als solches offenbar, den Ungläubigen, Verblendeten, denen «die Augen des Glaubens» fehlen, bleibt es auch als Offenbares unsichtbar; es bedarf einer besonderen, glaubenden, demütigen, anbetenden Haltung, um in «den Reichtum der Herrlichkeit» Gottes einzudringen, «mit allen Heiligen die Breite und Länge, Höhe und Tiefe zu erfassen und die Liebe Christi zu erkennen, die alle Erkenntnis übersteigt» (Eph 3, 16.18 f.). Es muß einem von Gott gegeben sein, dem objektiv offenbarten Mysterium subjektiv irgendwie, stufenweise, zu entsprechen; dies sagt auch der einzige Satz bei den Synoptikern, in welchem das Wort vorkommt: «Euch ist es gegeben,

die Mysterien des Reiches der Himmel zu erkennen» (Mt 13,
11; vgl. Lk 8, 10; Mk 4, 11). Man sieht sogleich, daß das hier
gemeinte Gnadengeschenk der von Gott verliehene lebendige
Glaube ist, der jedem Getauften und im Glaubensleben eifrig
strebenden Christen zuteil wird. Und was dann innerhalb
dieser allgemein christlichen Haltung des rechten Empfangs
des objektiven Mysteriums etwa noch weiter zu differenzieren
ist – zum Beispiel die Dinge, die Paulus unter dem Titel
«Charismen» abhandelt (zumal Charismen bestimmter Art,
wie «Zungenreden», «Prophetie» und dgl.) oder auch die
Phänomene, die er mit großer Zurückhaltung über sich selber
aussagt, etwa «Entrückung in den dritten Himmel» (2 Kor
12, 4) – gehört zunächst in die umfassende Klammer hinein.
Man wird dasselbe für den Bereich des johanneischen Schrifttums feststellen dürfen: sowohl was die lebendige Glaubens-
schau des Christusmysteriums angeht – hierher dürfte ein
Wort gehören wie Joh 1, 51: «Ihr (!) werdet den Himmel offen
und die Engel Gottes über dem Menschensohn auf- und nie-
dersteigen sehen») – wie was das Wort der Apokalypse über
den Entrückungszustand ausdrückt (Apk 1, 10). In keine dieser beiden Formen läßt sich die Taborvision der drei erwählten Jünger einordnen, und diese steht ihrerseits nicht so ver-
einzelt, daß sie keine Analogie besäße an der Schau der zahlreichen Wunder des Herrn, wie sie allen Jüngern und auch
dem Volk zuteil wird, Wunder, in denen er nach dem johanneischen Wort «seine Herrlichkeit offenbart – und seine Jünger
glaubten an ihn» (Joh 2, 11). Auf der Koordinate Offenba-
rung-Glaube liegt im Neuen Testament der ganze Ton; die
subjektiven Formen, in denen der entgegennehmende Glaube
auftreten kann, werden zwar einigermaßen unterschieden,
aber ohne daß ein Wertakzent darauf gelegt oder ein psycho-
logisches Interesse daran bekundet wird.

Wenn bei den Kirchenvätern und im Mittelalter das Adjektiv «mystikós, mysticus» sehr häufig vorkommen wird,
so stets in direkter Abhängigkeit vom Substantiv «Mysterion»
im objektiven umfassenden Sinn der in Christus veranstalte-

ten, geoffenbarten und in der Kirche Christi durchgeführten
Heilsökonomie. In der gläubigen Schriftexegese, wie sie
klassisch von Origenes ausgebaut wird, gilt es durch den vordergründigen, jedem Ungläubigen zugänglichen (Litteral-)
Sinn durchzudringen in jene Dimension, in der sich das Christusmysterium (das auch das der Kirche als seines Leibes, und
der Christen als Gliedern seines Leibes ist) offenbart: in dem
«mysterienhaften», «mystischen» Sinn, der auch der «pneumatische» bzw. spirituelle genannt werden kann, weil er sich
objektiv-subjektiv im Heiligen Geist erschließt, oder der «al-
legorische», weil sich in ihm der Überschritt vom alten, buchstäblichen, zum neuen, pneumatischen (oder christologischen)
Sinn vollzieht[1]. Daß sich dann auch die Liturgie in besonderer
Weise des Wortes bemächtigt und das Adjektiv «mysticus»
in einer wahren Inflation für alles in Beschlag genommen hat,
was irgendwie mit dem Sakrament des Altares zusammen-
hing[2], braucht uns hier nur insofern zu beschäftigen, als es
einmal mehr – und noch stärker – den objektivistischen Sinn
dieses Beiwortes, seine bleibende Abhängigkeit vom Mysterium offenbart, das in der Eucharistie seine besondere Aktualität für Kirche und christliches Leben behält.

Dies mag genügen, um das (in der Schrift nicht bezeugte)
Wort «Mystik», was die Bedeutung, die es im christlichen
Raum annehmen konnte, angeht, von vornherein von allem
zu distanzieren, was es im Raum der allgemeinen Religionspsychologie (bzw. Religionsgeschichte, Religionsphilosophie)
an Sinn mitzutragen pflegt.

---

[1] Zum Ganzen: Henri de Lubac, Geist aus der Geschichte. Das
Schriftverständnis des Origenes (Johannes Verlag, Einsiedeln 1968)
129 ff., 169–232, 234: Jesus redet «mystisch», die Ereignisse des Evangeliums haben «eine mystische Tragweite» usf. 245–257: Das christliche
Mysterium.

[2] Henri de Lubac, Corpus Mysticum, Eucharistie und Kirche im
Mittelalter (Johannes Verlag, Einsiedeln 1969) 69 ff.

2. Mögliche Formen des Verhältnisses zwischen Mystik-überhaupt und christlicher Mystik

Mag der Sinn, den die Religionspsychologie mit dem Wort «Mystik» verbindet, auch ein ziemlich weitgestreuter sein, so liegt in ihr der Akzent doch deutlich auf dem Subjektiven: mystisch ist – nach einer häufig, auch im christlichen Bereich, verwendeten Definition – eine cognitio Dei (bzw. Divini) experimentalis, ein nicht nur notionelles, sondern existentielles Erfahren des Göttlichen. Akzeptiert man einmal diese Definition als heuristische Basis, so kann sie uns dazu dienen, die möglichen Einstellungen christlichen theologischen Denkens einer solchen – nunmehr als allgemeines religionsgeschichtliches Phänomen angesetzten – Möglichkeit des Erfahrens von Göttlichem zu beschreiben. Und wir dürfen dabei den Begriff christlicher Theologie sogar ziemlich eng fassen, nämlich so, daß sie bereit ist, an der Einzigartigkeit der christlichen (und überhaupt biblischen) Offenbarung gegenüber den Offenbarungsansprüchen anderer Religionen festzuhalten. Auch unter dieser Voraussetzung lassen sich drei Formen der Einstellung unterscheiden.

1. Die Phänomene christlicher und außerchristlicher Mystik sind wenigstens auf weite Strecken hin vergleichbar. Nicht nur äußere Phänomene wie Entrückung aus der normalen Sinneswahrnehmung, Levitation, Lichtausstrahlung und dgl.[3], sondern auch innere Erfahrungen, Formen der Bewußtseinserweiterung, der Kardiognosie, des Berührens einer (anscheinend oder wirklich) göttlichen Sphäre werden mit gleichen oder analogen Worten beschrieben. So ließe sich annehmen, daß mystische Erfahrungen auch dann, wenn man an der Besonderheit christlicher Offenbarung festhält, als Erfahrungen gleichartig sind, daß insofern christliche Mystik unter

---

[3] Herbert Thurston S. J., Die körperlichen Begleiterscheinungen der Mystik (Räber, Luzern 1956).

einen religionswissenschaftlichen Allgemeinbegriff von Mystik subsumiert werden kann.

2. Demgegenüber steht die These, daß christliche und außerchristliche Mystik unvergleichbar sind. Diese These kann in zwei Varianten auftreten, deren erste behauptet, *nur* christliche Mystik sei echte Mystik, deren zweite hingegen aufstellt: Mystik habe mit christlicher Erfahrung nichts zu tun. Beide Stellungnahmen sind die zwei Seiten der gleichen Medaille. Alois Mager[4] gelangt aufgrund einer Opposition zwischen (antiker) Theorie (die nur zu «dürren, seelenlosen Spekulationen» gelangt) und (christlicher) Liebe (die sich von dem nahenden Gott ergreifen lasse) zu einer Unterscheidung von Seelenzuständen, die durch Technik und eigene Anstrengung, und solchen, die nur durch die entgegenkommende Gnade Gottes hervorgebracht werden können: den letztern sei die Bezeichnung Mystik im wahren Sinn vorzubehalten. Im entgegengesetzten Sinn entscheidet sich Friedrich Heiler[5] dafür, «Mystik» für den nichtchristlichen Bereich aufzusparen, während den christlichen das Prinzip der «Prophetie» beherrsche. In dieser Richtung sind die Vertreter der dialektischen Theologie weitergeschritten, am entschiedensten Emil Brunner in seinem harten Buch «Die Mystik und das Wort»[6] (das Karl Barth in «Zwischen den Zeiten» ziemlich kritisch rezensiert hat), aber auch Barth selbst, der noch in KD I/2 einen Abschnitt über «Mystik und Atheismus» geschrieben hat[7].

---

[4] Mystik als Lehre und Leben (Innsbruck 1934); Mystik als seelische Wirklichkeit (Graz 1946).

[5] Das Gebet. Eine religionsgeschichtliche und religionspsychologische Untersuchung (München 1920).

[6] Tübingen 1924. Dieselbe schroffe Entgegensetzung bei A. Nygren, Eros und Agape, 2 Bde. (Gütersloh 1937).

[7] In § 17: Religion als Unglaube, S. 344–356. Zur kritischen Diskussion dieser katholischen und protestantischen Stellungnahmen zur Mystik vgl. Fritz-Dieter Maaß (prot.), Mystik im Gespräch, in: Studien zur Theologie des geistlichen Lebens IV (Echter, Würzburg 1972).

3. Man kann sich aber auch einen Mittelweg denken, und vom katholischen Standpunkt aus wird man schwerlich einen andern vorschlagen können. Aus zwei Gründen. Einmal weil es nicht angeht, in der Art der dialektischen Theologie jedes menschliche Suchen nach Gott – alles Religiöse also – von vornherein als Hybris des Unglaubens abzutun – die Areopagpredigt Pauli und der Anfang seines Römerbriefs sprechen laut dagegen –, und weil in einer «Religion» der Menschwerdung Gottes alles, was wesenhaft zum Menschen gehört, also auch dieses sein religiöses Streben, mit-assumiert wird. Sodann, weil die Offenbarung Gottes, zumal im Neuen Testament, der Menschheit koextensiv wird (die Jünger sind zu allen Völkern gesendet, und Jesus will als Erhöhter «alle an sich ziehen»). Das grundsätzliche Offenstehen der göttlichen Gnade für alle – wodurch der sichtbare Bereich des Kirchlichen transzendiert wird – läßt aber keine Urteile mehr darüber zu, wo innerhalb einer Bewegung «natürlicher Mystik», etwa eines Hindu oder eines Sufi, die Sphäre des lebendigen Gottes erfahrungshaft berührt wird und wo nicht. Man kann zwar, mit Jacques Maritain, der Meinung sein, in «transzendentaler Meditation» könne der Mensch dazu gelangen, seine eigene Seelensubstanz zu gewahren; aber niemand kann es dem lebendigen Gott verwehren, sich dem Menschen, falls es ihm so gefällt, in dieser Schau kundzutun. Derartiges muß doch wohl Carl Albrecht[8] widerfahren sein, der aufgrund solcher Erfahrungen den Weg zur katholischen Kirche fand.

Der Mittelweg oder Weg der Analogie dürfte schon dadurch nahegelegt werden, daß die Bibel selbst voll von Gotteserfahrungen ist, die man niemals als rein «prophetische» gegen die «mystischen» wird abgrenzen können. Auch wenn man die der Patriarchenzeit als zu unsicher bezeugt übergeht, sogar die des Wüstenzuges abstreicht, beruhen doch wesentliche Teile der prophetischen Wortoffenbarung auf mysti-

---

[8] Psychologie des mystischen Bewußtseins (Carl Schünemann Verlag, Bremen 1951); Das mystische Erkennen (ebd. 1958).

schen Schauungen, man denke an die Tempelvision des Isaias, die Kabodvisionen des Ezechiel, die geheimnisvolle Gottesschau des Elias auf Horeb. Von den großen Visionen Daniels (von ihrer späteren rationalen Auslegung kann abgesehen werden) führt eine gerade Linie zu den abschließenden Schauungen der Johannesapokalypse, die zweifellos etwas ganz anderes sind als bloße literarische Einkleidungen. Und dazwischen liegt die schon erwähnte Taborvision, die mehrfache Christusschau Pauli, seine Entrückungen, die Himmelsschau des sterbenden Stephanus, und – da es in der Mystik nicht nur um Schauungen geht – alles, was Albert Schweitzer unter dem Titel «Die Mystik des Apostels Paulus»[9] zusammenfassen konnte, oder was Erhardt Güttgemanns in seinem Werk «Der leidende Apostel und sein Herr»[10], oder Joseph Huby in «Mystiques paulinienne et johannique»[11] ausgeführt haben. Und hinter alldem, unzugänglich, liegt das große Geheimnis des innern Bewußtseins Dessen, der von sich sagt: «Wir bezeugen, was wir gesehen haben» (Joh 3, 11), und: «ihr stammt von unten, ich stamme von oben» (Joh 8, 23), der aber auch allen, die ihn aufnehmen, jenes Geborenwerden aus Gott zuspricht, das im Zentrum der Mystik Eckharts steht.

Das alles sagt nicht Identität, sondern Analogie; denn auf der andern Seite ist die gesamte Lebens-Atmosphäre der Bibel von derjenigen anderer mystischer Welten grundverschieden. Sind es doch die Armen im Geist, die Trauernden, die Verfolgten, die hier seliggepriesen werden, und nicht die «Klugen und Weisen» (denen der himmlische Vater es «verborgen» hat), die vielerlei Techniken kennen, um sich eine geistige Himmelsleiter zu zimmern. Nirgends im Verhalten Jesu, in der Anweisung an seine Jünger ist auch nur die Spur einer technischen Anweisung zum Versenkungszustand zu

[9] Tübingen 1930.
[10] Vandenhoeck und Ruprecht, Göttingen 1966.
[11] Paris, Desclée de Brouwer 1947, anderes bei Edw. Malatesta, St. John's Gospel (Rom, Bibelinstitut 1967) 140.

finden, sowenig wie eine Verführung dazu, nach besonderen religiösen «Erfahrungen» zu begehren oder zu streben. Deshalb dürfte von vornherein zu erwarten sein, daß durch die noch so große Ähnlichkeit zwischen christlicher und nichtchristlicher Mystik eine größere Unähnlichkeit hindurchschneidet.

3. Mystik und Mystologie

Aber diese sachliche Unähnlichkeit kann sich nun – fatalerweise – durch ein wohlbekanntes Sprach- und Begriffsspiel in vorgetäuschte Ähnlichkeit hinein verhüllen.

So wie die christlichen Glaubensaussagen in der Theologie und den Kirchenversammlungen der ersten Jahrhunderte unter zuweilen härtesten Kämpfen aus der semitischen Denk- und Sprachwelt in die hellenistische übertragen werden mußten, um von der damaligen Ökumene überhaupt aufgefaßt zu werden (wobei die griechischen und lateinischen Wortgefäße sich oft tiefe Umschmelzungen gefallen lassen mußten), so mußte – oder konnte doch – christliche Glaubenserfahrung sich in das subtile, nach vielen Seiten hin ausgebildete, fertig bereitliegende Begriffsnetz hellenistischer Mystik einschmiegen, um in einem fremden Kleid ihre eigensten Erlebnisformen und Anliegen geltend zu machen. Fast die gesamte Geschichte der abendländischen Mystik ist durch diese höchst verwirrende Diastase zwischen Inhalt und Form geprägt. Der Ausnahmen sind imgrunde verschwindend wenige: Pastor Hermae, Pachomius, Orsiese, die irischen Mönche, Hildegard, Lady Julian, Caterina von Siena, weitgehend die Helftaer Mystikerinnen... Aber wie mächtig demgegenüber der Einfluß der Alexandriner, der Kappadozier, Evagrius', Augustins, des Areopagiten, die jedenfalls die ganze Theorie der Mystik bis zur Gegenwart hin restlos beherrschen[12].

[12] Noch der jüngste Versuch einer Synthese, August Brunner, Der Schritt über die Grenzen. Wesen und Sinn der Mystik (Echter 1972) zeugt davon, auch in seiner Weise das vielbeachtete Büchlein von Ives

Irene Behns[13] Unterscheidung zwischen Mystik als ursprünglicher Erfahrung und Mystologie (bzw. Mystographie) als Reflexion in einem bestimmten Kategorialsystem und Reden und Schreiben darüber (eventuell auch ohne die ursprüngliche Erfahrung) wird deshalb hier unentbehrlich. Dazu käme noch Mystagogie: die theoretisch-praktische Hinleitung zur Erfahrung von Mystik unter Lenkung solcher, die der Erfahrung schon teilhaft geworden sind.

Die Diastase zwischen Erfahrung und Reflexion-Sprache ist gerade im Abendland historisch durchgehend spürbar, infolge des überragenden Einflusses der Mystologie Platons und seiner Schüler (bis zu Plotin und Proklus), aber auch Philons und in etwa der Stoa auf die maßgebenden christlichen Klassiker der Mystologie, wie Klemens, Evagrius, Diadochus, Dionysius, Ambrosius, Augustin, Maximus, Gregor den Großen, Scotus Eriugena, die Victoriner, Bonaventura, die rheinischen Mystiker, die großen Spanier, Engländer wie Canfield, Franzosen wie Fénelon. Grundtermini wie theoria-contemplatio, wie apex mentis-scintilla animae-Seelenspitze-Seelengrund-Seelenfünklein, wie apatheia-indifferentia-Gelassenheit, wie das Schema Reinigung-Erleuchtung-Einigung beherrschen das ganze Feld.

Doch taucht hinter dem historischen ein Sachproblem auf: Gibt es für mystische Erfahrung überhaupt ein angemessenes Ausdruckssystem, oder bleibt ihr Gegenstand nicht wesentlich unausdrückbar? Aber wenn dieses Sachproblem zunächst außerchristliche und christliche Mystik zusammenzubinden scheint – so daß es fast gleichgültig erscheint, ob die christliche sich in ein vorgegebenes Sprachgefäß eingießt –, so spaltet eine nähere Überlegung die beiden Welten gerade im Sachlichen nochmals auseinander: sollte nicht hüben und drüben mit «Unsäglichkeit» etwas Verschiedenes gemeint

Raguin, Chemins de la Contemplation (Paris, Desclée de Brouwer 1969; dt. Wege der Kontemplation in der Begegnung mit China, Johannes Verlag, Einsiedeln 1972).
[13] Spanische Mystik (Patmos, Düsseldorf 1957) 8.

sein? Gehört es nicht zum primären Wesen christlicher Religion, daß der unsägliche Gott selbst «das Wort» ist und sich
von sich her ausgewortet hat?

Wir wollen unsere weiteren Überlegungen unter diese beiden Gesichtspunkte stellen: in einem ersten Denkgang die
(vorwiegende) *Gemeinsamkeit* außerchristlicher und christlicher Mystik entfalten unter der umgreifenden Voraussetzung,
daß in beiden die erfahrene Gottheit das Unaussprechliche
ist, in einem zweiten Denkgang die (vorwiegende) *Unterscheidung* zwischen einer Mystik des Wortlosen und einer des
sich auswortenden Gottes zugrundelegen, woraus sich dann
auch eine Kritik der christlichen Mystographie ergeben wird,
sofern sie sich der nichtchristlichen als Ausdrucksform bedient. Daß wir uns hierbei von vornherein in unserer (dritten)
Hypothese einer Analogie zwischen beiden bewegen, ist klar;
wir tun es aus den oben angegebenen anthropologisch-theo-
logischen Gründen[14].

4. Gemeinsamer Aufbau einer außerchristlich-christlichen Mystik

Der gemeinsame Ausgangspunkt liegt in der «religio» als
dem Urwissen des Menschen, daß er, als Einzelner wie als
Gattung, sowenig wie die ihn umgebende Erscheinungswelt
das Absolute, Sichselbstgenügende ist. Das delphische «Gnothi
Sauton» heißt als erstes: Geh in dich, tritt zurück, im Erkennen, daß du nicht Gott bist. Dieses Urwissen ist ambivalent: es weckt einmal die Ehrfurcht, auch das Wissen um
«schlechthinige Abhängigkeit», welche Rücksichtnahme (relegere) fordert: hier entspringt der Kult, der in vielen Reli-

---

[14] Wir verzichten deshalb auf eine ausführliche Widerlegung der
Extrempositionen: einerseits Ritschl, Barth, Brunner, Gogarten, Nygren,
Holl, vorwiegend Althaus (wo radikale Trennung befürwortet wird),
anderseits Troeltsch, R. Otto, G. Wobbermin, E. Schaeder (wo die
Neigung vorherrscht, eine univoke religionsphilosophische Kategorie
der Mystik beiden überzuordnen).

gionen ganz unmystisch bleiben kann. Es weckt aber anderseits ein Wissen um Bezogensein, deshalb eine Sehnsucht nach Überwindung der Distanz und, da Existenz im ganzen nur in einzelnen Situationen als Huld (der Götter) erfahren werden kann, den Wunsch, sich dieser Huld zu versichern. Von hier aus werden Techniken der Annäherung an Gott, somit der Magie ganz unschuldig, undämonisch in religio, oft auch in Kult, eingeführt. Zudem kann das Distanzgefühl als auf einer Entfremdung, einer geheimnisvollen Schuld aufruhend, empfunden werden: eigentlich müßte der Mensch «bei Gott» sein, mit dem Besten seiner selbst gehört er «hinüber». So wird er versuchen, Wege ausfindig zu machen, seinem «unruhigen Herzen» Ruhe und Heimat zu verschaffen. Wir können sieben Momente unterscheiden:

1. Immer gibt es Tradition. Es gibt Einzelne, denen es gelungen ist, die Grenze zu überschreiten, den Heilsweg (dhammapāda) zu finden. Es gibt Kunde durch sie und von ihnen, der man nachspüren kann.

2. Dann gibt es den großen «Aufbruch» aus allem, was nicht das Absolute ist: «alles verlassen» und «nachfolgen». Das dem Meister oder der Vorschrift Nach-Gehen (was genau Meth-hodos heißt) schließt ein, daß es ein gewisses Prozedere, eine Erkennbarkeit und Meßbarkeit der Etappen dieses Weges gibt.

3. Die Meth-hodos muß notwendig mit einem aktiven Leermachen beginnen, damit jene Passivität erreicht wird, in der das Absolute das Übergewicht in der Seele gewinnen kann. Evagrius, der dieses erste Stadium die «Praktikē» nennt, scheut sich nicht, die christlichen Werke der Nächstenliebe (durch die der Mensch entselbstet wird) hier einzureihen.

4. Die praktische Bereitstellung zielt auf das Freibekommen des Blickes: theoria, contemplatio (eigentlich jene Entblö-

ßung, in der die Seele für das Absolute enthüllt ist, in einem
Gesehenwerden, das sehen kann). Bis zum 17. Jahrhundert
wird der christliche Mystiker durchgehend als der «kontemplative» Mensch bezeichnet werden. Andere der nichtchristlichen und christlichen Mystik gemeinsame Bezeichnungen
sind: spiritualis (sowohl als «Sammlung» im Geist des in der
Materialität Zerstreuten, wie als Bereitschaft für den Heiligen
Geist: vgl. Paulus: pneumatikós im Gegensatz zu sarkikós,
psychikós), interior (Paulus und Plotin sprechen vom innern
Menschen, die Tradition bricht nicht ab bis Novalis: «Nach
innen geht der geheimnisvolle Weg»).

5. Aber im «Schauen» ist das Gegenüber von Subjekt-Objekt
noch nicht überwunden, im «Innen-» und «Bei-sich-Sein»
bleibt noch die Grenze des eigenen «Wesens». Deshalb ist
nach der Stufe der loslösenden Praxis und der erleuchtenden
Theoria eine dritte anzustreben, die der «Einigung», in der
die Grenze überschritten wird und man in den absoluten
Bereich eintritt, den die Mystologie mit einer Fülle von
«Über-»Prädikaten bezeichnet: überseiend, überwesentlich
(hyperousios, superessentialis), übergöttlich (Gregor von
Nyssa, Eckhart: sofern «Gott» der sich Offenbarende, in die
Subjekt-Objekt-Relation Eintretende war) usf. Damit ist das
Dreistufensystem vollständig, das, im Neuplatonismus durch-
gebildet, von der christlichen Mystologie zentral übernommen, sogar von der Hochscholastik in die «Summen» ein-
baut wird [15].

---

[15] Vgl. Thomas von Aquin, S. Th. Ia IIae q 61 a 5, wo über Macrobius
ein von Plotin (Enn. 1, 2, 7) ausgebautes Viererschema einbezogen
wird. – Das Thema der «Überwesentlichkeit», im Frankreich des
17. Jahrhunderts nochmals groß auftauchend (nicht zuletzt aufgrund der
Gleichsetzung des Areopagiten mit dem Nationalheiligen Saint-Denis),
geht von Fénelon aus in säkularisierter Gestalt zum deutschen Idealismus und zur Problematik des überkategorialen absoluten Subjekts über
(vgl. dazu: Robert Spaemann, Reflexion und Spontaneität, Studien über
Fénelon (Kohlhammer, Stuttgart 1963), um im 20. Jahrhundert – im

6. Aufgrund dieser Transzendenz bleibt für alle Mystik die Spannung zwischen «Einigung und Reflexion» und entsprechend zwischen «Erfahrung und Sprache» grundlegend. Wie der Begriff, so ist und bleibt das Wort über seine Sphäre hinaus bezogen, in einer Entrückung, die mystische Aussage, auch in dichterischer Form, von sonstiger Dichtung unterscheidet. Das durchstreichende Paradox kennzeichnet durchgehend ihre Sprechweise: der mit Gott Geeinte fliegt und ruht in einem (Gregor von Nyssa), seine Erkenntnis ist «gelehrte Unwissenheit» (Augustinus, Nikolaus von Kues), er lebt in «hellichter Nacht» (Dionysius, Johannes vom Kreuz), in «immanis quies» (Dionysius) usf. Die Prosakommentare Johannes' vom Kreuz zu seinen Gedichten (vgl. den Prolog zum «Cantico») zeigen gegenüber der Sprachüberspannung der Verse eine Art resigniertes understatement, das die nicht erreichbare Mitte negativ ins Licht setzt.

7. *Ein* Gleichnis bietet sich trotzdem an; es fehlt bei einigen großen nichtchristlichen Mystikern (Buddha, Plotin), aber hat breite außerchristliche Grundlagen (die vorderasiatischen Religionen, Ägypten, die Gnosis), um alttestamentlich (Osee, die Isaiasschule, Weisheitsbuch) und besonders neutestamentlich und patristisch (Hoheliedkommentare) in den Mittelpunkt zu rücken: das Bild der «heiligen Hochzeit» für die höchste Einigung. Nach der scharfen Abtrennung im Alten Testament des Jahwe-Israel-Brautbundes von allen sexuellen heidnischen Riten bleibt auch christlich die Gott-Menschheit-

Zuge der Überwindung des Neukantianismus – nochmals durch Joseph Maréchal (und seine «Schüler»: G. Siewerth, M. Müller, B. Welte, K. Rahner, J. Lotz) aufgewertet zu werden: Maréchal hat seinen großen philosophischen Entwurf (Le Point de Départ de la Métaphysique, 5 Bde.) deutlich vom Problem der mystischen Einigung her konstruiert (Etudes sur la Psychologie des Mystiques, Bd. I, 1924, Bd. II, 1937). Daß Marx, von Hegel und vom jüdischen Messianismus ausgehend, eine Endform säkularisierter Mystik darstellt, kann hier nicht näher gezeigt werden.

Einigung in Christus wesentlich suprasexuell; die Braut des Hohenliedes wird primär auf die Ekklesia hin ausgelegt, die Einzelseele partizipiert an dieser archetypischen Einigung nur, sofern sie christlich zur «anima ecclesiastica» (Origenes) «entworden» ist, im frühen Mittelalter kommt Maria als konkreter Archetyp für die Kirche hinzu. Der Einfluß der gnostischen Syzygien auf gewisse Stellen des Neuen Testaments (vorab im Epheserbrief[16]) ist umstritten, sachlich auch nicht letztwesentlich.

In diesen sieben Punkten scheint eine bis an die Grenzen der Univozität heranreichende Strukturgleichheit zwischen nichtchristlicher und christlicher Mystik bzw. Mystologie erreicht. Es sieht beinah so aus, als habe die allgemeine Religionswissenschaft über die christliche Theologie gesiegt. Es dürfte auch wenig fruchtbar sein, dagegen den Einwand zu erheben, extreme Mystologie sei von der katholischen Kirche immer wieder als gefährlich, ja häretisch verurteilt worden: in Origenes, und wieder in Scotus Eriugena, in Eckhart, Molinos, Fénelon. Denn einmal erweisen sich diese Verurteilungen als wenig wirksam; die Genannten blieben (außer Molinos) trotz die Anatheme die großen geistlichen Führer der Zukunft. Sodann ist das Phänomen nicht spezifisch katholisch, sondern allgemein religionsgeschichtlich; man denke nur an die Kreuzigung Al Hallajs durch die mystikfeindliche islamische Orthodoxie. Auch die politische Religion des alten Rom hätte, falls sie dazu die Kraft besessen hätte, eine so apolitische Mystik wie die Plotins[17] verurteilen müssen.

Der wirkliche Einwand gegen diese Quasi-Univozität liegt im Wesen des Biblischen und Christlichen selbst, das der ganzen aufgezeigten Aufstiegsbewegung gegenüber eine radikale

---

[16] Heinrich Schlier, Der Brief an die Epheser (Patmos, Düsseldorf 1957) bes. 264–276.

[17] Die die politischen Tugenden auf die unterste Stufe der Tugendhierarchie verweist (vgl. Anm. 15).

Umkehrung darstellt. Wir müssen daher alles im letzten Abschnitt Gewonnene von dieser Umkehrung her nochmals in Frage stellen lassen und erst jenseits dieser Destruktion nach einer dann noch möglichen Synthese suchen.

5. Eigenart christlicher Mystik

In der Bibel ist es nicht der Mensch, der zur Gottsuche aufbricht, sondern Gott, der sich unerwartet, spontan auf die Suche nach dem Menschen aufmacht: das zeigen der Ruf an Abraham, die «Großtaten Gottes», der Israel aus dem «Haus der Knechtschaft Ägyptens herausführt» und es damit allererst als Volk und Subjekt konstituiert, schließlich die Fleischwerdung des Wortes, womit endgültig das Schwergewicht vom Schauen (theoria) auf das Wirken, sogar vom Wort auf die Tat verlegt ist.

1. Alles rechte menschliche Verhalten dem Absoluten gegenüber kann fürderhin nur noch Antwort auf das vorausliegende «Tatwort» Gottes sein: dessen Hören, Befolgen im Mitgehen auf Gottes Wegen. An die Stelle spontanen Aufbrechens tritt die Bereitschaft des Horchens und Ge-horchens. Alttestamentlich noch in einem klaren Gegenüber zwischen sprechendem Gott und angesprochener Kreatur; neutestamentlich, wo das Wort Fleisch geworden und der Geist Gottes als Liebe «ausgegossen ist in unsere Herzen», als Freiheit: eine neue Form intimer Selbstüberantwortung durch Gott selbst an Gott.

2. Die Grundhaltung «Bereitschaft» ist von der Kategorie allgemeiner Distanznahme zur Welt, von der wir im vorigen Denkgang ausgingen, zuinnerst verschieden, obschon sie vergleichbare Folgen zeitigt: vor allem die geforderte Lösung von allem leidenschaftlichen Haften an weltlichen Dingen, wodurch eine un-bedingte Bereitschaft verhindert wird.

Hier wird sichtbar, weshalb mystologisch die antiken Termini apatheia-indifferentia-Gelassenheit mit verändertem Sinn von den Christen übernommen werden konnten.

Wenn christlich «Bereitschaft» schon Antwort auf den Anruf Gottes ist, dann ist sie nicht der Ausgangspunkt eines eigenen Unternehmens, sondern Voraussetzung für das Ankommen des Unternehmens Gottes, der auf Erden, in den Herzen Fuß fassen will. Die archetypisch zu befolgende Methhodos ist Christus, der in die Welt kommt, um den Willen des Vaters zu tun (Mt 26, 39; Mk 14, 36; Lk 22, 42; Joh 4, 34; 5, 19.20.30.36; 6, 38; Röm 15, 3; Phil 2, 8; Hebr 10, 7–9), sosehr, daß nach der reflektierten Christologie des Neuen Testaments sein Menschsein selbst schon Ausdruck seines Gehorsams ist. Dieser Wille aber hat seinen Kern darin, daß der Sohn die «Sünde der gottverlassenen Welt» auf sich nimmt und stellvertretend für «die Vielen» in der Gottverlassenheit stirbt, um durch die Solidarität mit den ewig Verlorenen hindurch (daher der Gang durch den Hades: Apk 1, 18; vgl. 6, 8) zum Vater zurückzukehren. Ist Christus «der Weg» (hodos: Joh 14, 6) schlechthin, so bestimmt er die Richtung der Nachfolge («methodos»), in die er ausdrücklich ruft und auch, gemäß seinem Muster, einübt («haben sie mich verfolgt, so werden sie auch euch verfolgen», Joh 15, 20).

3. Auf diesem Weg gilt nun die entscheidende Maxime, daß nicht die *Erfahrung* einer Einigung mit Gott den Maßstab der Vollkommenheit (der höchsten Aufstiegsetappe) darstellt, sondern der *Gehorsam*, der auch in der Erfahrung der Gottverlassenheit mit Gott genauso eng verbunden sein kann wie in der erfahrenen Einigung. Während der synoptische Jesus am Kreuz den Schrei des Verlassenen ausstößt, sagt der johanneische: «Siehe, es kommt die Stunde und sie ist schon da, wo... ihr mich alle allein laßt. Aber auch dann bin ich nicht allein, denn der Vater ist mit mir» (Joh 16, 32). In der Verlassenheit genauso mit mir wie in der gefühlten Einigung. Somit wird dem auf dem Weg seines Meisters schreitenden

Christen keinerlei unmittelbare (mystische) Gotteserfahrung verheißen; der Knecht soll ja zufrieden sein, wenn es ihm geht wie seinem Meister (Mt 10, 25), viel eher – als Endpunkt seiner irdischen Laufbahn – eine Konfigurierung an den gekreuzigten Herrn (so die Verheißung an Petrus: Joh 21, 18 f.). Dies nun freilich auch nicht nach einem materiell (voraus-) berechenbaren System von Stufen oder Etappen; ist doch die Kirche und in ihr der Christ dem gesamten Schicksal Christi gleichgestaltet: mitgekreuzigt, mitbegraben, mitauferstanden, mitaufgefahren – nach den Worten Pauli. Wann mehr der eine, wann mehr der andere Aspekt der Gleichgestaltung im Leben eines Christen oder der Kirche im ganzen hervortreten soll, liegt nicht in menschlichem Ermessen, sondern im alleinigen Verfügen des väterlichen Willens, dem es allein zukommt, «Zeit und Stunde zu wissen», somit auch die Dauer von Zeit und Stunde, zum Beispiel die Dauer einer Epoche der innern Verfinsterung.

Hier wird es unumgänglich, verschiedene Schematisierungen innerhalb der christlichen Mystologie zu kritisieren. Gegen eine breite Strömung ostkirchlicher Mystik ist einzuwenden, daß der Tabor nur eine Episode im Leben Jesu darstellte, in der außerdem ein Gespräch über das kommende Leiden gehalten wurde (Lk 9, 31), daß somit die Erblickung des «Taborlichtes» nicht als höchste Stufe des mystischen Weges gedeutet werden kann. Es wird aber auch unmöglich, den Schematismus der drei Wegstufen «Reinigung-Erleuchtung-Einigung» so anzuwenden, wie neben vielen andern Johannes vom Kreuz es tut, nämlich so, daß alles, was als «dunkle Nacht der Seele und des Geistes» erfahren wird, der Reinigungsstufe zugeordnet wird, als wäre die primäre Absicht Gottes bei diesem Leidenszustand die Seele selbst – ihre Loslösung von irdischen Dingen und die Läuterung ihrer tiefsten Gründe – und nicht viel eher das Werk Christi, in das einzelne Glieder in besonderer Weise einbezogen werden. Die Vorstellung, die in manchen Klöstern des Karmel noch unlängst herrschte, eine wahrhaft vollkommene Seele müßte in einer Ekstase der Liebe sterben, wird damit unmöglich; gerade vom Kreuz aus betrachtet erscheint es zumindest als ebenso angemessen, daß sie – wie die Priorin in Bernanos' «Dialogues des Carmélites» – in einer gräßlichen, für die Umgebung ganz «unerbaulichen» Ekstase der Angst stirbt. Therese von Lisieux hat über die Unzuverlässigkeit solcher Schemata vieles gewußt. Nie hat ein Christ das Kreuz hinter sich; nie kann er wissen, ob Gott ihn nicht in die Dunkle Nacht zurücktauchen will. Die neuplatonische Schematik bleibt individualistisch, während es im Christlichen immer um Stellvertretung und «Gemeinschaft der Heiligen» geht. Das sprechendste Bild der kleinen Therese ist der «Spielball», den der Mensch für das Jesuskind sein möchte, den es werfen, ans Herz drücken, aber auch durchlöchern oder ganz einfach liegen lassen kann.

4. Wenn aber dergestalt die schlichte Bereitschaft das christliche Vollkommenheitsideal ist, dann wird der Stellenwert von Mystik überhaupt verändert. Sie wird, als außergewöhnliche Erfahrung Gottes, relativiert. Oder es gilt, um exakter zu sein, hier eine weitere Unterscheidung zu treffen, die besonders seit Thomas von Aquin in der Mystologie geläufig geworden ist, an der aber, je nach ihrer Einschätzung, die Geister der christlichen Mystologen sich abermals scheiden. Wir berichten zuerst die von Thomas getroffene Unterscheidung, dann die von ihm hinzugefügte Folgerung, schließlich die sich daraus ergebenden Konsequenzen für eine Definition christlicher Mystik.

a) Ein Christ, der im lebendigen, liebenden und hoffenden Glauben lebt und den Einsprechungen des Geistes treu folgt, wird auf seinem Weg der Nachfolge Christi erfahren, daß die Gaben des Heiligen Geistes sich in ihm entfalten und daß er dadurch eine Art intimer experimenteller Kenntnis der Dinge Gottes gewinnen wird, die in der Tradition (zumal bei Bernhard und in seiner Nachfolge) als mit der Gabe der Weisheit (sapientia von sapere: schmecken) innig zusammenhängend erachtet wurde. – Etwas ganz anderes sind die außergewöhnlichen Schauungen oder Hörungen oder Tastungen, die in der Bibel den Propheten oder Paulus, Stephanus, dem Seher der Apokalypse zuteil wurden, die in der Kirchengeschichte auch andern widerfuhren, etwa dem Hirten des Hermas oder dem Origenesschüler Gregorius Thaumaturgus, der berichtet, er habe Maria und den Apostel Johannes geschaut, und Maria habe Johannes angewiesen, ihm, Gregor, den rechten Glauben zu erklären. Zu solchen Gnadenerweisen müßte man ebenfalls manche der von Paulus aufgezählten Charismen rechnen, wie das Reden in Zungen oder die Prophetie.

b) Dieser wichtigen Unterscheidung fügt Thomas hinzu[18], die zweite Art von Gnaden, die charismatischen, könnten (als gratiae gratis datae) auch Sündern verliehen werden, wie etwa dem Heiden Bileam, sie setzten deshalb den «Stand der Gnade» nicht voraus. Dieser Zusatz scheint uns biblisch schwach begründet; man könnte etwa im Gegenzug fragen, weshalb Isaias, da er die Herrlichkeit Gottes im Tempel schaut und sich deshalb für «verloren» hält («Weh mir, ich bin verloren, denn ich bin ein Mensch mit unreinen Lippen»), innerhalb der Schau durch den Seraph mit einer glühenden Kohle vom Altar gereinigt wird. Und tiefer regt sich der Verdacht, hinter dieser Abwertung der besondern charismatischen Schauungen stehe, mehr oder weniger bewußt, die neuplatonische (und buddhistische) Abwertung aller sinnenhaften und imaginativen Visionen, die, angeblich noch an die Materie gebunden, vom Schauenden überstiegen und vielleicht überhaupt abgewiesen werden sollten. Dies ist bekanntlich auch die Ansicht nicht nur eines Spiritualisten wie Evagrius Ponticus, sondern auch Eckharts und Johannes' vom Kreuz, der sie ausführlich begründet. Logisch müßten dann alle Bilder der Apokalypse als Ausdruck einer niedrigen

---

[18] Zur ganzen Diskussion vgl. meinen Kommentar zu den Quästionen der Summa Theologica IIa IIae 171–181, in Bd. 3 der dt.-lt. Thomasausgabe (Heidelberg und Graz 1954).

Stufe von Mystik eingestuft, ja vielleicht die ganze Ordnung der Menschwerdung, das Evangelium mit seinen populären Gleichnissen, Erzählungen und Ereignissen als eine propädeutische Einführung in rein Geistiges eingeschätzt werden. Das wäre nun freilich rein gnostisch und nicht mehr christlich gedacht. Man sollte deshalb bei charismatischen Phänomenen nicht vom Grenzfall her argumentieren, vielmehr erkennen, daß diese nach Paulus zum Besten der kirchlichen Gemeinschaft verliehenen Gnaden auch im lebendigen kirchlichen Geist – in Glaube, Hoffnung, Liebe, Gehorsamsbereitschaft – entgegengenommen werden müssen, um überhaupt richtig weitergegeben werden zu können. Ein nicht durch die Liebe wahrhaft geläuterter Geist vermöchte von Gott geschenkte Visionen gar nicht so aufzunehmen, wie sie geschenkt worden sind – aus dem Geist göttlicher Liebe, gefüllt mit Inhalten, die diese Liebe ausdrücken –, er würde sie deshalb nur in ihrer Materialität weitervermitteln, somit ihren eigentlichen Sinn partiell oder total verfälschen. Bilder göttlichen Lebens können keinesfalls «mechanisch» weitergereicht werden. Es wird seinen tiefen Sinn haben, daß die abschließende Schau der Bibel, die Apokalypse, gerade dem Liebesjünger anvertraut wurde (jedenfalls seinem Umkreis entstammt).

c) Nach dieser Bereinigung dürfte es bloß mehr eine Frage der Sprachregelung sein, was wir mit «christlicher Mystik» bezeichnen wollen. Manche (wie Butler in «Western Mysticism»[19] oder Saudreau) möchten zentral die «normale» Entfaltung des christlichen Lebens im Heiligen Geist so benannt wissen, wobei dann die außerordentlichen charismatischen Phänomene entweder zu Epiphänomenen einer gewissen Periode der Entfaltung oder zu solchen, die auch ganz fehlen können oder auf der höchsten Stufe überwunden werden müssen, degradiert werden. Andere (wie Poulain oder Richtstätter) ziehen im Gegenteil einen dicken Trennungsstrich

---

[19] London ²1927.

zwischen dem normalen Glaubensleben auch des lebendigen Christen und jenen außergewöhnlichen Erfahrungen, die für sie erst mystisch genannt zu werden verdienen. So kann zum Beispiel ein Streit darüber entbrennen, ob Augustinus ein Mystiker war oder nicht; er dürfte nach der ersten Definition unbedenklich so genannt werden, nach der zweiten vermutlich nicht. Aber zumeist geht es eben doch um mehr als um bloße Sprachregelung, weil manche Mystiker die Tendenz haben – zum Beispiel die vielen als maßgeblich erscheinende Teresa von Avila –, persönliche und einmalige Erfahrungen als höhere Stufen des «normalen» christlichen Weges zu Gott hinzustellen (so daß andere, die nach dem vollkommenen Gebet streben, und denen solche Erfahrungen nicht zuteil werden, sich frustriert fühlen und nicht wissen, was sie falsch gemacht haben), ja vielleicht überhaupt ihren ganzen persönlichen und einmaligen Weg zu einem Modell für «christliche Gotteserfahrung überhaupt» zu stilisieren, wie das etwa bei Evagrius, Eckhart und Johannes vom Kreuz der Fall ist.

5. Angesicht dessen darf der erste unter Nr. 4 geäußerte Gedanke nochmals erinnert werden: wo christlich «Bereitschaft» zum obersten Wert aufrückt, muß «Erfahrung» an eine tiefer liegende Stelle ausweichen: der ganze *Stellenwert* von Mystik wird dadurch verändert. Man kann irgendwo Gogartens Unmut begreifen, wenn er gegen die «Erleberei» zu Felde zieht[20]. Anderseits wird man sich bei dieser Depotenzierung der Mystik hüten, in die Extreme der dialektischen Theologie zu verfallen, denn Gott, der sich in Christus die Welt versöhnt, ist der gleiche Gott, der als Schöpfer seinen Geschöpfen die Freiheit gegeben hat, ihn zu suchen, «ob sie ihn etwa ertasten und finden könnten» (Apg 17, 27). Auch wenn das Christentum alle geradlinigen menschlichen Unternehmungen zu solchem «Ertasten und Finden» durch die freien Fügungen

---

[20] Die religiöse Entscheidung (1921) 55, 63.

Gottes durchkreuzt, so zerstört sie sie doch nicht grundsätzlich. Wir werden deshalb sagen müssen, daß eine vollkommene *Entflechtung* von gottsuchender nichtchristlicher und von gottgeschenkter christlicher Mystik *nicht gelingt* noch gelingen kann.

6. Christliche Kriterien

Um als Christ auf den Wegen Gottes zu bleiben, wird man auf folgende Kriterien achten.

1. Der Maßstab, an dem der Christ (der Mensch überhaupt) in Gottes Gericht gemessen wird, ist seine Gottes- und Nächstenliebe und nicht der Grad seiner religiösen Erfahrung. Seliggepriesen werden die Armen im Geiste, die zugleich die sind, welche im mitmenschlichen Alltag «den Willen meines himmlischen Vaters tun» (Mt 7, 21). Gewiß wird diesen wesentlich auch das persönliche Gebet «im Kämmerlein» empfohlen, doch nimmt dieses im Evangelium nirgends die Färbung transzendentaler Meditation an. Außergewöhnliche Charismen werden von Paulus weder abgewertet noch überwertet; sie sind Teilaufträge Einzelner für die Gemeinschaft, die den damit Begabten auf keine höhere Vollkommenheitsstufe stellen. Der «darüberhinausliegende Weg» (1 Kor 12, 31) ist für alle derselbe: die Liebe. Sie bleibt, während die Charismen vergehen (1 Kor 13, 8f.).

2. Die christliche Liebe hat konkret die Färbung des Weges Christi; auf diesem Weg kann es zu verschiedensten Formen der Erfahrungsintensität kommen; aber nicht der Intensitätsgrad liefert den Maßstab. Die Gesinnungsreinheit ist dieser Maßstab, und sie äußert sich genauso in schlichter weltlicher Aktion oder Orthopraxie wie in Kontemplation. Die Geschichte der christlichen Mystik kennt Mystikerinnen, die mit höchster subjektiver Intensität das Leiden Christi miterlebt

haben; aber wieviel war an dieser Intensität echter Auftrag, wieviel subjektive Aufsteigerung, vielleicht sogar Begierlichkeit, eine Ausnahmerolle zu spielen?

3. Noch bleibt das Grundproblem zwischen der Unsagbarkeit Gottes (für außerchristliche Mystik) und seiner Selbstauswortung (in christlicher Mystik). Dazu zwei theologische Überlegungen:

a) Wenn es wahr ist, daß der biblische Gott nicht wortlos bleibt, sondern sich im Wort, zuletzt im fleischgewordenen Wort ausspricht, so müssen wir uns doch immer fragen, was uns denn in diesem Wort entgegentritt. Es ist die absolute Grundlosigkeit der göttlichen Liebe, die gerade in ihrer Erniedrigung, sich uns begreiflich zu machen, nur desto unbegreiflicher erscheint. Je näher Gott uns kommt, desto unfaßlicher erscheint er uns, nicht mehr abstrakt, sondern konkret. Christus als das Wort ist die Offenbarung von Gottes freiester Souveränität, das Gegenteil einer lernbaren Grammatik, nicht einzubergen in ein hegelsches System der Logik. Gottes Gebärden in Menschwerdung, Kreuz, Höllenabstieg, Himmelfahrt Jesu sind überschwenglich und unauslotbar. Ich werde davon «ergriffen» in einem ganz objektiven Verstande, der dann auch subjektiv werden kann. Gott dringt mit einer Innigkeit auf mich ein, die mein menschliches Empfinden weit überragt. So ist – mitten in der christlichen Umkehrung – das Sprachlose doch wieder auf dem Plan. Nur ist es jetzt nicht mehr der Sprache entgegengesetzt, sondern liegt in der innern Tiefe des Wortes selbst.

b) Etwas Ähnliches wiederholt sich angesichts des höchsten Problems aller Mystik: wie kann «Einigung» erfolgen zwischen dem, was wesenhaft Eines und dem, was wesenhaft ein Vieles ist? Muß das letztere aufhören, es selbst zu sein, um in einem letzten Exzeß eins mit dem Einen zu werden? Plotin hat recht (auch christlich recht), wenn er erinnert: das absolut Eine kann zum nichtabsoluten Vielen in keinem Gegensatz stehen; nicht nur muß das Viele *aus* der Einheit stammen und sich *zu* ihr zurückwenden, es ist auch, sofern jedes der Vielen das ist, was es ist, und alle Vielen zusammen das sind, was sie sind, individuell wie generisch innerlich durch das Eine bestimmt. Das Problem vertieft sich christlich angesichts des Mysteriums der (überzahlenhaften) Dreieinigkeit Gottes, die es Gott erlaubt, in sich selbst fruchtbare Liebe zu sein und außerhalb seiner selbst die Differenz zwischen Gott und der Kreatur durch die Weltimmanenz seines Sohnes und seines Heiligen Geistes zwar nicht aufzuheben, aber sie in das Mysterium seines dreieinigen Lebens einzubergen. Der Möglichkeiten Gottes, innerhalb christlicher Mystik[21] die Erfahrungen der Einigung die der Differenz überwiegen zu lassen – und doch das Bewußtsein der Differenz innerhalb der Einigung (und der Reflexion über sie) dauern zu lassen, sind unendliche, sie spotten jeder Systematisierung. Zwar wird die Psyche nicht vergewaltigt, deshalb kann in der Beschreibung und Erforschung der Erfahrungen auch die Psychologie ihren Anteil haben; aber sie dringt dort, wo Gott in der Einigung das Übergewicht erhält, nicht ins Zentrum der Erfahrung vor. Will man einen Vergleich aus dem Bereich des Reinpsychologischen, so kann man (Binswanger folgend) die erotische Ekstase als Modell und Urform der Einigungserfahrung nehmen: auch hier überwiegt die ekstatische Erfahrung der Einheit (als Einigung) in der bleibenden, sie bedingenden Differenz, und je nach dem Grad der Reinheit der investierten Liebe kann die Hingabe an das Du von hemmender Reflexion oder von völlig gelöster Bewußtheit (oder Selbstvergessenheit, was dann dasselbe ist) begleitet sein. Christliche Mystologie ist auf Höhenpunkten wie bei Eckhart oder Johannes vom Kreuz so weit gegangen, die Differenz Gott-Mensch ganz in die innergöttliche Differenz Vater-Sohn-Geist einzu-

---

[21] Ja schon innerhalb des normalen christlichen Bewußtseins, das den Gedanken des Geborenseins aus Gott (in der Taufe), der Einigung mit Christus (in der Eucharistie), der Einwohnung des Heiligen Geistes in der Seele (die dadurch Abba, Vater rufen kann) ernstnimmt.

bergen. Die Vermittlung dieser Idee liegt in der paulinisch-johanneischen «Mystik» der Menschwerdung des Sohnes Gottes in der Seele des wahren Christen: «Ich lebe, doch nicht mehr ich, Christus lebt in mir» (Gal 2, 20)[22]. Auch hier behält das objektive Mysterium den Vorrang über das subjektive Widerfahrnis (über das nichts direkt ausgesagt wird); der Grad von dessen Bewußtwerdung bleibt für das christliche Glaubensleben unerheblich. Daß die Braut sich selbstlos hingibt, ist entscheidend; sie fragt nicht danach, wieviel *sie* in der Begegnung erlebt, auf welche Weise der Bräutigam sie nimmt, sondern ob *er* in ihr findet, was er wünscht.

Damit kehren wir zur Feststellung des Anfangs zurück: «mystikós» stammt, weit über das erste christliche Jahrtausend hinaus, vom objektiven «mysterion» und drückt die Zugehörigkeit zu diesem aus. Mystisch ist ursprünglich alles, was mit dem unter den Gestalten des Menschlichen und Weltlichen in Bibel und Liturgie verborgenen Göttlichen zu tun hat.

Abschließend lassen sich drei Momente in Abstufung in den Begriff christlicher Mystik integrieren:

1. Der Primat des Mysteriums, angesichts dessen die volle Bereitschaft des Glaubens – ob erlebend oder nicht – die erwartete Antwort ist.

2. Sodann die personale Erfahrung, die jeder seinen Glauben lebende Christ unfehlbar auf irgendeine Art vom Mysterium des Kreuzes und der Auferstehung Christi und der Spendung seines Geistes machen wird.

3. Zuletzt (qualitativ davon abgehoben) gewisse – zum Nutzen der andern – einzelnen Gläubigen geschenkte Sondererfah-

---

[22] Hugo Rahner, Die Gottesgeburt. Die Lehre der Kirchenväter von der Geburt Christi aus dem Herzen der Kirche und der Gläubigen, in: Symbole der Kirche (O. Müller, Salzburg 1964) 13–87.

rungen, die, um recht verwaltet zu werden, große Reinheit der Gesinnung voraussetzen, während sie selbst kein Maßstab für diese Gesinnungsreinheit sind.

Von hier aus lassen sich die nötigen Maßstäbe gewinnen, um außerchristliche Techniken für mystische Erfahrungen in ihrem sittlichen Wert zu kritisieren und nicht minder einen großen Sektor der christlichen Mystologie, in der genuin christliche Erfahrungen in ihnen unangemessene Denk- und Sprachformen verfremdet worden sind.

VORERWÄGUNGEN ZUR
UNTERSCHEIDUNG DER GEISTER

Gott erfahren?

Wäre Gott nicht unerfaßlich, so wäre er nicht Gott, sondern ein ideologischer Überbau des menschlichen Geistes. Könnte jedermann Jesus von Nazareth seine Gottessohnschaft unmittelbar ansehen, nachweisen, sie andern erklären, wie man eine historische Tatsache aufzeigt, so wäre er gewiß nicht die Erscheinung des wesenhaft unfaßlichen Gottes in der Welt, sondern ein bloßes Glied in der Kette der geschichtlichen Ereignisse. Jedenfalls ist dies die Ansicht Jesu selbst, wenn er sagt: «Niemand kennt den Sohn als der Vater, und den Vater kennt niemand als der Sohn und wem der Sohn es offenbaren will» (Mt 11, 27). Kurz zuvor sagt Jesus auch, wem diese Offenbarung zuteil wird: nicht den Weisen und Klugen; diesen bleibt sie verborgen, sondern den Einfältigen, wörtlich: den Unmündigen. Was von Gott und seinem Offenbarer in der Welt gilt, muß notwendig auch von jenem Gebilde gelten, das Paulus «die Fülle», den «Leib», die «Braut» Christi nennt, das Johannes als «Kyria» anspricht (da sie offenbar teilnimmt an der verborgenen Herrschaftlichkeit des Kyrios Jesus): wer und was diese Kirche als Gegenwart Jesu (und Gottes in Jesus) mitten in der Weltgeschichte in Wirklichkeit ist, kann an ihrer äußern Gestalt, ihrer amtlichen, kultischen, soziologischen Sichtbarkeit ebensowenig abgelesen werden wie die göttliche Qualität Jesu an seinem menschlichen Leib.

Menschen, die einen logisch unwiderleglichen Beweis für den Anspruch der Kirche, die Gegenwart Gottes in Jesus Christus zu sein, fordern – ob sie es nun tun, um sich selbst zu versichern oder um jenen Anspruch bequemer zu widerlegen –, werden vermutlich an Jesus mit der gleichen Forderung herantreten («Wenn er der König von Israel ist, so soll er jetzt vom Kreuz herabsteigen, und wir wollen ihm glauben»), und schließlich auch noch ihren Glauben an Gott von der Forderung abhängig machen, er möge endlich klipp und klar seine Existenz erweisen. Wenn solche Wünsche von den Menschen aller Zeiten vorgebracht wurden, die sich gern durch irgendwelche Zeichen und Wunder oder durch technisch erlernbare religiöse Erfahrungen Gottes versichern wollten, so sind sie dem modernen Menschen noch selbstverständlicher vertraut, der nur das als wahr annehmen will, was er mit a + b bewiesen bekommt oder mit den eigenen Sinnen experimentieren kann. Daß dies einem naiven, vielleicht ganz unschuldigen Atheismus gleichkommt, wird diesem modernen Menschen oft gar nicht bewußt, weil er die weltliche Beweisbarkeit aller Wahrheit wie ein Dogma im Blut hat. Daß heute auch innerhalb der Kirche die Forderung nach «Erfahrbarkeit» (gerade der Kirche in ihrer Eigenschaft als Gegenwart Christi) mit einer nie dagewesenen Hartnäckigkeit erhoben und das Dasein oder Nichtdasein echter Kirche am Glücken oder Scheitern solcher «Erfahrung» gemessen wird, ist ein unbewußtes Unterliegen dem Zeitgeist, mag man damit nun sich selber oder andern nachweisen wollen, daß man recht daran tut, in der Kirche den Zugang zu Christus und zu Gott zu suchen.

Aber ob man nun die Erfahrung des Göttlichen als ein Mittel anstrebt, sich dessen innerseelisch zu versichern, oder ob man gerade diese Erfahrbarkeit dazu benützt, das religiöse Erleben auf eine rein psychologische Angelegenheit zu reduzieren und es so der weltlichen Wissenschaft zu unterwerfen: sicher ist, daß, wenn es wirklich um die Beziehung des Menschen zu Gott, seinem Schöpfer und dem Urgrund alles weltlichen Seins gehen soll, von einer direkten Erfahrung nicht die Rede sein kann. «Si comprehendis, non est Deus: wenn du zu begreifen meinst, ist es sicher nicht Gott.» So wird man überall, wo das Verhältnis des Endlichen und Unendli-

chen, des Relativen und Absoluten, des Weltlichen und Göttlichen einigermaßen rein und konsequent gedacht worden ist,
stets eine dialektische Formel finden: Annäherung an eine
Erkenntnis des Göttlichen auf dem Wege einer Negation und
Durchstreichung unmittelbarer Erfahrung: anstelle eines Er-
fassens ein Loslassen jedes Willens zum Fassen, um sich erfassen zu lassen, anstelle der sich schließenden Hand des Begreifens ein Öffnen, um er-griffen zu werden (was aber gerade
keine psychologische Ergriffenheit sagt). In jedem Denkschritt, mit dem man an das Absolute herankommen will, die
steigende Gewißheit, daß dieses aller logischen Operation
entgleitet. Dies aufgrund der einfachen Überlegung, daß
Mensch und Gott sich niemals wie das Eine und das Andere
gegenüberstehen können, weil Gott «Alles» ist (Sir 43, 27),
und der Mensch, der bestenfalls «Etwas» ist, nie mit sich
selbst vor dem Alles auftrumpfen kann. Er muß, um mit
diesem in eine Beziehung zu treten, das Alles auch in ihm das
sein lassen, was es ist: nicht Etwas, sondern Alles. Bis hier
kann die religiös-philosophische Reflexion gelangen, um dann
vor dem offenkundigen Paradox zu verstummen: wie denn
das «Etwas» Welt und Mensch neben oder unter oder innerhalb des Alles Gottes überhaupt Daseinsraum gewinnen kann:
ob es vielleicht doch nicht Etwas, sondern Nichts ist (weil
Gottes Alles ist) oder ob Gott vielleicht doch nicht Alles,
sondern der Welt bedürftig ist, um Alles zu werden (weil der
Mensch Etwas ist).

Einzig das Christentum (mit seinem Vorspiel im Alten
Bund) scheitert nicht tragisch an diesem Paradox, sondern
darf aufgrund der Selbstkundgabe Gottes im Leben, Sterben
und Auferstehen Jesu Christi die Aussage wagen, daß Gott
unendliche Freiheit ist und ohne Nötigung sich ein freies Bild
seiner selbst gegenüberstellen konnte und wollte – das wußte
der Alte Bund –, daß er aber in seiner Freiheit immer schon
unendliche Hingabe seiner selbst, unendlicher Selbstüberstieg
der Liebe ist: dieses trinitarische Mysterium öffnet sich erst
im Neuen Bund. Damit erhält das allgemein-religiöse Ver-

hältnis Gott-Mensch eine unerhörte Überhöhung. Einmal ist (im Alten Bund) das Endliche des Menschen durch die Unendlichkeit Gottes nicht mehr bedroht: Gott ist so göttlich frei (und deshalb allmächtig), daß er aus seiner Allheit Spiegelungen seiner selbst heraussetzen kann: eine Freiheit, die nicht Raum hätte zum Schaffen, wäre keine. Daß aber der unendliche Gott in keiner Weise des Menschen bedarf, um Gott zu sein (sich seine Freiheit zu beweisen: Hegel), daß er nicht aus einer Ohnmacht der Liebe heraus erst deren Allmacht erringen muß, dies wird im christlichen Mysterium kund: Gott der Vater hat die Welt in seinem Sohn und durch ihn und für ihn (Kol 1, 16f.) erschaffen, das heißt innerhalb einer vorweltlichen, ewigen Hingabe, in der *Allmacht* oder «*Ohnmacht*» der Selbstverströmung an den «Geliebten» (Eph 1, 6), was beides schlechterdings identisch ist. Der Heilige Geist, der vom Vater und vom Sohn ausgeht und ihre gegenseitige Liebe ist, ist als die personifizierte Liebe Gottes die höchste, freieste *Macht* (jenseits aller «zwingenden» Weltmächte), und zugleich die unendliche *Verletzlichkeit:* man kann ihn «hemmen» (1 Kor 14, 39), «betrüben» (Eph 4, 30), «auslöschen» (1 Thess 5, 19), wie es entsprechend schon im Alten Bund hieß: «Sie empörten sich und betrübten seinen Heiligen Geist» (Is 64, 10).

Das christliche Gottesbild geht über das allgemein religiösphilosophische darin hinaus, daß Gott kein regloses Absolutes ist, das wesensmäßig das Endliche durchfüllt, dem dieses somit den gebührenden Raum gewähren muß, damit Gott in ihm sein kann, was er in Wirklichkeit schon ist (dieses Raumgeben wird zuhöchst, am Ende aller aszetischen Selbstauslöschungsübungen, ein erkenntnishaftes, gnostisches Moment sein). Vielmehr ist Gott immer schon der, der sich in Freiheit liebend hingegeben hat, der deshalb auch ein freies und liebendes Raumgeben für seine sich-ergießen-wollende Liebe sucht, um in der geschaffenen Freiheit bei sich selber zu sein, um diese geschaffene Freiheit deshalb auch mit seiner eigenen unendlichen Freiheit zu «bewohnen» (Jo 14, 23), sie aus dem

Schoß der unendlichen Liebeshingabe (des Vaters an den Sohn im Heiligen Geist) neu «zeugen» und «gebären» zu können (Joh 1, 13; 3, 5; 1 Joh 3, 9). Der in den raumgebenden Menschen gesendete und eingesenkte Heilige Geist aber ist, als der gleichsam nackte Kern der ewigen Liebe, der (versehrbarste) Punkt, an dem der menschliche Geist den göttlichen hüllenlos berührt. Daher ist das Wort Jesu verständlich, daß jede Sünde und Lästerung dem Menschen vergeben wird (der Sohn ist gekommen, sie zu tragen, und der Vater hat den Sohn gesandt und preisgegeben, damit er das tue), «aber die Lästerung wider den Geist wird nicht vergeben werden» (Mt 12, 31; vgl. Hebr 6, 4–6).

Fügsam im Geist

Wenn das Allgemein-Religiöse als «Raumgeben» dem Absoluten beschrieben werden mußte (so in allen Abschlußformen asiatischer, griechischer, islamischer Religion, wenn einmal die große Versuchung zum Magischen überwunden ist), so unterschied sich das Christliche dadurch, daß der Gott, dem Raum gegeben wird, selbst schon ein raumgebender ist: als Gott Vater, der dem Sohn Raum in Gott gewährt, als Gott Sohn, der sich als das Raumgewähren des Vaters versteht und deshalb dem Vater allen Raum in sich freigibt («meine Speise ist, den Willen dessen zu tun, der mich gesandt hat»), als Geist, der erweist, daß dieses gegenseitige Raumgewähren die innerste Göttlichkeit Gottes ist: eben dieser Vollzug von Freigabe und Gewährenlassen ist das höchste Vermögen, die absolute Macht, aber Macht der sich hingebenden Liebe. Ist der Vater in seiner Hingabe «aktiv» («männlich»), der Sohn «passiv» (sich selbst empfangend, «weiblich», wobei er aber als Gezeugter sich sogleich aktiv empfängt), so ist der Geist zwar einerseits in sich das «Passivste»: da er sich als das Ergebnis zweier personaler Aktivitäten werden läßt), aber anderseits das «Aktivste», weil die Begegnung von Vater und

Sohn in ihrer ewigen Liebe der vollendende, besiegelnde Akt der Gottheit ist. Einerseits gleichsam reine «Resultante», Fazit und damit objektives Zeugnis der gegenseitigen Liebe von Vater und Sohn, anderseits deren Blüte und Frucht, deren jubelnde «Exultante», gegenseitige Inspiration, kreative Phantasie der sich gegenseitig ewig neu begeisternden Liebe, die sich von diesem «Gipfel» der Gottheit in deren «Grund» hinein anregen läßt: «Die Letzten werden die Ersten sein»; so lieben Eltern sich neu *gemäß* dem aus ihnen gewordenen Kind. Der Geist in Gott als absolute Rezeptivität ist als solcher der Ausdruck der ganzen göttlichen Spontaneität.

Soll ein Mensch dem Geist Gottes gemäß gestaltet werden, so muß er in dessen Paradox einbezogen werden: wo er am rezeptivsten, am gefügigsten ist, wird er auch am spontansten sein können und müssen, sonst stünde seine Rezeptivität im Verdacht, keine christliche zu sein. Die volle Empfänglichkeit für den Geist ist immer schon volle Bereitschaft, ihn zu empfangen und zu beherbergen, Fügsamkeit im voraus für alles, was er schenken und verfügen wird. Weil der Geist aber Gott ist, und seine Ankunft im Menschen göttliches Leben mit sich bringt – eine qualitativ andere Wirklichkeit und Gesinntheit –, kann die volle Empfänglichkeit für ihn keinesfalls aus des Menschen eigenen Kräften bestritten werden, sondern muß bereits aus dem Geist geschenkt und durch ihn in Freiheit angenommen worden sein. Gleichgültigkeit für das, was geschehen mag, ist das reine Gegenteil der Bereitschaft Marias: «Siehe die Magd des Herrn, mir geschehe gemäß deinem Wort.» Fügsamkeit dem Geist muß immer schon von der Fügsamkeit des Geistes selbst zehren, muß Fügsamkeit im Geist sein. Dies unbeschadet des unendlichen Abstands zwischen Gott und Geschöpf, der das Geschöpf als «Knecht» an den untersten Platz stellt, ihm keineswegs erlaubt, die Gedanken und Pläne seines Herrn zu antezipieren oder gar mit Gott zusammen planen zu wollen; es muß eine leere Schreibtafel sein, auf die der Griffel zeichnen kann, was er will und auch jederzeit auswischen, was ihm nicht mehr gefällt. Ist aber die

Fügsamkeit der Kreatur eine solche im Geist, so ist das jeweils Aufgezeichnete das, worauf die ganze Bereitschaft des menschlichen Geistes hingespannt war; die offene Breite der noch unbestimmten Bereitschaft kristallisiert genau an der Stelle, die das Wort Gottes bezeichnet. Diese Gespanntheit ist Teilnahme an der ewigen Spontaneität des Geistes, der als die ewige Erfindungskraft Gottes sich doch einzig von dem ewig Gegebenen inspiriert: von der Liebe zwischen Vater und Sohn.

Daß göttliche Rezeptivität und Spontaneität im Innersten unseres geschöpflichen Geistes lebendig sein kann, ohne uns der eigenen geschöpflichen Freiheit zu entfremden oder diese machtartig zu überwältigen, liegt in den früher gemachten Voraussetzungen: daß Gott überhaupt nie «Etwas» ist, sondern «Alles», und daß der Gott der Christen innerhalb seiner Allmacht auch die Ohnmacht der liebenden Hingabe besitzt. Wenn die (einfache) Rezeptivität des gezeugten Sohnes dem Vater gegenüber, der ihn als sein «Wort» ausspricht, ihn dazu designiert, menschwerdend unser Bruder zu werden, weil wir geschaffene Kreaturen in analoger Weise uns vom Vater als Schöpfer her empfangen, um das zu sein, was er uns zuspricht, so setzt die (doppelte) Rezeptivität des Geistes (Vater und Sohn gegenüber) die «Existenz» des Sohnes schon voraus, und der Geist ist dessen adäquate Antwort an den Erzeuger: in ihm ruft er «Abba, Vater» – wie derselbe Geist die Stimme des Vaters an den Sohn ist: «Heute habe ich Dich gezeugt..., Du bist mein geliebter Sohn.» Zweieinige Stimme, die, von beiden hervorgehaucht, aus deren Eigenstem ausgehend, gerade so die spontane Stimme des Geistes ist, als Geist *des* Vaters und *des* Sohnes. Sind wir Kreaturen im menschgewordenen Sohn als Kinder Gottes wiedergeboren, so geht der Heilige Geist aus unserem persönlichsten Innern aus: unser Geist, zur Freiheit Gottes befreit, gewinnt darin seine eigenste, unverwechselbare Freiheit. Beides ist wahr: wir erfahren im Heiligen Geist, «daß wir Kinder Gottes sind», und wir sind es deshalb, weil wir «vom Geiste Gottes geleitet werden» (Röm 8, 16.15).

Nun aber bleibt unsere Teilnahme am Geist immer bedingt durch den vom Vater zu uns gesendeten Sohn, den Menschensohn, der am Kreuz stirbt und aus dem Totenreich aufersteht, der sich – um des Vaters Liebe zu beweisen – für immer an die Kirche eucharistisch verströmt. In dieser seiner vom Vater aufgetragenen und anerkannten Selbstverströmung ist er «bis ans Ende der Liebe» (Joh 13, 1) gegangen, hat in der Menschengestalt seine göttliche Antwort an den sendenden Vater erteilt und damit den Geist (der sein ganzes Menschsein und Leiden in ihm begleitet hat) auch als Mensch ausgehaucht, ihn den Seinen übermittelt und freigegeben.

Damit ist die Grundlage für die christliche «Unterscheidung der Geister» gegeben: «Geliebte, traut nicht jedem Geiste, sondern prüft die Geister, ob sie aus Gott sind; denn es sind viele falsche Propheten in die Welt ausgegangen. Daran erkennt ihr den Geist Gottes: jeder Geist, der bekennt, daß Jesus Christus im Fleische gekommen ist, ist von Gott. Und jeder, der Jesus auflöst, ist nicht aus Gott. Das ist der Geist des Antichristen, von dem ihr gehört habt, daß er kommen soll, und der jetzt bereits in der Welt ist» (1 Joh 4, 1–3). Entscheidend ist hier die Sequenz Menschgewordener – Geist, und im Menschgewordenen sieht Johannes stets den Sohn, der vom Vater für die Welt ans Kreuz geliefert und von ihm durch die Auferstehung beglaubigt wurde. Gewiß ist der Geist, der «vom Vater ausgeht» (Joh 15, 26), den der Vater «uns senden wird» (14, 26), «vaterförmig», denn im Geist werden wir ja – aus Gnade mit dem Sohn zusammen – aus dem Vater (wieder-)geboren. Er ist aber ebenso wesenhaft «sohnförmig», nicht nur weil der Vater ihn nur auf «Bitte» des Sohnes (14, 16) «in meinem Namen» (14, 26) sendet, weil der Sohn ihn sogar selbst vom Vater her sendet (15, 26), sondern weil er ganz ausdrücklich jener Geist ist, der des Sohnes ist, der ihn (als Wort des Vaters) «ohne Maß», in der Fülle, «mitteilt» (Joh 3, 34), als Ströme lebendigen Wassers, die ihm entfließen (Joh 7, 38f.), wenn er «verherrlicht ist», den Geist im Tode aushaucht (Joh 18, 30), um ihn auferstehend der Kirche einzuhauchen: «Empfangt den Heiligen Geist» (Joh 20, 22).

Der Übergang ins Praktische ergibt sich leicht: oberste Richte ist die Einheit des sich (im Tode eucharistisch) selbst verströmenden Wortes Gottes und des in dieser Verströmung ausgehenden Geistes, der die eigentliche Bestätigung und Verteidigung und pneumatische Exegese Jesu in seiner menschgewordenen göttlichen Gesinnung ist (Joh 14, 26; 15, 26; 16, 13-15). In diesem und keinem andern Sinn ist Pauli Wort zu nehmen: «Der Herr ist der Geist» (2 Kor 3, 17). Paulus selbst ist im Fleisch je vom Geist bestimmt und getrieben, und er selber tut in der Selbsthingabe «in seinem Todesleiden» (2 Kor 4, 10) kund, wes Geistes er ist. Wer also die Quelle des Geistes, den Sohn, hinter sich lassen und «einen Schritt voran» tun will, trennt das Wasser von der Quelle und hat weder den Vater noch den Sohn (2 Joh 9). Für Johannes ist dieser «Fortschrittling» (proagōn) der eigentliche Häretiker, der «Jesus auflöst». Daß *nach* oder *hinter* Christus her noch ein eigenes Reich oder Verhalten des Geistes kommen könnte, war in der Tat die von den Montanisten bis zu den Joachimiten, den Aufklärern und Idealisten immer wiederkehrende Mißdeutung der Christusförmigkeit des Geistes, und damit die Verkennung der untrennbaren Einheit von Trinität und Inkarnation.

Alles entscheidet sich demnach dort, wo christliche und kirchliche Spontaneität – im Erfinden neuer Strukturen und Gehalte kirchlichen Lebens – sich im innern Gleichgewicht zur Rezeptivität des Geistes hält, der «über mich Zeugnis ablegt und auch ihr sollt (entsprechend!) über mich Zeugnis ablegen» (Joh 15, 26-27), der «nicht aus sich selber redet», sondern «von dem Meinigen nimmt und es euch verkündet» (Joh 16, 13.15). Denn das, was der Christ bei seiner Taufe als erstes erhält, ist – in der Geburt aus Gott – die Gleichgestaltung mit dem gekreuzigten Herrn: «auf seinen *Tod*» sind wir getauft, und müssen, weil wir gestorben und begraben sind, ein von der Sünde lediges Leben führen (Röm 6, 1-2): von der Auferstehung mit dem Herrn wird hier nur im Futur gesprochen, auch wenn die Kraft, sündelos zu leben, uns jetzt schon von der Auferstehung Christi her zukommt. Wir sind «aus den Toten Lebende» (*ek nekrōn zōntas*, Röm 6, 13). Der Geist aber, der uns geschenkt wird, ist der aus dem sterbenden Hauch auf uns zu ausgehauchte: ewiges Leben aus dem Toten. Von hier aus wird Unterscheidung der Geister konkret.

Unterscheidung konkret

Geisthaft spontan ist nur, wer gleichzeitig im dauernden Empfang lebt: der Geburt aus dem Vater, des Bildes des eucharistischen Sohnes, des von beiden ausgehenden in unseren Herzen betenden und seufzenden Geistes (Röm 8, 26–27). Dieser ist Geist der Kindschaft zu Gott und aus Gott und im selben Maße Geist des in Mündigkeit übernommenen Auftrags (1 Kor 14, 20). «Phantasie» und «Gehorsam» stehen sowenig in einem Gegensatz zueinander, daß sie sich vielmehr gegenseitig fordern und fördern, daß, wo das eine sichtlich zu kurz kommt, sicher auch das andere heimlich verletzt ist. Gehorsam ist hier zuerst jene Fügsamkeit des Geistes, der sich aus Vater und Sohn, aus ihrer ganz konkret im Evangelium bewiesenen Liebe, entspringen *läßt*, und Geist unserer gegenseitigen Hingebung sein will. Er ist zuerst Geist und Gesinnung des Vaters, der den Sohn aus seiner Zeugungskraft entspringen läßt und ihn in diesem Geist wie in einem mütterlichen Schoße hegt, und damit Urbild für unsere konkrete Nächstenliebe, in der wir Väter und Mütter unserer Mitmenschen sein sollen. Er ist dann Geist der Fügsamkeit des menschgewordenen Sohnes gegenüber dem Willen des Vaters, der ihm vom Heiligen Geist vorgestellt wird, und darin unser Vorbild, wie wir auch vom Mitmenschen her den Willen Gottes zu vernehmen bereit sein müssen. Er ist, auf beidem fußend, der kirchliche Gehorsam, der zunächst alle Christen als Glieder am Leibe Christi kennzeichnet – «seid einander untertan in der Furcht Christi» (Eph 5, 21), «jeder achte in Demut den andern höher als sich selbst» (Phil 2, 3) – und dieser Geist verlangt dann, daß «ihr jene, die sich unter euch abmühen, die euch im Herrn vorstehen und euch zusprechen, in Liebe um ihrer Arbeit willen besonders hoch schätzt» (1 Thess 5, 12–13). Dieser Geist der Fügsamkeit zu Gott und zu den Menschen entledigt den Christen der bedrückenden Aufgabe, mit seiner eigenen «Phantasie» alles von Grund auf erfinden zu müssen; er darf kindlich den Geist sich schenken lassen, der erfindungsreicher ist als alle Geschöpfe, und darf vom Geist «getrieben» (Mk 1, 12; Röm 8, 14) das christlich je Neue, je Aktuelle in Welt und Geschichte miterfinden. Er wird dann entdecken, daß in dem von Gott her der Kirche Überlieferten keimhaft unendlich mehr verborgen liegt, als was von den Christen entdeckt und gelebt worden ist, daß aber dieses stets neu zu Entdeckende immer zuletzt aus der göttlichen Grundlegung stammt. In diesem Sinn gilt der (sonst mißverständliche) Satz: *nihil innovetur nisi quod traditum est.*

1. Die Tendenz besteht, in kleinen Gruppen, die sich natürlich und spontan zusammenfinden, Kirche neu zu leben und deren Sinn zu erfahren: als Gemeinschaft, die sich durch gegenseitige Stärkung und Anregung wirksam und fruchtbar erweist, dort wo eine traditionelle Gemeinde in ihren unorganischen Gottesdiensten und Pfarrvereinen sich selbst und der Umwelt unglaubhaft bleibt. Die kleine Gruppe ist nicht nur beweglicher, sondern phantasievoller: sie findet im wehenden Geist die neuen, zeitgemäßen Aufgaben, sie gewinnt in der gegenseitigen Anregung der Glieder die Initiative, das Geplante durchzuführen. Die Frage an solche Gruppen ist, ob sie bereit sind, sich als Glieder der Catholica zu verstehen und auf dieses Eine und Ganze hin auszurichten und zu übersteigen, das die Kirche Christi auch ihrer irdisch-sichtbaren Struktur nach sein muß, die nicht nur «ein Geist», sondern auch «ein Leib» (Eph 4, 4) ist. Aufgrund der einen eucharisti-

schen Hingabe Christi, der die Gruppe, die Pfarrei und jede Ortskirche beseelt, sind wir doch «durch den *einen* Geist alle in *einen* Leib hineingetauft», um so wieder «alle mit dem *einen* Geist getränkt» zu werden (1 Kor 12, 13). Die Gruppe ist nur ein Glied an diesem Leib und wird durch die Strukturgesetze des gesamten Organismus bestimmt: primär nicht in der Äußerlichkeit einer Organisation, sondern aus tieferen Bedürfnissen des Geistes Gottes, der zum Besten des ganzen Leibes «jedem seine Gaben zuteilt, wie er will» (ebd. 11). Nicht nur auf dem Niveau der Einzelnen, sondern auf dem der Gruppe gelten die Gesetze der Charismatik, wie sie Paulus ausführlich, immer von der Gesamtkirche her, entwickelt (Röm 12; 1 Kor 13; Eph 4). Nach dem Maße ihrer Bereitschaft zum Überstieg auf das Ganze erweist sich die Echtheit einer charismatischen Gruppe, die dann befugt ist, ihre Spontaneität innerhalb des Ganzen anzumelden, zu betätigen und gemäß den Proportionsgesetzen des Ganzen durchzuführen.

2. Ferner besteht die Tendenz zu betonten Geist- oder Pfingstkirchen, heute auch innerhalb der Catholica, und diese weisen sich zweifellos durch erstaunliche Phänomene geistlicher Erneuerung, durch Eifer im Gebet und apostolische Einsatzbereitschaft aus. Charismatische Gnaden, die denen der Urkirche gleichen, blühen in ihnen und werden von ihnen oft mit echter Diskretion behandelt. Aber auch diese Kirchen müssen als ganze der Unterscheidung der Geister unterworfen werden, zumal dort, wo bewußt oder unbewußt eine Direktheit der Geisteserfahrung behauptet oder gar angestrebt wird. Wir sagten es eingangs: Gott ist wesenhaft nur durch Nichterfahrung hindurch erfahrbar; christlich gewendet: nur durch jenen entscheidenden Verzicht, der im christlichen Glauben, Hoffen und Lieben liegt. Glaube heißt: Du, Gott, hast auf jeden Fall recht, auch wenn ich es nicht einsehe oder vielleicht das Gegenteil wahrhaben möchte. Hoffnung heißt: in Dir, Gott, habe ich allein sinnvollen Bestand, und dafür lasse ich alle Selbstversicherung fahren. Liebe heißt:

alle meine Kraft und mein ganzes Gemüt strengt sich an, Dich, Gott, zu bejahen (und mich nur in Dir) und jene Menschen, die Du mir zu «Nächsten» zugewiesen hast. Wenn von diesen drei zentrifugalen Bewegungen etwas auf mich bestätigend zurückstrahlt, so gehört dies nicht zum Sinn der Bewegung selbst, und noch viel weniger werde ich die Bewegung um jener Bestätigung willen vollziehen. Die Dinge verhalten sich vielmehr paradox: je weniger einer sich und seine Erfahrung sucht, um so eher kann ihm eine solche zuteil werden; je mehr er dagegen nach seiner Befriedigung schielt, um so weniger erhält er sie, oder die gewonnene Erfahrung wird christlich falsch. Sie ist allenfalls eine seelische Erregung, ein lustvoller Enthusiasmus, wie man ihn religionsgeschichtlich und religionspsychologisch in sehr vielen nichtchristlichen religiösen Versammlungen findet. Die überlieferten klassischen «Regeln zur Unterscheidung der Geister» (vom Pastor Hermae über Origenes, Antonius, Evagrius, Diadochus, zu Bernhard, Dionys dem Kartäuser und zum Exerzitienbuch Ignatius' von Loyola[1] weisen immer wieder, in verschiedenster Weise, auf die Gebrochenheit solcher Erfahrung, die sich erst dort zu einer Eindeutigkeit klärt, wo der Christ und Beter eine gewisse Endgültigkeit der Loslösung von sich selbst und seinen Erfahrungserwartungen erreicht hat. Will doch der Heilige Geist nichts anderes, als in uns «Christus ausgestalten» (Gal 4, 19): Christus aber «lebte nicht sich selbst zu Gefallen» (Röm 15, 3), «suchte nicht die eigene Ehre» und deren Genuß (Joh 5, 41), «hielt nicht an seiner Gottgestalt (und damit an seiner Gotteserfahrung) fest» (Phil 2, 6), wurde um unsertwillen «arm», nicht nur materiell, sondern vor allem im Geiste, da er uns dadurch auch nicht materiell, sondern im Geist (des selbstlosen Schenkens!) reich machen

---

[1] Vgl. Art. Discernement des Esprits, in Dict. de Spiritualité III (1957) Sp. 1222–1291 (Lit.), J. Mouroux, L'Expérience chrétienne. Paris 1952; Leo Bakker, Freiheit und Erfahrung, Redaktionsgeschichtliche Untersuchungen über die Unterscheidung der Geister bei Ignatius von Loyola. Würzburg 1970.

wollte (2 Kor 8, 9 und der ganze Zusammenhang). Die Entäußerung kennzeichnet den Sohn in seiner Erniedrigung; um
uns ihm gleichzugestalten wird der Geist uns vor allem in
diese Abstiegsbewegung einüben: das wird das Echtheits-
zeichen der Pfingstkirchen sein.

3. Endlich gibt es die Tendenz, das christlich Geglaubte und
von Gott uns Geschenkte umzusetzen in segensreiche Be-
mühungen um die Gestaltung der Welt: Bemühung um den
Frieden, um die soziale Gerechtigkeit, um die Hilfe für unter-
entwickelte Völker. Nach manchen läßt sich nur da, wo diese
Umsetzung ins Praktische erfolgt, der Geist Christi feststellen.
Im Sinn der Geistunterscheidung läßt sich dazu sagen: Solange die Anstrengung, dem Christlichen in der Welt Gestalt
zu verleihen, den Christen beseelt, ist er auf dem Weg Christi;
wenn ihm aber der Erfolg dieser Anstrengung zum Maßstab
wird, weicht er ab. Es mag nützlich sein, sich hier an die alttestamentlichen Kriterien für echte Prophetie zu erinnern:
die Heils- und Friedenspropheten sprachen mehrheitlich nicht
aus dem Heiligen, sondern aus ihrem eigenen Geist (Jer 28,
vgl. Jer 23, Mich 3, 5; Ez 13, 10.16). Es war zunächst und
zumeist das Unerwünschte, das der Prophet auszukünden
hatte, kraft seiner eigenen Sendung, aber auch aufgrund der
Gesetze der Heilsgeschichte; selbst die erfolgreichen Zeichen
und Wunder, die die Friedenspropheten wirkten, genügten
nicht zu ihrer Beglaubigung. Auch heute können solche Er-
folgszeichen eine Erprobung der Gläubigen von Gott her
sein (Dt 13, 2–5). Wieder muß alles durch das Feuer eines
grundsätzlichen Verzichts hindurch, um christlich glaubhaft
zu werden: das war der Sinn der Versuchungen Jesu in der
Wüste. Diese sind auch die wesentlichen, bleibenden Versuchungen der Kirche, die Jesus von innen her in ihrer ver-
führerischen Macht kennenlernen wollte, um der immer wieder versuchten Kirche von innen her helfen zu können. Alle
irdischen Güter, nicht zuletzt die von der Technik des Menschen geprägten, tragen eine Ambivalenz an sich, in die die

christliche Absicht nicht miteingehen darf. Die technischen Mittel, welche einfachen, «unterentwickelten» Völkern dargeboten werden, zeigen ihre Zweischneidigkeit nur allzudeutlich, selbst dann, wenn sie mit Vorsicht und Verantwortung eingeführt werden. Bis zu einer gewissen Kulturstufe mögen sie sich vorwiegend heilsam auswirken; aber durch ihre innere Dynamik drängen sie über diese Stufe hinaus und führen die Völker unweigerlich zu den Krisen, in denen unsere Kulturen sich umtreiben. Um so sinnloser erscheint das heute vielfach herumgereichte Programm, sich mit Entwicklungshilfe und der darin sich äußernden «humanen» Gesinnung zu begnügen und auf eigentlich christliche Mission zu verzichten. Denn einzig die Glaubenswerte könnten den Völkern erlauben, mit den gefährlichen «Kulturwerten» halbwegs fertig zu werden.

Der Christ ist zu jeder Anstrengung aufgerufen, das Elend der Welt, Krieg, Hunger, Unmoral, dumpfe Verzweiflung zu bekämpfen; einen durchschlagenden Erfolg seiner Anstrengung zu erwarten wäre aber schon wieder unchristlich. Je freier die Menschheit von den Naturgewalten werden wird, desto verlockender wird es für sie werden, die Mittel, die ihr zu dieser Freiheit verhalfen, als Werkzeuge der Macht zu mißbrauchen. Mit der Weltbeherrschung steigt notwendig die apokalyptische Weltbedrohung. Keine Rede kann davon sein, daß das Kreuz Christi, das auch seiner Kirche mitzutragen auferlegt ist, an Aktualität verlieren könnte. Wahrscheinlich wird es schwieriger als früher, unter den Mammutmächten der technischen Kultur als Christ zu leben. Dann wird es Zeit, sich an die Kennmale des Heiligen Geistes zu erinnern: daß er sich werden läßt aus einer doppelten ewigen Hingabe, deren Glorie und Exponiertheit er ist: Allmächtigkeit und Verletzlichkeit der Liebe widersprechen einander nicht, so wie auch die Menschwerdung dieser Liebe, ihre Kreuzigung und Auferstehung einander nicht aufheben, solange die Welt steht und der Geist ihr die Gesinnung Gottes offenbart.

PRIESTER DES NEUEN BUNDES

Vorerinnerung

Es gibt zwei Grundformen der Anthropologie. Die eine ist auf der Sehnsucht, dem Ausschauhalten, dem «Ausgriff» des menschlichen Geistes oder Herzens gegründet, um den Radius seines Transzendierens zu erkunden. Man kann diese Anthropologie prävalent männlich nennen. Die andere ist auf einer Erwartung aufgebaut, von etwas Größerem, und zwar unbestimmbar und deshalb unabschließbar Größerem begabt und überformt zu werden: man kann sie prävalent weiblich nennen. Die ersten Typen werden jede Grenze, an die sie stoßen, von vornherein als eine zu übersteigende Schranke empfinden, als eine «Institution», die sich der Lebendigkeit des eigenen Überstiegs entgegenstellt. Die zweiten sind im Gegenteil gezwungen, das Erfüllende, auch und gerade wo es überwältigt, im Sinn einer Form zu erwarten, deshalb hat der Begriff «Institution» für sie nicht den einschränkenden Nebenklang wie für die ersten, sondern kann den Sinn einer lebendigen Gestalt besitzen, der die überraschende Gnade eignen kann, gerade als so und nicht anders «gesetzte» das wahrhaft Erfüllende zu sein.

Nun verhält sich aber alle Kreatur dem erfüllenden Gott gegenüber primär weiblich. Sie kann Erfüllung durch Gott nur empfangen, und zwar so, wie Gott sie in Freiheit geben will; sie hat kein Apriori, demgemäß sie die Weise der göttlichen Erfüllung fordern und gewisse, ihr nicht behagende Formen ablehnen kann. Die radikal männliche Einstellung dem Absoluten gegenüber ist diejenige Fausts, deren Widerspruch darin liegt, daß er in keinem schönen Augenblick – da dieser als solcher einen bestimmten, begrenzten Gehalt hat – Genüge und den Wunsch des Verweilens finden kann; er verlegt das Absolute in seinen eigenen Drang, dessen Lust es ist, jeden möglichen «Augenblick» zu übersteigen. Natürlich ist die Kreatur Gott gegenüber nicht einfach passiv; das ist ja die Frau dem Mann gegenüber auch nicht; aber wenn sie in einer gewissen Aktivität erwartet, so hat sie in dieser keinen absoluten (oder sich absolut setzenden) Maßstab für die Form der Erfüllung. Und wenn sie eine solche erlebt, in der alle ihre Kräfte im dankbaren Empfang des Gebotenen beschäftigt scheinen, hat sie keinen Anlaß, unruhig, unbefriedigt nach einem anderen, Größeren, noch Erfüllenderen Ausschau zu halten.

Je geistiger eine zwischenmenschliche Liebe wird – und hier können wir vom Geschlecht absehen, denn der oben beschriebene männliche «Ausgriff» stand doch wesentlich für das Triebhafte, das mit seinem Moment «schlechter Unendlichkeit» beiden Geschlechtern gemeinsam ist –, desto mehr ist sie auf das Geschenk eingestellt, das ihr vom geliebten Andern angeboten wird, und geneigt und befähigt, darin das im Augenblick Richtige und Sättigende, weil aus der Liebe Stammende, entgegenzunehmen, ohne am Geschenkten vorbei nach etwas Weiterem sich umzusehen. Denn wo Erfahrung, vielleicht immer tiefere Erfahrung gegenseitiger Liebe gemacht worden ist, da wird auch immer selbstverständlicher vorausgesetzt, daß der geliebte Andere jeweils versucht, das Beste zu geben, was er besitzt oder vermag. Die Erfüllung liegt dann immer mehr in der Qualität der Beziehung des Gebens und Nehmens hin und her, und immer weniger in der Quantität der Forderung und des ihr entsprechenden Angebots. Hier wird sichtbar, daß zwischenmenschliche Liebe, zumal in der Ehe und gerade in ihrer vollendeten Gestalt, eine gewisse innere Unendlichkeit mit einer gewissen äußern Endlichkeit, anders gesagt: Inspiration mit Institution in sich durchaus zu vereinen vermag.

An dem Beispiel wird für das Verhältnis von Geschöpf und

Gott klar, daß das primär weiblich empfangende Geschöpf vom allreichen und allfreien Gott auf vielerlei Weisen erfüllt werden kann, die dem Geschöpf zudem umso befriedigender erscheinen werden, je mehr es seinen Durst nach falscher Unendlichkeit überwindet (der, wie Buddha richtig gesehen hat, sich in aussichtslosem Kreislauf nur selber steigert), um seine Kräfte im dankbaren Empfang der göttlichen Gabe verweilen zu lassen und in dieser Beruhigung erst zu erfahren, daß ihm in *dieser* Gabe das Je-Größere Gottes und darin das jetzt Bestmögliche angeboten wird. Es wird in der Gabe den Geber erfahren, der wesensmäßig in seiner Gesinnung der Bestmögliche ist; die Gabe wird ihm deshalb nicht mehr als beschränkt erscheinen, sondern als das lebendige, kostbare Gefäß, in dem «die Unendlichkeit» ihm «entgegenschäumt». Wieder wird deutlich, daß Gott gerade solche Gefäße institutieren, solche Institutionen verfügen kann, um sein Lebendigstes darzubieten. Noch genauer: daß Institution (als Gefäß) in keinerlei Spannung und Gegensatz zum Leben (als Inhalt) steht, sondern bloß die *Weise* ist, wie Lebendiges dargeboten wird. Leben und Form widersprechen einander nicht.

Nun ist die gesamte Heilsveranstaltung des Vaters, seine Aussendung des Sohnes und des Geistes in die Geschichte hinein in diesem Sinn zugleich Leben und Gestalt. Von außen her betrachtet erscheint diese Gestalt endlich und damit überholbar; von innen im Heiligen Geist betrachtet, liegt darin die ganze unüberbietbare Liebe Gottes, deshalb ist die Kontemplation dieser Gestalt, ihre Auslegung, ihre Anwendbarkeit auf alle Lagen des menschlichen Lebens und der Geschichte unerschöpflich. Von außen betrachtet erscheint sie als eine Gestalt neben andern, zu denen sie in Konkurrenz, im Verhältnis von Exklusion oder Inklusion steht; von innen kann sie als die Gestalt aller Gestalten erscheinen, sofern ihre Mitte Jesus Christus heißt, «in dem und durch den und für den» alle übrigen Gestalten geschaffen sind und ihren Sinn haben (Kol 1, 16). In diesem besonderen Licht erscheint die

gesamte göttliche Heilsverfügung für die Welt als «Mysterium» (die Lateiner werden es vornehmlich mit «Sacramentum» übersetzen): gestalthafte Verwirklichung einer unendlichen und deshalb geheimnisvollen (auch in ihrer Offenbarung geheimnisvoll bleibenden) Liebesabsicht Gottes mit
seiner Schöpfung. Als gestalthafte Verfügung ist das Mysterium «Institution», als Leib der unendlichen Liebe ist diese
Institution gleichzeitig Leben. So ist nicht erst die Kirche in
ihrer Gliederung oder ihren einzelnen Einrichtungen als Institution zu bezeichnen, sondern bereits ihr Prinzip, Jesus
Christus selbst, sofern er als der Sohn des Vaters dieser einzelne Mensch ist und zugleich der, um den herum alles Heilsgeschichtliche zur Gestalt kristallisiert.

Dies alles sollte nur als Vorerinnerung evoziert werden,
damit wir, wenn im Zusammenhang des neutestamentlichen
Priestertums das Wort «Institution» fällt, den Rahmen vorweg haben, in den es hineingehört und worin es allererst seinen Sinn bekommt.

Sendung

Der Begriff Sendung ist für das Wesen Christi wie für das
Wesen der von ihm besonders Beauftragten schlechthin
grundlegend. Er bringt eine völlig neue Nuance in die Begriffe Gestalt und Institution hinein. Jesus verbindet von
vornherein beide Sendungen aufs engste; es geht ihm um mehr
als einen Vergleich, um mehr als eine Parallele, es geht ihm
um die Fortführung einer identischen Bewegung: «Wie mich
der Vater gesandt hat, so sende ich euch» (Joh 20, 21). Die
Identität liegt nicht nur, wie dieser Text sie zeigt, im Akt des
Sendens, sondern auch in dessen Inhalt, sofern Jesus das Erhaltene weitergibt: «Die Worte, die du mir gegeben hast,
habe ich ihnen gegeben, und sie haben sie angenommen»
(Joh 17, 18), und nochmals: «Ich habe ihnen dein Wort gegeben (17, 14), «ich habe ihnen deinen Namen kundgetan»

(17, 26). Und entsprechend negativ: «Das Wort aber, das ihr hört, ist nicht mein Wort, sondern das des Vaters, der mich gesandt hat» (14, 24; vgl. 7, 16; 8, 26; 12, 44.49; 14, 10). Diese Weitergabe des Inhalts war in allen Predigten Jesu an das Volk erfolgt; hier aber geht es um mehr: um die Weitergabe seiner eigenen Sendung, die ihn zu dem macht, der er ist, den Gottgesendeten schlechthin. Jesus hatte schon bei der ersten Jüngerberufung die Absicht, sie «zum Verkündigen auszusenden» (Mk 3, 14), und er hatte bald darauf begonnen, sie wirklich, wenn auch erst probeweise, auszusenden (Mk 6, 7; Mt 10, 5.9–14; Lk 9, 1–6; 10, 1–11; Joh 4, 38). Am Osterabend geschieht es endgültig und umfassend, so, daß die Form der Sendung der Jünger durch Jesus die Form der Sendung Jesu durch den Vater selbst erhält.

Das geht weit hinaus über die jüdische Schaliach-Institution[1]. «Schaliach» heißt der Gesendete, der juristisch mit den Vollmachten der stellvertretenden Person ausgestattet wird. So schließt schon der alte Knecht Abrahams in dessen Auftrag und mit Zustimmung seines Sohnes Isaak den Ehevertrag mit Rebekka, noch bevor Isaak diese gesehen hat. Im Neuen Bund ist der Gesendete nicht bloß der rechtsgültige Stellvertreter des Sendenden, sondern seine reale Vergegenwärtigung. «Wer mich sieht, sieht den, der micht gesandt hat» (Joh 12, 45), «wer mich gesehen hat, hat den Vater gesehen» (14, 9). «Die reale, nicht fiktive Gegenwart des Sendenden im Gesandten ist die große Neuerung des Neuen Testaments. Hier liegt der ganze Kern des Mysteriums sowohl Christi wie der Kirche.» Auch der Kirche, weil Jesus, der sein trinitarisches Verhältnis zum Vater als Ausgangspunkt wählt – «wie mich der Vater gesandt hat» – dieses auf sein Verhältnis zu den kirchlich Gesendeten überträgt: «so sende ich euch.» «Die Sendung der Diener am Evangelium ist der Sendung von Sohn und Geist nicht nur analog, sondern steht in unmittelbarer Kontinuität mit ihr und ist ohne sie nicht zu verstehen[2].»

[1] Vgl. ThWB I 414ff. (Regnstorf).
[2] L. Bouyer, Le sens de la vie sacerdotale (Desclée 1960) 11.

Und Jesus will bis in die letzten Folgerungen dieser wahrhaft unfaßlichen Verlängerung der trinitarischen Mission gehen: «Wer einen aufnimmt, den ich gesandt habe, der nimmt mich auf, und wer mich aufnimmt, der nimmt Den auf, der mich gesandt hat» (Joh 13, 20; vgl. Mk 9, 37). «Wer euch hört, der hört mich; wer euch verachtet, verachtet mich; wer aber mich verachtet, der verachtet Den, der mich gesandt hat» (Lk 10, 16). Wenn einzelne Wunderwirker, zumal Totenerwecker im Alten Bund als Schaliachim Gottes bezeichnet werden konnten, wie dies zuweilen der Fall war, so hat doch nie einer der Propheten als Sprecher der Worte Gottes diesen Namen erhalten.

Jesus hat das Bewußtsein, daß sich in ihm das Wort, das Gott der Welt verkünden will, zu einer letzten, nicht überbietbaren Einheit zusammengefaßt hat. Schon bei den Synoptikern ist das Evangelium er selbst: sein Reden und Wirken und dahinter seine Person. Bei Johannes wird er vollends zum Wort des Vaters, mit der ganzen Dialektik, die darin liegt; er spricht, was er vom Vater her hört, das Heilswort für die Welt; er identifiziert sich mit diesem gesprochenen Wort; dennoch: wer es nicht glauben und annehmen will, wird weder vom Vater noch vom Sohn gerichtet – denn das Wort ist ja Heilswort –, sondern vom Wort selbst, das er ablehnt, und das freilich nur aus der Perspektive des Hörers von Jesus unterschieden werden kann: «Wer meine Worte hört und sie nicht bewahrt, den richte ich nicht. Denn ich bin nicht gekommen, die Welt zu richten, sondern die Welt zu retten. Wer mich ablehnt und meine Worte nicht annimmt, hat seinen Richter: Das Wort, das ich geredet habe, das wird ihn richten am Jüngsten Tage. Denn ich habe nicht aus mir selbst gesprochen, sondern der Vater, der mich gesandt hat, er hat mir den Auftrag gegeben, was ich sagen und reden soll» (Joh 12, 47–49). Die hier vorgenommene Distanzierung ist nichts als eine eindrückliche Form der Identifizierung. Jesus ist das Heilswort, das Evangelium des Vaters an die Welt.

In der Sendung der Jünger geht es, auch wenn man die

hinzukommende Distanz des Knechtes zum Herrn, des Sünders zum Erlöser miteinrechnet, grundlegend um die gleiche Einheit, über die gleiche Dialektik hinweg. Schon vor der Auferstehung werden die gesendeten Jünger, um überhaupt die Botschaft vom Reich verkünden zu können, mit der Vollmacht nicht nur zum Wort, sondern auch zur Tat Jesu begabt, denn Gottes Wort ist wesentlich ein Tun. Die Dämonen sind den Gesendeten wirklich, im Namen Jesu, untertan, denn in ihm als dem endzeitlichen Heilsereignis ist Satan wie ein Blitz vom Himmel gefallen (Lk 10, 17–19). Und wenn nach der Auferstehung die endgültige Aussendung mit der Zeugenschaft von der Auferstehung (als der endgültigen Heilstat des Vaters) erfolgt sein wird, werden in der Apostelgeschichte die Predigten des Evangeliums ausdrücklich von den Zeichen und Wundern begleitet sein, die Jesu Gegenwart durch seinen Heiligen Geist in den Gesendeten bezeugen werden. Diese Gegenwart erhält jedoch ihre Evidenz erst dadurch, daß die junge Kirche im gleichen Maß und Rhythmus Verfolgung und Rückschläge zu erdulden hat, wie sie Erfolge in ihrer Mission verzeichnen kann. Drohungen, Geißelungen, Einkerkerungen, Enthauptungen, Versprengungen usf. bilden den immerwährenden Kontrapunkt zum Motiv der unwiderstehlichen Ausbreitung des Glaubens unter dem Wehen des Heiligen Geistes.

Was die Apostelgeschichte als Rhythmus der ganzen Urkirche schildert, konzentriert sich im Rhythmus der Existenz Pauli, des vom glorreichen Christus im Damaskuserlebnis exemplarisch Gesendeten. Er ist enteignet zum reinen Dienst am Evangelium; aber dieses ist für ihn nicht Kunde von einem bloß vergangenen geschichtlichen Ereignis, sondern Gegenwart des im Heiligen Geist wirkkräftigen Wortes Gottes, das aber wiederum nichts anderes ist als die Gegenwart im Heiligen Geist des gekreuzigten und auferstandenen Herrn. Und Paulus könnte diesen seinen Herrn den Korinthern nicht als den gekreuzigten verkünden, wenn er, der Gesendete, nicht die Realität des Kreuzes des Sendenden in sich wüßte, verspürte und erführe, sie geradezu als Beweis für die Wahrheit seines Wortes an seiner Existenz demonstrieren könnte. Die Dialektik des johanneischen Jesus kehrt bei ihm verstärkt wieder, indem er sich in einem fort als Person (die «nichts» ist, 2 Kor 12, 11) von der «überschwenglich großen Dynamis» in ihm (2 Kor 4, 7) unterscheidet, die «aus Gott und nicht aus uns» stammt, und doch diese Person nicht anders verstehen und beschreiben kann denn als den reinen Ort und Sitz und Träger dieser Dynamis des sendenden Herrn: einer «Gotteskraft», die sich ebensowohl in Kreuz und Schwachheit und Ärgernis wie in Auferstehung und Kraft und Herrlichkeit offenbart. Dieses Paradox des Dienstes ermächtigt den Apostel, das Gotteswort, das ihn in Beschlag genommen hat, ohne Diplomatie, «unverfälscht durch Ränkespiel», «offen vor Gottes Angesicht darzulegen»; und es klingt wie ein Echo auf Jesu Wort Joh 12, 47 ff., wenn er seinerseits sagt: «Wenn aber die von uns verkündete Heilsbotschaft wirklich verborgen ist, so ist sie nur für die verborgen, die verlorengehen», denen der Gott dieser Welt «den Sinn verblendet hat, damit ihnen nicht erstrahle das helle Licht des Evangeliums von der Herrlichkeit Christi, der da ist das Bild (d. h. die Epiphanie) Gottes» (2 Kor 4, 3 f.). Nachfolgend wird das Paradox der Sendung immer wieder umkreist: die Gesendeten verkünden nicht sich selbst, sondern den Herrn, sie selbst sind nur Diener um Jesu willen. Anderseits ist die Herrlichkeit, die einzig dem Herrn gehört und die «Herrlichkeit Gottes» ist, «in unseren (der Apostel) Herzen aufgeleuchtet», denn anders könnte diese Herrlichkeit Gottes, die «auf dem Antlitz Christi ist», von den Gesendeten nicht glaubhaft verkündet werden. Aber, so muß hinzugefügt werden, das Leuchten der Herrlichkeit des Sendenden in den Herzen der Gesendeten erweist auch, daß die diesen Überschwang tragenden Gefäße «irden», vergänglich, wertlos, nichtig sind; beides, der Glanz und die Nichtigkeit muß gleichzeitig offenbar werden, und dies nicht um des persönlichen Schicksals des Gesendeten, sondern um der Gemeinde willen, die darin die Gegenwart des Sendenden erkennen muß, die Boten aber mit dem sendenden Herrn nicht verwechseln darf (2 Kor 4, 6–12).

Vollmacht und Amt

Man hat das Schweigen der neutestamentlichen Texte über die ausschließliche Vollmacht der von Jesus Gesendeten, sein eucharistisches Gedächtnismahl inmitten der Gemeinden zu feiern, immer wieder als befremdend und schmerzlich empfunden. Es würde sich lohnen, diese Vollmacht einmal im Zusammenhang mit dem eben Gesagten zu betrachten. Das aus dem trinitarischen Verhältnis abgeleitete Insein des sendenden Herrn im gesendeten Jünger – und die ersten Gesendeten wissen sich verpflichtet, ihrerseits Nachfolger zu wählen und zu senden[3] – ist ein der Gemeinde gegenüber primäres, exemplarisches, wirksam prägendes; von dem im Herzen des Apostels aufleuchtenden Licht der Herrlichkeit Christi her lernt die Gemeinde diese Herrlichkeit kennen, und entsprechend lernt sie aus dem Typos des apostolischen Lebens die Gegenwart und Aktualität des Kreuzes Christi als für sie aktuell verstehen. Natürlich geht alles von der Wortverkündigung aus, in der die gesendeten Apostel – wie die zahlreichen Reden der Apostelgeschichte beweisen – zunächst schlicht von den evangelischen Ereignissen berichten, diese im gesamten biblischen heilsgeschichtlichen Zusammenhang

---

[3] Gewiß gehören diese nicht mehr zur Gründergeneration, sie sind nicht mehr die Augenzeugen der Auferstehung, nicht mehr vom Herrn unmittelbar Gesandte, die in einem unvergleichbaren Verhältnis zu ihm stehen. Dieses Verhältnis geht ein in die nunmehr weiterzugebende «Lehre» (1 Tim 1, 10; 4, 6 und öfter), behält aber gerade als solche ihre gleichbleibende Aktualität. So muß Timotheus «teilnehmen» an Pauli «Leiden für das Evangelium in der Kraft Gottes. Er hat uns ja errettet und seinen heiligen Ruf an uns ergehen lassen» (2 Tim 1, 8 f.; 2, 3), um das Übernommene wieder andern, Geeigneten weiterzuvermitteln (2 Tim 2, 2, vgl. Tit 1, 5).

situieren und erklären und so die jüdische oder heidnische Zuhörerschaft unmittelbar in die christliche Wahrheit einweihen. Aber dieser Ausgang von der Wortverkündigung bleibt eine erste Zeit, die notwendig in eine nachfolgende übergeht: in der das Wort entweder angenommen wird – dann wird der Apostel bei der Gemeinde verweilen und sie tiefer einführen und dabei als gesendete Persönlichkeit in Erscheinung treten – oder das Wort verworfen wird – dann wird der Apostel verfolgt und erhält Gelegenheit, zu einem existentiellen Zeugen Christi zu werden und seine Predigt auf andere, eindringlichere Weise fortzusetzen. In beiden Fällen tritt nur ans Licht, was in der Wortverkündigung schon vorhanden gewesen war, daß das apostolische Wort «in Wahrheit Gottes Wort» war (1 Thess 2, 13). Das Wort Gottes aber ist im Evangelium Fleisch geworden, das heißt, es ist nicht bei seinem alttestamentlichen Wortcharakter verharrt, sondern in der Menschwerdung, im Apostolat Jesu, mehr noch in seinem Leiden, Sterben, Auferstehen zur Tat geworden, in der die Wahrheit des Gotteswortes den letzten unwiderleglichen Beweis seiner Wahrheit erhält. Apostolische Wortverkündigung des Evangeliums hat immer diese vollständige, mensch- und tatgewordene Gestalt des Gotteswortes in sich. Diese Gestalt gehört nach Paulus zum «Mysterion» Gottes, das jetzt in der Endzeit durch ihn offenbar geworden ist und – gerade weil das Wort nicht mehr bloß an ein Volk gerichtetes Wort ist, sondern menschgeworden sich an alle Menschen wendet, daher die Heiden mit in die Erwählung einschließt – jetzt gesamtmenschlich, existentiell, in Fleisch und Blut sich ausdrückt: «für jedermann verständlich und lesbar» (2 Kor 3, 2).

Der besondere, gleichsam transliterarische Charakter der neutestamentlichen Schriften im Vergleich zu denen des Alten Bundes wird hier deutlich. «Nicht mit Tinte, ... nicht auf steinerne Tafeln..., kein Bund des Buchstabens, ... auf Stein geschrieben» (2 Kor 3, 3–7). Nicht als sei das Bundesereignis im Alten Testament ein primär literarisches gewesen:

auch hier ging es zunächst um lebendige Geschichte, um Entscheidung Gottes für das Volk und von ihm erwartete Entscheidung des Volkes für Gott. Trotzdem bleibt der Vorgang ein zweiseitiger, dialogischer, er behält damit eine gewisse Äußerlichkeit und ist als solcher in Wort und Schrift fixierbar. Der Neue Bund hat andere Gestalt: er ist sosehr Gottes Initiative, daß Gott menschwerdend auf die Seite des Partners hinübertritt; dieser selbst wird mit seinem Fleisch und Blut Ausdruck des Wortes Gottes; vollständiger gesagt: die Menschheit als ganze wird in den Bereich des innergöttlichen, trinitarischen Lebens einbezogen, deshalb ist kein «Mittler» mehr erforderlich, denn «Gott ist nur einer» (Gal 3, 19f.). So ist die neue Sprache im entscheidenden auch nicht mehr literarisch vermittelt, sondern spricht von Herz zu Herz (vgl. 2 Kor 6, 11; 7, 2–3), geschrieben wird «mit dem Geist des lebendigen Gottes... auf Herzenstafeln von Fleisch» (2 Kor 3, 3). Einer solchen pneumatischen Unmittelbarkeit gegenüber bleibt der Alte Bund «verhüllt», der Buchstabe selbst ist die «Decke», die es verhindert, das wahre Gesicht des Moses, der von der unmittelbaren Schau Gottes herkommt, zu sehen; die Decke wird dort «weggezogen», wo diese Unmittelbarkeit durch die Schau des Antlitzes Christi allen Glaubenden möglich wird, und der neue «Dialog» keine Vermittlung zweier voreinander verborgener Freiheiten mehr ist, sondern ein «Widerspiegeln der Herrlichkeit des Herrn mit unverhülltem Antlitz» und ein unmittelbares, vom Herrn ausgehendes Sich-Anverwandeln an das Bild des Herrn. In dieser Aufhebung einander gegenüberstehender Freiheiten (die sich begrenzen) liegt zuletzt der Aufgang der wahren Freiheit (als Teilnahme an der absoluten Freiheit Gottes): «Wo der Geist des Herrn ist, da ist Freiheit» (2 Kor 3, 12–18).

Nun aber steht dieser ganze Passus über den transliterarisch-pneumatischen Charakter des Neuen Bundes innerhalb der großen paulinischen Abhandlung über die apostolische Sendung oder das apostolische Amt. Von den Evangelien her – «wie mich der Vater gesandt hat, so sende ich euch» – muß nun deutlich werden, daß diese apostolische Sendung nicht abermals als eine Vermittlung aufgefaßt werden kann. Gewiß kann man auch auf Christus den Begriff des Mittlers anwenden (1 Tim 2, 5; Hebr 8, 6; 9, 15), darf aber die ausdrückliche Aufhebung des alttestamentlichen Sinns des Begriffs (Gal 3, 20) nicht vergessen. Der Übergang der innergöttlichen «processiones» in «missiones» ist nicht gleichbedeutend mit der Aufstellung einer vermittelnden Instanz zwischen Gott und Welt. Die apostolischen Sendungsaufträge sind aber als Verlängerung dieses Übergangs der «processiones» in «missiones» zu deuten; insofern bezeichnet Paulus sich als «Gesandten» Christi, als «Gottes Mitarbeiter», als «Verwalter der Mysterien Gottes».

Dieser ganze Gedankengang darf natürlich nicht monophysitisch mißdeutet werden: auch Christus hat seine geschaffene Freiheit, mit der er sich zum Vater bereitstellt, um dessen Wort in der Welt zu sein; auch Maria spricht das Jawort der Magd, auch Paulus weiß sich und sein Tun unter Gottes Gericht, soll «als Verwalter treu befunden werden» und erwartet seinen Lohn dafür. Aber sein Apostolat – und von ihm her alles, was an der Kirche Christi «institutionell» ist, ist deswegen doch nicht weniger Funktion und Elongatur der Menschwerdung des Wortes Gottes, Werkzeug ihrer Werkzeuglichkeit, die selbst so transparent auf Gott ist wie die leiblichen Stimmwerkzeuge transparent sind auf die mit ihnen artikulierte Sprache.

Erst von hier aus können jene bekannten Wendungen, in denen Paulus seinen Aposteldienst mit liturgisch-sazerdotalen Ausdrücken formuliert, richtig eingestuft werden. Er kann seinen Dienst Christus gegenüber nur so verrichten, daß er als «Liturge Jesu Christi» «des Evangeliums Gottes priesterlich waltet», damit die Heidenvölker als Opfergabe Gott wohlgefällig werden (Röm 15, 16; vgl. 12, 1, schwächer 1, 9), und indem Paulus hier seinen gesamten Aposteldienst ungeteilt als Liturgie auffaßt, kann er Phil 2, 17 vor allem seinen bevorstehenden Tod als «Trankopfer» deuten, das «über das

351

Opfer und den Dienst (leiturgia) ausgegossen werden» könnte, worüber er sich freut und die Gemeinde zur Mitfreude einladet (vgl. 2 Tim 4, 6). Diese sazerdotale Sprache drückt in überkommenen Wendungen nichts anderes aus als die sendungsbegründete existentielle Teilnahme des Apostels an jenem einmaligen und umfassenden Erlösungsopfer Christi, des Sendenden, welches Opfer der Hebräerbrief als die ebenfalls existentielle Vollendung aller kultischen Opfer des Alten Bundes beschreibt. Die beiden angeführten paulinischen Stellen lassen Raum für eine gleichfalls existentiell-liturgische Teilnahme der ganzen Gemeinde (der Philipper) oder der Heidenvölker im ganzen (Römerbrief) am Opfer Christi; aber nicht ohne zu erinnern, daß Gemeinde, Kirche überhaupt, neutestamentlich von der in den Aposteln fortgesetzten Sendung Christi her grundgelegt wird. Und dies ohne Zweifel – denn es geht hier um fundamental neutestamentliche Strukturen – nicht nur historisch-einmalig (so daß alle Apostel-Theologie Pauli und der übrigen Schriften nachher ihre vitale Bedeutung verlöre), sondern bleibend.

Deshalb ist es zwingend, die Sendung der Apostel durch Christus, die ein besonderer, den übrigen Glaubenden gegenüber klar abgehobener Akt ist, der die Sendungsexistenz Christi in einer besonderen Weise in ihnen perennieren läßt, zusammenzusehen mit dem Auftrag Christi, das Andenken an seine eucharistische Hingabe ebenfalls in der Kirche fortdauern zu lassen. Der mit Sendungsvollmacht zur Kirchengründung Begabte, zugleich in die Opferexistenz Christi hinein Expropriierte, besitzt innerhalb seiner kirchenbegründenden Vollmacht, durch die er gleichzeitig ein eucharistisch Enteigneter ist, auch die Vollmacht, das im tiefsten kirchenbegründende Sakrament des «einen Brotes» zu feiern, wodurch die Gemeinde zu «einem Leibe», zum «Leib Christi» wird (1 Kor 10, 16). Ist ja diese Feier der Höhepunkt christlicher Verkündigung, nämlich die Verkündigung des Todes des Herrn (1 Kor 11, 26), die im primären Sinn der Auftrag der vom Herrn eigens Gesendeten ist.

Ob diese Logik – der Zusammengehörigkeit von apostolischer Sendung und eucharistischem Gemeindedienst – von den ersten Aposteln in einem strengen, restriktiven Sinn verstanden wurde, oder ob sie auch andere mit dieser Funktion (und andern mit der Apostelsendung innerlich zusammenhängenden Funktionen) betraut haben, ist von geringer Bedeutung. Wichtig ist nur, daß die Bewegung von ihnen selbst ausging und daß die Wahrnehmung und Weitergabe der Vollmachten unter ihrer Betreuung und Gutheißung geschah.

Das Hirtenmotiv

Es gibt einen weiteren Weg, um zu den gleichen Ergebnissen zu gelangen: die Verfolgung des Hirtenmotivs durch die Bibel Alten und Neuen Bundes hindurch. Der Weg über das Priestermotiv, wie der Hebräerbrief es entwickelt, ist bekanntlich nicht gangbar, da er die Steigerung vom levitischen Priestertum (mit dem Melchisedeks als geheimnisvollem Hintergrund) sich auf Christus hin steigern läßt, aber keine Fortsetzung des Motivs über ihn hinaus zeigt. Das Sendungsmotiv, das wir verfolgt haben, war bereits alttestamentlich vorhanden, die Vorstufen, die zu Christus hinführen, hätten entwickelt werden können; indes wurde das Thema erst von Christus her für uns theologisch wichtig durch die von ihm aufgestellte Linie Vater→Sohn→Jünger. Beim Hirtenmotiv verhält es sich nochmals anders, weil dieses, im Gegensatz zum Priestermotiv, sich ungebrochen durch das Alte Testament über Christus in die apostolische Kirche hinein durchhält, anderseits, im Gegensatz zum Sendungsmotiv, Jesus sehr wesentlich an die alttestamentlichen Texte anknüpft, sowohl in seiner Parabel vom verlorenen Schaf (Lk 15, 3–7; Mt 18, 12–14), wie in seiner «Rätselrede» vom Guten Hirten (Joh 10). Das Wort «gut», kalós, kann auch mit der «rechte», der «wirkliche», «authentische» Hirt, der «Hirt im Vollsinn» wiedergegeben werden, was uns darauf hinweist, daß bei der

Wanderung von Begriffen und Bildern durch die Bibel hindurch stets die Frage sich stellt, an welcher Stelle das Analogatum princeps anzusetzen sei, und natürlich wird die Antwort zumeist lauten: bei Christus. Dies ist von großer Bedeutung für die Motivreihe «Priestertum»; denn wenn der Hebräerbrief Jesus als den eigentlichen «Hohenpriester» bezeichnet, obschon er auf Erden nach alttestamentlichen Begriffen gar kein Priester war (Hebr 7, 11 ff.; 8, 4), so hat dies für die Wesensdeutung dessen, was im Neuen Testament als «Priestertum» (von Jesus her) genannt zu werden verdient, erhebliche Folgen. Entsprechende, wenn auch etwas verschiedene Folgen kann es haben, wenn das Bild vom Hirten in Jesus sein Analogatum princeps findet, und die Weiterführung des Bildes im Neuen Testament sich theologisch primär von ihm herzuleiten hat, aber trotzdem ein Anknüpfen an alttestamentliche Vorstellungen nicht ausgeschlossen zu werden braucht. Zudem ist zu beachten, daß wie das «Priestertum nach der Ordnung des Melchisedek» wesentlich über die levitische Institution hinauswies, so die Verheißung von Ez 34 auf ein messianisches Hirtentum vorauszeigt, dessen Umrisse offenbleiben.

Das Hirtenbild bietet sich durch seine Anschaulichkeit und seinen Symbolgehalt den alten Völkern von selbst an. Herden brauchen «tüchtige Männer» als Aufseher (Gen 47, 6). Der Hirt muß die Herde vor Raubtieren und Dieben schützen (1 Sam 17, 34f.), verlorengegangene Tiere ersetzen (Gen 31, 39), es sei denn, er könne die Reste eines zerrissenen Tieres vorweisen (Ez 22, 12; Am 3, 12; vgl. Joh 17, 12)[4]. Von dem

---

[4] Zu diesem Vorverständnis vgl. auch die Rede Jakobs seinem Bruder gegenüber: «Die Kinder sind zart, ich muß an die säugenden Schafe und Kühe denken; wenn man sie auch nur einen Tag überanstrengt, geht die ganze Herde zugrunde» (Gen. 33, 13). Man wird nicht übersehen, daß die beiden größten Hirten Israels, Moses und David, zuerst buchstäblich Hirten waren; Dominique Barthélemy hat in einem Kapitel «Zwei Hirten als Entdecker Gottes» (in: Gott mit seinem Ebenbild, Umrisse einer biblischen Theologie, Johannes Verlag Einsiedeln 1966,

allgemeinen Vorverständnis dessen, was ein rechter Hirte ist: ein Leiter, der verantwortungsvoll sorgt, werden von den alten Völkern (Semiten, Ägyptern) sowohl die Könige wie die Götter vielfach als Hirten des Volkes betitelt. Auch in der Bibel können Könige und führende Persönlichkeiten als Hirten bezeichnet werden (Is 44, 28; 56, 11; Jer 2, 8; 10, 21; 25, 34 ff.; Mi 5, 4), vor allem schildert sich Gott selbst als der gute Hirte Israels. Gen 48, 15: «Gott, der mein Hirte war, seit ich bin...»; Ps 80, 2: «Du Hirte Israels höre, der du Joseph wie eine Herde führst»; Ps 95, 7: «Wir sind das Volk seiner Weide, die Herde in seiner Hand»; Ps 23, 1–4: «Der Herr ist mein Hirt, nichts fehlt mir, auf saftigen Matten läßt er mich weiden, zu Wassern der Erquickung leitet er mich und stellt meine Seele wieder her. Er lenkt mich auf dem geraden Weg, um seines Namens willen. Wenn ich an finsterer Schlucht entlanggehe, fürchte ich keine Gefahr; mir nah ist dein Stab, dein Hirtenstab, der mir Trost gibt.» Eine noch stärkere Note der Zärtlichkeit und Intimität erhält das Bild in der Verheißung zu Beginn des zweiten Isaias: «Wie der Hirt seine Herde weidet, seine Schafe auf die Arme hebt, sie an seine Brust hebt, die Mutterschafe zur Ruhe führt», so wird Gott bei seinem Kommen mit Israel verfahren (Is 40, 11).

All dies führt zum großen Hirtenbild Ezechiels, wo Gott selbst sich die Hirtenfunktion zueignet, indem er die falschen, pflichtvergessenen «Hirten-Könige» richtend beiseite schiebt und absetzt, um selber «die Sorge für meine Herde zu übernehmen» (34, 11), die von jenen «am Tag des Nebels und der

133–155) nachdrücklich darauf aufmerksam gemacht. Es ist, von hier aus betrachtet, bewegend, die Rede Moses' an Gott um einen Nachfolger zu hören: «Möge Jahwe, der Gott der Geister alles Fleisches, der Gemeinschaft einen Mann vorstellen, der an ihrer Spitze ausziehe und an ihrer Spitze einziehe, der sie hinausführe und hineinführe, damit die Gemeinde Jahwes nicht Schafen gleiche, die keinen Hirten haben» (Num 27, 15–17). Das Bild vom «Herausführen» und «Hereinführen» deutet vorweg auf Joh 10, 9; das Bild von der hirtelosen Herde wird fortgeführt in 1 Kön 22, 17; Ez 34, 5; Mk 6, 34; Mt 9, 36.

Finsternis zerstreut worden war.» «Ich selber werde meine
Schafe weiden und werde sie ausruhen lassen, Spruch des
Herrn Jahwe. Ich werde das verlorene Schaf suchen gehen,
das verirrte zurückführen, das verwundete verbinden, das
kranke heilen» (Ez 34, 15 f., in Weiterführung von Jer 23,
1–3). Gott ist der Besitzer der Herde, er kennt seine Tiere. Er
mustert, zählt und richtet sie, indem er die Tiere «unter dem
Hirtenstab durchziehen» (Ez 20, 37), sie «Revue passieren
läßt» (34, 11), wie das Hirten zu tun pflegen (Lev 27, 32; Jer
33, 13), er scheidet «richtend» zwischen den Schafen und den
Böcken (34, 17); er wird zum Rechten sehen, wenn das eine
Schaf zu fett, das andere zu mager wird (34, 20). Und gleichzeitig mit dieser Verheißung ergeht eine andere, ergänzende,
in der sich Ezechiel wieder an Jeremias anlehnt. Hier heißt es,
Gott werde seiner Herde «Hirten erwecken, die ihr Weide
besorgen werden, die Schafe werden weder Furcht noch
Angst mehr kennen, keines wird sich verlieren» (Jer 23, 4;
vgl. 3, 15), ihnen wird «der Sproß» vorstehen, der dem David
erweckt werden und als «wahrer König» das Land in «Recht
und Gerechtigkeit» lenken wird: Jer 23, 5 = 35, 15; Ez 34,
23: «Ich werde ihnen einen Hirten erwecken, um ihn ihnen
vorzusetzen, er wird sie weiden lassen, meinen Knecht David;
er wird sie weiden lassen und ein Hirte für sie sein».

Von Ezechiel abhängig ist die für das Neue Testament so
wichtige, aber schwer deutbare, durch spätere Hände über-
malte und von ihrem ursprünglichen Sinn abgebogene Hir-
tenstelle bei Deutero-Sacharja, aus der Jesus seinen Ausspruch
herholt: «Denn es steht geschrieben: ich will den Hirten
schlagen, dann werden die Schafe zersprengt werden» (Mk 14,
27). Soll man das Wort des Propheten (13, 7), bzw. den ganzen
Gottesspruch 13, 7–9 zurückbinden an die (in ihrem jetzigen
Text sehr dunkle) Hirtenparabel von 11, 4–16? Dort geht es
(in literarischer Nachahmung einer ezechielischen Zeichen-
handlung) darum, daß Gott den Propheten auffordert, als
Hirt die «Schlachtschafe» Israels zu hüten, die von den Mäch-
tigen des Volkes («Schafhändler») schamlos ausgenützt wer-

den, dann zu zeigen, daß Gott selbst angesichts der Vergeblichkeit dieses Weidens die Schlachtschafe preisgibt, den Hirtenstab (als Bund mit dem Volk) zerbricht, und den Hirten seinen lächerlichen Lohn von dreißig Silberlingen bei den Händlern abheben läßt, den er aber im Haus des Herrn zum Eingießen hinwirft. Nach dem Bild dieses «guten» Hirten, der das von Gott Verlangte tut, hat vermutlich eine spätere Hand das eines «bösen» Hirten als Gegenstück hinzugefügt: 11, 15–16 (mit abermaligem Zusatz: 11, 17), das Bild aber nicht konkret ausgeführt. Bezieht man 13, 7–9 auf diesen ganzen Passus zurück, so kann zuerst gefragt werden, ob Gott den bösen Hirten schlagen und dessen Herde zerstreuen will (was unwahrscheinlich ist), oder ob er den von ihm eingesetzten guten Hirten schlägt, nachdem die Vergeblichkeit seines Tuns zutage getreten und der Zorn Gottes über die «Schlachtschafe» ausgebrochen ist, was viel wahrscheinlicher ist. Man kann aber auch 13, 7–9 an seiner Stelle belassen und es auf die unmittelbar vorausgehende große Prophetie über die Rettung und Reinigung Jerusalems (12, 1–13, 6) beziehen, in der die rätselhafte Aussage steht, daß Gott über die von den Heidenvölkern bedrohte Stadt einen «Geist der Rührung und des Ergriffenseins ausgießen» will. «Und sie werden hinblicken auf den, den sie durchbohrt haben, und werden Totenklage um ihn halten, wie man sie hält um den Einzigen, und bitter um ihn klagen, wie man es tut um den Erstgeborenen» (12, 10); ja diese Klage wird verglichen mit der Klage um einen Vegetationsgott, dessen Auferstehung nachher umso freudiger gefeiert wird (12, 11). Und an den Bericht um die Klage über den Durchbohrten schließt sich die Aussage: «An jenem Tage wird da eine Quelle sein, die sich eröffnet hat, für das Haus David und die Bürger von Jerusalem gegen Sünde und Unreinheit» (13, 1). Sollte das Schwert, das der Herr Zebaoth gegen seinen Hirten schwingt, und das seine Herde zerstreut, eben das Schwert sein, das den «Einzigen, Erstgeborenen» durchbohrt hat? Dann würden diese Visionen, deren geschichtlicher Bezugspunkt nicht mehr zu rekonstruieren ist, tastend und doch «seltsam zielsicher in eine neue Ferne» gehen und um die Gestalt des am Kreuz auf Golgatha Durchbohrten kreisen, «ohne freilich die Gestalt des Christus klar zu erfassen»[5]. Denn weder wird klargemacht, daß der Tod des Durchbohrten und des Hirten (falls 13, 7 auf 12, 10 zu beziehen ist) ein stellvertretender Sühnetod ist, noch wird nahegelegt, daß das Entspringen der reinigenden Quelle – wie Johannes es darstellen wird – etwas mit der Durchbohrung zu tun hat.

Immerhin kann die Frage nicht umgangen werden, ob «diese Gestalt hier schon zusammengeflossen» ist «mit der des deuterojesaianischen Gottesknechts, also der Gestalt eines Märtyrer-Messias bzw. eines die Sünden des Volkes büßenden Messiasvorläufers»[6]. Wie dem auch sein mag, jedenfalls ist in dem geheimnisvollen Text, zumal wenn man ihn in neutestamentlicher Perspektive liest, das Bild des «guten» Hirten über seine bisherigen Umrisse hinausgewachsen in Richtung auf die Hirtenrede von Joh 10 hin, wo dieser Hirte sein Leben für seine Schafe dahingibt. Das bereitet sich im Alten Testament auch schon dort vor, wo das Bild des großen Hirten des Volkes, Moses, aus der Prophetie immer mehr Züge zugeeignet bekommt und so – wie die Propheten, zuhöchst der Gottesknecht, «Fürleider» für das Volk waren – aus einem unfreiwillig Leidenden und für seinen Unglauben von Gott Gestraften (der das Gelobte Land nicht betreten darf) immer mehr zu einem stellvertretend für sein Volk Büßenden wird. Und wenn dies auch nie ausdrücklich von dem andern großen Hirten, David, gesagt wird, so läßt doch auch ihn sein Unglück und seine immer tiefere Verdemütigung zu einer Art heiliger Ikone des israelitischen Königtums aufwachsen: er hält seinen toten Sohn Absolom ein wenig wie ein Gottvater seinen toten Sohn auf einem Gnadenstuhl-Bild im Schoß. Es

[5] Karl Ellinger, Das Alte Testament Deutsch, Bd. 25 (Göttingen 1951) 162.
[6] Ebd. 161. Ellinger meint, diese Frage «bejahen zu dürfen».

sind aber die Propheten, von Elias über Osee, Jeremias und Ezechiel bis zum «Gottesknecht», die die Rolle zu Ende spielen, das Empfinden und Verhalten Gottes des Vaters und die Verdemütigung des leidenden Sohnes darstellen zu müssen, bis dieses Motiv in der Stelle vom Durchbohrten und vom geschlagenen Hirten irgendwie in das Hirtenmotiv einfließt.

Nunmehr ist das Bild reif, um vom Herrn aufgegriffen zu werden. Das Bedeutsame an ihm – im Gegensatz zum Bild des alttestamentlichen Priesters – ist, daß eigentlich nichts abgebaut und negiert zu werden braucht, sondern alles über sich hinaus erfüllt werden kann. Darin wird auch der Grund liegen, weshalb das Bild – freilich wesentlich bestimmt durch seinen Hindurchgang durch das Ereignis Jesu – in Petrus und seinen Amtsgenossen und Nachfolgern, in den von Paulus eingesetzten Vorstehern (Apg 20, 28 ff.) weitergegeben werden und das Wesen des neutestamentlichen Priestertums überraschend präzis beschreiben kann.

Jesus zeigt, noch bevor er sich als Hirte bezeichnet, seine Hirtengesinnung: «Als er die Volksscharen sah, fühlte er Mitleid mit ihnen, denn sie waren elend und verwahrlost wie Schafe, die keinen Hirten haben» (Mt 9, 36 par), und die Anweisung an die Jünger geht sogleich dahin, um Arbeiter (in der Mehrzahl) zu beten[7]. Daß die lukanischen Parabeln einen besonders durchsichtigen christologischen Charakter haben, ist bekannt: Jesus zeigt den (alttestamentlichen Gott-)Hirten an der Arbeit: am Suchen nach dem verirrten Schaf, dann, «wenn er es gefunden hat, nimmt er es voll Freude auf seine Schultern», um es nach Hause zu tragen und allen Nachbarn seine Freude zu bekunden (Lk 15, 4–6). Lukas malt menschlicher aus, was Mt 18, 12–14 nüchterner berichtet. Gleichzeitig legt Jesus sein eigenes Herz und die Gesinnung im Herzen des Vaters bloß.

---

[7] Zum Motiv der Hirten in der Geburtsnacht (Lk 2, 8 ff.) und zu seinem alttestamentlichen Hintergrund (Mi 5, 3; 4, 8) vgl. R. Laurentin, Structure et Théologie de Luc I–II, Et. Bibl. 1957, 86 f.

Den Höhepunkt bildet die Hirtenrede Joh 10[8], in der das Sacharjazitat vom geschlagenen Hirten und der zerstreuten Herde bei Markus 14, 27par überboten wird durch die zentrale Aussage: «Niemand entreißt mir (mein Leben), ich gebe es freiwillig hin. Ich habe die Vollmacht, es hinzugeben, und ich habe die Vollmacht, es wieder zu nehmen. Diesen Auftrag habe ich von meinem Vater empfangen» (10, 18). Jesus vereint in dieser Rede alle Eigenschaften des göttlichen Hirten (in Psalmen und Propheten) mit der Möglichkeit, als menschlicher Hirt sein Leben für seine Schafe hinzugeben, und dabei nicht nur aus Liebe für seine Schafe zu sterben, sondern ihnen sterbend sein Leben einzuverleiben, so daß sie es «im Überfluß» haben (10, 10). Er hat also die Macht, aus seinem Tod eine Weise und einen Erweis seiner höchsten Lebendigkeit und Schöpferkraft zu machen. Dabei wird alles ganz personal: das gegenseitige Sichkennen und -erkennen von Hirt und Schaf (10, 3.4f. 14), der Anruf beim Namen, das musternde «Herauslassen» des Einzelnen, das sichernde Vorausschreiten und auf die Weide Führen. In der souveränen Macht Jesu, sein Leben selbst hinzugeben (das «Wiedernehmen» ist nur Ausdruck der Vollkommenheit dieser Macht) ist die ganze alttestamentliche Motivsphäre des Gottesknechts als eines «zur Schlachtbank geführten Schafs» (Is 53, 7), die ja den Evangelisten von Anfang an vor Augen steht (vgl. Mt 8, 17 u. oft) in das Motiv des sich opfernden Hirten miteingegangen. Ausdrücklich schieben sich die beiden Bilder ineinander in Apokalypse 5, wo der (jeremianisch und ezechielische) «Sproß Davids» (der verheißene Hirte des Volkes) zugleich als «das Lamm wie geschlachtet» erscheint (5, 5–6), aber auch in Hebr 13, 20: «Der Gott des Friedens, der den erhabenen Hirten der Schafe, unsern Herrn Jesus, durch das Blut des Bundes» – das

---

[8] Dazu das grundlegende Werk von A. J. Simonis, Die Hirtenrede im Johannesevangelium, Anal. Bibl. 29 (Rom 1967) mit umfassender Bibliographie. Kurze theologische Deutung bei I. de la Potterie, Le bon Pasteur, Communio 11 (Rom 1969) 927–968.

eben das Blut dieses Hirten selbst ist – «von den Toten auferweckt hat . . . », und in 1 Petr 2, 21–25, wo nach einem Zitat
von Is 53 und der Aussage, daß wir durch Jesu, des Gottesknechts, Wunden geheilt wurden, sogleich zum Hirtenbild
übergegangen wird: «Ihr wart wie verirrte Schafe, jetzt aber
seid ihr heimgekehrt zum Hirten und Hüter eurer Seelen.»
Und nun kann es nicht anders sein, als daß an solchen Stellen
das Hirtenbild auch unmittelbar in das Priesterbild übergeht.
Für den Hebräerbrief ist dies ohnehin klar, der das alte Priestertum sich in demjenigen Christi aufheben läßt, und das
Hirtenbild nur eben noch nebenbei einführt; für die Apokalypse zeigt es sich darin, daß das «Lamm auf dem Thron,
wie geschlachtet» das neue Lied zugesungen bekommt: «Du
hast durch dein Blut Menschen aus allen Stämmen und Sprachen, Völkern und Nationen für Gott erworben; du hast aus
ihnen unserem Gott ein Reich bereitet und Priester . . . »
(5, 9–10)[9].

Dies alles ist unentbehrlich zum Verständnis, wie das Hir-
ten-Priester-Amt Jesu von ihm selber weitergegeben werden
konnte, und zwar als das, was es in ihm selbst theologisch
geworden war – nicht einfach so, daß eine alttestamentliche
Gemeindeorganisation (von «Ältesten») aus praktischen
Gründen durch die Jerusalemer Gemeinde übernommen und
nachträglich verbrämt worden wäre! Damit so etwas wie ein
neutestamentliches Amt überhaupt denkbar werden konnte
(ohne Rückfall in alttestamentliche Amtsbegriffe), mußte eine
Angleichung des Hirtentums Petri (und in ihm der übrigen
Kirchenleiter) an die Form des Hirtentums Jesu erfolgen.
Diese Angleichung geschieht in der Tiberiaszene zwischen
Jesus und Petrus: zuerst in der paradoxen Frage: «Liebst du

---

[9] Gewiß geht es hier um das «allgemeine Priestertum» der Gläubigen,
aber «erworben» wurde es durch die besondere und einmalige Schlachtung des Lammes, die von Stellen wie Hebr 9, 11–14 aus als das einmalige Priestertum Christi zu bezeichnen ist. Vgl. auch für 1 Petrus:
Kap 2, 5.

mich mehr als diese?», dann, als die Antwort (im Positiv, nicht im Komparativ) erfolgt und die Übergabe der Herde stattgefunden hat, in der Verheißung über die Todesart Petri. Liegt im Bekenntnis der Liebe die subjektive Angleichung an die Gesinnung des Guten Hirten, so in der Verheißung der Todesart die objektive. Man könnte beide zusammen sakramental nennen – die subjektive wäre die erforderte Disposition zum Empfang des Sakraments, die objektive dessen Spendung. Dieser Bestimmung steht aber entgegen, daß die objektive Angleichung nochmals ein subjektives Moment in sich enthält: das im Martyrium liegende persönliche Zeugnis, und ohne dieses subjektive Moment bestünde auch keinerlei Angleichung an die freiwillige Lebenshingabe des «guten Hirten». Daß man Petrus führen wird, wohin er «nicht will», steht dem nicht entgegen; es besagt nur, daß der Martertod keinem Willen der menschlichen Natur entspricht, sowie die Kreuzigung nicht im Willen Jesu liegen konnte: «Nicht mein Wille, der deine geschehe.» Das abschließende «Folge mir» setzt um das Ganze die Klammer eines Befehls, der Gehorsam einfordert. Gehorsam auch in der Freiwilligkeit der Lebenshingabe, die damit ganz auf diejenige Jesu hin relativ wird.

Neutestamentliches Priestertum

Die drei Motive, die wir betrachtet haben: Sendung, Vollmacht, Hirtesein, kommen alle darin überein, daß sie eine grundlegende Opposition schaffen: zwischen dem einzelnen Gesendeten und denen, zu welchen er gesendet ist, zwischen dem Bevollmächtigten und denen, um deretwillen er mit Vollmacht ausgestattet ist, zwischen dem Hirten und der Herde. Am augenfälligsten wird diese Opposition im letzten Motiv – es ist sinnlos, sich vorzustellen, daß es eine Herde aus lauter Hirten geben könnte; aber auch die neutestamentliche Verwendung der Begriffe Sendung und Vollmacht ist, wenn man ihre christologische Begründung betrachtet, genauso beschaffen. Die drei Begriffe hängen eng miteinander zusammen, ja sind die gleiche Realität, von verschiedener Seite beleuchtet. Sofern Jesus seinen erwählten Jüngern an seiner eigenen, besonderen und einmaligen Sendung teilgibt – «wie mich der Vater gesandt hat, so sende ich euch», – gibt er ihnen Vollmachten, die der seinen analog sind (die Frohe Botschaft zu künden, und zwar wirksam, durch Krankenheilung und Austreibung der bösen Geister), und dies damit sie an seiner eigenen Sendung, Vollmacht und Gesinnung, der Hirte zu sein, Anteil haben. Deshalb wird er in der Mitte derer, die an seiner Sendung und Vollmacht teilhaben, «der große Hirte der Schafe» (Hebr 13, 20), der «Erzhirte» (*archipoimēn* 1 Petr 5, 4) genannt werden. Alles beruht auf dem Sendungsbegriff, von dem wir zeigten, daß er neutestamentlich ein trinitarischer ist. Dies nimmt der aus ihm folgenden Opposition jede soziologische, bzw. historische Bedingtheit, denn die innergöttliche Opposition der Personen ist Ausdruck der göttlichen Einheit und um ihrer Absolutheit, Fülle, Tiefe und Seligkeit willen da.

Die ganze Kirche hat an der Gesinnung Jesu teil, und die Aufforderung zur Nachfolge ergeht an jeden (Lk 9, 23). In diesem Sinn wird die ganze Kirche ein priesterliches Volk sein (1 Petr 2, 5; Apk 1, 6; 5, 10; 20, 6), wie schon Israel als ein solches bezeichnet wurde (Ex 19, 6)[10]. Aber auch in diesem Sinn steht das Wort nicht absolut, als für eine ruhende Eigenschaft verwendet da, sondern indem Israel und nunmehr die Kirche Christi in Beziehung zu den «Völkern», zur «Welt» außerhalb der Kirche betrachtet wird. Der ganze mystische Leib Christi hat dieser «Welt» gegenüber eine miterlösende Funktion und entsprechende Aufgabe der Verkündigung und des Bekenntnisses. Doch erlaubt dies keine Nivellierung der besondern Sendung und Vollmacht der er-

[10] Vgl. aber die Vorbehalte Martin Bubers gegen die Übersetzung «priesterliches Volk» in Ex 19, 6, in: Moses (1944, Werke II, 1964) 120–122.

wählten Jünger in diese Allgemeinheit hinein. Die ganze Struktur der evangelischen Ereignisse, wie derjenigen der Apostelgeschichte und Apostelbriefe, der paulinischen besonders, läßt die Opposition, die durch Sendung und Vollmacht begründet wird, als vital und fundamental erscheinen. Würde man sie aus dem Christentum ausklammern – als etwas nur für die erste Generation der Apostel Belangvolles –, so würde die ganze Artikulation nicht nur der Kirche, sondern selbst der Christologie und hinter ihr der Trinitätslehre zerstört, es bliebe nur ein formloser Brei von ethischen Lebensanweisungen übrig.

Also ist Amt unverzichtbar. Anderseits haben wir dieses Amt so stark an das Existentielle gebunden, an die Gesinnung des sendenden Gottes, des gesendeten Jesus, der Bindung seiner Jünger und vor allem des Petrus an seine Haltung der Selbsthingabe, daß die Gefahr des Donatismus unmittelbar zu drohen scheint. Das ist unvermeidlich. Man sollte neutestamentliches Priestertum nie anders als Aug in Auge zu dieser Gefahr begründen und festhalten. Nicht um ihr zu erliegen, sondern um sich bewußt zu bleiben, daß ein solches Priestertum nie als eine beliebige Funktion aufgefaßt werden kann, zu der eine ethisch neutrale Vollmacht verliehen wird, sondern daß hier Erwählung, Sendung, Amtsausübung engstens mit dem Postulat der Angleichung an das existentielle Priestertum Christi verbunden bleibt. Jedes willentliche Abweichen davon ist nicht bloß in einem allgemeinmenschlichen Sinn gegen die «Berufsmoral», wie sie jedes Amt in Staat und Gesellschaft kennt, sondern Verletzung der allerheiligsten Liebesstruktur der Gottheit selbst. Deshalb ist das neutestamentliche Priestertum so exponiert und Gott gegenüber so verantwortungsvoll.

Das Bild vom Guten Hirten hatte schon von seinem menschlichen Vorverständnis her und erst recht in seinem religiösen Gebrauch vorwiegend existentiellen Gehalt: es ging um Sorge, Verantwortung, Einsatz. Dieser Gehalt wird immer ernster, je mehr Gott zur Kundgabe seiner eigenen Haltung

den für die Gesamtheit menschlich Verantwortlichen zur
Rechenschaft zieht, je mehr er ihn zum «geschlagenen Hirten»
des Propheten Sacharja werden läßt. In der Spitze Jesu, wo
die alttestamentliche Linie «Gott als Hirte» mit der Linie
«verantwortlicher, schließlich stellvertretend geschlagener
Hirte» zusammentrifft, wird, wie unverhofft, auch die Linie
des alttestamentlichen kultischen Opferpriesters mit-erfüllt:
sosehr, daß die alten Opfer sich künftig erübrigen, weil sie
alle in der Identität von Hirte und Lamm, geopfertem Hirten
und geopfertem Lamm, Priester und Schlachttier aufgegangen
sind. Das Amtliche des alten Kultpriestertums ist ein-, aber
nicht untergegangen im existentiellen Priestertum Jesu, des
Guten Hirten.

Das Leitbild, um ein von Jesus her kommendes kirchliches
Priestertum zu verstehen, bleibt das biblische Hirtenbild (sowenig es dem modernen Menschen liegen mag; doch ist nicht
schwer einzusehen, was damit sachlich gemeint ist). So kann
das Priesterliche auch an Stellen gemeint sein, wo die Terminologie es nicht unmittelbar zeigt. Jesus hat die Seinen die
«kleine Herde» (Lk 12, 32) genannt, und als Herde Christi
hat die Kirche sich verstanden (1 Petr 5, 2.3; Apg 20, 28.29;
1 Kor 9, 7); Christus ist ihr «Erzhirte» (1 Petr 5, 4). Wenn
die von ihm eingesetzten «Aufseher» oder «Vorsteher» unter anderen Bezeichnungen auch den Namen «Hirten» erhalten (Eph 4, 11), so sind die Grundeigenschaften, die von ihnen
als treuen Verwaltern erwartet werden, gerade die im Alten
Bund und im Evangelium vom Hirten erwarteten: vor allem
der mühevolle Einsatz (*kopiōntes*, 1 Thess 5, 12), der zuweilen mit der leiblichen Hingabe des Lebens sein Ende fand
(Hebr 13, 7), aber – im Sinne der Auslegung des Gebotes der
Lebenshingabe für die Brüder 1 Joh 3, 16 – durchaus auch der
totale selbstlose Einsatz im Dienst der Brüder sein konnte,
wie vor allem das Selbstverständnis Pauli zeigt. Gerade er
denkt nicht daran, als ein Exponent des «allgemeinen Priestertums» der Gemeinde aufzutreten, sondern versteht sich in
einem höchst bewußten «hirtlichen» Gegenüber, worin er

auf einmalige Weise «Vater» (1 Kor 4, 15), «Mutter» (Gal 4, 19), «Amme» (1 Thess 2, 7), stellvertretender Schmerzleider (1 Kor 4, 10 ff.; 2 Kor 4, 10 ff.) ist und so Gottes «Mitarbeiter» (1 Kor 3, 9; 2 Kor 6, 1). All dies nur im Dienst, im Auftrag, als Christi Botschafter, an Christi Statt (2 Kor 4, 5; 5, 20). Noch in der «Mitkreuzigung» des Apostels (Gal 2, 19) wird der Abstand zum Herrn vollkommen gewahrt (1 Kor 1, 13). Aber im Abstand des Dienstes ist es die ungeteilte, seine ganze Existenz radikal beanspruchende Seel-Sorge, die eben deswegen auch den Gehorsam und die Folgsamkeit der Gläubigen einfordern darf (Hebr 13, 17).

So wird der rechte Weg der Überlegung nicht von der (ontischen) «Vollmacht» zur ethischen Beanspruchung führen, sondern aus der Ungeteiltheit der Beanspruchung auf die Vollmacht hin gehen. So deutlich in der testamentarischen Rede an die Kirchenvorsteher in Milet: die totale Beanspruchung Pauli geht nunmehr – und zwar unfehlbar: «Ich weiß» (Apg 20, 29) – auf die Nachfolger über: unter Tränen hat er ihnen drei Jahre seine eigene Wachsamkeit eingeschärft, ihnen die vollkommene Selbstlosigkeit vorgelebt, sie angewiesen, wie man sich der Schwachen annimmt usf. (20, 31–35). Sachlich sagt «Petrus» (1 Petr 5, 1 ff.) den Kirchenvorstehern das Gleiche, indem er, noch klarer als Paulus, durch die Bezeichnung «Mitältester» die Kontinuität des Hirtenamtes zwischen Apostel und Nachfolger herausstellt: Im Weiden der «anvertrauten Herde Gottes» wird es ankommen 1. auf die christologische (Joh 10, 18) «Freiwilligkeit», 2. die Selbstlosigkeit (kein Nutzen, keine Bereicherung für sich selber), 3. den Verzicht auf jede Art weltlicher Machtanwendung: in diesen drei Punkten sollen die Hirten «Typos», vorbildliche Prägeform der Herde sein, in Fortführung der primären oppositionellen Reziprozität. «Petrus» spricht hier als der «Zeuge» der Leiden Christi (Augen- wie Lebenszeuge) und «Teilhaber» der kommenden Herrlichkeit Christi (Augenzeuge auf Tabor wie Teilnehmer in Hoffnung am kommenden Erscheinen des «Erzhirten»). Daß solche Beanspruchung (im Gegenüber zur

Herde) auch als Erwählung, Berufung, Begabung mit dem
Auftrag qualitativ abgehoben ist vom allgemeinen «Gerufen-
sein» in die Ekklesia, sollte im Blick auf die Berufungs-
geschichten des Alten und Neuen Testaments indiskutabel
sein, so sehr die Weisen dieses besonderen Berufenwerdens
wechseln mögen.

Wer dagegen den umgekehrten Weg gehen wollte: vom
(ontisch-funktionellen) Amt zum Amtsethos, würde schwerlich über eine Beamtenmentalität hinauskommen, die, zumal
im Zeitalter des Funktionalismus, weder die Tiefe des persönlichen Engagements noch dessen Endgültigkeit – auf Lebenszeit – erreicht.

Aber nicht aus dem existentiellen Engagement, sondern aus
der Radikalität der personalen Enteignung in den Auftrag soll
hier die objektiv-überpersonale Gültigkeit der kirchlichen
Amtshandlung gesichert werden. Das christologische Modell
ist das grundlegende: «Ich bin der gute Hirt. Ich kenne die
Meinen, und die Meinen kennen mich, wie mich der Vater
kennt und ich den Vater kenne. Ich gebe mein Leben für
meine Schafe» (Joh 10, 14f.). Jesus kennt, richtet und rettet
die Seinen absolut, weil er dem Vater gegenüber die absolute
Durchsichtigkeit des Gehorsams und der Enteignung bis ins
Letzte besitzt; und deshalb kennen und vertrauen ihm auch
die Seinen absolut. Kraft seiner Hingabe (oder kraft des endgültigen Handelns des Vaters durch seine Hingabe hindurch)
ist er ermächtigt, die qualitativ Erwählten zu senden, wie er
selber gesandt ist (Joh 20, 21). So kann das Predigtwort der
Apostel die innere Kraft des göttlichen Wortes und Anspruchs besitzen (1 Thess 2, 13), ihr richtendes Urteil im
Himmel binden und lösen, und aus diesen beiden Begabungen
ergibt sich, wie gezeigt, daß ihnen der Vollzug des eucharistischen «Tut dies zu meinem Gedächtnis» zusteht. Man muß
dies alles von der zentralen Struktur der Kirche her denken,
nicht von den Grenz- und Notfällen, nicht von den möglichen
Expansionen her, die doch immer von der vorgegebenen
Mitte her erfolgen.

Das Hirtenbild bleibt ein Bild: die Sache, die es bezeichnet, ist größer, als was Bilder einfangen können. Aber es ist ein biblisch zentrales Bild und besitzt eine starke und schlichte Aussagekraft. Es sagt gleichzeitig das Amtliche (das Gegenüber zur Herde) und das Personale (Sorge und Vertrauensverhältnis), Abstand und Verbundenheit. Es sagt dies in Anlehnung an eine klare weltliche Gegebenheit, und zwar mit dem Ton auf deren rechtem Vollzug (alt- und neutestamentlich abgegrenzt gegen die unwürdigen, schlechten Hirten, die Diebe, Räuber, Mietlinge, die kein inneres Verhältnis zu den anvertrauten Tieren haben). Durch Christus, den Guten Hirten, ist das Urbild dieses Verhältnisses der Kirche eingestiftet. Diese Stiftung ist nicht einzuebnen auf die Herkunft aller persönlichen christlichen Charismen von Gott (Röm 13, 3), d. h. auf die Gottunmittelbarkeit und damit Freiheit jedes Christen. Nur scheinbar stehen die beiden Aussagen in Spannung; das Wesen der Sendung des Sohnes vom Vater, die in die Unmittelbarkeit vermittelt, zeigt immer wieder, wie fruchtbar die Spannung ist und wie sie sich auflöst.

ZÖLIBATÄRE EXISTENZ HEUTE

1

Die Statistiken über die Abnahme der Priesterberufe sind erschreckend, sie sind es aber genauso in den protestantischen Kirchen, in der anglikanischen und weithin in der orthodoxen Kirche, wo der Priester heiraten kann. Schon dies dürfte darauf hinweisen, daß der heikle Punkt weniger die «zölibatäre Existenz» als der «Priesterberuf» in dieser westlichen Wohlstandsgesellschaft ist, während in den Ostländern ganz andere Verhältnisse herrschen: in Polen wird man mit rund zehntausend Priesterkandidaten rechnen dürfen, unter denen keine erhebliche Zölibatskrise herrscht, in verschiedenen Satellitenländern dürfen, ähnlich wie in Rußland, nur ein kleiner Bruchteil der sich zum Priestertum oder zur klösterlichen Existenz Meldenden aufgenommen werden.

Beschränken wir uns aber, unserer gewohnten provinziellen Optik gemäß, auf unsere Länder. Die Zahlen reden eine äußerst realistische Sprache und mahnen auch die dilettantischsten Futurologen, sich vorzusehen, wenn das christliche Volk nicht Hungers an der Speise Gottes sterben soll. Freilich stockt hier schon der Gedanke: Hunger nach welcher Speise? Doch gewiß nicht bloß nach der Eucharistie, die im Augenblick nur vom zölibatären Priester gefeiert werden kann, Hunger gewiß nicht bloß nach der sakramentalen Absolution, denn man tut ja heute von klerikaler Seite alles nur Erdenkliche, um dem Volk dieses Hungergefühl als einen Luxus oder eine Illusion auszureden, vielmehr vor allem Hunger nach dem authentischen, unverfälschten, strahlenden Wort Gottes, von dem man wirklich fürchten muß, daß es rar geworden ist wie in einer Hungersnot, weil die Ersatzkost, die weitgehend dafür geboten wird, keinen Nährgehalt hat, und das christliche Volk, das immer noch einen gesunden Instinkt für richtiges geistliches Hausbrot hat, aufhört, vor diesen Märkten Schlange zu stehen. Das Ersatzbrot, das weitherum in Predigt und Katechese als Nahrung ausgeteilt wird, erweist sich als ein Scheinbrot, das den realen Hunger der Glaubenden nicht stillen kann. Und so stellt sich hier ein anderer zweiter christlicher Realismus dem der statistischen Zahlen entgegen: der Realismus des hungernden Glaubens, der sich mit nichts anderem abspeisen läßt als mit dem authentischen Wort. Das aber kann kein anderer vermitteln als wer sein Leben identifiziert hat mit der Sache dieses Wortes, wer durch diese Ganzhingabe teilbekommt an der Strahlungskraft und der durchschlagenden Wirkung dieses Wortes – «das schärfer ist als jedes zweischneidige Schwert» (Heb 4, 12) –, wer so zu einem Multiplikator wird, der allen irdischen Statistiken hohnspricht, weil hier die evangelische Mathematik angewandt wird: einiges auf den Weg, das die Vögel fressen, anders auf steinigen Boden, das kein Erdreich findet und verdorrt, einiges in die Dornen, das erstickt wird unter deren wucherndem Wuchs, und dann doch ein Weniges auf gutes Erdreich, und dieses bringt dreißig-, sechzig-, hundertfältige Frucht, womit der anscheinend verheerende Ausfall der Versager wettgemacht wird. Man kann hier Heraklits Wort erinnern: «Einer gilt mir mehr als Tausende, wenn er der Edelste ist, aristos.»

Wir könnten nun unsere Zeit damit verbringen, diese beiden Realismen gegeneinander abzuwägen: den der Statstiken und den des Evangeliums, den der Quantität und den der Qualität, oder, um die Kategorien Péguys zu verwenden, den der Politik und den der Mystik. Oder nochmals anders: den der Funktionäre und den der Heiligen, die weltlich gesehen als Illusionisten und Schwärmer taxiert werden müssen, weil sie ernstmachen mit dem Paradox: «Wenn ich schwach bin, dann bin ich stark.» Man könnte diese beide Realismen gegeneinanderhalten und müßte dabei durchaus betonen, daß die Kirche auch irdisch-realistisch denken muß, daß sie auf die Kargheit des menschlichen Bodens mit seinen Dornen und Steinen und asphaltierten oder betonierten Straßen zu achten hat, wenn sie ihren Priesternachwuchs heute bedenkt. Ihre Taubeneinfalt darf ihre Schlangenklugheit nicht beeinträchtigen. Sie muß die Edelsten, aristoi, fördern, ohne zu übersehen, daß sie auch mit den Durchschnittlichen, den Handwerkern der Seelsorge zu rechnen hat. Dieses heikle Sowohl-Als-auch könnte uns dazu führen, die immer vorgeschlagene Doppellösung zu befürworten: zölibatärer Klerus, vermutlich in der Minderzahl, und viri probati, vermutlich in erdrückender Überzahl. Wir würden uns damit in ein Thema verlieren, das wie das Faß der Danaiden bodenlos und, von einem Nichtfachmann vorgetragen, unergiebig ist. Denn wir müßten die zweifellos für die viri probati sprechenden Gründe im einzelnen durchgehen; sie sind aber in Lateinamerika anders gelagert als in Afrika und wieder anders bei uns; wir müßten unter anderem auch die Geschichte der getrennten Kirchen mit ihrem Klerus studieren, ferner die Erfahrungen der Ostkirchen genau beherzigen, die pastorelle, juridische, finanzielle Problematik des dortigen verheirateten Klerus kennenlernen, die so offenkundig ist, daß mehr als ein unierter Bischof seine Vollmacht, Verheiratete zu Priestern zu weihen, heute nicht mehr gebraucht.

Aber wir verzichten darauf, diese Problematik hier zu entfalten, zumal unser Thema ja anders lautet: «Priesterberuf und zölibatäre Existenz heute». *Einen* negativen Satz freilich übernehmen wir aus dieser Konfrontation: es wird niemals so sein *dürfen* und auch niemals so sein *können*, daß die zölibatäre Priesterexistenz als eine von zwei gleichwertigen, zur Auswahl stehenden Lebensweisen des Hirten in der Kirche und vermutlich dann auch als die Ausnahme von der Regel erscheint, denn so demokratisch ist die Kirche nicht gebaut; sie ruht ja auf dem Fundament der Apostel und Propheten, sie wird dauernd von den «Säulen in meinem Tempel» getragen, sie beruht auf einem von Christus her fortwirkenden

Prinzip der Stellvertretung der Vielen durch die Wenigen. Wenn Paulus sagt: «Ich wollte, es wären alle wie ich», ehelos, so meint er nicht eine aus zwei Eventualitäten, sondern zieht eindeutig die eine der beiden vor. Es ist die Existenz, die als ganze ins Feuer Christi geworfen ist, die brennende Existenz, das glühende Eisen. Die viri probati sind das kalte Eisen, sie mögen persönlich so eifrig sein, wie sie wollen. Der unverheiratete Hirte ist das heiße Eisen, das damit auch einzig imstande sein wird, das eigene Glühen andern mitzuteilen. Es ist höchst unwahrscheinlich, daß aus der Katechese von verheirateten Priestern oder von Laien (dies noch eher!) Berufungen zum ehelosen Priestertum hervorgehen werden. Man zeugt seinesgleichen, man empfiehlt das Eigene. Einzig das Wort und das Beispiel zölibatärer Priester werden in jungen Menschen die Großmut zu solcher Ganzhingabe erwecken. Wir müssen uns diese Dinge heute von Protestanten sagen lassen: vom Beispiel Taizés, von solchen, die uns warnen, der christlichen Ehe ein theologisches Übergewicht über die Ehelosigkeit zu geben, sie vielmehr innerhalb des sakramentalen jungfräulichen Verhältnisses zwischen Christus und der Kirche aufzufassen (J.-J. von Allmen), von Orthodoxen und Unierten, die uns vor der Illusion warnen, mit einem verheirateten Klerus wirksames Apostolat erzielen zu können. Der Bischof, Leitbild des Klerus, ist im Osten immer unverheiratet, in den meisten unierten Kirchen ist die Eheschließung nach einer höheren Weihe ungültig, die syrokatholische Kirche schreibt überdies den Zölibat allen Priestern, die koptische allen Majoristen vor. Die armenische Nationalkirche empfahl den Bischöfen, Verheiratete nur ausnahmsweise zu den höheren Weihen zuzulassen und riet den Priestern zur Enthaltsamkeit (Mörsdorf, Zölibat LThK[2] 10, 1398). Woher dieses überall wache Bewußtsein eines Vorzugs der Ehelosigkeit? Ist es zeitbedingt, überholbar? Kann es durch den Druck der heutigen Verhältnisse entkräftet oder verdrängt werden? Damit stehen wir endlich vor dem eigentlichen Thema dieser Überlegung.

2

Im Folgenden sollen die Gründe für den Vorzug des Zölibats auch in der heutigen Situation dargelegt werden. Diese Gründe sind selbstverständlich in der positiven Offenbarung, die in Jesus Christus gipfelt, zentriert; sie sind, wie man sagt, «übernatürlich» und können darum auch nur von lebendig Glaubenden, denen ein Sensorium für die christliche Wahrheit eignet, aufgefaßt werden. Dies hindert nicht, daß auch hier «gratia supponit naturam», daß somit natürliche Fundamente für eine so tief ins Menschenleben eingreifende Entscheidung bestehen – was E. Schillebeeck nachdrücklich betont und klar bewiesen hat –, Fundamente, die gerade nicht in platonisch-manichäischer Leibverachtung gründen, sondern in der echt menschlichen Möglichkeit, einer großen Sache, der man sein ganzes Dasein weiht, etwa einer wissenschaftlichen Forschungsarbeit, einer politischen Mission und dgl. ein mögliches Familienglück zu opfern. Die Gründe für Ehelosigkeit um des Reiches Gottes willen ruhen auf diesem Fundament, auch wenn sie ganz neue Motive hinzufügen. Beides, die Grundlage wie die drängenden übernatürlichen Motive müßten bei der Priestererziehung eine ausschlaggebende Rolle spielen: Dogmatik, Exegese, Pastoral müßten so dargeboten werden, daß die Entscheidung geweckt, gefördert, gründlich fundamentiert, nicht bloß einmal innerhalb eines umfassenden Studienprogramms, sondern immer wieder von neuen Zugängen her behandelt wird. Das würde voraussetzen, daß Professoren, Regenten und Spirituale einhellig in einem gleichen Geist zusammenwirkten, daß dabei die Motive nicht als zufällig und äußerlich aufgeklebt, von der modernen Psychologie und Soziologie leicht widerlegbar, sondern mit dem innersten Kern der Offenbarung und des Glaubens verschmolzen dargestellt würden. Das alles setzt freilich einen weiten Horizont und ruhigen Rundblick bei unseren Theologiestudenten voraus, frei von Schlagworten und Agitationen, etwas von der innern abgeklärten Ruhe, mit der sich etwa buddhistische Mönche, aus ganz verschiedenen Motiven, aber aus einer tiefen Schau der gesamten Verfaßtheit der Existenz, zur Wahl des ehelosen Lebens entscheiden. Fehlt diese Ruhe und dieser kontemplative Tiefblick, so wird auch das Wesen der Offenbarung, das Wesen Christi und seines Leibes, der Kirche, gar nicht ansichtig; alles wird auf eine ungemäße soziologische Ebene projiziert, die Grundbegriffe verfälscht, die nachfolgende Verkündigung gefährdet. Sowenig die buddhistischen Motive (auf ihrer Ebene) als überholt gelten können, so wenig sind die wahren christlichen Beweggründe durch die Veränderung der heutigen Welt überholt oder je überholbar. Das heißt nicht, daß nicht durch den Wegfall anderer zeitbedingter Motive – beruhend auf der Selbstverständlichkeit der mittelalterlichen Volkskirche und der Geborgenheit in einem unangefochtenen kulturellen Bestand – die Existenz als zölibatärer Priester heute viel schwieriger und menschlich gesehen frustrierender erscheinen kann als in früherer Zeit. Aber die einstige soziologische Problemlosigkeit ist – vergleichbar dem Gesetz bei Paulus – etwas «Zwischenhineingekommenes», dem evangelischen Ursprung nicht Entsprechendes; in der heutigen Schwierigkeit kann sehr wohl die ursprüngliche evangelische Schwierigkeit in ihrer vollen Wucht erneut zum Vorschein kommen. Das ist heutigen Priesterkandidaten offen zuzugeben, und recht bedacht ist die scheinbare frühere Leichtigkeit (über die man sich natürlich auch keine Illusion machen darf) eher eine Verunklärung des genuin Christlichen als eine Norm, an der gemessen der heutige Standard abfällt.

Bedenken wir also ein weiteres Mal die zentralen Gründe für den priesterlichen Zölibat, Gründe, die sich unmittelbar aus der Offenbarung Gottes in Jesus Christus ergeben und von allen kulturellen Strömungen und Situationen der Kirche in der Welt unabhängig sind.

1. Kirche befindet sich, wo sie lebendig ist, *immer im Ursprung*. Die Jahrtausende zählen nicht; sie entfernt sich nicht allmäh-

lich von dem Akt, in dem sie gezeugt wird und aus den To-
deswunden Christi ausfließt: der Heilige Geist überbrückt
jeden zeitlichen Abstand, die Eucharistie stellt sie täglich neu
vor das einmalige und allmalige Ereignis von Kreuz und
Auferstehung.

Damit hebt auch das kirchliche *Amt* immer beim Ursprung
an, unverstaubt durch alle Tradition. Alles beginnt mit der
Berufung der Jünger am Jordan und in Galiläa, mit dem unbedingten Nachfolgeruf, der durch Aufstehen und Alles-
liegen-Lassen beantwortet wird. Mit der Verheißung, aus dem
Sünder, der sich zurückziehen wollte, einen Menschenfischer
zu machen, wenn er einmal das Stadium der Mißverständnisse,
der Bedenken, ja der Verleugnungen hinter sich haben wird.
Es wird aber nicht bloß darum gehen, Menschen aus dem
bitteren Meer der Welt (wie Origenes sagt) herauszufischen,
sondern gar sehr darum, die Gewonnenen und in eine neue
Umgebung Versetzten zu betreuen, ihnen geradezu die neue
Atmosphäre auf den Bergen, auf denen sie fortan leben werden, zu liefern, eine neue Umwelt zu gestalten, und zwar
immer neu, durch die liebende Bereitschaft und Zuwendung
des Hirten, der sein Leben gibt für seine Schafe. Denn nichts
Geringeres als dies ist Petrus und seinen Nachfolgern ver-
sprochen (wie Petrus es in seinem ersten Brief ja klar versteht); er, der den Herrn mehr lieben muß als die andern, er,
der ihm, ob er will oder nicht, ans Kreuz folgen muß, er hat
sein Leben mit dem Herrn zusammen für die Seinen darzubieten, damit sie von diesem Leben zehren, wie in der Le-
gende die Kücken von der Brust des Pelikans.

Das liegt vom Ursprung her im Wesen des Amtes: diese
«Mühsal» des totalen Selbsteinsatzes. Mit dem Wort kopiân,
sich abschinden, werden schon im frühesten Paulusbrief
(1 Thess 5, 12) die «Vorsteher und Seelsorger» der Gemeinde
beschrieben. Bei diesem Ursprung stehen wir noch diesseits
der (letztlich verhängnisvollen) Gezweiung von (Welt-)Prie-
stertum und Stand der evangelischen Räte, so sehr man hier
dann später verschiedene Betonungen heraushören kann: der

Priester mehr als Bräutigam der bräutlichen Gemeinde gegenüber, die Ordensperson mehr als Braut dem Herrn als Bräutigam gegenüber. Aber diese Nuancen sind sekundär angesichts der geforderten Angleichung an den Herrn, der im Auftrag des Vaters sein Leben hingibt für seine Schafe, damit sie von ihm leben, und der andere Mitmenschen in seine Hingabe hinein ruft.

Wir stehen hier auch diesseits der vielberufenen «Entflechtung» von Dienst und Zölibat. Eintreten in den Dienst des Herrn heißt im Ursprung schlicht Eintreten in seine Lebensform, die mit seinem Dienst genau zusammenfällt. Er gibt sein Fleisch und Blut für das Leben der Welt dahin, natürlich ein unangetastetes, durch keinen ehelichen Verkehr schon angebrauchtes, durch kein privates Treueverhältnis in Beschlag genommenes Fleisch und Blut. Die eucharistische Hingabe Jesu am Kreuz hängt ganz wesentlich mit seiner Ehelosigkeit zusammen. Deshalb wird man sehr vorsichtig sein müssen, wenn man das Gnadenangebot des ehelosen Lebens als ein besonderes, unberechenbares Charisma bezeichnet, das man entweder hat oder nicht hat; falls man es nicht hätte, würde man den vom Herrn geforderten Dienst eben innerhalb der Ehe leisten. Eine solche Meinung wurde auch in Entwürfen zur letzten Bischofssynode vertreten, aber sie verschwand angesichts der fortschreitenden Klärung des «vielfältigen, innerlichsten Zusammenhangs zwischen Seelsorge und ehelosem Leben». «Wer nämlich», heißt es dort (dt. Ausgabe 75), «aufgrund freier Entscheidung die volle Verfügbarkeit bejaht, der wird auch in Freiheit das ehelose Leben auf sich nehmen. Der angehende Priester soll diese nicht als etwas von außen ihm aufgezwungenes empfinden, sondern vielmehr als den Ausdruck seiner freien Selbsthingabe, die von der Kirche durch den Bischof angenommen und bestätigt wird.» Ich weiß wohl, daß Paulus das Wort Charisma braucht, da er sagt: «Ich wünschte, alle wären wie ich, doch jeder hat seine besondere Gnadengabe von Gott, der eine so, der andere anders» (1 Kor 7, 7), man ist sich aber darüber im klaren, daß das Wort hier nicht in dem technischen Sinn, in dem wir es meist verwenden, gefaßt ist, insbesondere auch nicht in Gegenstellung zum Begriff des kirchlichen Amtes gebraucht wird. Jedermann weiß, daß die Pastoralbriefe uns verheiratete Amtsträger vorführen, und daß jener «vielfältige, innerlichste Zusammenhang» zwischen Amt und Zölibat auf kirchlichem Gewohnheitsrecht beruht. Niemand behauptet, es könnte nicht anders sein. Aber man wird sagen dürfen und müssen, daß es am besten so ist. Die Kirche hat ihre Verfügung aufgrund langsamer, durch alle Jahrhunderte erneuerter Meditation der ursprünglichen Apostelberufungen getroffen; bei diesen Berufungen wird niemand zwischen dem Dürfen und Müssen unterscheiden können: die Frage, ob Johannes und Jakobus gesündigt hätten oder nicht, wenn sie die Einladung des Herrn zur Nachfolge ausgeschlagen hätten, stellt sich einfach nicht. Das Schwergewicht der göttlichen Liebe, das sich in dieser Einladung auf sie niedersenkt, ist so groß, daß einer, der es ausschlägt, sie zu tragen, seine einzige Existenzchance verliert, wie etwa der reiche Jüngling. Die Einladung des Herrn ist keine partielle, die zum Beispiel das Charisma der Jungfräulichkeit sowohl mitenthalten wie zufällig auch entbehren kann; sie meint immer den ganzen Menschen aus Fleisch und Blut. Dies steht diesseits und oberhalb all der schmerzlichen Kasuistik, die die Erzieher von Priesterkandidaten bedrückt – ob der oder jener es packen wird oder nicht –, und die auch das erwähnte Pauluswort für sich beanspruchen kann. Wie immer dem sein mag: Christus braucht Ganze, und nur durch Ganze wird die Ganzheit der Botschaft von der ganzen Liebe Gottes glaubhaft durch die Zeiten weitergetragen. Zwanzig Halbe ergeben in einer Pfarrei zusammen nicht einen Ganzen, aber ein Ganzer kann die zwanzig Verfügbaren «heranbilden zur Ausführung ihres Dienstes, zum Aufbau des Leibes Christi» (Eph 4, 12).

2. Man spricht oft von der christlichen Ehelosigkeit als «einem eschatologischen Zeichen». Das ist schön und wahr, bis

auf den Artikel «ein». Es ist mehr: es ist *das* Zeichen, und damit wird es unentbehrlich. Der Neue und ewige Bund wertet die Geschlechtlichkeit, verglichen mit dem Alten Bund, völlig um: im Alten Bund war sie das Zeichen der theologischen Hoffnung auf den Messias, wie etwa aus dem Tobiasbuch schön erhellt. Mit Christi Geburt aus der Jungfrau Maria, mit seinem jungfräulichen Leben, mit seinem Tod, seiner Höllenfahrt und Auferstehung aus den Toten ist theologisch eine ganz neue Situation geschaffen. Die Geschlechtlichkeit ist an ein inneres Ende gelangt, die weitere Fortpflanzung des Geschlechtes hat eine gewisse theologische Unerheblichkeit gewonnen, die man nicht mit einer Anwendung des Evolutionsgedankens auf die Geschichte der Kirche überspielen und verunklären soll. Von hier aus könnte es scheinen, als bekäme die Hintanstellung des Gedankens der Fortpflanzung als des ersten Ehezwecks und das Vorziehen der gegenseitigen Liebe der Ehegatten (auch unter ausdrücklicher Ausschließung der Fortpflanzung) eine neutestamentliche Rechtfertigung: sie wäre vielleicht ein deutlicheres Symbol für die gegenseitige Liebe zwischen Christus und seiner Braut Kirche in der eucharistischen Hingabe seines Fleisches und Blutes als der Zölibat. Aber eine solche theologische Schlußfolgerung übersieht, daß die eucharistische Liebe zwischen Christus und der Kirche ganz wesentlich die «memoria passionis» einschließt, den vollkommenen und schmerzlichen Verzicht des Kreuzes, in dem allein Gottes Liebe endgültig offenbar wird, und dessen Gestalt deshalb in aller kirchlichen Liebe, die ein symbolisches oder sakramentales Zeichen und Nachbild jener Liebe sein soll, enthalten sein muß.

Die Fruchtbarkeit Marias, die Fruchtbarkeit des apokalyptischen Weibes, das durch alle Zeiten hindurch zwischen Himmel und Erde den Messias und seine Glieder und Brüder gebiert, ist eine Fruchtbarkeit in Passionsleiden: das Weib schreit laut in Geburtswehen. Dieses Weib, das nachher (aber was heißt das, zeitlich?) in die Wüste entrückt wird, ist Urbild der Kirche, ihre ontologische Gestalt. Und es ist nicht ins

Belieben gestellt, sondern eben ontologisch notwendig, daß diese ihre innerste Wirklichkeit durch solche, die die Kirche amtlich zu repräsentieren haben, auch existentiell dargestellt wird. Sonst verschwindet die ontologische Wirklichkeit Kirche hinter einer von den Menschen manipulierten soziologischen Gestalt. Deshalb hatte jener Protestant recht, der uns mahnte, die neutestamentliche Ehe von der umgreifenden Form der Jungfräulichkeit her zu sehen, als einen Versuch, den sexuellen Eros in die vom Himmel geschenkte Agape hinein aufgehen zu lassen, in die Agape, wie sie zunächst von Christus selbst exemplarisch im Fleisch vorgelebt wird. Und wenn Christus nicht wiederum zu einem abstrakten Prinzip ohne existentielle Konsequenzen herabsinken soll, muß man ihn katholisch immer im Zusammenhang mit den menschlichen Helfern sehen, die mit ihm zusammen seine Konstellation bilden und mit denen seine Sendung unlöslich verbunden ist: mit dem sicherlich jungfräulichen Vorläufer Johannes, mit dem sich sein Schicksal so denkwürdig verschränkt, mit der Mutter Maria, deren leibliches und geistiges Verhältnis zu ihm nie eng und wesentlich genug aufgefaßt werden kann, mit dem Liebesjünger, der sich in einer beinah weiblichen Hingabe seinen Lehren und seiner Liebe erschließt, endlich auch mit Paulus, der ersten großen exemplarischen Sendung in der werdenden Kirche, dessen Gestalt als Archetyp des Apostels in der Reflexion der Kirche wohl mit am meisten dazu beigetragen hat, Amt und Zölibat in einer existentiellen Einheit zu sehen. Durch diese Konfrontation wird die Jungfräulichkeit Christi erst ganz konkret und plastisch und erhält für die nachfolgenden Geschlechter ihre prägende Kraft.

3. Die Fruchtbarkeit Jesu in seiner Eucharistie, die Fruchtbarkeit der Jungfrau Maria, die Gott in Menschengestalt auf die Erde setzt, zeigt deutlich genug, daß christliche Jungfräulichkeit keinesfalls leibfeindlich, spiritualistisch, platonisch oder manichäisch ist, sondern umgekehrt die Inkarnation des Wortes Gottes voraussetzt. Und wenn im Lauf der Kirchen-

geschichte gewisse platonische Motive beigezogen wurden, um den christlichen Zölibat zu untermauern, wenn da und dort eine Herabsetzung der Ehe (entgegen dem Gebot der Pastoralbriefe und des Herrn selbst), sogar eine Verketzerung der Sexualität stattgefunden hat, so dürfen wir der heutigen Überwindung solchen Fremdwuchses dankbar sein, denn sie legt die spezifisch christlichen Motive wieder bloß, so wie sie ursprünglich in Geltung waren und diese Geltung durch alle christlichen Zeiten hindurch behalten. Sogenannte Enttabuisierung des Sexus zeigt ihn uns in seiner irgendwie nüchternen Realität, seinem relativen Wert, der ebenso nüchtern, sachlich von dem höheren Wert der Jungfräulichkeit umfangen und auch eingeborgen ist. Die Fruchtbarkeit, die Gott dem menschlichen Wesen im Paradies verliehen hatte, war gewiß *mehr* als eine nur geschlechtliche. Sie barg diese in einer uns unvorstellbaren Weise in sich, aber sie beschränkte sich keinesfalls darauf. Erst da diese höhere, gnadenhafte Fruchtbarkeit mit der Abkehr von Gott von den Menschen abfällt, sehen sie, daß sie nackt sind, tritt die im Umgreifenden geborgene, beinah verborgene sexuelle Fruchtbarkeit grell hervor. Sie ist ein zwar guter, aber in seiner Isolierung defizienter Aspekt der eigentlich gemeinten Fruchtbarkeit des begnadeten Menschen. Nach dem Kreuz Christi wird die Integration der ganzen Fruchtbarkeit nicht anders als durch einen Verzicht wiedererlangt, wie wir bereits gesagt haben, und worauf wir hier nicht weiter eingehen können.

Aber aus dieser Sicht wird doch noch etwas Wesentliches deutlich: daß im Neuen und eschatologischen Bund der mit Jesus und seiner ganzen Konstellation zusammen verzichtende Christ die höchstmögliche Fruchtbarkeit wiedergewinnt und sie im Glauben auch irgendwie erfährt. Christus ist zugleich Verzichter und Verschenker, der in seiner Eucharistie die unergründlichste Erfahrung leiblicher Hingabe macht. Und in der marianischen Gnade, die eine der ganzen Kirche angebotene ist, verbindet sich die Erfahrung der Jungfräulichkeit mit einer solchen der leiblichen Fruchtbarkeit und Mütterlichkeit, sie hat also die Erfahrung des Fleischlichen in der Liebe in sich und teilt sie auch mit. Das wird heutigen Psychologen und Soziologen wohl verstiegen erscheinen, und doch ist es für einen, der glaubt, ganz einfach. Es widerlegt – und das ist wichtig – das ewige Gerede, daß der zölibatäre Geistliche nun einmal nichts von Eheleben, Ehefreuden und Ehesorgen verstehen kann, daß es deshalb wünschenswert und für die Kirche bereichernd wäre, wenn es neben dem zölibatären Klerus einen andern, verheirateten gäbe. Dieses Gerede dürfte, wenn es konsequent wäre, auch vor Christus, der Weisheit Gottes, und Maria, dem Sitz dieser Weisheit, nicht haltmachen. *Wenn* der Zölibat so gelebt wird, wie er gemeint ist, in christlicher Freude, Armut, Hingabe, Offenheit für Gott und die Menschen, dann schließt er auch ein Wissen um alles Menschliche in sich, wie dies das Bild eines guten Leutpfarrers oder einer guten Ordensfrau evident zeigen kann.

4. und letztens. Der ehelose Priester ist zweifellos heute stärker als früher in eine sexualisierte Umwelt hineingesetzt und weitgehend der äußerlichen Hilfen des nachtridentinischen Seminars und geschützten Pfarrhauses beraubt. Er ist exponierter, und zudem stößt sein Lebenszeugnis bei Nichtchristen und Christen auf Gleichgültigkeit oder Ablehnung; er kommt damit nicht an, es sagt den Leuten nichts; die gewaltige Anstrengung dieses Zeugnisses scheint ins Leere zu verpuffen. So fühlt er sich frustriert. Aber die Geschichte der christlichen Jungfräulichkeit beginnt nicht in Trient; sie beginnt in Korinth, in Ephesus, in Rom, um nur drei der sexuell ausschweifendsten Städte des Altertums zu nennen. Ausgerechnet dort, wo das Laster in seiner üppigsten Blüte stand – die Briefe der Apokalypse zeigen uns andere, nicht weniger klare Beispiele –, hat die christliche Jungfräulichkeit ihren Anfang genommen. Und das nicht in Klöstern, nicht in geschlossen lebenden christlichen Kommunen, sondern in einer Diaspora, in der die Christen oft in heidnischen Häusern zerstreut lebten.

Es *mußte* gehen und es *ging*. Auch die christlichen Jungfrauen lebten zunächst nicht in geschlossenen Gemeinschaften, sondern, wie heute die Mitglieder der Säkularinstitute, in den Häusern und Familien zerstreut. Dort gaben sie ein Zeugnis, das vielleicht ein fruchtbarerer Sauerteig war als der in den später organisierten Klostergemeinschaften des Pachomius und Benedikt. Und sie verstanden dieses Zeugnis als ein selbstzweckliches Ausstrahlen der Liebe, und nicht als etwas Vernutztes, auch wenn es wahr ist, daß der Unverheiratete frei ist für den Herrn, «besorgt um die Sache des Herrn» (1 Kor 7, 34), also auch frei für die kirchlichen diakonalen und presbyteralen Aufgaben.

Und wenn die damaligen Jungfräulichen geehrt waren und wir heutigen Zölibatäre unbeachtet sind oder verachtet, so muß hier zuletzt nochmals darauf verwiesen werden, daß Jungfräulichkeit und Kreuz, somit Schande, in engstem Zusammenhang stehen. Vom Alten Bund her ist leibliche Unfruchtbarkeit Schande, Demütigung, und es ist doch ganz richtig so, vom natürlichen wie vom übernatürlich-theologischen Standpunkt. Die unfruchtbare Frau leistet nichts im Hinblick auf die messianische Zukunft. Unter diesem Zeichen der Schande ist auch Maria angetreten: zu der Zeit, da sie schwanger war und schwieg und Joseph sie zu entlassen gedachte. Eigentlich sollte neutestamentliche Jungfräulichkeit immer nur ausdrücklich mit dieser Schande zusammen, ja um dieser weltlichen Schande willen von den Christen hochgehalten werden. Und wenn sogar die Christen ihren verborgenen Wert nicht mehr sehen, weil sie unchristlichen Ideologien nachlaufen, dann treten die Jungfräulichen halt wieder in das Dunkel der ursprünglichen Schande zurück. In das Dunkel der scheinbaren Vergeblichkeit, die ein Hauptmerkmal des Kreuzes Christi ist, in das Dunkel einer vermehrten, scheinbar sinnlosen Mühsal, zum Beispiel der Organisation eines Lebens ohne geeignete Haushälterin oder einer schlecht funktionierenden Gemeinschaft mit andern Priestern, und was dergleichen schwerlastendes Ungemach mehr ist und uns versucht, die scheinbar untauglichen, für niemanden ersprießlichen Experimente aufzugeben[1].

Es kann sein, daß in einer künftigen Kirche die ehelosen Priester in der Minderzahl sein werden. Es kann sein. Es kann aber auch sein, daß am Beispiel der Wenigen sich eine neue Evidenz von der Richtigkeit und Unentbehrlichkeit dieses Lebens in der Kirche entzündet. Es kann sein, daß wir durch eine Zeit von Hunger und Durst hindurch müssen, daß aber gerade dieses Entbehren neue Berufungen weckt, oder besser gesagt, neue Großmut, um den Berufungen, die nie fehlen, zu antworten. Wir dürfen auf den Instinkt des christlichen Volkes, trotz der vielen oberflächlichen Verbildungen, vertrauen; das Volk kann schließlich immer noch ziemlich leicht progressistisches Geschwätz von wahrhaft pneumatischer Predigt und Katechese unterscheiden. Und selbst wenn auch dieser Instinkt sich verdunkeln würde – was ich nicht glaube –, so bleibt ja immer als der eigentliche Zeuge unseres Zeugnisses der Herr: denn keiner von uns Priestern «lebt für sich selbst und keiner stirbt für sich selbst; leben wir, so leben wir für den Herrn, sterben wir, so sterben wir für den Herrn» (Röm 14, 7f.).

---

[1] Das von der Kirche nachdrücklich empfohlene «Experiment» von priesterlichen Weltgemeinschaften (Säkularinstituten) ist – wenigstens in unseren Gegenden – noch viel zu wenig ausprobiert worden. Dies zunächst um der Priester selbst willen; denn es gibt auch den andern Gesichtspunkt, daß die Laien in solchen Gemeinschaften auf die Dauer nur schwer ohne Priester, die selbst Mitglieder sind und die Gemeinschaft von innen kennen, auskommen können.

III. Im Endbereich

ABSTIEG ZUR HÖLLE

Über den Verbleib und den Zustand der Toten wissen wir nichts; aber wir möchten etwas wissen, weil von der Antwort der Sinn unseres Daseins abhängt. Alle Religionen haben ihre Vermutungen und Hoffnungen in mythischen Bildern verdichtet: Weiterleben der Seelen, in Verfallenheit an die unteren Mächte (der Leib ist ja ins Unten der Erde gegangen), an Mächte, die mehr persönlich oder unpersönlich gedacht werden können, die die Toten entsprechend ihrem Verhalten im Leben richten, die Guten belohnen, die Bösen bestrafen, unerbittlich, weil die Lose mit dem Tod gefallen sind, aber vielleicht durch etwas dem Toten Mitgegebenes beeinflußbar bleiben. Das Gericht kann endgültig sein oder – wenn die Strafen als läuternd gedacht werden oder Seelenwanderung angenommen wird – zeitlich begrenzt. Zuweilen gelingt es einem Helden, ins Reich der Toten abzusteigen, Kunde von dort zu bringen, gar dem Tod eine Beute zu entreißen. Oder es kann eine Weltanschauung, den Wechsel der Jahreszeiten bedenkend, im Mythos ein Gleichgewicht zwischen den Kräften des Lebens und des Todes, zwischen periodischem Abstieg in die Unterwelt und Wiederaufstieg episch oder dramatisch auszudrücken versuchen.

Jesus stirbt am Karfreitag auf dem Kreuz, wird begraben, und am Ostertag zeigt er sich lebendig und leibhaftig seinen Jüngern. Er stirbt, und mit ihm stirbt die Hoffnung, daß er «das Reich Israel wieder aufrichten» wird (Apg 1, 6), es stirbt eigentlich alle Hoffnung auf Erlösung (Lk 24, 21); nach der leeren, wortlosen Pause des Samstags treten in unfaßlicher Abruptheit «die Auferstehung und das Leben» (Jo 11, 25) hervor. Tod ist unabweisbare Gegenwart und ist in Christus

387

doch unbegreiflicherweise Vergangenheit, und zwar nicht vorläufige, sondern endgültige: «Ich *war* tot, aber siehe, ich lebe in alle Ewigkeit» (Off 1, 18), «so gewiß wie Christus nach seiner Auferstehung von den Toten nicht wieder stirbt, der Tod keine Macht mehr über ihn hat» (Rö 6, 9). «Verschlungen ist der Tod im Sieg» (1 Kor 15, 54). Nach dem Verständnis des Neuen Testaments ist das ein Ereignis, das von keinem Mythos eingeholt werden kann: weder steigt hier ein Lebender in die Unterwelt, um unversehrt wieder heraufzukommen, noch wird dem Tod ein Opfer nur für einige Zeit entrissen, noch geht es um ein Gleichgewicht zwischen Leben und Tod und einen nur periodischen Sieg des ersten über den zweiten, sondern um eine endgültige, eschatologische Wende, die im Schicksal des einen das Schicksal aller entscheidet (1 Kor 15, 21 ff).

Das Ereignis dieser Wende aber fällt auf den «Tag» zwischen Karfreitag und Ostern, und über den Karsamstag sagt uns die Schrift beinah nichts. Die dunkle, späte Stelle 1 Petr 3, 18–20; 4, 6[1] spricht von einem «Hingehen» Christi «im Geist» zu den «Geistern im Gefängnis», um dort das (im Kreuz gewonnene) Heil zu «proklamieren», und sie weist wie nebenbei auf die typologische Entsprechung zwischen Arche (die «wenige Seelen» durch das Sündflutwasser «hindurchgerettet» hatte) und Taufe (die durch Christi Auferstehung endgültig vor den unterworfenen «Engeln, Gewalten und Mächten» rettet). Diese Stelle, die das Geschehen am Karsamstag als eine «Proklamation» des Heils am Ort des Unheils («Gefängnis») deutet, dürfte angeregt sein durch ein gegensätzliches Bild im äthiopischen Henochbuch (12–16), worin Henoch beauftragt wird, zu den gefallenen Engeln von Gen 6 zu gehen und ihnen zu eröffnen, daß sie «keinen Frieden und keine Vergebung finden werden und daß Gott ihre

[1] Vgl. meine kurze Deutung in Mysterium Salutis III, 2, Einsiedeln–Zürich 1969, 234 ff.

Bitte um Frieden und Barmherzigkeit abweisen werde»[2], was 2 Petr 2, 4 (vgl. Jud 6) nochmals bestätigt.

Die Pfingstpredigt Petri, die von der Auferstehung handelt (Apg 2, 14 ff.), erläutert dies durch ein Zitat aus Ps 16, 10: «Denn du wirst meine Seele nicht der Scheol überlassen und deinen Frommen die Grube nicht schauen lassen.» Damit wird unterstrichen, daß Jesus zwar selbstverständlich in der Scheol war (2, 31), dort aber nicht geblieben ist. Dasselbe wird durch die beachtliche Veränderung des Zitats aus Dt 30, 12 ff.[3] an der Stelle ersichtlich, wo Paulus die Glaubenden warnt, sie brauchten Christus nicht erst vom Himmel herabzuholen oder «in den Abyssus niederzusteigen», um ihn «aus den Toten wieder heraufzuholen», denn beides sei vorweg schon erfolgt (Rö 10, 7): wieder wird nebenher und unthematisch gesagt, daß Christi Totsein und im (Meeres-)Abgrund-Sein ein und dasselbe ist: Scheol (Hades, Unterwelt) und Tehom (Meeresabgrund) werden alttestamentlich normalerweise bildlich zusammengesehen.

Dies erhellt aus dem «Jonaswort» Mt 12, 39–41, in dem Jesus den ein Zeichen fordernden Juden kein anderes Zeichen verheißt als das des Propheten Jonas, wobei zunächst die Parallele des Weilens «drei Tage und drei Nächte» (Jon 2, 1) im «Bauch des Seeungeheuers» und im «Schoß der Erde»; dann die Parallele der Predigt an die Männer von Ninive, die sich bekehrten, und der Predigt Jesu, der «mehr als Jonas» ist, gezogen wird[4]. Wir dürfen es dahingestellt sein lassen, ob

[2] J. Jeremias, Der Opfertod Jesu Christi. Stuttgart 1963, 8.

[3] Statt vom Suchen im Abgrund sprich das Dt von einem Suchen jenseits des Meeres.

[4] In der Parallele bei Lk 11, 29–30.32 ist Jonas als solcher das «Zeichen»; der erste Vergleich bei Mt (das Weilen im Fisch bzw. im Grabe) fehlt, nur der zweite wird gezogen, und das Wort «hier ist mehr als Jonas» ist von der ersten Jonasstelle durch einen anderen Vergleich («Königin des Südens» – «Salomon») getrennt. Wenn man aufgrund dieses Befundes den ersten Vergleich bei Mt als sekundär ansehen wollte, muß man immerhin bedenken, daß Jonas ein «Zeichen» (semeion) für die Niniviten nur durch sein vorausgehendes Schicksal

die erste Parallele von Jesus selbst stammen kann[5], oder ob sie Reflexion der Gemeinde ist. Daß aber Jesus sich selbst – überbietend – mit dem «Propheten» Jonas verglichen haben muß, dürfte nicht anzuzweifeln sein[6], und so liegen die wesentlichen, nachher von der Tradition legitim entfalteten Implikationen doch schon in diesem ursprünglichen Vergleich. Dazu gehört nicht an erster Stelle die Predigt in Ninive – alle Propheten haben gepredigt! –, sondern das unterscheidend persönliche Schicksal des Jonas, das ihn zu einem Zeichen des Gerichts- und Heilshandelns Gottes macht[7].

Hier tritt ein Faktor hinzu, der die weitere Überlegung gleichzeitig zu fördern und zu hemmen scheint: die Einbeziehung der Jonassage in die apokalyptische Tradition durch den Midrasch[8]. Dieser erzählt, daß die Augen des Fisches, in den Jonas eingeht, wie Fenster waren und außerdem eine Perle in seinem Innern herabhing, die sonnenhell leuchtete, so daß Jonas alles im Meer und in den Untiefen sehen konnte. Er begegnet dem Leviathan, dem er weissagt, daß er ihn einst für das große Mahl der Gerechten schlachten wird, er sieht das Schilfmeer, durch das die Israeliten hindurchgezogen

---

werden konnte: sein Verschlungenwerden vom Ungeheuer und seine wunderbare Erhaltung und Rettung. Auch wenn Lk davon nicht eigens spricht, muß es in der ursprünglichen Intention des Vergleichs impliziert gewesen sein (K. Gschwind, Die Niederfahrt Jesu in die Unterwelt. Münster 1911, 159; J. Jeremias, ThWNT III 413).

[5] Dagegen spricht, daß, wenn sich Jesus hier als «Menschensohn» mit Jonas in seinem Untergehen und Wiedererstehen verglichen hätte, dies die einzige Stelle in Q wäre, in der vorschauend von der Auferstehung des Menschensohnes gesprochen würde. Und könnte das «böse Geschlecht», das nicht auf Jesus hört, sich das Jonaszeichen (die Auferstehung) als Heilszeichen dienen lassen? (H. E. Tödt, Der Menschensohn in der synoptischen Überlieferung. Gütersloh 1959, 195.) Für Bultmann (Synopt. Trad. ³1957, 133) handelt es sich um christliche Bearbeitung älterer jüdisch-apokalyptischer Tradition.

[6] Vgl. K. H. Rengstorf, ThWNT VII 232.

[7] J. Jeremias, ThWNT III 413.

[8] Pirke Rabbi Eliezer (StB I, 644–647).

waren, die Grundfesten der Erde, die Gehenna, die unterste Scheol, den Grundstein, der auf den Untiefen befestigt ist unterhalb des Tempels Jahwe, und eben hier weist ihn der Fisch an, zu beten, denn wer unter dem Tempel betet, wird erhört. Jonas betet, und der Fisch speit ihn aus. Nun kann freilich der Midrasch – und er tut es auch – an die Einzelheiten des im Jonasbuch stehenden (später eingeschalteten) Psalms anknüpfen, wo der Verschlungene «aus den Eingeweiden der Scheol», dem «Meeresabgrund» usf. zu Gott schreit und im Fall seiner Rettung Schlachtopfer darzubringen verspricht. Trotzdem steht zwischen dem Psalm und dem Midrasch der Übergang zum Genus der apokalyptischen Unterweltsreisen.

Solche Reisen, die die Welt der Toten, ihre verschiedenen Orte und Behälter, ihre differenzierten Strafen für die Bösen (je nach der Art ihrer Vergehen) und Erquickungen für die Guten schildern, werden erstmals im voressenischen[9] angelologischen Buch der Henochkompilation (12–36) berichtet; sie durchbrechen eindeutig die alttestamentliche Theologie und setzen, wie A. Dieterich im wesentlichen unwiderleglich gezeigt hat, die orphisch(-pythagoreische) großgriechische Tradition voraus, aus der schon Pindar, Empedokles, Platon und später Vergil ihre Unterweltsmythen genährt (ein sicher vielfach variiertes Grundbuch war die «Katabasis des Orpheus») und wonach Lukian und Plutarch ihre satirischen und literarischen Ausmalungen gestaltet haben. Die Orphik blühte im zweiten nachchristlichen Jahrhundert erneut auf; so ist es nicht verwunderlich, daß die christliche Apokalyptik in Wiederaufnahme und weiterer Ausbildung der jüdischen[10] Unterweltsreisen ein reges Interesse für das literarische Genus entwickelte und jene phantasievollen Höllenfahrten Jesu hervorbrachte, die über die «Petrusapokalypse» (erste Hälfte des zweiten Jahrhundert) zur «Paulus»- und «Thomasapokalypse» und zur Höllenfahrt im «Nikodemusevangelium», und weiter

---

[9] M. Hengel, Judentum und Hellenismus. Tübingen 1969, 360.
[10] Vgl. vor allem das 4. Buch Esdras.

zu entsprechenden patristischen Predigten, mittelalterlichen Descensusspielen und zur danteschen Hölle überleiten.

Dies alles führt weit von der biblischen Botschaft ab, zeigt aber doch, daß sie an ihrer Zeitstelle den vom Hellenismus her ins Judentum eingedrungenen Gedankenstrom, der nachchristlich unvermindert weiterfloß, berührt hat: dort, wo die Hadesfahrt des Jonas zum «einzigen», offenbar zentralen und durchschlagenden Zeichen erhoben wurde, das von Christus den Juden verheißen wird. Mit diesem Thema auf geheimnisvolle Weise verknüpft, wenn auch nicht identisch, ist das Thema Meeresabgrund (als widergöttliche Chaosmacht, Tehom, vgl. die Sündflut) und Taufe Christi, wobei sein Untertauchen im Jordan erste «kultische» Vorwegnahme seines endgültigen Eingetauftwerdens in den Chaosabgrund (abyssos: Rö 10, 7) besagt hat: das Gerichtswasser wird durch ihn «gereinigt» und verwandelt in ein «Heilswasser», entsprechend auch das richtende Höllenfeuer umgewandelt in ein läuterndes Feuer. Auf diese weitverzweigte Symbolik können wir aber nicht eingehen[11]. Ein drittes Thema könnte mit dem Karsamstag verknüpft werden: das – vielleicht versprengte – Logion Jesu Mt 12, 29: «Niemand kann in das Haus eines Starken eindringen und ihm seine Habe rauben, wenn er nicht zuvor den Starken gefesselt hat; erst dann kann er sein Haus plündern.» Der Starke ist – im Zusammenhang – Satan, «der Fürst der bösen Geister», sein Haus ist (nach der vorherrschenden Ansicht) die Unterwelt. Somit wären mit dem Karsamstag drei Motive verbunden: das der Verkündigung (1 Petr 3, 19, von den ersten Apostolischen Vätern an fortentwickelt[12]), das der Taufe der Gerechten in der Unterwelt (Pastor Herm. Sim IX, 16, 3.5)[13], und das der machtvollen

[11] Vgl. J. Daniélou, Sacramentum Futuri, 1950, 55–85; ders.: Théologie du Judéo-Christianisme. Tournai 1957, 247–255.

[12] Texte bei A. Grillmeier, Der Gottessohn im Totenreich, ZKTh 71 (1949) 4 Anm. 11.

[13] Ebd. Anm. 12; Daniélou, Théologie 248 f.

Unterwerfung des ganzen Reiches des Todes und Satans[14]. Die drei Ämter Christi kommen darin zum Zuge. Aber wie läßt sich das wahre theologische Anliegen von den andrängenden bildlich-mythischen Verkleidungen, die ihm rasch zuwachsen und alle erdenklichen Analogien mit Hadesfahrten in anderen Religionen nahelegen, freihalten? Gibt es einen Kern, der einerseits aus den Mythen das spezifisch und unverwechselbar Christliche herausholt, und anderseits dieses Christliche selbst in seinem Kern und auf seinem Höhepunkt in der entscheidenden Wende zwischen Karfreitag und Ostern zeigt?

Die liturgische, spekulative und rhetorisch-populäre Theologie hat alle Aspekte der «Hadesfahrt» von vornherein unter das Vorzeichen des dritten Momentes, der «Fesselung» und «Beraubung» von Tod–Satan–Hades zusammengefaßt, sie somit als eine Siegesfahrt ausgelegt. Der Niederfahrende wird als ein höchst lebendig Handelnder geschildert: «Ich habe den Hades mit Füßen getreten, und den Starken gebunden, und den Menschen in die Höhen des Himmels geführt», heißt es schon bei Melito von Sardes[15], und nicht anders in der Anaphora Hippolyts, die Gott dankt, weil er Jesus, den Logos, dem Leiden übergab, «um den Tod aufzuheben, die Bande des Teufels zu zerbrechen, den Hades niederzutreten, die Gerechten zu erleuchten»[16]. Neben dem immer drastischeren Handeln Christi[17] erscheint das Motiv des in der Finsternis aufgehenden Lichtes[18]. «Wer ist es, der lebendig in meine Wohnung eintreten darf?» schreit der Tod bei Christi Eintritt[19]. Aber ist er denn wirklich lebendig? Ist er aktiv?

---

[14] Ebd. Anm. 13, und vor allem J. Kroll, Gott und Hölle. Leipzig und Berlin 1932, 1–125.

[15] Homélie sur la Pâque, SC 123 Nr. 102 S. 123.

[16] Hennecke, Ntl. Apokr., 1924, 575.

[17] Am weitesten geht darin das Bartholomäusevangelium, vgl. Kroll 81.

[18] Nikodemusevangelium, Höllenfahrt II (Schneemelcher, Apokr. Ev. I, 349), und oft; vgl. z.B. Aphraat hom 14, bei Kroll 69.

[19] Ebd.

Unterscheidet er sich nicht gerade von allen übrigen Hades-
fahrern, seit Orpheus und Odysseus bis Henoch, Jonas, Aeneas
und Dante, daß er allen Ernstes tot ist?[20] Tot, um überhaupt
am «Ort» und im Zustand der Toten sein zu können. Denn
um dieses Mitsein, um diese Solidarität geht es hier gerade.
Diese Solidarität stellt ihn, im Gegensatz zu den orphisch-
apokalyptischen Helden, den Toten gegenüber in keine be-
obachtende, rekognoszierende Stellung; deshalb wird er,
auferstehend, auch nicht über das Gesehene und Getane berichten. Man muß noch weitergehen: der Tote ist im Sinn der
klassischen alttestamentlichen Texte leblos, kraftlos, wir-
kungslos, vor allem ohne Kontakt mit Gott und deshalb auch
mit Menschen: in der Scheol, in der Grube herrscht die Finsternis der vollkommenen Einsamkeit. Kontaktlos mit Gott
sein aber heißt ohne das innere Licht von Glaube, Hoffnung
und Liebe sein, die – solange die Todesschranke nicht durch-
brochen ist – im Alten Bund auf das irdisch-sterbliche Leben
beschränkt sind (Is 38, 11; Ps 6, 6; 88, 11–13), «denn die
Scheol lobt Dich nicht, der Tod feiert Dich nicht» (Is 38, 18).
Wenn Jesus am Kreuz die Sünde der Welt bis zur letzten
Wahrheit dieser Sünde, der Gottverlassenheit, durchlitten hat,
so muß er in der Solidarität mit den zur Unterwelt gefahrenen
Sündern ihre – letztlich hoffnungslose – Gottgetrenntheit mit-
erfahren, anders hätte er nicht alle Phasen und Zustände des
unerlösten, zu erlösenden Menschseins gekannt. Daß hier eine
rein-griechische Anthropologie, wonach der Tod nichts weiter ist als die Trennung der (weiterhin lebendigen) Seele vom
Leib, am Wesentlichen vorbeigeht, dürfte einleuchten[21]. Ja,
man wird, soteriologisch geradlinig weiterdenkend, zunächst
und vor allem andern sagen müssen, daß die stellvertretende
Erfahrung des (biblischen) Totseins vom Sohne Gottes tiefer
erlitten werden mußte und auch konnte als von irgendeinem

---

[20] Sehr selten wird dieses Totsein Jesu beachtet, z.B. in den Oracula
Sibyllina VIII, 312 (Schneemelcher II, 521).
[21] Origenes, Sel. in Ps 9, 18 (PG 12, 1189D–1192A).

gewöhnlichen Menschen, weil er eine einzigartige Erfahrung der Verbundenheit mit Gott-Vater besaß und *deshalb* tiefer als sonst ein Geschöpf der Erfahrung des (biblischen) Tod- und Verlassenseins zugänglich war[22].

Wenn Jonas im Midrasch von dem erleuchteten Fisch aus in die Abyssos blickt, zum Leviathan, dem eigentlichen Ungeheuer des Abgrunds geführt wird und ihn unbehelligt betrachten kann, so fallen für den gestorbenen Erlöser einerseits der Fisch mit dem Leviathan, anderseits seine Erfahrung des Abgrundungeheuers mit diesem selber zusammen. Oder genauer gesagt: die von ihm gemachte Erfahrung des Abgrunds ist sowohl ganz in ihm (sofern er in sich das volle Maß der Gottferne der toten Sünder kennenlernt) wie zugleich ganz außer ihm, weil das Erfahrene das ihm (als dem ewigen Sohn des Vaters) restlos Fremde ist: er ist am Karsamstag er selbst in der vollkommenen Entfremdung seiner selbst. Man kann hier zwei Fragen aufwerfen: die nach der Realität des Erfahrenen und die nach den Bedingungen der Möglichkeit einer solchen Erfahrung. Für die erste Frage ist es bezeichnend, daß die frühchristliche bildhafte Beschreibung sehr oft gleichzeitig personale und impersonale Ausdrücke braucht. Die Mächte, die die Unterwelt beherrschen, sind «Tod», «Hades», «Satan». Sie pflegen sich bei der Ankunft des ungewohnten Gastes angstvoll miteinander zu besprechen, vom Nikodemusevangelium[23] bis in die spätmittelalterlichen Descensusspiele hinein. Aber auch Theologen wie Firmicus Maternus können eine Sprache führen, aus der herausgehört werden soll, daß es sich um eine Wirklichkeit handelt, die eine einheitliche quasipersonale Daseinsform hat[24]. Wir stehen hier wohl vor einem

[22] Dies hat am klarsten Nikolaus von Kues gesehen und formuliert in seinen Excitationes lib 10. Basler Druck 1565, 659. Vgl. Mysterium Salutis III, 2, 245.

[23] Schneemelcher I, 350f.

[24] De errore prof. rel. 24 (CSEL 2, 114, 9). Besonders eindrücklich zeigt Scotus Eriugena die Einheit von Personal–Impersonal der Hadesrealität in seinem Gedicht über Höllenabstieg und Auferstehung

letzten, für uns unauflösbaren Geheimnis, auf das auch die Bildersprache der Johannesapokalypse verweist, wenn es die «Tiere» (darunter den Drachen) quasipersonal dem «Abgrund» entsteigen läßt, in den sie zuletzt als seine Ausgeburten wieder zurücksinken; paradox genug wird sogar formuliert: «Der Tod und der Hades wurden in den Feuerpfuhl geworfen: das ist der zweite Tod» (Off 20, 14). Indem wir das Geheimnis stehenlassen, aber gleichzeitig seine Mythisierung abweisen, müssen wir sagen: jene «drei» Herrscher der Unterwelt sind die Realität, *unter* deren «eherner» und «ewiger» Gesetzlichkeit die Gestorbenen stehen (daher das immer wiederkehrende Bild von den Eisernen Toren), während Christus dieser Realität als *ganzer* existentiell und erfahrend begegnet, sie, wie Guardini einmal sagt, als ganze «umlebt». Daß er das kann – hier stellt sich die zweite Frage –, muß er seinem einmaligen Sein und Auftrag verdanken. Dies Einmalige impliziert nach christlichem Verständnis das Mysterium der Trinität, wird deshalb nie rational aufzurechnen sein. Der Auftrag lautet: Heimholung der verlorenen Menschen – und die Bildsprache der Descensustheologie zeigt das sehr schön durch die Konfrontationen in der Hölle zwischen Christus und Adam[25] –, und der letzte ermöglichende Grund ist die trinitarische Differenz zwischen Vater und Sohn: Preisgabe durch den Vater und Sichpreisgebenlassen des Sohnes in der Einheit des trinitarischen Einverständnisses. Der Weg in die vollkommene Selbstentfremdung – denn Tod-Hades-Satan ist das Widergöttliche, mit Gott Unvereinbare, als sol-

---

(PL 122, 1229): aus antikem und biblischem Bildmaterial zusammen erhebt sich Etwas, das zugleich «Fürst des Abgrunds», «Tyrann», «Wildes Tier» heißt, dessen Haupt zerschmettert und dessen Leiche im feurigen Höllenstrom verbrannt wird.

[25] Im Bild des Adam ist natürlich die gesamte Menschheit gemeint. Entsprechend hat Thomas von Aquin in seinen späteren Werken die Ansicht vertreten, daß Christus bei seinem Abstieg in die Hölle «unsere Strafe» (S. Th. III 52, 1), «unsere ganze Strafe auf sich genommen» (Expos. symbol. a 5) habe.

ches von Gott Verworfene – wird im «Gehorsam» (Phil 2, 7f.) dem preisgebenden Willen des Vaters gegenüber gegangen, in einer Freiwilligkeit, die als solche «Macht» ist (Jo 10, 18), aber sich in die letzte Ohnmacht des Sterbens und Todseins verfügen läßt. Die vollkommene Selbstentfremdung der Höllenerfahrung ist Funktion des Gehorsams des menschgewordenen Christus, welcher Gehorsam wiederum Funktion seiner freien Liebe zum Vater ist. Hier wird der falsche Triumphalismus der frühchristlichen und fast der gesamten Descensustheologie sowohl überwunden wie kritisch distinguiert: da die «Begegnung» des toten Christus mit der Scheol (ihm gegenüber und doch in ihm) in der vollkommenen Schwäche und Verlassenheit (die sich selbst nicht heraushelfen kann) geschieht; aber diese Schwäche bleibt Funktion eines vollkommenen Gehorsams, der aus freier Liebe geleistet wird.

Demgegenüber ist die patristische (antiarianische) Fragestellung sekundär, in welcher Weise der göttliche Logos mit den getrennten Teilen des Menschen Jesus in Verbindung blieb: mit der Seele, die allein zum Hades absteigt, und mit dem im Grab verbleibenden Leib[26]. Der Zustand des Totseins, nicht die «Trennung», ist das Wesentliche, und daß dieses echte Totsein Funktion der Ganzhingabe des Sohnes ist. Ein Grenzgedanke drängt sich hier auf: wenn «Mensch» das lebendige einheitlich leibseelische und sterbliche Wesen ist, das wir kennen, und *dieser* Mensch im Tod aufhört zu sein (was immer aus ihm nach dem Tod werden mag), so ist Jesus in der Hingabe seiner selbst (Jo 10, 17) bis ans Ende seines Menschseins und Menschgewordenseins gegangen, und in seinem Totsein mit den Toten entblößt sich gleichsam jene Haltung und Gesinnung des göttlichen Logos, der in diesem Äußersten ihre adäquaten Ausdruck fand: sich verfügen lassen durch den Vater in alles, auch in die letzte Entfremdung hinein. Die Entblößung des Menschen Jesus ist nicht nur die Bloßlegung der Scheol, sondern auch die Bloßlegung des

---

[26] Texte und Besprechung bei A. Grillmeier, lib c 184–203.

trinitarischen Verhältnisses bis zum reinen Entspringen des Sohnes aus dem Vater. Darin ist der Karsamstag gleichsam eine Suspension der Menschwerdung, deren Ergebnis dem Vater in die Hände zurückgelegt wird, und die der Vater durch die österliche Auferweckung erneut und endgültig bestätigen wird.

Daß der Tod Jesu wie seine Menschwerdung Funktion seiner lebendigen ewigen Liebe war, macht ihn zu jenem besonderen Tod, der die «schrecklichen Pforten der Hölle zerschmettert». Er hebt damit das gesamte Gesetz des «Todes gefolgt vom Hades» (Off 6, 8) als Folge der Sünde (Rö 5, 12; Jk 1, 15) aus den Angeln. Grundsätzlich ist damit der Streit, ob der tote Herr bis in die unterste Hölle, bis zum «Chaos» abgestiegen sei oder nicht, positiv entschieden. Von der «Himmelfahrt des Isaias» («Steige hinab durch alle Himmel ... und zu dieser Welt und bis zum Engel im Totenreich, aber bis zur Hölle (Hagual) sollst du nicht gehen»[27]) bis hin zu den Scholastikern (die die Freiheit des göttlichen Richters wahren wollen, ewig zu verdammen) ist hier oft eine Grenze gesetzt worden. Dagegen sagen schon die Oden Salomos, daß Jesus «bis in die unterste Tiefe abstieg»[28], und viele Väter sprechen es nach: «... *Isti sunt vectes terrae et quasi quaedam extremi carceris ac suppliciorum*...» «*Ad montium extrema descendit et aeternis conclusus est vectibus, ut omnes qui clausi fuerant liberaret*» (Hieronymus[29]). Nach Irenäus hat Jesus das Chaos

[27] Asc. Is. 10, 8; Schneemelcher II, 465.

[28] Ode 42, Schneemelcher II, 624.

[29] In Jonam, SC 43 (Antin) S. 86–88. Antin sammelt in seiner Einleitung S. 18 f. die noch vorhandene patristische Literatur über Jonas (der Kommentar des Origenes ist verloren), die Ernte ist für ein Theologumenon dieses Ranges sehr gering. Die Descensustheologie ist dieser wichtigen Fährte nicht gefolgt, sondern hat sich mehr an die hellenistisch-apokalyptische Fährte gehalten, wobei, zu ihrem Schaden, die Motive des «Abstiegs», des Kampfes und machtvollen Sieges sich vordrängten. Vgl. J. Kroll, l. c. 3–4 über die zwei Typen der Descensuslehre: Jesus besiegt als Toter oder als Lebendiger die Unterwelt. Der zweite Typus hat sich «als viel lebenskräftiger erwiesen». Zum ersten

geschaut[30], nach Gregor I. ist er durch den untersten Abyssus gewandelt[31]. Die Oden Salomos wagen die großartige Formel: «Überflutet wurden die Tiefen durch die Überflutung des Herrn»[32], Tehom und Chaosflut überholt durch die Fluten der sie überbordenden Erlöserliebe Gottes. So ist zugleich im scheinbar Grenzenlosen des Abgrunds eine Grenze gesteckt: *«ut terminum figat»* (Hippolytkanon), und die «trennende Zwischenwand» zwischen Gott und dem verlorenen Menschen niedergelegt[33]. Da im Erreichen der äußersten Entfremdung Gott sich selbst als der Allmächtige erwiesen hat, der auch in der Nichtidentität seine Identität, in der Verlorenheit sein Beisichsein, im Totsein sein Leben zu wahren vermag, kann die Auferstehung Christi und aller von ihm Geretteten als innere Folge seiner Karsamstagerfahrung betrachtet werden. Es gibt hier keinen «Wiederaufstieg» nach dem Abstieg; der Gang der Liebe «bis ans Ende» (Jo 13, 1) ist als solcher ihre Selbstverherrlichung.

So bleiben zwar die vielen Descensusmythen der Völker belangvoll als Annäherungen an das Mysterium, das vom Rätsel des menschlichen Todes postuliert und doch in keiner Weise ausgedacht werden kann, weil es die unausdenkbare Trinität Gottes zu seiner innern Voraussetzung hat. Zwischen den adventischen Hoffnungen der Religionen und der christlichen Erfüllung bleibt ein Sprung. «Den Grundgedanken

Typus rechnet Kroll die Jonastypologie, die er durch die häufige ikonographische Verwendung auf Sarkophagen als lebendig erweisen zu können meint. Aber A. Stuiber (Refrigerium Interim. Die Vorstellungen vom Zwischenzustand und die frühchristliche Grabeskunst. Bonn 1957, 136–151) zeigt, daß in der älteren Zeit Jonas nur als im Schiff schlafend und unter der Kürbisstaude ruhend dargestellt wird – beides als Sinnbild des Todesschlafes –, während die Symbolik des Verschlungen- und Ausgespienwerdens fehlt.

[30] Adv. Haer. 4 c 22 n 1 (PC 7, 1047A).
[31] Moralia 29 (PL 76, 489).
[32] Ode 24, 7 (Schneemelcher II, 606).
[33] Texte bei J. Kroll, 68 und Anm. 2. Zur «Zwischenwand» Eph 2, 14 vgl. H. Schlier, Epheser, 1957, 124 ff.

der Höllenfahrt, daß der Lebensfürst in den Hades, dem er durch seinen leiblichen Tod verfallen war, hinabgestiegen ist, um auch dort weilende Menschengeschlechter ... zu retten, dürfen wir als einen originalen Gedanken des Christentums ansprechen, der die großartige Idee von dem Universalismus des Heils zum Ausdruck bringen wollte»[34].

[34] J. Kroll, lib c 180.

ÜBER STELLVERTRETUNG

1. Im Herzen des Mysteriums

Will man die Unterscheidung der Geister auf die Frage anwenden, wer in der Kirche sich zum unverkürzten Mysterium Jesu Christi bekennt und wer in einem Vorhof verbleibt – «für wen halten mich die Menschen?, für wen haltet ihr mich?» – so wird man auf den Quellpunkt der urkirchlichen Christologie zurückgehen müssen, der ohne Zweifel im Wörtchen «pro nobis» liegt, bezogen auf das Kreuz und als gültig erwiesen durch die Auferstehung. Das nicänische Credo hat es ausformuliert: «qui *propter nos* homines et *propter nostram* salutem..., crucifixus etiam *pro nobis*.» Aber nicht erst Paulus, sondern schon die älteste Jerusalemer Reflexion auf das Ärgernis des Kreuzes hat vom Gedanken der Stellvertretung her alles Licht empfangen: von diesem soteriologischen Platztausch her wird das eigentliche Wesen Jesu erhellt und von ihm her das wahre Bild des (trinitarischen) Gottes. Das Leiden Jesu Christi ist nicht nur ein Symbol, an dem man den immer schon vorhandenen, bisher aber noch nicht klar hervortretenden Versöhnungswillen Gottes ablesen kann, sondern der Akt dieser Versöhnung selbst, «Gott hat *in* Christus die Welt mit sich versöhnt» (2 Kor 5, 19). Das Leiden Christi ist aber – das wäre das andere Extrem – auch nicht ein magisches Geschehen, durch das ein zorniger, Gerechtigkeit heischender Gott in einen gnädigen umgestimmt würde (wie eine veräußerlichte Satisfaktionslehre, Anselm mißverstehend, zuweilen ansetzt), «denn sosehr hat *Gott* die Welt geliebt, daß er seinen eingeborenen Sohn dahingegeben hat» (Joh 3, 16). Zwischen diesen beiden Extremen taucht, im *Ereignis* des Kreuzesgeschehens, das wahre Christusbild wie das wahre Gottesbild auf. Das Christusbild muß, damit dieses «pro nobis» effizient sei, unbedingt wahrer Mensch sein, der allein die stellvertretende Erfahrung der Weltsünde von innen her auf sich nehmen und durchleiden kann; er muß aber auch mehr als Mensch, mehr als Kreatur sein, denn innerhalb der Welt kann kein Wesen restlos den Platz eines anderen freien Mitwesens einnehmen: dies würde gegen die Würde der selbstverantwortlichen Person verstoßen. Hierüber wird gleich noch mehr zu sagen sein. Das Gottesbild aber wird, von diesem christologisch-soteriologischen Ereignis aus betrachtet, auf eine unerhört neue Art lebendig: nicht als würde Gott auf mythologische oder gnostische Weise von innerzeitlichen Vorgängen abhängig, denn *er* ist es ja, der den «Sohn Gottes» sendet, er, der ihn in der Gottverlassenheit leiden und sterben läßt, er tritt also in keine Abhängigkeit von den dunklen Weltmächten; wohl aber erweist er sich als der so Lebendige, so Bewegliche, daß er sein Leben gerade auch im Tod, seine trinitarische Gemeinschaftlichkeit gerade auch in der Verlassenheit offenbaren kann, und daß seine Grundeigenschaften der Gerechtigkeit und der Liebe hier weder undifferenziert zusammenfallen noch beziehungslos auseinandertreten, sondern sich in einer höchsten Dramatik als zusammengehörig und schließlich als identisch erweisen.

Nun ist es aber bedeutsam, daß dieser älteste Kern der Christologie, aus dem die ganze Dogmatik sich entwickeln wird, ohne Zweifel im Hinblick auf die Lieder vom isaianischen Gottesknecht entstanden sind, dessen Leiden als eine stellvertretende Sühneleistung für «die vielen» verstanden worden war, und daß wiederum diese Gottesknechtslieder nicht unvermittelt im Alten Testament auftauchen, sondern ihre vielfältigen Wurzeln in den Stellvertretungsangeboten der großen Gründergestalten hatten: von Abraham, der seine Freundschaft mit Gott (Gen 18, 20 ff.) in die Waagschale legt, um in Solidarität mit den Sündern diese dem angedrohten Untergang zu entreißen, und Moses, der in Solidarität mit dem götzendienerischen Volk Gott bittet, an seiner Statt «aus dem Buch des Lebens» getilgt zu werden (Ex 32, 32), bis zu den vielen Propheten, die innerlich und äußerlich die Last des sündigen Volkes auf ihre Schulter gelegt erhalten. Wird also das einmalige Geschehen am Kreuz durch eine schon bekannte, irgendwie allgemeinmenschlich verständliche Kategorie gedeutet und damit ihrer Unvergleichlichkeit entkleidet? Man wird, um zu antworten, umgekehrt fragen müssen: wie hätte das Einmalige und für alle Zeiten und Orte Gültige überhaupt von Menschen verstanden werden können, wenn nicht irgendein Vorverständnis für den Sinn von Stellvertretung vorhanden gewesen wäre? Und was im Alten Bund davon ins Verständnis auftaucht, bleibt seltsam fragmentarisch, inchoativ: Abrahams Angebot bleibt unwirksam, dasjenige Moses' wird nur teilweise angenommen (ganz erst in einer späten idealisierenden Deutung: Dt 1, 37; 3, 23–28; 4, 21f.), das Los Jeremias' und Ezechiels wendet das Strafgericht nicht ab; es bleiben überall Andeutungen einer geheimnisvollen Stellvertretung (vorab in der Erwählung des einen an Stelle des andern und *für* ihn), aber selbst in den Gottesknechtsliedern bleibt das ganze Geschehen (was das Subjekt betrifft) unbestimmt und wird in einer beinah traumhaften, ahnenden, prophetischen Atmosphäre besungen: alles harrt der realen, die Grenzen des Völkisch-Partikulären aufhebenden Tat.

2. Die Möglichkeit der Stellvertretung

Das zentrale Problem wurde schon angedeutet; es tritt deutlich in der Problematisierung des Stellvertretungsgedankens durch Kant hervor, für den die Aporie «nicht durch Einsicht in die kausale Bestimmung der Freiheit des menschlichen Wesens..., also nicht theoretisch ausgeglichen werden» kann, «denn diese Frage übersteigt das ganze Spekulationsvermögen unserer Vernunft» (Religion innerhalb, A 163). Kant hat darin recht, daß auch der Theologe, der von den Aussagen

des Neuen Testaments aus zu denken versucht, an eine notwendige Aporie stößt, die nach der einen oder andern Seite
vereinfachend zu lösen die doppelte Versuchung der Theo-
logiegeschichte gewesen ist, mit Origenes hier und Augustinus
dort. Die Grundaussage ist die, daß Gott durch die Stellvertretung aller Sünder am Kreuz die Menschheit in eine neue
Seinsweise versetzt hat: «Wenn einer für alle gestorben ist,
so sind alle gestorben», in die Seinsweise eines Bezogenseins
auf den Punkt, von dem aus die Entwurzelung aus der ersten
Verfaßtheit stattgefunden hat: «Ja, für alle ist er gestorben,
damit die Lebenden nicht mehr für sich leben, sondern für
den, der für sie gestorben und auferstanden ist» (2 Kor 5,
14f.); vgl. Röm 14, 7f. «Keiner von uns lebt für sich und
keiner stirbt für sich; wenn wir leben, so leben wir dem
Herrn, und wenn wir sterben, sterben wir dem Herrn»).
Diese unerhörte Veränderung der menschlichen Seinsweise
berührt ohne Zweifel die persönliche Freiheit des Einzelnen,
ohne sie jedoch zu überspielen: Paulus betont beides: daß der
Sünder durch die Stellvertretung zu seiner eigenen Freiheit
befreit wird (Gal 5, 1), damit aber auch eine neue Verantwortung für diese Freiheit aufgeladen erhält (Gal 5, 13), somit
für sein Tun und Lassen, sein Ja und Nein vor Gott verantwortlich bleibt (Röm 14, 10ff.). Das erste Moment, die Be-
rührung der menschlichen Freiheit, könnte ans Magische
streifen; wie sollte jemand von außen her meine Freiheit
manipulieren, ohne daß ich dessen gewahr würde und mein
Einverständnis dazu gäbe oder es verweigerte? Paulus scheint
sich freilich vor einem solchen Apriori nicht zu scheuen,
wenn er feststellt, daß «Christus zur rechten Zeit für uns
Sünder gestorben ist, (dann nämlich) als wir noch schwach
waren (und uns selber nicht heraushelfen konnten)» (Röm 5,
6). Das zweite Moment: die bleibende Selbstverantwortung
des Menschen aber könnte diesem, im Fall er die Befreiung
durch das Kreuz verweigert, eine Macht über Gott selber
geben, mit der Möglichkeit, dessen Pläne zu vereiteln.

Wieder gilt es, die Aporie des christlichen Befreiungs-

mysteriums von einem menschlichen Vorverständnis her an-
zunähern, das uns zugleich den Insertionspunkt für das – aus
nichts Menschlichem ableitbare – Heilshandeln Gottes aufzeigt. Der Mensch ist unaufhebbar zugleich Person und
Geschlecht, deshalb kann auch seine personale Freiheit und
deren Entscheidungen nicht ohne Bezug sein zu den Freiheiten und Entscheidungen seiner Mitmenschen; ohne daß
seine Personwürde dadurch tangiert wird, muß er am Ge-
schick der Menschheit im ganzen Anteil haben. Es ist klar,
daß wir dieses Paradoxon, das den Menschen im tiefsten kennzeichnet, philosophisch nicht auf die Weise Platons lösen dürfen: durch Annahme für sich bestehender unsterblicher Seelen, von oben her eingesenkt in eine biologisch-physikalische
Leiblichkeit, die ihnen vom materiellen Grund, worin alle
eingewurzelt werden, her gemeinsam ist und sie in Kommunikation setzt. Dieser einfachen Lösung widerspricht, daß die
Gemeinsamkeit der Geister durch die Öffnung eines jeden zu
allem Seienden eine weit größere ist als die in einem Kollek-
tiv-Unbewußten; daß deshalb Wesen, die sich nur wenig aus
dem materiellen Schoß heraus individualisieren, in sich ver-
schlossener und einsamer sind als die monadenartigen Geister.
Der Schnittpunkt zwischen «Materie» und «Geist», an dem
der Mensch – als personales und kollektives Wesen – steht,
läßt die beiden Sphären sich so zueinander öffnen und durchdringen, daß die «Geister» in ihrem organischen Ausdrucksfeld, den «Leibern», miteinander kommunizieren, in ihrer
Verwurzelung in einer zuletzt gemeinsamen Materialität sowohl affizierbar, versehrbar wie mitteilungsfähig sind, sowohl
von Liebe und Haß getroffen werden wie selber Liebe und
Haß ausstrahlen können. Diese empirisch auf wenig Individuen eingeschränkte, aber grundsätzlich auf alle Mitmenschen
offene und bezogene Kommunikation bewirkt, daß keinem
das Schicksal eines andern im letzten gleichgültig sein kann,
daß jeder auf eine transempirische Weise von jedem affiziert
wird und durch seine eigenen Entscheidungen die übrigen
entsprechend affizieren kann. Ferner kann von dem besagten

Schnittpunkt aus jeder Einzelne in doppelter Weise – nach oben oder nach unten – gedeutet werden: als einmalige Person wie als anonymes Individuum unter Milliarden; deshalb kann dort, wo ein beliebiges Individuum durch ein anderes ersetzt wird, zugleich eine einmalige Person an die Stelle einer anderen einmaligen Person treten. Was von unten gesehen als eine völlig gleichgültige Auswechslung aussieht und möglich ist, erscheint von oben als eine höchst folgenreiche Stellvertretung.

Wir können diese viel zu flüchtige anthropologische Skizze hier nicht ausbauen; sie soll uns lediglich den Platz festlegen helfen, wo das Mysterium der Stellvertretung aller Sünder am Kreuz Christi überhaupt inserieren kann. Fügen wir noch bei, daß Haß zwar wirksam zerstörerisch sein kann, daß er aber eben deshalb Kommunikation nicht aufbaut, sondern verneint, während im Gegenteil Liebe fähig ist, fremdes Schicksal zu verstehen, es wie das eigene mitzuleben, sich im Grenzfall so damit zu identifizieren, daß man das fremde Schicksal an die Stelle des eigenen (oder als das eigene) zu übernehmen gewillt ist. Die Weltliteratur ist voll von derartigen Motiven, nicht nur der Opferung eines Einzelnen für das Wohl der Gemeinschaft (etwa des Königs Kodros von Athen oder des Atilius Regulus [in der Sage] während der Punischen Kriege oder Calderons Standhaften Prinzen oder mancher Gestalt bei Euripides), sondern der liebenden Übernahme einer fremden Folterung (vgl. Schillers Ballade «Die Bürgschaft»), ja eines fremden Todes, wie in der denkwürdigen Alkestissage. An ihr wird auch der Übergang deutlich zwischen der in so vielen Religionen gebräuchlichen «magischen» Stellvertretung, die immer auf einem egoistischen Motiv der Selbstschonung aufruht (Admet will nicht sterben und sucht einen, der an seiner Stelle zu sterben bereit ist) und der «personalen» Stellvertretung, die aus freier Liebe geschieht (Alkestis ist bereit, für den Gatten zu sterben, wodurch dann – bei Euripides – Admet aus seinem Egoismus gerissen wird und im Verlust der Geliebten sich geistig mit-sterben fühlt).

So hat das Opfer Christi seine menschliche Basis, wie sie Joh 15, 13 ausdrücklich hervorgehoben wird («eine größere Liebe hat niemand als der, der für seine Freunde sein Leben hingibt»). Aber von dieser Basis zur Höhe des Kreuzesereignisses führt keine Kontinuität, sondern nur ein Sprung. Denn nun geht es um die Übernahme nicht eines Einzelnen oder einer Polis oder eines Volkes, sondern aller, und aller nicht in einer äußern Not, sondern in der Schuldverfallenheit ihrer personal-sozialen Existenz. Damit sind wir abermals vor die Frage gestellt, wie eine solche Übernahme mit der von Gott dem Schöpfer jeder Person geschenkten Freiheit vereinbar ist.

3. Stellvertretung und Freiheit

Es ist sehr schwer zu entscheiden, ob Kreaturen, die durch die Gnade des Schöpfers an dessen absoluter Freiheit teilbekommen haben, damit selbst eine absolute oder eine nur relative Freiheit besitzen. Die letztere erscheint als ein Widerspruch in sich; die erstere aber scheint der Souveränität Gottes zu nahe zu treten. Man wird jedoch sagen dürfen, daß Gott dem Menschen die Fähigkeit gibt, eine für den Menschen als endgültig erscheinende (negative) Wahl gegen Gott zu vollziehen, die aber von Gott nicht als endgültig gewertet zu werden braucht. Und zwar nicht so, daß des Menschen Wahl von außen her in Frage gestellt würde – was einer Mißachtung der ihm geschenkten Freiheit gleichkäme –, sondern so, daß Gott mit seiner eigenen göttlichen Wahl den Menschen in die äußerste Situation seiner (negativen) Wahl hinein begleitet. Dies eben geschieht in der Passion Jesu.

Und zwar lassen sich hier zwei Aspekte unterscheiden; der eine ist mehr dem Geschehen am Karfreitag, der andere mehr dem am Karsamstag zugeordnet. Es gibt im Leiden des lebendigen Jesus die Bereitschaft, den «Kelch» des Grimmes zu trinken, das heißt die ganze Macht der Sünde sich an ihm austoben zu lassen: er nimmt die Schläge und den darin liegenden Haß in sich auf und amortisiert ihn gleichsam durch Leiden. Die Ohnmacht des Leidens (und die aktive Bereitschaft darin) überdauert jede Macht der zuschlagenden Sünde; deren Ungeduld ist – auch als Summe aller weltgeschichtlichen Sündenungeduld gegen Gott – endlich und erschöpfbar im Vergleich zur Geduld des Sohnes Gottes. Diese untergreift die Sünde und hebt sie aus den Angeln. Freilich: nicht Quantitäten stehen sich hier rivalisierend gegenüber, sondern Qualitäten. Die Qualität des liebenden Gehorsams des Sohnes gegenüber dem Vater (der so, durch den menschgewordenen Sohn, die Sünde von innen her überwinden will) ist unvergleichbar mit der sich an ihm austobenden Qualität des Hasses.

Aber es gibt, am Karsamstag, den Abstieg des toten Jesus zur Hölle, das heißt (sehr vereinfachend gesagt) seine Solidarisierung in der Nicht-Zeit mit den von Gott weg Verlorenen. Für diese ist ihre Wahl – mit der sie ihr Ich anstelle des Gottes der selbstlosen Liebe gewählt haben – endgültig. In diese Endgültigkeit (des Todes) steigt der tote Sohn ab, keineswegs mehr handelnd, sondern vom Kreuz her jeder Macht und eigenen Initiative entblößt, als das rein Verfügte, als der zur reinen Materie erniedrigte, restlos indifferente (Kadaver-)Gehorsame, unfähig zu jeder aktiven Solidarisierung, erst recht zu jeder «Predigt» an die Toten. Er ist (aus einer letzten Liebe aber) tot mit ihnen zusammen. Und eben damit stört er die vom Sünder angestrebte absolute Einsamkeit: der Sünder, der von Gott weg «verdammt» sein will, findet in seiner Einsamkeit Gott wieder, aber Gott in der absoluten Ohnmacht der Liebe, der sich unabsehbar in der Nicht-Zeit mit dem sich Verdammenden solidarisiert. Das Psalmwort: «Wollte ich in der Unterwelt lagern, so bist du auch dort» (139, 8) erhält damit einen ganz neuen Sinn. Und auch das «Gott ist tot», als eigenmächtiges Dekret des Sünders, für den Gott das Abgetane ist, erhält einen ganz neuen, objektiv von Gott selbst her gesetzten Sinn. Die geschöpfliche Freiheit ist respektiert, wird aber von Gott am Ende der

Passion eingeholt und nochmals untergriffen («inferno pro-
fundior»: Gregor der Große). Nur in der absoluten Schwäche
will Gott der von ihm geschaffenen Freiheit das Geschenk der
jeden Kerker aufbrechenden und jede Verkrampfung lösen-
den Liebe vermitteln: in der Solidarisierung von innen mit
denen, die alle Solidarität verweigern. Mors et vita duello...

ESCHATOLOGIE IM UMRISS

Die Eschatologie oder Lehre von den Letzten Dingen wurde von der Tradition auf «Tod, Gericht, Hölle und Himmel» eingegrenzt; aber schon seit Jahrzehnten ist ihr Bereich auf alles erweitert, was mit der Ankunft Christi und zumal mit seiner Auferstehung in die alte Welt hereinragt, was verborgen oder offen in ihr schon anwesender «Neuer Äon» ist. Man könnte von hier aus den Bereich nochmals ausweiten, da die Ankunft Jesu Christi nur der geschichtliche Schlußpunkt einer von Anfang an schon geplanten und real begonnenen übernatürlichen Ordnung innerhalb der Schöpfungswelt bedeutet. Und wenn diese Ordnung sich am Ende – der Geschichte im ganzen und des einzelnen Menschenlebens – vollends durchsetzt, so wird in diesem «Omega» nur jenes «Alpha» kund, um dessentwillen die Welt überhaupt geschaffen wurde, nach der eindeutigen Sicht des Epheserbriefes (1, 1–10). «Omega» ist nur vom «Alpha» her verständlich, beide sind im Heilsratschluß Gottes eins, Eschatologie ist die Mündung der Protologie und ohne diese nicht darstellbar.

Wenn wir im folgenden Eschatologie doch nur in einem begrenzten Verstand: als theologische Reflexion über die Mündung der Heilswege Gottes mit der Welt auffassen, so muß wenigstens im Gedächtnis behalten werden, daß die letzte Wegstrecke innerlich den ganzen durchlaufenen Weg, dessen Bedingungen und Gesetze in sich schließt, ja ihn gerade im Münden erst in seinem von Anfang an gemeinten Sinn zur Erscheinung bringt. Das soll in der Einteilung des Stoffes auch fühlbar werden. Wir beginnen mit der Überlegung, welches der (teleologisch) letzte Ort des Menschen ist, auf den hin er entworfen, ausgerüstet und auf den Weg gesetzt ist. Wir fahren fort mit der Beschreibung des Hiatus zwischen dem Weg und dem Ziel; für den Einzelnen ist es der Tod, für die Geschichte die Endzeit, für beide das läuternde, scheidende Gericht. Wir schließen mit der geheimnisvollen Überbrückung dieses (bleibenden) Hiatus im Glaubenswissen um das Vorweg-Dasein des Ewigen in der Zeit, des Endgültigen im Vergänglichen.

I. Der Ort des Menschen bei Gott

A. Aus der Perspektive des Selbstbestandes des Menschen

1. Die Spannung zwischen menschlicher Endlichkeit und dem umgreifend Unendlichen

Die Stellung des Menschen im Dasein ist eine prekäre; das Gleichgewicht seiner Lebensmomente ist keineswegs von vornherein gegeben, vielmehr etwas Aufgegebenes, wobei auch nicht sicher ist, in welcher Richtung dieses Gleichgewicht zu suchen, und ob es überhaupt erreichbar ist. Es ist eine Frage, die nicht allein von der Ethik – als zwischenmenschlichem Verhalten – gelöst werden kann (denn dieses Verhalten ist nur *eine* der menschlichen Möglichkeiten), die vielmehr die Religion, in welcher Form auch immer, auf den Plan ruft.

Der Mensch erkennt sich als ein in Raum und Zeit sehr begrenztes Wesen, das anläßlich eines zufälligen Geschlechtsakts in den Weltzusammenhang eintrat und den Augenblick seines sicher kommenden Todes nicht kennt. Gerade diese – wenigstens äußerliche – Zufälligkeit seines Daseins stößt ihn notwendig auf die Frage nach einem Umgreifenden, und die Frage kann sich bei der Mannigfaltigkeit all des ebenfalls Zufälligen um ihn her, das vor ihm da war, mit ihm ist und nach ihm sein wird, nicht beruhigen; auf der Horizontalen, auf der sich das alles bewegt, findet es keine hinreichende

Erklärung. Sich mit einem Achselzucken damit abfinden, daß es nun einmal da sei, und der Einzelne mitten drin, ist eine Resignation, die des fragenden Geistes nicht würdig ist.

Da eine Antwort auf der Horizontalen nicht zu erhoffen ist, hebt sich der Blick in die Vertikale: zu einem Überzeitlichen und Überräumlichen, das, wie verborgen auch immer, das Innerweltliche sinngebend umschließt. Dieses Umgreifende ist aber notwendig dadurch gekennzeichnet, daß es die Eigenschaften des Umgriffenen *nicht* besitzt: es ist nicht räumlich, nicht zeitlich, nicht vergänglich, nicht sterblich; es ist nicht Vielheit und gegenseitiges Anderssein, kein Dieses und Jenes, kein Seiendes, das als solches immer durch die Grenze eines Wesens bestimmt und von anderen abgeschieden ist. Der Mensch aber, der diesen Blick von der Horizontalen weg zu werfen versucht, gleichgültig ob er nach «oben» oder nach «unten» zu gehen scheint, wird von einem Zwang des Negierens erfaßt: er hat kein anderes Mittel, das umgreifend Sinngebende anzuzielen als durch lauter «Nicht»; und dabei weiß er, daß er mit diesen Negationen nur Entgrenzungen meint, die er nicht anders ausdrücken kann, obschon sie in der Richtung auf das positiv-Sinngebende hin zielen.

«Theologie», die aus der Perspektive des Selbststandes des Menschen entworfen wird, muß wesenhaft negative Theologie sein. Denn alles den Menschen innerweltlich Umgebende ist *nicht* das im letzten Sinngebende, da jenes im ganzen einer Sinngebung bedarf. Dieser Eindruck kann so stark sein, daß die Einsicht in die mit dem Nicht anvisierte Realität die Gestalt einer Offenbarung, einer Anrede vom Horizont dieses Nicht her gewinnen kann, als bestünde eine Differenz zwischen dem in seiner Innerweltlichkeit versunkenen Menschen und seinem irgendwie von Oben und Außen Getroffenwerden durch die «Stimme», den «Anruf», die «Faszination» des Ganz-Andern, von dem her allein endgültiger Sinn ergeht.

2. Die Unüberwindbarkeit der Spannung

Aber hier beginnt die Schwierigkeit jeder aus der Perspektive des Selbststandes des Menschen entworfenen «materialen» Religion (auch wenn diese sich «formal» als Offenbarung des Absoluten vorstellt). Denn zweifellos gibt es für den Menschen auch innerweltlich Sinn, und dies nicht nur peripher und zufällig, sondern zentral und wesentlich. Ein Mensch wird überhaupt erst in der Mitmenschlichkeit zum Menschen. Er verdankt sich physisch und geistig andern Menschen: Seinen Eltern, seinen Lehrern, seinen Freunden, seiner Gattin und seinen Kindern, den Geschlechtern, die vor ihm gelebt und ihm Weisheit, Schönheit, technisches Können, kultiviertes Dasein vorbereitet und überliefert haben. Unter der Liebe der Mitmenschen blüht er auf wie eine Blume unter der Sonne. Nur von da her lernt er kennen, was Wert ist, worin das Gute besteht.

Er könnte alldem nicht den Rücken kehren, um sich auf den Weg des Absoluten zu begeben, wenn er es nicht auf irgendeine Weise, in irgendeiner Intensität, unter wieviel Enttäuschungen auch immer, kennen gelernt hätte. Ohne eine solche Kenntnis wäre er gar nicht zum Menschsein erwacht. Dabei hat er nicht nur Liebe empfangen, sondern sie auch zurückgegeben, wenn nicht der Tat, so doch wenigstens der Sehnsucht nach. Es ging auch nicht bloß um persönliche Liebe zu Mitmenschen, sondern ebenso um Liebe zu Sachen, um Interessen an vorliegenden oder noch zu erforschenden Wahrheiten, an herzustellenden Gegenständen, an von ihm erschaffbaren Werten. Das Gefühl der Langeweile, einer letzten Vergeblichkeit all dieses Treibens konnte untergründig mitgehen, aber es vermochte nicht alles, was der Mensch im Alltag tut und erlebt, schlechterdings zu entwerten. Jenes Gefühl konnte sich wie eine Klammer mit einem negativen Vorzeichen um das Ganze legen, aber zunächst standen innerhalb der Klammer ganz bestimmte positive Größen.

So kann es gleichzeitig zwei Perspektiven an das Dasein heran geben: eine aus der Nähe und eine aus der Distanz. In der Nähe ist der Mensch eingefordert, das Welt- und Menschheitsspiel mitzuspielen, er hat eine aktive Rolle, in der er empfängt und gibt. Aus der Ferne kann er gleichzeitig eine kontemplative Haltung einnehmen, das Vergängliche sub specie aeterni betrachten, was ihm aber nicht seine schlechthinige Nichtigkeit und Wertlosigkeit zeigt, sondern die unleugbaren irdischen Werte auf eine seltsame Weise verfremdet und sie *im Vergleich* mit einem absoluten, aber unerreichbaren und sogar unvorstellbaren Wert ins Infinitesimale einschrumpfen läßt. Das Fernrohr, das die Dinge zuerst vergrößert und nahegerückt zeigte, wird umgekehrt: nun erscheinen sie winzig und abgerückt. Desgleichen auch das eigene Ich.

Religion aus der Perspektive des Selbststandes des Menschen kann im Rahmen dieser unaufhebbaren Dualität zweierlei versuchen. Sie kann entweder den zweiten Standpunkt zeitlich dem ersten nachordnen: die Lebensperiode der Weltzuwendung, des Familien- und Berufslebens, der Sittlichkeit wird abgelöst durch eine neue Lebensperiode der Weltabkehr, des Verlassens von Familie und Beruf, von weltlichem Besitz und von Beheimatung, um sich rein dem Religiösen zu widmen, angesichts des Ewigen in Kontemplation zu leben. Das wird Sache Weniger sein, ein Spezialistentum. Deshalb wird Religion noch einen andern Weg einschlagen und auf beiden Ebenen gleichzeitig zu leben versuchen. Vielleicht wird die unendliche Distanz, die das umgekehrte Fernrohr zeigt, die endlichen Dinge – paradoxerweise – in schärferen Umrissen hervortreten lassen: ihre Gestalt hebt sich jetzt von einem Grunde des Ganz-Andern, des «Nichts» ab; es bleibt aber unentscheidbar, ob es in diesem Kontrast vom Ganz-Andern mehr angezogen und durchdrungen oder abgestoßen und entfremdet wird; beides kann auch – und *muß* vielleicht – in einer Widerspruchseinheit zusammenfallen: denn die «Durchdringung» des Endlichen durch das Ganz-Andere leert jedenfalls seine endliche Konsistenz aus und macht es – falls man ihm angesichts des Ganz-Andern überhaupt noch Wirklichkeit zubilligen kann – zu einer Art leeren Hülle für den ganzanderen Inhalt.

Man kann versuchen, diese Widerspruchseinheit zu ent-
schärfen, in eine Denk- und Erlebensform, die den ursprünglichen Gegensatz zwischen der Endlichkeit und Vergänglichkeit des Daseins und dem bleibend-Umgreifenden aufhebt,
und das ewige Gesetz als im Zeitlichen waltend denkt und
erfährt. So verbreitet dieser Versuch ist, er kann doch nur als
sekundär gelten gegenüber der primären, sachgemäßeren Erfahrung, die harten und schmerzlichen Ecken der endlichen
Existenz ohne künstliche Harmonisierung durchzufühlen:
den Tod und die Krankheit und den Verrat in der Liebe, den
Hunger, den Wahnsinn, die ganze unerhörte Zumutung dieser Welt, all das nicht zu vertuschen in einer angeblichen
«Weisheit», die alles in umgreifende Prinzipien einbirgt und
in deren Gegensätze ausbalanciert, vielmehr alles stehen zu
lassen, wie es ist, hart silhouettiert vor dem schwarzen Hintergrund des «Ganz-Andern».

Noch ein weiteres kann man versuchen: den beziehungs-
losen Abgrund zwischen dem endlichen und fragmentarischen Lebenssinn und dem ganz-andern sinngebenden Umgreifenden dadurch zu überbrücken, daß man dem letzteren
gewisse personifizierte Gesichter verleiht, mit denen es als ein
erkennbar gütig und sinnvoll Waltendes auf die Menschen
zutritt und von ihnen angesprochen, gebeten und verehrt
werden kann. Damit entsteht so etwas wie eine Zwischensphäre, die den Anruf des Absoluten menschlich glaubhaft
werden läßt und die Sehnsucht des Menschen nach ihm hin
vermittelt. Diese Sphäre trägt ein Stück weit, aber sie droht
sich zu verwischen. Die Vielheit der Pfade und Brücken, die
sie durchkreuzen, zeigt, daß diese nicht allgemein verläßlich
sind. Sie sind meist einer Gruppe zugehörig; von ihr aus-
getreten, andern unzugänglich. Sie sind Entwürfe einer bestimmten Erfahrung, die nicht ins Allgemeine ausgeweitet
werden kann. Aber wenn es hier eine echte, nicht vom Menschen her erdachte Vermittlung gäbe, müßte sie allgemeinmenschlich sein; sie dürfte keine Zwischensphäre sein – in der
auch der Logos des Arianismus sich bewegte –, sondern aus

der unzugänglichen Tiefe des Ganz-Andern herkommend hingehen bis in die tragischen Trivialitäten des menschlich-allzumenschlichen Schicksals.

Alle Versuche, die Diastase zwischen Sittlichkeit und Religion, zwischen dem Menschen-für-die-Welt und dem Menschen-für-das-Absolute zu überbrücken und den dazwischen wie zu einem riesigen Fragezeichen gestalteten Menschen zu harmonisieren, müssen im letzten fehlschlagen. Dies um so mehr, als auf dieser Stufe die eigentliche Struktur der menschlichen Freiheit noch gar nicht ansichtig werden kann. Diese erscheint nur als die Fähigkeit, das Fernrohr umzukehren, das heißt sich von dem Innerweltlichen zu distanzieren, indem man es klein werden läßt: man *sieht* es dann klein, man *weiß*, daß es klein ist, die Freiheit erscheint als eine einseitige Möglichkeit der Erkenntnis. Hat diese Sicht einmal vom Menschen Besitz ergriffen, so wird es ihm unmöglich, das Fernrohr normal zu gebrauchen; die vergrößernde, alle Einzelheiten hervorhebende Sicht kann dann nur noch als Beschränkung oder Verzerrung oder Schuld erscheinen.

B. Aus der Perspektive des Christlichen

In der Gestalt und im Ereignis Jesus Christus verändert sich der Ort des Menschen bei Gott und damit auch in der Welt wesentlich. In dieser Veränderung löst sich dann auch das quälende, ihn selbst zum Fragezeichen krümmende Fragezeichen. Aus der Perspektive seines Selbststandes erschien er sich wie ein Wesen, das zwei Welten angehört, auf eine Grenzscheide gesetzt, von der aus er nach zwei Richtungen wandern kann: zur Welt oder zu Gott; die Entscheidung zum einen führt zum Verlust des andern. Ja schon die Existenz des einen, des Absoluten, bedeutet Infragestellung, Bedrohung des andern, der unbegreiflichen flüchtigen Vielheit der Welt.

Wenn wir im folgenden von Jesus Christus sprechen, so wird er nicht als isolierte Person, sondern als Vollender der gesamten biblischen Offenbarungsgeschichte verstanden. Seit Abraham, Moses und den Propheten ist Gott in einem einzigartigen einheitlichen Aufbruch zum Menschen hin begriffen, der sich in der Fleischwerdung seines Wortes vollendet.

1. Der Gesandte Gottes und die Positivität der Welt

Die Bewegung des Daseins Jesu Christi ist, daß er «von oben» (Joh 4, 31), «vom Himmel kommt» (4, 32) und ins Unten der Erde und des Menschseins geht, aber um von diesem Unten ins Oben, zum Vater, der ihn gesandt hat, mit dem vollendeten Auftrag zurückzukehren (Joh 3, 13; 6, 62; 16, 27 f.; vgl. 1, 51). Das besagt zuerst, daß er der lebendige und persönliche, freie Austausch zwischen den beiden bisher getrennten Sphären ist. In dieser Bewegung des Austauschs zeigt er, daß die Sphären einander nicht ursprünglich fremd gegenüberstehen, denn er ist von Dem, den er seinen Vater nennt, in eine Welt gesandt, die dem Vater gehört und die, weil «alles Deinige mein ist» (Joh 17, 10), auch dem Sohn eignet: er kommt «in sein Eigentum» (1, 11), auch wenn es anschließend heißt: «Die Seinigen nahmen ihn nicht auf.» Die in diesem Zusatz sichtbarwerdende Diastase ist eine sekundäre, vom Menschen verursachte, und das Kommen Jesu Christi vom Vater her hat den Sinn, sie aufzuheben. Die Welt kann in einem Zustand der Abwendung von Gott sein, aber die Welt als solche ist nicht Abfall von Gott. Die Welt braucht, um sich zu Gott hin zu wenden, nicht aufgehoben zu werden.

Damit erhält die Welt eine Positivität, die sie im bloßen Erlebnis des Gegenüberseins von Endlich und Unendlich nicht haben konnte, und die in der Spekulation eines pantheistischen Einsseins von Unendlich und Endlich von der ursprünglichen Erfahrung weg verfälscht wird. Diese Positivität der Welt, diese Güte der Existenz *vor* Gott hängt an einer Setzung der Welt *durch* Gott, die gerade in ihrer Differenz von Gott als «sehr gut» (Gen 1, 31) bezeichnet wird. Diese Setzung stammt aus der Freiheit Gottes, ist daher in ihrer Differenz überlegt und verantwortet, weder ein schicksalshafter «Abfall» noch (was eigentlich das gleiche wäre), ein «Ausfluß» von Gott, was beides die Welt im tiefsten als eine Region des Verhängnisses und der bloßen physischen Gesetze prägen würde, sondern eine frei gewollte, die der Welt deshalb selbst innerlich das Gepräge der Freiheit gibt. Endliches soll durch unendliche Freiheit sein, damit es die Freiheit zur unendlichen Freiheit hin habe.

Natürlich stehen diese Freiheiten nicht auf einer Stufe wie etwa zwei menschliche Freiheiten, die einander begegnen, im Kampf oder im gemeinsamen Interesse oder in der Liebe. Die Differenz der zwischenmenschlichen und der zwischen-Gott-menschlichen Freiheit muß anschließend eigens bedacht werden. Aber vorweg wird doch schon klar, daß die beiden Verhältnisse sich nicht einfach fremd sein können; es herrscht eine Analogie zwischen ihnen, womit sich bestätigt, daß die zwischenmenschliche Freiheit, in der, wie oben sichtbar wurde, der Mensch sich erst zum Menschsein vollendet, von der zwischen-Gott-menschlichen nicht bedroht und in Frage gestellt zu werden braucht, daß Sittlichkeit und Religion kompatibel sind.

2. Der Gesandte Gottes und die Übernatürlichkeit der Berufung zur Kindschaft Gottes

Das freie Ich-Du zwischen Menschen ist das menschlich Verständliche; in ihm vollendet der Mensch sein innerweltliches Wesen, auch ohne ausdrücklich auf das Wesen seiner Freiheit reflektieren zu müssen. Es ist ein Bei-Sein und Mit-Sein, das naturhaft scheint und ein stückweit auch ist; vergleichbar dem Bei- und Mitsein der Tiere, und dennoch durch die freie Wahl des Interessengebietes und des Partners davon grundverschieden.

Wenn Jesus Christus als der Gesandte Gottes den Menschen verkündet, er stehe (als der Einzige, der «von oben kommt») zu seinem Vater im Verhältnis des Sohnes – aber es sollen nun auch, durch ihn, die Menschen in ein Sohnesverhältnis zum Gott, der ihn sendet, treten und dadurch

«Götter» werden (Joh 10, 34–36): dann klafft die Differenz zwischen beiden Verhältnissen in dem Augenblick auf, da sie überbrückt werden soll. Menschen verhalten sich zueinander wie der Eine und der Andere. Gott dagegen tritt nie in ein solches Verhältnis ein. Er ist in seiner Absolutheit der Gegensatzlose, Unergänzbare; denn: «Er ist alles (to pān estin autos)», und dies, indem er «über (para) allen seinen Werken ist» (Sir 43, 27–28). Es kann keine Rede davon sein, daß Gott, weil er frei ist, aufhört, «alles» und «über allem» (das in sich gegensätzlich gebaut ist: Sir 33, 14f.; 42, 24f.) zu sein, oder daß er als der christliche Gott die Vision des auf sich selbst angewiesenen Menschen von der Absolutheit des Umgreifenden ins Unrecht setzt.

Deshalb muß in der Differenz zwischen der Geschöpflichkeit des Menschen, die ihn zu einem natürlichen freien Ich-Du, zum Mitmenschen habilitiert und die das Verhältnis zum Umgreifenden unfeststellbar offen läßt – und einem Ich-Du-Verhältnis zwischen Gott (als Vater) und dem Menschen (der in Jesus Christus zu seinem Kind werden soll) eine neue Initiative Gottes sichtbar werden, die dem geschöpflich-freien Menschen gegenüber «über-natürlich» ist. Nicht schon deshalb, weil Gott als ein Ich den Menschen als ein Du anredet, ein «personales» Verhältnis zwischen sich und ihm herstellt, wird der Mensch aus einem «Knecht» Gottes in seinen «Freund» verwandelt (Joh 15, 15), sondern weil im ewigen Sohn, der in Jesus Christus Mensch geworden ist, Gott auf eine überschwengliche Weise den Menschen neu «aus sich geboren» (Joh 1, 3), ihm «an der göttlichen Natur Anteil» gegeben (2 Petr 1, 4), ihn «als sein Kind gesetzt» (hyio-thesia, Röm 8, 15.23; Gal 4, 5; Eph 1, 5), und damit seiner ins Leere greifenden Freiheit eine nur von Gott her gewährbare Erfüllung gegeben hat. Nur deshalb hat sich die Analogie zwischen der im vergänglichen Leben erfüllenden Mitmenschlichkeit und der ins ewige Leben offenen Mitgöttlichkeit des Menschen über alles menschliche Hoffen und Erwarten hinaus erfüllt.

Der Ausgangspunkt – die Perspektive aus dem Selbststand des Menschen – ist damit zwar überformt, aber nicht eigentlich überholt: die Basis der Geschöpflichkeit mit der ihr eigentümlichen Freiheit und auch das Bewußtsein davon bleibt erfordert, damit die Überhöhung, die neue Freiheit und das neue Kindschaftsbewußtsein möglich werden. Denn Gottes Positionen in seinem Schöpfungsakt werden im Akt der Geburt aus Gott keineswegs aufgehoben, sondern bestärkt, indem ihr immer schon vorhandener erster und letzter Sinn, die Annahme an Kindesstatt, darin hervortritt (Eph 1, 1–12).

3. Das in der Sendung des Sohnes offenbarte Mysterium Gottes

Aber die Bedingung der Möglichkeit einer Geburt des Menschen («nicht aus dem Begehren des Mannes, sondern aus Gott») ist damit noch nicht aufgedeckt. Sie liegt in dem durch die Aussendung des Sohnes – und als Ergebnis seiner Sendung durch die Ausgießung des göttlichen Geistes – kundgetanen Mysterium der Freiheit Gottes, der in sich selbst, und nicht erst in seiner Beziehung zum geschaffenen Menschen die personale Liebe ist: als hervorbringende, sich mitteilende Selbsthingabe (Vater), als sich verdankende und zurückgebende Selbsthingabe (Sohn), als Einheit und Austausch des Gebens und Nehmens, Gabe schlechthin (Geist).

Dieses unergründliche Mysterium, das die Einheit und Allheit des Absoluten für uns als die Herrlichkeit der freien Liebe (jenseits von Majestät und Demut) kennzeichnet, läßt sich von der geschöpflichen Welt nur ahnungshaft annähern: als der unkonstruierbare Ursprung sowohl der Lebendigkeit des zwischenmenschlichen Ich-Du in seiner Seinsdifferenz und Einigung (aber in Gott sind nicht drei getrennte Bewußtseinszentren, sondern nur ein dreipersonales Wesen), wie der Lebendigkeit des einzelnen menschlichen Wesens (wie Augustin das Bild der Trinität im Geist als memoria-intellectus-voluntas [amor] zu finden versucht; in Gott jedoch sind nicht nur drei Modalitäten des einen Geistes, sondern echte Selbstübereignung zwischen Vater, Sohn und Geist). So kann die

Kreatur sowohl ihre in sich ruhende Einzigkeit und Einsamkeit wie ihre notwendige Vielheit und liebende Begegnung auf das unzugängliche Urbild zurückführen und von dorther verstehen, und dies schon für ihre kreatürliche Gestalt, die nach Gottes «Bild und Ähnlichkeit» geschaffen ist (Gen 1, 27; Sir 17, 3f.) und ebendamit die Basis dafür darstellt, daß sie zur Teilnahme am urbildlichen Liebesgeschehen erhöht und dessen teilhaft werden kann. Darin wird die wesentliche Eschatologie des Menschen bestehen.

Daß Gott als das Absolute, das (in seiner Hingabe) sich selbstgenügende Alles in seiner Liebe keines andern bedarf, um den «Ernst» (Hegel) seiner Liebe zu kennen, liegt durchaus in seinem «Begriff»; andernfalls bedürfte er der Welt, um einen Anlaß zu haben, den Ernst und die Tiefe der Liebe sich selbst zu beweisen, was seine Absolutheit aufhöbe. Daß er aber in seiner absoluten Liebesfreiheit auch die Allmacht seiner Liebe darin realisieren will, daß sie im Fremden, in der Finsternis der Nichtliebe, des Hasses der Welt, noch immer unverändert sie selbst sein kann, und daß innerhalb dieses umgreifenden Willens der Schöpfungsplan fällt, widerspricht dem Gesagten keineswegs. Eben deshalb soll der Mensch nach Gottes Bild frei geschaffen werden, damit Gott in und an dieser *andern* Freiheit – sie mag ihm zugewendet oder abgewendet sein – sein eigenes Wesen als dreieinige Liebe erweisen kann.

4. Die Sendung des Sohnes als Versöhnung der abgewendeten Welt
Die Möglichkeit der Abwendung des freien Menschen von Gott wird aus der Perspektive seines Selbststandes aus vornehmlich als ein «Vergessen» des Ursprungs erscheinen (entsprechend dem oben über das Gottesverhältnis als «Kenntnis» Gesagte). Aus der Perspektive des christlichen Gottes dagegen erscheint sie als Frontstellung gegen die angebotene Liebe, als «Nichtanerkennen» oder «Niederschlagen» des Erkennbaren und Erkannten (Röm 1, 18), als Verweigerung der Aufnahme (Joh 1, 11). Damit erst wird die Verblendung

oder unselige Täuschung des Menschen, der sich den Ausblick auf das Absolute versperrt, zur Sünde, die – in welchem Grad der Bewußtheit auch immer – gegen eine aus lauter Hingabe bestehende absolute Liebe Stellung und Verschanzung bezieht. Erst wo das Göttliche seine Tiefe als Liebe, und zwar als absolute, bis zum letzten entschlossene Liebe kundtut, erst wo es deshalb in seinem innersten Herzen treffbar und verwundbar geworden ist, tritt das theologisch-Böse, das Dämonische auf den Plan, das bezeichnenderweise sogar noch im Alten Testament halb verhüllt ist und erst mit dem Neuen Testament unverdeckt hervortritt (von den Dämonenbegegnungen Jesu über die Dämonenkämpfe der Christen bei Paulus: Eph 4, 27; 6, 10 ff., Petrus: 1 Petr 5, 8, Johannes: 1 Joh 3, 8.10, bis zur Apokalypse). Denn erst jetzt geht es darum, in den «geöffneten Abgrund der Hölle» (Apk 9, 2), in das «Haus des Starken einzudringen» (Mt 12, 29), seine Macht zu fesseln, sein Reich «mit gleicher Wucht» wie «einen großen Mühlstein» hinauszuschleudern, so «daß es nicht mehr zu finden sein wird» (Apk 18, 21) und sich in ewiger Selbstverbrennung aufzehrt (Apk 19, 3.20).

Über das Mysterium des auch in diesem Werk der Versöhnung und Erlösung der abgewendeten Welt Umgreifenden der Liebe Gottes wird noch eigens zu reden sein. Dieses Umgreifen muß die in der Schöpfung gesetzte Freiheit des Menschen respektieren; keinesfalls kann es um eine machtmäßige Überwältigung des Menschen durch eine stärkere Freiheit Gottes gehen. Aber zweierlei darf nicht vergessen werden: daß dem Menschen Freiheit nur innerhalb eines «vor Grundlegung der Welt» schon gefaßten Ratschlusses Gottes, sich die Welt im «Blut» Christi zu versöhnen (Eph 1, 7) gegeben wurde, und daß die dreieinige Liebe Gottes Macht nur in Gestalt der Hingabe (und der in ihr liegenden Wehrlosigkeit und «Ohnmacht») besitzt. Von hier aus wird – schon rein auf Grund der Texte des Neuen Testaments – zunächst klar, daß die Macht der widerstrebenden Sünde durch das Kreuz Christi und seinen Besitz der «Schlüssel des Todes und der

Unterwelt» (Apk 1, 18) *grundsätzlich* besiegt und gebrochen ist: daß die alle Schmach der Sünde auf sich nehmende Liebe Gottes in Christi Passion den längeren Atem hat als die Gegenmächte. Demgegenüber sinkt das Problem, wie weit dieser Sieg Gottes aufgrund seines jeweiligen Planes reicht, und ob er in seiner unergründlichen Freiheit einen nicht aufgehenden Rest stehen läßt oder nicht, zu einem zweitrangigen herab.

Am Kreuz hat der vom Vater verlassene Sohn grundsätzlich für *alle* Sünde aller Menschen gebüßt und die Gottverlassenheit aller Sünder stellvertretend ausgelitten. Das Nichtverstehen-Wollen der Liebe Gottes durch die Menschen ist voll eingeholt im Nichtverstehen des Sohnes, warum der Vater ihn verlassen hat. Dieses Ereignis ist in der Sendung des Sohnes die Realisierung des Heilsratschlusses Gottes «vor Grundlegung der Welt», somit das Apriori des Bestehens der Schöpfung. Von diesem Apriori her kann der Schöpfer sie – wie immer sie in sich ausarten mag – als «sehr gut» bezeichnen; und von ihm her wird sie gleichsam nicht nur einmal, sondern doppelt bejaht: in sich selbst und in ihrer Vereinbarkeit (durch die «Annahme an Kindesstatt» in Jesus Christus) mit dem göttlichen Leben.

5. Die Rückkehr des auferstandenen Sohnes und die Verleihung des göttlichen Geistes

Die Tiefe der Gottverlassenheit des Sohnes am Kreuz (Mk 15, 34; Mt 27, 46) wird verständlich nur durch das einzigartige bleibende Gottesverhältnis des Sohnes auch und gerade in seiner Verlassenheit («Es kommt die Stunde und sie ist schon da, wo ihr... mich allein laßt. Aber auch dann bin ich nicht allein, denn der Vater ist mit mir»: Joh 16, 32). In der ganzen «Ökonomie» der Menschwerdung nimmt die göttliche Intimität von Vater und Sohn im Heiligen Geist nur eine andere Modalität an, veranlaßt durch die Hineinnahme der menschlichen sündigen Entfremdung in diese Intimität, als ein neuer Ausdruck ihrer hingegebenen Liebe. Die Rückkehr des Sohnes zum Vater, den dieser aus dem Tod auferweckt, ist nichts als das Transparentwerden dieser Entfremdungsmodalität in das, was sie in Wahrheit ist: die ewige Intimität der göttlichen Liebe. Es ist «die Herrlichkeit, die ich bei dir hatte, *ehe* die Welt war» (Joh 17, 5), in die nun aber, als Ergebnis der Menschwerdung und des Versöhnungswerkes, die Menschheit Christi – und damit grundsätzlich die Welt überhaupt – mithineingenommen wird: «Vater verherrliche mich *nun* bei dir» (ebd.).

Der Bewegung des Sohnes vom Vater her zur Welt entspricht jetzt die Bewegung aus der Welt (und endzeitlich *mit* der Welt) zu Gott hin. Denn die Rückkehr des Sohnes allein unter Zurücklassung seiner Jünger ist nur eine «ökonomische» (Joh 14, 28; 16, 5–12), deren Zweck die Ermöglichung der endgültigen Mitnahme ist (Joh 14, 2–3; 17, 24): die Wohnung wird bereitet, und zwar mehr noch auf der Welt, durch die Sendung des himmlischen Geistes auf die Erde, als im Himmel, wo sie ohnedies bereitsteht.

Die mit der österlichen Verherrlichung beginnende Einhauchung des Geistes in die Kirche der Glaubenden (Joh 20, 22), die dann herausgesendet werden in alle Welt, zu allen Völkern und Zeiten (Mt 28, 18–20), ist die Mitteilung der Kindschaftsgnade (Gal 4, 6; Röm 8, 15), des freien, unmittelbaren und furchtlosen Zugangs (Eph 3, 12 u. oft) zur neuen göttlichen Liebe (Röm 5, 5), aus der wir in ganz neuer Tiefe und Intensität Gott selbst und mit ihm zusammen die Welt lieben dürfen. Der Geist, den der Vater und vom Vater her der Sohn auf Grund seines vollendeten Gehorsamswerkes der Welt sendet, bereitet die Glaubenden zur Aufnahme in das göttliche Leben. Die Diastase des Anfangs zwischen Innerweltlichkeit und unendlichem offenem Horizont ist im Geist aufgehoben.

Aber bleibt das irdische Leben nicht nach wie vor wesenhaft endlich, hinfällig und eitel (Röm 8, 20), dem Tod unterworfen? Sind nicht die kostbarsten Werte in ihm gerade von ihrer Fragilität, ihrer Vergänglichkeit und Unwiederbringlichkeit bestimmt? Hat der Ernst menschlicher Entscheidung nicht immer noch den Tod als Horizont zur Voraussetzung? Wie soll man sich eine Welt vorstellen, in der alle diese innern Grenzen aufgehoben wären, ohne daß auch ihr Bestes mit-angetastet würde?

Darauf muß man mit Johannes antworten: «Geliebte, jetzt sind wir Kinder Gottes. Was wir einst sein werden, ist noch nicht offenbar. Doch wissen wir: wenn es einmal offenbar wird, werden wir Ihm ähnlich sein» (1 Joh 3, 2). «Wir»: das sind die Geschöpfe in ihrer Unterschiedenheit von Gott und ihrer gegenseitigen Differenz, die von Gott positiv gewollt und gutgeheißen wird: ruft er doch jeden Menschen bei seinem Namen. «Was wir sein werden» deutet auf eine Verwandlung, die ohne Aufhebung der Geschöpflichkeit und ihrer Grenzen an der Unbegrenztheit Gottes teilgeben wird. Der Satz steht im Futurum, denn wir bleiben hienieden unter dem Gesetz des Sterbenmüssens, obschon wir im Geist darüber hinaus leben: «Wenn der Geist Christi in euch ist, dann ist zwar der Leib dem Tod verfallen wegen der Sünde, der Geist aber ist Leben auf Grund der Rechtfertigung» (Röm 8, 10). Aber selbst die Todverfallenheit des Leibes *wegen* der Sünde ist nach Christi Tod *für* die Sünde eine andere als vorher; sie ist nicht nur Fatum, sondern auch selbst schon Teil am Versöh-nungswerk Christi, zumal beim getauften Gläubigen, der «in den Tod Christi hineingetauft» und «in einem Gleichbild mit seinem Tod» mit ihm «zusammengewachsen» ist (Röm 6, 3.5). Die durch die (schuldig-verfallene) Geschöpflichkeit gesetzte Todesgrenze hat innerlich schon eine gnadenhafte, trinitarische Qualität angenommen, weil der Tod Christi, dem der unsere gleichgestaltet wird, gerade seine «bis ans Ende» (Joh 13, 1) gehende, end- und grenzenlose Liebe war. Als solcher aber bleibt Christi Tod – in den Wundmalen des Auf-erstandenen verklärt und verewigt – ein unauslöschliches Moment innerhalb seines zum Vater zurückgekehrten ewigen Lebens von Anbeginn: Omega ist von Alpha nicht mehr un-terscheidbar. Das lebendige Lamm ist «geschlachtet seit An-beginn der Welt» (Apk 13, 8).

Von hier aus läßt sich sagen, daß unsere von Gott gesetzte Endlichkeit und Unterschiedenheit im Eingehen des Menschen und der Welt in ihr ewiges Leben nicht hinfällig wird, sondern transparent für ein Leben, das ja in Gott auch nicht formlos brodelt, sondern die unendliche Bestimmtheit des trinitarischen Liebesprozesses besitzt. Daran erhält die erlöste Welt durch ein radikales Sterben und Auferstehen hindurch Anteil.

6. Die Teilnahme der erlösten Welt am trinitarischen Liebesprozeß
Die Bestimmtheit der göttlichen Liebe wird erst am Ende der biblischen Offenbarung in Jesus Christus erkennbar. Im Alten Bund war zwar auch eine Bestimmtheit Gottes offenbar, aber so, daß eine innere Teilnahme an seinem von der geschöpflichen Welt unterschiedenen Wesen nur aus einer gewissen Ferne möglich war: Man lebte in Gottes Huld, unter seinem Blick, in seinem den Erwählten zur Verfügung gestellten Land usf. Weiter zurück, in Religionen, die über anthropomorphe Gottesgestalten zurückreflektieren auf das «Eine», das indifferent in und über aller weltlichen Differenz steht, läßt sich eine Teilnahme an diesem «Einen» nur noch durch Entgrenzung und Ablegung aller «Eigenheit» vorstellen.

Daß des Menschen ewiges Schicksal in Gott mehr sein kann als ein ewiges «Gegenüber» (wie im Alten Bund), nämlich eine innere Teilnahme am Leben Gottes selbst, und dabei doch kein «Versinken» in diesem Leben (wie in den spekulativen Religionen), sondern ein Beschenktwerden mit der göttlichen Freiheit in die eigene Freiheit hinein: dies läßt sich nur neutestamentlich verstehen, wo der innere Lebensprozeß Gottes (theologia) sich in Christus zur Welt hin öffnet (oikonomia), um dadurch die Welt in den göttlichen Prozeß einzubergen.

Dies beginnt durchaus schon innerhalb der Zeitlichkeit im Leben von Glaube, Hoffnung und Liebe, und zwar sosehr, daß die Verwandlung dieses zeitlichen Modus der Teilnahme an Gott in den ewigen Modus mehr die Enthüllung von etwas schon Bestehendem als die Neuschaffung von etwas Ausstehendem ist.

Was im Leben von Glaube, Hoffnung und Liebe vorweg bestehen kann – in verschiedenen Vollkommenheitsgraden –, ist das Mysterium der Anheimstellung der eigenen Freiheit an die Freiheit Gottes, wie der Beginn des Hingabegebetes Ignatius' von Loyola es formuliert: «Nimm hin, Herr, und übernimm meine ganze Freiheit, mein Gedächtnis, meinen Verstand, meinen Willen...» Wenn eine solche Anheimstellung der Freiheit an Gott in den meisten Religionen angestrebt wird, so erhält sie doch ihre volle Ermöglichung erst im Christentum. Denn einerseits bleibt hier der allgemeine spekulative Gedanke voll in Kraft: daß Gott auf jeden Fall das Absolute, somit auch die absolute Wahrheit, Gerechtigkeit, Güte ist, daß also jeder von ihm kundwerdende Wille auf jeden Fall recht hat und vom Menschen zu dessen Heil und somit auch zu dessen größerer Freiheit zu übernehmen ist; anderseits wird dieser Gedanke unendlich konkretisiert durch die Tatsache, daß in der Unterwerfung des menschlichen Willens Jesu Christi unter den Willen seines Vaters («nicht wie ich will, sondern wie du willst» Lk 22, 42) die innergöttliche Hingabebeziehung des Sohnes zum Vater – und darin die vorausgesetzte Hingabe des Vaters und der Geist der Hingabe beider – kund wird. In diesem schlichten, wenn auch oft sehr schwierigen Vorziehen des göttlichen Willens, einem Gewährenlassen in dem unsrigen, vollzieht sich schon im sterblichen Leben das Zentrale, was das Wesen des ewigen sein wird, und zwar viel zentraler, als dies etwa durch eigenmächtige Versenkungsübungen (die Gott gar nicht von mir fordert) und vermeintliche Einigungserfahrungen mit Gott erreichbar ist. Solche Techniken und Methoden leben insgeheim doch immer von dem Gedanken, daß die kreatürlichen Grenzen (auch des Bewußtseins) ein Hindernis Gott gegenüber sind, während doch im Christentum und seinem Mysterium der Inkarnation Gott gerade den Weg der Begrenzung beschreitet, um die Welt mit sich zu versöhnen.

Was die christliche Theologie «göttliche Tugenden» nennt: Glaube, Hoffnung und Liebe (1 Kor 13, 13), sind Weisen der Übereignung der eigenen Freiheit in Gottes Freiheit hinein: in seine Wahrheit (Glaube), seine Verheißungstreue (Hoffnung), seine Hingabe (Liebe). «Göttlich» werden sie genannt, weil die (mit-)menschlichen Möglichkeiten des Glaubens, des hoffenden Vertrauens und der Liebe durchformt werden durch den «in unsere Herzen ausgegossenen Heiligen Geist» (Röm 5, 1–5), der gerade so die innere Gesinntheit des dreieinigen Gottes in uns hineinbringt und uns dabei nach beiden Seiten hin habilitiert: Gottes Anruf und Geschenk auf gotteswürdige Weise zu beantworten – und göttliche Gesinnung in unsere Mitmenschlichkeit hineinzutragen (vgl. 1 Kor 13).

Von hier müssen wir ausgehen, wenn wir auf die unvorstellbare ewige Gestalt unseres Lebens in Gott voraussinnen wollen. Die Bibel kennt für dieses unter anderem das Bild vom «Schauen Gottes» (von Angesicht) (Mt 5, 8; 1 Kor 13, 12; 1 Joh 3, 2; Apk 22, 4), und die christliche Theologie hat diesem Bild einen gewaltigen Vorsprung vor allen übrigen Bildern gegeben und vielerlei Spekulationen daran angeknüpft, wie ein solches «Schauen» durch das Geschenk eines eigenen «Glorienlichtes» erfolgen kann, da Gott nur durch ein göttliches Medium hindurch erblickt werden könne. Man wird diesen Gedanken der «Schau Gottes» keinesfalls vermissen wollen, sich aber erinnern, daß im Alten Bund (und dort von den umliegenden Kulturen her) «das Angesicht (des) Gottes schauen» soviel besagte, als vor Gott (bzw. seinem Bild) im Tempel erscheinen, und daß in Griechenland das «Schauen» als der vorzüglichste Ausdruck des Innewerdens (vgl. Platons Schau der Schatten, der Ideen, zuhöchst der Sonne des Guten) galt. Beidemale verblieb ein gewisses «Gegenüber», eine Gegen-Ständlichkeit, bei der die christliche Deutung der Gottes-«schau» nicht stehenbleiben darf.

Man wird deshalb besser daran tun, die Verheißung Jesu an die Samariterin als irdischen Ausgangspunkt für das Verständnis des Transzendenten zu nehmen: «Wer von dem Wasser trinkt, das ich ihm gebe, den wird in Ewigkeit nicht mehr dürsten. Das Wasser, das ich ihm gebe, wird in ihm vielmehr zu einer Quelle, die ins ewige Leben emporspringt» (Joh 4, 14). Nicht nur wird das göttliche Geschenk, das Jesus dem Glaubenden macht, ihm innerlich, und zwar in einer Erquickung, die ewig ist und ewig anhält, es verwandelt sich darüber hinaus im Empfangenden in eine weiterzugebende Gabe; erst das ist wahres, eines Gottes würdiges Geschenk; gleichgültig, ob die in den Beschenkten aufspringende schenkende Quelle nun zu Gott oder zu den Menschen – oder eigentlich selbstverständlich zu beiden hin gleichzeitig – «aufquillt». Es ist die Möglichkeit, durch Gottes In-uns-Sein mehr zu schenken, als man hat, so wie Ezechiel in dem vom Tempel ausgehenden Heilsstrom immer tiefer versinkt (Ez 47, 1 ff.), und so wie die «Weisheit» betont, daß man ihre Erquickung umsonst, ohne Bezahlung erhalten kann (Is 55, 1; Apk 21, 6; 22, 7); Johannes wiederholt das Bild ausdrücklich noch einmal: «Wer dürstet, der komme zu mir; und es trinke, wer an mich glaubt! Nach dem Wort der Schrift: Aus seinem Innersten werden Ströme lebendigen Wassers fließen» (Joh 7, 37 f.). – In der Erfüllung dieser Verheißungen dürfte die überwältigendste Gotteserfahrung liegen, ein Innewerden, das weit mehr ist als Schau: Teilnahme am quellenden Leben Gottes selbst.

Es gibt, um die Innigkeit solcher Teilnahme auszudrücken, noch andere Wendungen als solche des Schauens: es gibt das Bei-Sein («Ich werde euch bei mir selber aufnehmen»: Joh 14, 3), des Anteilhabens («Gott, mein Anteil in Ewigkeit»: Ps 73, 26), des Anvertraut-Erhaltens, Verantwortens, Verwaltens («Du warst über Weniges getreu, darum will ich dich über Vieles setzen: Geh ein in die Freude deines Herrn»: Mt 25, 21), des Herrschens und Richtens mit Gott zusammen (1 Kor 6, 2.4; Dan 7, 22; Mt 19, 28 par; Apk 20, 4; 22, 5), oder einfach des Wandelns innerhalb des Lichtes des Herrn (Apk 21, 24), da Gott – alttestamentlich ausgedrückt – «unter ihnen wohnt» (Apk 7, 15), was neutestamentlich zur innigsten trinitarischen Einwohnung wird: «Damit alle eins seien, wie du, Vater, in mir und ich in dir, daß auch sie in uns seien; …daß sie eins seien, wie wir eins sind; ich in ihnen und du in mir, damit sie vollendet werden (bzw. die höchste Einweihung erhalten) ins Eine» (Joh 17, 21–23).

Dieses Durchwohntwerden von der Trinität hat gewiß seinen Einstieg in der Angleichung des geschaffenen Menschen an den ewigen Sohn: wie sie sich stufenweise vom vorweltlichen Plan des Vaters (Eph 1, 5) über die Menschwerdung und Kreuzeserlösung bis zur Taufe und Eucharistie vollendet. Aber man kann nicht durch die «Tür» des Sohnes eingehen, ohne am ganzen dreieinigen Leben der Liebe Anteil zu erhalten. Indem wir mit dem Sohn aus dem Schoß des Vaters geboren werden (Joh 1, 13), erhalten wir zugleich Teil an der aktiven Gabe des Zeugens oder Gebärens, wie denn der Herr die an ihn Glaubenden nicht nur seine Brüder und Schwestern, sondern seine «Mütter» nennt (Mk 3, 35). Wie Jesus sich von Maria zur Welt bringen läßt, so läßt er Paulus der Gemeinde gegenüber Geburtsschmerzen leiden, «bis Christus in euch Gestalt gewinnt» (Gal 4, 19; vgl. 1 Thess 2, 7–8.11; 1 Kor 4, 15; Phm 10). Diese Teilnahme an der Vaterschaft, die gewiß den amtlichen Führern der Kirche im besondern zusteht, wenn sie im Geist Pauli amten, ist aber jedem Christen in der Gnade verliehen, der an der Herkunft des Reiches Gottes arbeitet, dafür betet und leidet, und der Kirche im ganzen, die im kreißenden Weib der Apokalypse ihr Symbol gefunden hat. Endlich ist es schon auf Erden den Glaubenden verliehen, den Heiligen Geist nicht nur zu besitzen, sondern «auszuhauchen», wie aus den angeführten Bildern des in ihnen aufspringenden Quells bereits deutlich geworden ist. Wenn sie scheinbar passiv von ihm «getrieben» werden (Röm 8, 14), und deshalb «Kinder Gottes» genannt werden, so aufgrund eines Nichtwiderstands gegen den Geist, der höchste Aktion ist und Ursprung aller christlichen Einzeltaten.

Dies alles ist von der Teilnahme am dreieinigen Liebesleben in Gott gesagt, und ist so gesagt, daß darin überall die Beziehung zugleich zu Gott wie zu den Menschen aufscheint. Gerade die erlebte Präsenz des dreieinigen Lebens Gottes in allen Dingen ist die Aktualisierung über alle eigenen Möglichkeiten hinaus der zwischenmenschlichen Beziehungen, welche ihrerseits nicht ohne eine Umwelt, nicht im Leeren rein-geistiger Verhältnisse zu denken sind. Von einem Neuen Himmel und einer Neuen Erde spricht die Apokalypse (21, 1). Sich die letztere auszumalen, ist müßig; aber sicher ist, daß die absolute Kreativität des göttlichen Lebensprozesses, der nunmehr zum offenen Medium der Kreatur geworden ist, deren eigene Kreativität nicht erstickt (um sie in eine tatenlose Schau zu bannen), sondern auf eine unahnbare Weise über sich hinaus fördert. Der Quell Gottes, der im Herzen des Menschen aufsprudelt, ist zugleich göttlich und dem Menschen so übereignet, daß er diesem sein eigenes Innerstes freigibt, ihm Tiefen und Weiten, Einsichten, Einfälle und Ausgriffe schenkt, die er sich nie zugetraut hätte und die doch wirklich sein sind. Obschon er zwischen dem Eigenen und dem Göttlichen keine Grenzen mehr ziehen will.

II. Die Dimension des Gerichts

A. Das Gericht

Bisher wurde fast ausschließlich die Dimension zwischen der Natur und dem Übernatürlichen besprochen; aber die biblische Schau der Weltgeschichte und des Einzellebens ist bis auf den Grund bestimmt durch die Wirklichkeit der Sünde als der freien Abwendung – und in deren Folge der schicksalshaften Abgewendetheit – des Menschen von Gott; die Heilsveranstaltungen Gottes im Alten Bund, gipfelnd im Sühnetod Jesu im Neuen Testament, sind ein Geschehen, dessen untrennbare Aspekte Gericht und Begnadung heißen.

Die Gegenwart des Unrechts und der persönlichen und

sozialen Schuld in der Welt ist zu aufdringlich, als daß nicht alle Religionen sich um eine Lösung ihres Knäuels bemüht hätten: durch irgendeine Form des Gerichts. Dieses wird umso notwendiger angesetzt, als es das Wesen der Schuld – christlich: der Sünde – ist, die Existenz der Wahrheit zu trüben, sie womöglich ganz zu vernebeln; Sünde ist wesentlich Unwahrheit, Lüge, die, personal und sozial gegenständlich geworden, eine Ersatzform sekundärer «Wahrheit» als das Normale, selbstverständlich-Geltende aus sich zu entlassen sucht. Die Sonne des verbleibenden («schlechten») Gewissens vermag diese Nebel nicht wirksam zu zerstreuen, sie wirkt zumeist nur soweit, daß die Ersatzwahrheit in ihrem Charakter als «Überbau» erkannt und kontestiert wird, aber nur, um durch eine andere Form sekundärer Wahrheit ersetzt zu werden: der Kreislauf der Ideologien ist der eigentliche, von der Menschheit unzerreißbare Schleier der Maya. Das «So nicht!», das er angesichts offener Ungerechtigkeit ausrufen kann, ist viel entschiedener als das «Sondern so!», das er als Ausweg anzubieten hat, weil er sich in sich selber einer Verschüttung der Wahrheit bewußt ist, die ihn hindert, als untrüglicher Maßstab der Wahrheit für andere und für die Weltverhältnisse aufzutreten. «Der Mensch hat weder die Kenntnis der Liebe noch die des Hasses» (Koh 9, 1). Bemächtigt sich die Wissenschaft dieses Bewußtseins, indem sie psychologisch und soziologisch das Vorhandensein oder Nichtvorhandensein eines bestimmten Maßstabs «rechten» Handelns zu erklären vorgibt, so werden die Kriterien nochmals undurchsichtiger.

Daß die Pendelbewegungen innerhalb der Weltgeschichte und des individuellen Lebens als solche der recht-schaffende Ausgleich sein sollten, ist unannehmbar; das «Sich-Auspendeln» der Geschichte erfolgt in einer Horizontalen, die vorhin als der Rundlauf der Ideologien bezeichnet wurde; und was die Durchbrüche Einzelner in die Tiefe angeht, die man «Bekehrungen» nennt, so bedürften auch sie eines endgültigen Richtmaßes, das nie eindeutig zuhanden ist: wie fragwürdig bleibt zum Beispiel eine «Abkehr von der Welt», um irgendeinen direkten «Weg der Erkenntnis» auf Gott zu einzuschlagen, solange nicht erwiesen ist, daß eine solche Wende nicht bloßer Resignation entstammt oder vielleicht auch der Flucht vor bleibenden innerweltlichen Aufgaben. Das Umgekehrte ist noch offenkundiger problematisch: ein aktivistisches, angeblich altruistisches Voranarbeiten in der Horizontalen, das jede Ausrichtung an einem vertikal einfallenden Willen Gottes längst vergessen oder aufgegeben hat.

So bleibt der «gute Wille» des Menschen nie sein eigenes Kriterium, sondern muß bereit sein, von einem unparteiisch Guten sich messen und richten zu lassen. Er muß unterwegs sein zu diesem ihn richtenden Kriterium, muß versuchen, sich schon gegenwärtig von ihm bestimmen zu lassen; kann sich aber nie anmaßen, das materiale oder formale (Kants kategorischer Imperativ!) Kriterium jeden guten Handelns selbst sein zu wollen.

Der Mensch ale Einzelner und als Geschlecht (denn die Taten aller sind ineinander verschlungen) muß in ein Gericht. Es ist müßig, über den «Zeitpunkt» dieses Gerichts – etwa über die Diastase zwischen dem partikulären Gericht nach dem Tode des Einzelnen und dem allgemeinen oder Jüngsten Gericht am Ende der Geschichte – zu spekulieren, da wir es immer nur aus innerzeitlichen Perspektiven her tun können, während das Gericht auf der Schwelle der Ewigkeit statthat, oder exakter (wie wir sehen werden): auf der Schwelle zwischen dem «Alten» und dem «Neuen Äon», die mit unserem chronologischen Zeitverständnis nicht zu fassen ist. Es ist der Ereignispunkt, an dem die echte und endgültige Konfrontation der verfallenen und verschütteten Wahrheit des Menschen mit der stehenden und offenen Wahrheit Gottes stattfindet. Es spricht nichts dagegen, daß innerhalb des irdischen Daseins eines Menschen durch die Gnade Gottes eine solche endgültige Konfrontation bereits stattfinden kann, so daß dieser Mensch durch das Gericht hindurchgegangen ist (Joh 3, 20–21).

B. Der Richter

1. *Die Person des Richters*

Daß es die absolute Wahrheit sein muß, von der die relative Wahrheit und Unwahrheit gerichtet und entwirrt wird, ist evident. Im Alten Testament ist der Richter Gott selber, in seiner Bezogenheit auf die Welt, als Partner des Bundes, zu dem alle Völker in irgendeiner Beziehung stehen. Und man weiß, daß sein Gericht über Israel zuletzt (nach den vielen strengen innerzeitlichen Gerichten) vorwiegend ein solches der Gerechtigkeit im Sinn der Bundestreue, sein Gericht über die Völker zuletzt (nach deren innerzeitlichen Verwendungen zur Rechtsvollstreckung an Israel) vorwiegend ein solches der Gerechtigkeit im Sinn der Strenge sein wird. «Vorwiegend»: denn es gibt auch die prophetischen Stellen, an denen die Völker in den Heilsbezirk Israels einbezogen werden (zum Beispiel Is 66, 18–23), und ferner gibt es die Stellen, an denen das Endgericht auch quer durch Israel hindurchgeht, in dessen Mitte sich die in den Psalmen erwähnten Gottlosen finden.

Gott in seiner Bezogenheit auf die Welt wird im Neuen Testament zum Wort Gottes, das in Jesus Christus Mensch geworden ist, das gekreuzigt wurde, zur Hölle hinabging und von Gott – der sich selbst rechtfertigt – auferweckt wurde. Dieses Wort Gottes, das als solches das Maß des Menschen angenommen und alle Dimensionen der von Gott abgewendeten Welt bis hin zum Zustand des Totseins von innen her erfahren und dabei nicht aufgehört hat, im unmittelbarsten Gehorsams-Kontakt mit dem himmlischen Vater zu stehen: dieses Wort wird nunmehr notwendig zum Richter der Welt. «Der Vater richtet niemand (mehr); er hat vielmehr das ganze Gericht dem Sohn übertragen, damit alle den Sohn ehren, wie sie den Vater ehren» (Joh 5, 22 f.): wobei «ehren» sowohl recht einschätzen (als Richter nämlich) wie mit Ehr-furcht begegnen sagt.

Die Evangelien und Apostelbriefe sehen, auf Grund eigener

Aussagen Jesu, seiner «Wiederkunft» zum Gericht, bzw. dem Augenblick des Antretens vor seinem Richterstuhl (1 Kor 4, 4–5; 2 Kor 5, 10; vgl. Röm 2, 5 ff.; 14, 10 f.) entgegen als einem Ereignis, das «wie ein Dieb in der Nacht» hereinbricht (Mt 24, 42 ff., 1 Thess 5, 2; Apk 16, 15) und den Richter in der Herrlichkeit Gottes (bzw. «seines Vaters») sichtbar macht (Mt 16, 27 par; 19, 28; 24, 30 par). Es fragt sich aber, wie diese «Herrlichkeit» zu verstehen ist: Sie ist literarisch gewiß vom Bild des zum Gericht kommenden Menschensohnes bei Daniel (7, 13 ff.) abkünftig; aber theologisch ist diese Herrlichkeit untrennbar von der Verherrlichung Gottes durch das Gehorsamswerk Jesu und der Verherrlichung Jesu gerade in diesem Gehorsamswerk (Joh 13, 31–32). Seine Herrlichkeitsgestalt ist von seinen im Versöhnungswerk erhaltenen Wunden, die er noch als Auferstandener vorzeigt, nicht zu trennen. Deshalb insistiert gerade Johannes zweimal auf der alttestamentlichen Quelle, die jetzt ihren ganzen Tiefsinn erreicht, und die bedenkenlos mit der Danielstelle kombiniert wird: «Siehe, er kommt auf den Wolken. Jedes Auge wird ihn schauen, auch alle, die ihn durchbohrt haben, und wehklagen werden über ihn alle Völker der Erde» (Apk 1, 7; Joh 19, 37; nach Zach 12, 10).

Dieser Text durchbricht das übliche Herrlichkeitsbild des Richters nach zwei Seiten: Einmal sofern er vor allen Völkern als der Durchbohrte erscheint, das heißt als der lebendige, handgreifliche Beweis dessen, was die Sünde der Welt Gott in Wirklichkeit angetan hat: dieser Aspekt ist bereits in der Verheißung vorweggenommen, daß «das Zeichen des Menschensohnes am Himmel erscheinen» wird, was auch schon vom «Wehklagen aller Völker auf Erden» begleitet sein wird (Mt 24, 30). Dann aber, weil diese Klage nicht die um die eigene Gefährdung, die Angst vor der Verwerfung ist, sondern die Klage um den Durchbohrten selbst, eine Klage, die bereits objektiviert ist und das verletzte absolute und personifizierte Recht Gottes betrifft. In der ursprünglichen Stelle beim Propheten Zacharias ist die Klage beim Anblick des

Durchbohrten eine so tiefe wie die «beim Tod eines einzigen Sohnes, eines Erstgeborenen», und im Zusammenhang mit dieser Klage wird von einer «eröffneten Quelle» des Heils gesprochen (Zach 12, 10–11; 13, 1). Die Klage angesichts des ergehenden Gerichts ist zugleich Klage über das dem Richter angetane Unrecht, und Klage angesichts der auf diese Weise eröffneten Quelle, die dem Durchbohrten als Heil im Gericht entfließt (Joh 19, 34).

Dies heißt erstens, daß das Gericht im Richter selbst als vollzogenes gegenwärtig ist. Zunächst als Gericht, das von der schuldigen Welt dem Richter angetan worden ist: er ist der von der Welt Gefangengesetzte, Verurteilte, Angespiene und Geohrfeigte, Gegeißelte, mit Dornen Gekrönte, Gekreuzigte und in seiner Ohnmacht und Gottverlassenheit Verhöhnte. Aber hinter diesem Gericht der Welt erscheint in ihm die Freiwilligkeit, mit der er alles als Sohn im Gehorsam gegenüber dem Willen des Vaters erleidet, es somit als das Ausgeliefertwerden durch den Vater an die Welt versteht: alles das ist im Ratschluß des Vaters «vor Grundlegung der Welt» schon miteingerechnet als Gottes eigene spontane Tat: die Dahingabe des geliebten Sohnes aus Liebe für das Leben der Welt (Joh 3, 16; Röm 8, 32). Er ist das von Anbeginn der Welt geschlachtete Lamm (Apk 13, 8).

Der Richter erscheint in seiner Machtgestalt (Apk 1, 13–16), die aber seine Ohnmachtsgestalt in sich einschließt, nicht als vergessene Vergangenheit, sondern als die bleibende Voraussetzung seiner Befugnis («Ich war tot, aber siehe, ich lebe in alle Ewigkeit und ich habe die Schlüssel des Todes und der Unterwelt»: Apk 1, 18). Das Erfahrenhaben aller Formen der Sünde und Verlorenheit an seinem eigenen Leib gibt ihm die höchste Kompetenz als Richter, und zwingt doch seine Majestät und Freiheit keineswegs, sein Urteil in einer bestimmten Richtung fällen zu müssen. Die von ihm zu Richtenden können aus seiner Ohnmachtsgestalt, seiner Solidarität mit den Sündern und Verlorenen die Hoffnung auf Gnade schöpfen, aber keineswegs den Ausgang des Gerichts im voraus ableiten. Je genauer der Richter die Situation des zu Richtenden von innen her kennt – und hier ist diese innere Kenntnis vollkommen –, desto zweischneidiger wird für den Schuldigen die Situation: er kann durchaus ebensowohl Hoffnung auf milde Behandlung schöpfen wie Furcht hegen, daß sein Verhalten unentschuldbar sei. Er ist dem Urteil auf Gedeih und Verderb überantwortet. Diese Zweiseitigkeit der Situation eines jeden, der ins Gericht kommt, ist ausgedrückt in der Gebärde der Trennung von «Schafen und Böcken» (Mt 25, 33f.), die in der Parabel als eine letzte Gebärde, ohne mögliche Synthese, geschildert wird. Denn die Synthese liegt unzugänglich in der Freiheit des Richters verborgen. Er hat die Schuld eines jeden, den er richtet, vorweg getragen; das zentrale Weltgerichtsereignis ist sein Kreuz («jetzt ergeht das Gericht»: Joh 12, 31), an dem er zunächst alle in der unerbittlichen Gerechtigkeit Gottes Verurteilten real repräsentiert. Die Unerbittlichkeit dieses an ihm vollzogenen Gerichts wird dort, wo «das Zeichen des Menschensohnes in den Wolken erscheint», notwendig mit-gegenwärtig: dies ist das «eiserne Szepter», mit dem er regiert und die Völker «wie Tongeschirr zertrümmern» kann (Apk 2, 27; 12, 5), dies auch die «Sichel», mit der der «Menschensohn» die reife Erde «aberntet» (Apk 14, 14–16). Die Präsenz dieser Unerbittlichkeit des Kreuzes kann den Gerichteten nicht erspart werden, obschon auch hier die Freiheit des Richters dazwischentritt, die entscheidet, auf welche Weise, bis zu welchem Grad der Einzelne dieses Gerichtscharakters innewerden soll. Und eben an dieser Stelle tritt ein neues Moment modifizierend hinzu.

2. Die Mitrichter

Nach den Aussagen der Schrift kommt der Richter nicht als eine isolierte Person zum Gericht. «Denn der Menschensohn wird in der Herrlichkeit seines Vaters kommen, umgeben von seinen heiligen Engeln, und dann einem jeden vergelten nach seinen Werken» (Mt 16, 27). Vor dem Sanhedrin sagt Jesus:

«Von nun an werdet ihr den Menschensohn sitzen sehen zur Rechten der Kraft und kommen auf den Wolken des Himmels» (Mt 26, 64 par). In der Weltgerichtsparabel kommt der Menschensohn «und alle seine Engel», um «den Thron seiner Herrlichkeit» einzunehmen (Mt 25, 31). Diese Engel werden von ihm ausgesandt, um die Erwählten aus den vier Windrichtungen zu sammeln (Mt 24, 31; vgl. 13, 49 f.). Aber hinzu kommt die Weissagung an die zwölf Erwählten: «Wenn der Menschensohn auf dem Thron seiner Herrlichkeit sitzen wird, werdet ihr ebenfalls auf zwölf Thronen sitzen und die zwölf Stämme Israels richten» (Mt 19, 28): der Christus, der sich seine Kirche als Leib zugestaltet hat, wird sich im Gericht nicht von ihr trennen, sondern sie – jetzt in der symbolisierten Vertretung durch ihre zwölf «Grundsteine» (Apk 21, 14) – bei sich haben. Von hier aus weiterschließend gesellt Paulus alle, die als wahre Glieder Christi auf seine Seite übergetreten sind, auch im Gericht ihm zu: «Wißt ihr nicht, daß die Heiligen die Welt richten werden?... Wißt ihr nicht, daß wir sogar über die (gefallenen) Engel Richter sein werden?» (1 Kor 6, 2.3). Damit ist die Meinung ausgesprochen, daß wer schon hienieden durch ein der Taufe entsprechendes Leben mit Christus «gestorben» und «auferstanden», ja «in den Himmel gefahren» (Eph 2, 6) ist, im Gericht auf seine Seite zu stehen kommt, sofern er durch seine Gnade teilnimmt am Maßstab-Sein für die Welt. Das gilt in erster Linie für diejenigen, die Christus in der Hingabe ihres Blutes nachgefolgt sind, weshalb es in der Apokalypse heißen kann: «Und ich sah Throne; darauf ließen sich die nieder, denen das Gericht übergeben ist», doch wohl die, die gleich darauf als die um des Zeugnisses Jesu willen «Enthaupteten» bezeichnet werden, die die Anbetung des Tieres und seines Bildes verweigert haben (Apk 20, 4). Von dieser leiblichen Lebenshingabe schließt die christliche Tradition auf eine Gleichwertigkeit der geistigen Hingabe, die die wahrhaft Entsagenden, wahrhaft Armen zu Mitrichtern macht (Augustin, De Civ. Dei, lib 20, c 5; Glossa ordinaria zu Mt 19, 28: «Die alles verlassen haben und Gott gefolgt sind, werden Richter sein»; Thomas, Suppl q 89, 2).

Dieser Gedanke – der Untrennbarkeit Christi von seiner wahren Kirche auch im Gericht – beschränkt sich aber von selbst: kann es doch nicht um eine Gerichtsversammlung gehen, in der gleichsam jeder stimmberechtigt wäre, und das Urteil durch Abstimmung sich ergäbe, sondern nur um ein Mitrichten durch Zustimmung zum Urteil des einen Richters (Thomas, aaO). Doch auch dies bedarf noch einer weitern Nuancierung. Denn auf der einen Seite gibt es über Christus die starken evangelischen Worte, daß er nicht gekommen ist «zu verderben, sondern zu retten» (Lk 9, 56), daß «Gott seinen Sohn nicht in die Welt gesandt hat, damit er die Welt richten, sondern damit die Welt durch ihn gerettet werde» (Joh 3, 17): «Denn ich bin nicht gekommen, die Welt zu richten, sondern die Welt zu retten» (Joh 12, 47). Neben diesen Worten, die seinen Auftrag und sein Tun schildern, stehen jedoch die Worte, die das Gericht als einen *an* ihm, aber ohne ihn sich abspielenden Prozeß erklären: «Wer mich verachtet und meine Worte nicht annimmt, der hat seinen Richter; das Wort, das ich verkündet habe (nicht er!), wird ihn am Jüngsten Tage richten» (Joh 12, 48; gleichbedeutend 3, 19: «Das Gericht aber ist dieses: Das Licht ist in die Welt gekommen, aber die Menschen hatten die Finsternis lieber als das Licht»). Ohne daß durch diesen Aspekt die Freiheit des Richters eingeschrenkt werden dürfte, zeigt er doch: an seinem bloßen Erscheinen vor allen Wesen scheiden sich die Geister. Er und die Seinen wirken als Katalysator.

Dieser Gedanke muß durch einen weitern ergänzt werden. Die zu Richtenden stehen weder Jesus noch seiner Kirche fremd gegenüber. Er ist ihr Bruder geworden, ja viel mehr: ihr Stellvertreter vor Gott. Er hat ihre Schuld getragen: diese ist in ihm. Was sie von Gott entfremdet, ist ihnen durch Jesus entfremdet worden. Sie sind durch ihn im tiefsten ontisch verändert, ob sie es anerkennen und geschehen lassen – dies wäre der wesentliche Teil ihrer Erlösung – oder ob sie es, wenn sie können, ablehnen und sich auf ihre Schuld als die ihrige versteifen. Und was primär von Jesus gilt, das gilt auf einer andern Ebene, sekundär, von denen, die ihm nachgefolgt sind und nun mit ihm zusammen zum Gericht erscheinen. Keiner von diesen hat sich selbst unter Ausschluß aller andern gerettet. Jeder hat die Liebe gehabt, die «nicht das Ihre sucht» (1 Kor 13, 5), nicht für sich «Verdienste» sammelt, sondern im christlichen, christologischen Sinn die erhaltene Gnade verstrahlt: an die andern, für die andern. Kirche, in ihrem reinen Kern, ist mit-stellvertretend. Sie ist nicht für sich, sondern für die Welt da. Sie vermittelt ihr ihren Herrn; durch die Predigt, aber viel tiefer durch ihren Verzicht, ihre Selbstlosigkeit, ihr ganzes Sein. Maria, die Magd des Herrn, ist hier als erste zu nennen; sie ist der wahre Kern der «Kirche ohne Runzel und Makel» (Eph 5, 27). Wo sie erscheint, hüpft das Kind in Elisabeths Schoß auf: Gnade und Sendung werden vermittelt. Wo sie bittet, verwandelt sich Wasser in Wein. Wir sind im Herzen des unergründlichen Mysteriums der «Austauschbarkeit» aller geistigen Güter im Haushalt und Blutkreislauf des mystischen Leibes Christi. «Leidet ein Glied, so leiden alle Glieder mit; wird ein Glied geehrt, so freuen sich alle Glieder mit» (1 Kor 12, 26). Dies nicht nur in einem äußerlichen Sinn der Beziehung von nebeneinander für sich bestehenden Größen, sondern in dem eines Füreinanderseins und Füreinanderkönnens vor Gott. Die Buße des einen kann dem andern die Gnade der Umkehr erwirken, ohne daß er – vor dem Gericht – je wüßte, woher sie ihm zukommt. Die Grundwirklichkeit des mystischen Leibes Christi ist die Fruchtbarkeit der «göttlichen Tugenden» im Leben der durch sie Geheiligten: jeder, der sie ohne Hemmung in sich wirken läßt, wird durch sie, ob er es will und weiß oder nicht, zu einem, der göttliches Leben durch sich hindurch in die Welt strömen läßt. Auch nichtchristliche Religionen haben um dieses Geheimnis gewußt, obschon meist in eingeschränkterem Sinne. Gewisse von der katholischen Kirche abkünftige christliche Konfessionen aber haben es beinah ganz vergessen, vor lauter Sorge um das persönliche Heil. Doch im Zentrum der Catholica lebt das Wissen um dieses beglückende Geheimnis, das in seiner konkreten Auswirkung nicht im einzelnen aufgezeigt werden kann: daß wir füreinander «leuchten können wie die Sterne im Weltall» (Phil 2, 15).

Was daraus im Gericht Christi entsteht: wer wollte das beschreiben? Auf jeden Fall wird das Bild zweier einander starr gegenüberstehenden Fronten – Richtender und Gerichteter – aufgelöst in einen flüssigen Übergang. Alle sind grundsätzlich durch das Mysterium des Kreuzes «in Christus», dem gerichteten Richter. Und aus diesen allen gibt es einige, ja wohl viele, die mitgeholfen haben, die zu Richtenden aus dem Gericht herauszuziehen in die Erlöstheit. Einem kann um eines andern willen das Gericht erspart oder erleichtert werden. Die Fürbitte der Heiligen beim Richter ist nicht, wie sie auf alten Bildern notgedrungen dargestellt wurde, eine rein äußerliche, deren Erfolg je nach dem unberechenbaren Gutdünken des Richters zweifelhaft bleibt; sie ist vor allem ein inneres Gewicht, das, auf die Waagschale gelegt, sie zum Sinken bringen kann.

3. Der Gerichtete

Die Disposition derer, die ins Gericht Christi kommen und an ihm als Maßstab gemessen werden, ist bis in äußerste Gegensätze verschieden. Aus den Parabeln und Drohworten des Herrn wissen wir, daß nicht die Menge der erhaltenen «Talente» entscheidet, sondern ihr Gebrauch (Lk 19, 16ff.), vor allem nicht die Speicherung religiöser Werte auf den Gerichtstag hin: «Zöllner und Dirnen werden vor euch in das Reich Gottes kommen» (Mt 21, 31). «Viele werden an jenem Tage zu mir sagen: Herr, Herr! Haben wir nicht in deinem Namen geweissagt, in deinem Namen böse Geister ausgetrieben, in deinem Namen viele Wunder gewirkt? Aber ich werde ihnen erklären: ich habe euch nie gekannt» (Mt 7, 22f.). «Herr, Herr! Tu uns auf! Er aber entgegnete: Wahrlich, ich sage euch, ich kenne euch nicht» (Mt 25, 11 f.). Paulus erklärt näherhin, worauf es ankommt: Gott selbst und die Kirche haben den Grund gelegt, «aber jeder sehe zu, wie er weiterbaue.» Der gelegte, unverrückbare Grund ist Jesus Christus, «ob aber einer auf diesem Grund mit Gold, Silber und Edelsteinen oder mit Holz, Heu und Stroh baut, das wird sich bei jedem Werk herausstellen: der Tag (des Herrn) wird es offenbaren; denn der gibt sich im Feuer kund. Hält jemandes Bauwerk stand, so wird er Lohn empfangen; verbrennt sein Werk, so wird er Schaden leiden; er selbst wird zwar gerettet werden, aber nur wie durch Feuer hindurch» (1 Kor 3, 11–15).

Das Feuer, von dem Paulus hier spricht, ist das prüfende und läuternde Feuer des Gerichtes Christi; es ist sinnlos, hier zwischen «Läuterungsfeuer» und «eschatologischem Feuer» zu unterscheiden. Es geht um einen einzigen Prozeß, den des Gerichtes, der für jeden verschiedene Tiefen und Längen haben kann. Denn es gibt auf jeden Fall – und unbeschadet des über die kirchliche Stellvertretung Gesagten – eine existentielle Bereitung der Einzelnen auf die Gesinntheit im Reich Gottes hin. Die dort erforderte Gesinntheit ist die der vollkommenen Selbstlosigkeit, nicht im Verlust des Ich, sondern in seiner Durchglühung mit der Gesinntheit des göttlichen dreieinigen Prozesses: «Person» ist darin Einmaligkeit durch und für den Austausch aller Güter des göttlichen Wesens. Dahinein erzieht das Feuer. Das hölzerne Werk ist das zu Ehren des eigenen Ich erbaute; dieses Werk muß bis auf den Grund abgetragen werden, und das Ich, seines Werkes heilsam entblößt, hat von Grund auf die selige Armut im Geist zu erlernen. Das kann ein langwieriger Prozeß sein, vielleicht als Entfaltung spärlicher Ansätze in einem sonst völlig egoistisch gewesenen Leben. Das Feuer zerstört das Ichsagen und übt ein in das Du- und Wirsagen. Und dies nicht in einem lebhaften Dialog mit andern in der Läuterung Befindlichen, sondern gleichsam in «Einzelhaft», in der alles Zerstreuende, Verzögernde wegfällt, die Konzentration auf das Ziel eine

vollkommene ist. Dieses Ziel ist die absolute Liebe Gottes zu
«mir», wie sie am Kreuz Christi Ereignis wurde: Videbunt
in quem transfixerunt, jeder hat einzig auf den zu blicken, der
für ihn gestorben ist (2 Kor 5, 14f.; Röm 14, 15; 1 Kor 8, 11).
Eingeübt muß werden, was die ontologische Wahrheit ist:
Ist einer (der Gott ist) für mich gestorben, so bin ich gestorben; «ich lebe zwar, doch nicht (mehr) ich, Christus lebt in
mir» (Gal 2, 20). Die Läuterung (so ist gesagt worden) ist
dann zu Ende, wenn der auf den Durchbohrten Fixierte bereit
wäre, solange im «Feuer» zu verharren, als (nicht meine, sondern irgendeines) Sünde diesen Schmerz im Gottmenschen
erzeugt: wer ihn verursacht, ist gleichgültig geworden angesichts der Tatsache, daß *er* leidet. Wer so weit erzogen ist,
kann in die «Gemeinschaft der Heiligen» eingehen.

Es gibt eine letzte Frage, die aufgeworfen, aber, nach allem
Gesagten, nicht beantwortet werden kann. Wie verfährt der
Richter mit denen, die als Abgewendete vor ihm antreten,
die in den evangelischen Gleichnissen und sonstigen Aus-
sprüchen Jesu als die «Nicht-Gekannten», die «Abgewiese-
nen», «Hinausgeworfenen» (Mt 22, 13), der Finsternis Über-
lassenen erscheinen? Wir wissen es nicht. Wir dürfen einen
Teil der endgültigen Zweiteilungen (etwa in Mt 25, 31–46) der
Paränese zuschreiben (vgl. besonders deutlich Hebr 6, 4–12).
einen andern Teil vermutlich der vom Alten Testament her
geläufigen Form eschatologischer Schwarz-Weiß-Malerei.
Aber damit ist der beunruhigende Rest nicht aufgelöst. Nur
soviel darf gesagt werden: Gott achtet auch als Erlöser die
Freiheit, die Gott der Schöpfer seinem Geschöpf zugeeignet
hat und mit der es seiner Liebe zu widerstehen vermag. Dieses
«Achten» besagt, daß Gott nicht durch die Allmacht seiner
absoluten Freiheit die prekäre Freiheit des Geschöpfs überwältigt, erdrückt, vergewaltigt. Er würde sich damit selbst
widersprechen. Es bleibt aber zu überlegen, ob es Gott nicht
freisteht, dem von ihm abgewendeten Sünder in der Ohnmachtsgestalt des gekreuzigten, von Gott verlassenen Bruders zu begegnen, und zwar so, daß dem Abgewendeten klar

wird: dieser (wie ich) Gott-Verlassene ist es um meinetwillen. Man wird hier von keiner Vergewaltigung mehr sprechen können, wenn Gott demjenigen, der die vollkommene Einsamkeit des Nur-für-sich-Seins gewählt hat (vielleicht muß man sagen: gewählt zu haben meint) in seine Einsamkeit hinein als der noch Einsamere erscheint. Um dies einzusehen, muß man sich an das anfangs Gesagte erinnern, wonach die Welt mit all ihren Freiheitsschicksalen vorweg in das Mysterium des hingegebenen Gottessohnes hinein gegründet worden ist: dessen Abstieg ist a priori tiefer, als was ein in der Welt Verlorener erreichen kann. Auch das, was wir «Hölle» nennen, ist, obschon es der Ort der Verworfenheit ist, noch immer ein christologischer Ort.

III. Das Verhältnis der Äonen

1. «Auferstehung des Fleisches»

Wir haben eingangs erkannt, daß Eschatologie insgesamt ihre Mitte im Ratschluß Gottes hat, die geschaffene Welt mit dem Menschen als ihrer Mitte an ihrem «Ende» in sein endloses eigenes und inneres Leben einzubergen. Wie der Zustand des werdenden und vergehenden Menschen und die Beschaffenheit seiner Erkenntnis und seiner Freiheit somit eine vorläufige auf einen andern endgültigen Zustand hin ist, so auch die Geschaffenheit der gesamten materiellen zeit-räumlichen Welt, wobei uns freilich der Vorblick in die Seinsweise des «Neuen Himmels und der Neuen Erde» durch die Schranke des Todes verrammt ist, wir deshalb nur «prophetisch», in Gleichnisrede (wie Paulus: 1 Kor 15) oder in der Abwehr von Analogieschlüssen (wie Jesus: Mk 12, 25) sprechen können. Im Zentrum der christlichen Auferstehungsgewißheit steht aber keine Spekulation, sondern das Faktum der Auferstehung Jesu und seiner Wiederbegegnung mit seinen Jüngern, aus dem für die ganze Wende des jetzigen «Alten Äons» zum kommenden «Neuen Äon» zweierlei erhellt: die personale Identität, nicht nur des Geistes, sondern auch des Leibes, somit der ganzen dieser Person zugehörigen irdischen Geschichte – an den Wundmalen zeigt Jesus den Jüngern: «Ich bin es!» (Lk 24, 39) – und trotzdem die Verwandlung in einen völlig neuen Zustand, in dem der Geist nicht mehr von der Materie abhängig, sondern umgekehrt diese jenem frei verfügbar ist.

Es ist bedeutsam, daß dieser «Beginn» der christlichen Auferstehung mitten in der ablaufenden Weltgeschichte, gleichsam quer zu ihr stehend erfolgt, während die fragmentarischen Ansätze alttestamentlicher Auferstehungserwartung entweder als geschichtsimmanente messianische Endzeit oder als Ereignis am Ende der Geschichtszeit (Is 26, 19; bes. Dn 12, 1 ff.; 2 Makk 7) vorgestellt wurden. Dies erklärt das gänzliche Nichtverstehen der Jünger bei den Voraussagen der Auferstehung Jesu «am dritten Tag» und beim eingetroffenen Ereignis selbst: selbst wenn sie sich Gedanken über die Auferstehung machten (Mk 9, 10f., wie das in vager Weise auch Herodes und andere tun: Mk 6, 14–16), ist doch die Kategorie, die erfordert sein wird, bei ihnen in keiner Weise vorhanden. Die senkrecht aus der horizontalen Geschichte sich erhebende Auferstehung Jesu, die nach Paulus und Johannes die reale Verheißung und das Angeld der Auferstehung und Verwandlung der Welt im ganzen ist (1 Kor 15, 17–23), läßt uns den Anbruch der neuen Welt nicht mehr in der chronologischen Fortsetzung einer zu Ende gelaufenen Geschichtszeit erwarten, sondern in einer dieser gegenüber inkommensurablen Dimension. Und einzig das Wissen um die Solidarität aller Menschheitsschicksale nötigt uns zu dem Gedanken, daß die inkommensurable Neue Welt in einer Beziehung zur gesamten Weltgeschichte (deren chronologischer Abschluß noch aussteht) stehen muß, und insofern die Vollendetheit des in den Neuen Äon hinübergegangenen Menschen (vgl. die Definition Benedikts XII. über die volle Beseligung der im Lauf der Weltgeschichte Gestorbenen und Geläuterten: DSch 1000/1) vereinbar sein muß mit einem Ausstand, einer Erwartung und Hoffnung, wie sie von Origenes (Hom. in

Lev. 7, 1–2) bis zu Bernhard (Sermo 3 in festo omn. Sanct.) geläufigerweise angenommen wurde, umsomehr vereinbar, als ja auch Jesus selbst, der gewiß leiblich Auferstandene und die volle Seligkeit Genießende, das Reich erst «nach» Abschluß der Weltgeschichte dem Vater zu Füßen legen kann (1 Kor 15, 24), unterdessen aber als König walten muß, bis «alle Feinde unter seine Füße gelegt sind» (ebd. 25), deshalb mit blutgetränktem Gewand in die Schlacht reiten muß (Apk 19, 13), gewissermaßen leidet, wenn sein mystischer Leib verfolgt wird («Saulus, warum verfolgst du *mich*?» Apg 9, 4, und Augustins Auslegung), bis ans Ende der Welt in Agonie ist (Pascal), das Reich dem Vater erst unterwerfen kann, wenn alle seine Glieder ihm untertan sind (Ambrosius, De fide ad Gratianum).

Insofern ist die Position des auferstandenen Christus, des Urbilds seiner in den Himmel leibhaft aufgenommenen Kirche (Maria) und der «bei ihm» weilenden Heiligen (Phil 1, 23) die gleiche: Einheit von Endgültigkeit und Vorläufigkeit, sofern der ganze Neue Äon, der sich um die Mitte Jesu Christi bildet, mit dem Alten Äon in einer Gemeinschaft innigsten Anteils und Angegangenseins bleibt. Der Vater hört nicht auf, seinen verherrlichten Sohn in Gestalt der Eucharistie für das Leben der Welt dahinzugeben, und der göttliche Geist – gleichsam die innerste Klammer zwischen den Äonen – läßt nicht ab, aus den Eingeweiden der unvollendeten, der Vergeblichkeit unterworfenen Welt «mit unaussprechlichen Seufzern» der «Erlösung von der Knechtschaft der Verderbnis» entgegenzustöhnen (Röm 8, 26.21). Dieses «Mit-Leid» des gesamten Himmels, der als solcher doch Seligkeit in Gott ist, mit der Welt, dieses «In-Wehen-Liegen» der Kirche zwischen Himmel und Erde bis ans Ende der Zeit, bis die «übrigen Nachkommen» der «Frau» (Apk 12, 17) zur Welt gebracht sind, ist gewiß geheimnisvoll, aber nicht geheimnisvoller als das Erbarmen im Herzen des göttlichen Vaters selbst für seine leidende Kreatur; der Vater selbst ist, nach Origenes, nicht ohne «Pathos» (Hom. in Ez 6, 6).

2. *Auferstehung und Unsterblichkeit*

Wir können, zur Bestätigung des Gesagten, einen Schritt zurücktun und den in allen Religionen in verschiedenen Intensitätsgraden vorhandenen Glauben an die Unsterblichkeit der Seele mit dem Gesagten zu konfrontieren suchen (außerbiblischer Auferstehungsglaube ist, wo er vorkommt, mehr das Anzeichen einer Unfähigkeit zur Abstraktion: das Gewesene soll, so wie es war, bleiben oder wiederkehren). Man kann das Verhältnis wohl am einfachsten so beschreiben, daß man sagt: Unsterblichkeit ist der Ausblick, der aus der Perspektive des Selbststandes des Menschen möglich ist, Auferstehung ist jene Erfüllung, die durch das Geschenk Gottes, die «Annahme an Kindesstatt», der menschlichen Erwartung zuteil wird.

«Unsterblichkeit» kann zwei Betonungen haben: eine solche der Abkehr von der leiblichen, verfallenen Existenz, worin eine sehr begreifliche Abwertung der letztern zugunsten der Erwartung einer Erfülltheit im Geistigen, von der Materie nicht mehr Abhängigen liegt – und eine solche der bloßen Erwartung des Weilens bei Gott, ohne Reflexion auf die irdische Bedingung: so etwa im «Buch der Weisheit» («Gott schuf den Menschen unverweslich, er hat ihn zum Bild seiner eigenen Ewigkeit gemacht» 2, 23, «die Hoffnung [der Gerechten] war voller Unsterblichkeit» 3, 4; sie «leben ewig, sie haben ihren Lohn im Herrn, und die Sorge für sie steht beim Höchsten» 5, 15; nur die Zeit der Bösen ist Nichtigkeit). Aber diese zweite Deutung läßt sich aus dem bloßen Selbststand des Menschen ohne die erste wohl nicht wirklich durchhalten; auch der «Gerechte» ist ja hienieden der Nichtigkeit unterworfen und wird dazu gedrängt, sie negativ zu bewerten, und auch der Ungerechte muß, als gleichwertiges menschliches Wesen, einer «Unsterblichkeit» entgegenblicken können. So radikalisieren sich die vom Menschen her entworfenen Lehren nach zwei Richtungen: entweder zu einem reinen Spiritualismus der «Seelen», für den die Materie und die Existenz in ihr Abfall vom Geist ist, oder zu einem

Zusammensehen von Individualität mit materieller Existenz, dann wird der Ausblick nach dem Absoluten zu einer Sehnsucht nach Befreiung vom individuellen Ich. Eine Zwischenform bildet die Karmalehre, in der eine schicksalshafte innerweltliche Konstellation vom Ich ablösbar vorgestellt wird, aber mit dem gleichen Ausblick nach Befreiung dieser Konstellation im Absoluten.

Wie immer diese Ausblicke, die wir hier unter dem Begriff «Unsterblichkeit» zusammenfassen, betont werden mögen, sie sind durch das gleiche Unvermögen bestimmt, das wir anfänglich jedem Entwurf aus der Perspektive des menschlichen Selbststandes zuschrieben: die Sehnsucht nach dem Absoluten (die Vertikale) mit dem vollen Sich-Einlassen auf das Relative (die Horizontale) in Einklang zu bringen. Religion und Ethik bleiben in Spannung zueinander, trotz aller ehrlichen Versuche, sie in Einklang zu bringen, die Hast des Alltags von der Ruhe der Überzeit her zu bewältigen u. dgl. Dem, was «natürliche Religion» genannt werden kann, weil es prävalent der Ausblick des Menschen nach seiner möglichen Vollendung im Absoluten konstruiert, haftet unweigerlich eine Distanzstellung zum Zeitlichen an. Die Grundentscheidung fällt *für* die Ewigkeit, sie fällt nicht *auch* je und je *in* der zeitlichen Situation und *für* sie. Das ist eine der reinmenschlichen Perspektive unvermeidlich anhaftende Defizienz, die deshalb unaufhebbar ist, weil Gott sich die freie Erwählung des – leiblichen und sterblichen! – Menschen an Kindesstatt vorbehalten hat, und dies durch die Fleischwerdung und die Kreuzigung seines Wortes. Dieser Ratschluß Gottes und dessen Realisierung sind aus der Perspektive des menschlichen Selbststandes schlechterdings unkonstruierbar, obschon erst die Durchführung dieses Ratschlusses offenbart, wozu Gott den Menschen geschaffen und (zunächst unvollendbar) zwischen Himmel und Erde, Religion und Sittlichkeit gestellt hat.

Es ist somit verkehrt, mit einer bestimmten protestantischen Theologie den Ausblick auf Unsterblichkeit als einen

Titanismus des sündigen Menschen zu beschreiben, der dem Ratschluß Gottes vorgreift und sich dort ein ewiges Leben usurpiert, wo ihm aus reiner Gnade Auferstehung geschenkt werden soll. Vielmehr muß man sagen, daß der religiöse Unsterblichkeitsglaube soweit recht hat, als der Mensch innerhalb des Planes Gottes, den er nicht übersehen kann, überhaupt recht haben kann: Unsterblichkeitsglaube ist der sehnsüchtige Ausblick auf ein Leben bei Gott, bei gleichzeitigem Wissen, daß das irdische Leben endlich ist (der Leichnam bleibt zurück), ja mehr: daß es der «Eitelkeit unterworfen ist» (Röm 8, 20). Daß außerdem dieses rechte und gerechte Wissen vom sündigen Menschen in Hybris verzerrt und vom Ursprung Gottes losgerissen werden kann, ist wahr, aber setzt das Gesagte nicht außer Kraft.

Das Vollendende, das in der Auferstehung aus den Toten, die mit Christus begonnen hat, hinzukommt, liegt nicht sosehr in der (philosophischen) positiven Wertung der Materie oder in der Einsicht, daß die menschliche Seele der leiblichen Sinne bedarf, um sich selbst in Bewußtheit zu realisieren, indem sie zu andern Personen und Dingen in der materiellen Welt in Beziehung tritt (das alles ist wahr), als vielmehr darin, daß der Mensch nur in seinen einmaligen Entscheidungen innerhalb seines leiblich-sterblichen Lebens er selbst wird. Das irdische Leben, das ihm gegeben ist, ist nicht ein beliebiges aus einer Serie von Wiedergeburten, auch nicht ein beliebiges innerhalb eines großen biologisch-kulturellen Evolutionsprozesses, sondern sein je-einmaliges, in dem er in der Bewährung unter Seinesgleichen und in der persönlichen und sozialen Aufgabe seine personale Freiheit bestätigt, innerhalb seiner endlichen Spanne seine Chance spielt: Les jeux sont faits. Diese in der Zeit fallende Entscheidung ist und bleibt die Basis seiner Ewigkeit: wie sehr auch die Gnade und Gerechtigkeit des ewigen Richters sie verwandeln mag und wie groß die Zustandsveränderung vom Äon der Sterblichkeit in den des ewigen Lebens angesetzt werden mag. Keiner schöpft die Tiefe der innerzeitlichen Situation aus, in der er sich entscheidet: in der Auferstehung von den Toten wird diese Tiefe offenbar, die im Ratschluß Gottes je schon darin impliziert war.

Dies heißt nicht, daß der Mensch in Ewigkeit gleichsam der Gefangene seiner vier Mauern zeitlichen Lebens bleibt. Ewigkeit, wie sie in der absoluten Freiheit Gottes besteht, und woran die Kreatur teilbekommen soll, ist im Gegenteil die Öffnung aller Möglichkeiten, eine unvorstellbare Fülle an Dimensionen, in die hinein freie Verwirklichung erfolgen kann. Aber die Kostbarkeit des Zeitlichen geht darin nicht verloren; dieses bleibt Wurzel und Stamm, woraus Blüte und Frucht des Ewigen sich allererst entfalten. Und gewiß gibt es dabei eine echte Vergangenheit: dessen, was die Qual der Geburtswehen war: «Jahwe Sabaot... wird den Trauerschleier wegheben, der alle Völker verhüllte, und das Leichentuch, das alle Nationen begrub; er wird für immer den Tod verschwinden lassen. Der Herr Jahwe wird die Tränen von allen Gesichtern abwischen» (Is 25, 6–8), «denn der erste Himmel und die erste Erde waren vergangen, und auch das Meer war nicht mehr» (Apk 21, 1); «es wird keinen Tod mehr geben, kein Leid, keine Klage, keinen Schmerz, denn das Frühere ist vergangen. Und der auf dem Thron saß, sprach: Siehe, ich mache alles neu» (Apk 21, 4–5). «Erinnert euch nicht mehr des Einstigen, denkt nicht an das Vergangene zurück: Siehe, ich werde Neues machen, das schon aufscheint: Seht ihr es nicht?» (Is 43, 18–19).

3. Äonenwende

Wann nun geschieht dies, wann wendet sich das Alte zum Neuen? Man muß an die vorigen Worte eines von Paulus anschließen: «Lebt also einer in Christus, so ist er ein neues Geschöpf; das Alte ist vergangen, siehe: Neues ist geworden!» (2 Kor 5, 17). Die Wende liegt in Christus, und genauer im Drama des Pascha-Übergangs vom Karfreitag zu Ostern. In diesem Ereignis existiert der Christ. Deshalb rühmt er sich «allein im Kreuz unseres Herrn Jesus Christus, durch den mir die Welt gekreuzigt ist und ich der Welt. Denn in Christus Jesus ist weder Beschneidung noch Vorhaut, vielmehr ist neue Schöpfung» (Gal 6, 14f.): die innerweltlich belangvollen theologischen Differenzen (Judentum und Heidentum) sind im Pascha-Übergang überholt. Das der Welt «Mitgekreuzigt»- und «Mitbegrabensein» (Röm 6, 4; Kol 2, 12) aber geht nicht nur auf eine künftige Mitauferstehung (Röm 6, 8f.), sondern auf eine, wenn auch mit Christus zusammen in Gott verborgene, so doch gegenwärtige (Kol 3, 1–4; Eph 2, 6): Gott hat uns mit Christus «mitauferweckt und in Christus Jesus im Himmel mit-auf-den-Thron-gesetzt».

Die Äonenwende wird also in das christliche Leben und damit in den alten Äon hineinverlegt, freilich so, daß die Wende selber, als Bewegung, und nicht allein ihr vollendetes Ergebnis, sich darin begibt: ohne das je neue mit Christus Gekreuzigtwerden keine Mitauferstehung, «*wenn* wir mit Christus gestorben sind, *dann* glauben wir, daß wir auch mit ihm leben werden» (Röm 6, 8). Deshalb schildert sich Paulus selbst als personifizierte Bewegung, noch nicht am Ziel, aber sich ausstreckend nach dem Ziel und von diesem schon vorweg erfaßt, das hinter ihm Liegende vergessend, mit seinem ganzen Wesen ausgespannt nach dem vor ihm Liegenden, im gleichen Atemzug versichernd, daß er «noch nicht vollkommen» sei (im Sinn des Erreichthabens), aber «doch vollkommen», sofern unausweichlich in der Bewegung der Wende begriffen (Phil 3, 12–15).

Hier bestätigt sich das anläßlich der Auferstehung Christi Bemerkte noch einmal: daß der Neue Äon nicht chronologisch an den Alten anschließt, sondern, ihm inkommensurabel, wie im rechten Winkel daraus entspringt. Und daß die Existenz im Übergang nicht, wie in den Religionen der Sehnsucht nach dem Absoluten, eine Flucht aus der Zeit ist, als Ekstase, Versenkung, sonstige Verabsentierung, sondern Existenz innerhalb der Existenz Jesu Christi, der wie kein anderer die Verantwortung für die gesamte Zeitlichkeit auf sich genommen und bis zum Paschamysterium durchgestanden hat. Gerade die christliche Existenz in der Äonenwende ist somit in emphatischem Sinn Existenz für die Welt, Solidarisierung mit ihr über alles aktiv-apostolische Handeln hinaus, und wo Paulus die Lust anwandeln könnte, den Tod vorzuziehen, um «bei Christus zu sein», wird er doch in seine irdische Sendung zurückgewiesen, die sein weiteres Verbleiben im Gekreuzigkeitsein und im Übergang als «notwendiger» erscheinen läßt (Phil 1, 23f.). Damit wird auf irdisch-sichtbare Weise eingeübt, was von der himmlischen Anteilnahme an den Schicksalen der Kirche und der Menschheit im ganzen gesagt wurde.

Es kann somit keine Rede davon sein, daß der Christ – etwa weil er vorweg in der Äonenwende zwischen Karfreitag und Ostern lebt – sich von der Anstrengung der Welt, ihre innern Möglichkeiten zu realisieren, desinteressieren und desolidarisieren würde. Das gilt es abschließend zu zeigen.

4. Evolution und Apokalypse

Die Welt hat ohne Zweifel eine Geschichte, die sich in der Zeit entrollt, von einem zeitlichen Anfang auf ein zeitliches Ende zugeht. In dieser Geschichte werden durch Ansammlung von Erfahrung, durch organische Speicherung und äußere Tradition Erfahrenes – Geistiges und Technisches – überliefert, das späteren Geschlechtern an einem höheren Punkt anzufangen erlaubt als früheren. Solche Auswickelung des in den menschlichen Vermögen Eingewickelten liegt im «Schöpfungsbefehl», ist die dem Menschen gewährte Mitwirkung am Schöpfungswerk, ist aber auch, seinen endlichen Kräften entsprechend, ein unabschließbares Ringen mit der physischen Übermacht des Kosmos und den noch unbesiegbareren Verfallenheiten der menschlichen Natur, die in jedem Kind mit der gleichen Begierlichkeit und Verführbarkeit wiederbeginnt. Daher die Problematik alles in seiner Domäne echten Fortschritts, wenn er in einem größeren Rahmen beurteilt wird. Wir behandeln hier nicht die Frage – die nicht den Theologen, sondern den Kulturhistoriker angeht –, ob innergeschichtliche Fortschritte nicht notwendig ihre entsprechenden Nachteile besitzen, nicht nur wo es um Raubbau an der Natur geht, sondern auch etwa, wo weitergehende Sozialisierung und «gerechte Güterverteilung» nur durch Verluste an individueller Freiheit, durch Gleichschaltung und Einbuße menschlicher Werte (Nietzsche, Horkheimer) erkauft werden können. Uns geht unmittelbar das Problem an, ob die mit der zunehmenden Rationalisierung notwendig und gezielt zunehmende Machtballung in der Menschheit sittlich von Menschen zu verarbeiten ist, die, wie gesagt, unter der gleichbleibenden Anfälligkeit für Mißbrauch der Macht geboren werden, welche Anfälligkeit durch die steigenden Möglichkeiten, Macht zu handhaben, offenbar vermehrt wird.

Die einsichtigsten Zeitgenossen sind für die Zukunft keineswegs optimistisch, und es ist unschwer zu sehen, daß ein sinnvoller Fortschrittsglaube – nämlich innerhalb des Bereichs, wo Fortschritt überhaupt erzielt werden kann – einer apokalyptischen Perspektive in die Endzeit nicht widerspricht. Das Phänomen, das aus den apokalyptischen Partien der Evangelien, der Apostelbriefe und aus der Geheimen Offenbarung am eindeutigsten erhoben werden kann, ist die Faszination durch weltliche Macht, wie sie das Antichrist-Prinzip der «Tiere» und das der «Großen Babylon» deutlich machen.

Angemerkt sei, daß damit einer historischen Deutung der Johannesapokalypse keineswegs zugestimmt wird. Die Abfolge von Visionen in ihr ist nicht als eine verschlüsselte Beschreibung der zukünftigen Weltgeschichte aufzufassen, sondern eher als immer neue Querschnitte durch das zwischen Erde und Himmel im Gang befindliche Drama. Aber auch unter dieser Voraussetzung hat die Abfolge eine gewisse dem Endkampf zuschreitende Dynamik, wie zumal die letzten Kapitel zeigen. Alles drängt auf eine letzte «Schlacht» hin, in der «das Wort Gottes» mit seinen «Berufenen, Auserwählten und Getreuen» selber mitkämpft, in der «die geliebte

Stadt» umzingelt und beinah zu Fall gebracht wird, aber die Gegenmächte am Geschichtsende – schon im Übergang zum Gericht und zum Vergehen der alten Welt (Apk 20, 11 ff.) – unterliegen, und der im Himmel verborgene Neue Äon «im Glanz der Herrlichkeit Gottes von Gott herabkommt» (21, 10), um das im Alten Verwandelnswerte zu überformen und in sich aufzunehmen. Wesentlich ist, daß die endgültige Welt ganz ausdrücklich auf den Grundmauern aufgeführt wird, die auf Erden für sie gelegt wurden: die Grundfeste des Alten Bundes Gottes, der sich im Neuen vollendet: die Mauer des himmlischen Jerusalem hat «zwölf Grundsteine, auf denen die zwölf Namen der zwölf Apostel des Lammes geschrieben standen» (21, 14), die sich aber ihrerseits mit den zwölf Vertretern der Stämme Israels zu den «vierundzwanzig» Ältesten» vor Gottes Thron zusammenfinden. Und ferner ist wesentlich, daß diese himmlische Stadt nicht rein geistig ist, sondern Grundkräfte der Natur verwandelt in sich aufgenommen hat: einer Natur, in der Gott das «alles in allem» bestimmende Prinzip ist: Es gibt Licht, aber es ist nicht Sonne noch Mond, sondern die Herrlichkeit Gottes, in deren Glanz die Völker wandeln, es gibt den Strom lebendigen Wassers, aber er fließt vom Thron Gottes und des Lammes aus, es wachsen aus der Erde zu beiden Seiten des Stromes Lebensbäume, die immerfort Frucht tragen, aber sie nähren sich von dem göttlichen Wasser. Es gibt auch den Beitrag der Welt – das Ergebnis der Kultur und Evolution –, der von den Königen der Erde in die himmlische Stadt hineingetragen und in sie eingeborgen wird (21, 24). Die Stadt ist von einer vollkommenen Geometrie, die ausdrücklich gemessen wird, wobei sich herausstellt, daß das Maß des Himmels mit dem Maß der Erde übereinstimmt: «vierundzwanzig Ellen, nach Menschenmaß, das auch das Maß des Engels ist» (21, 17). Damit bestätigt sich ein letztes Mal, daß im Christentum – und einzig in ihm – auf Grund der leibhaftigen Auferstehung Christi eine Entsprechung besteht zwischen Schöpfung und Erlösung, zwischen

Erde und Himmel, zwischen menschlicher und göttlicher Welt, zwischen Altem und Neuem Äon, weil die Werke des dreieinigen Gottes von vornherein nach seiner eigenen unteilbaren dreieinigen Lebendigkeit und göttlicher Liebe und Treue geplant und durchgeführt sind.

NACHWEISE

(Die meisten der schon gedruckten Aufsätze sind für diese Ausgabe
verändert, oft erweitert worden.)

Wer ist der Mensch? Vortrag in der Kath. Akademie in Bayern, gedruckt
in: Chronik der Akademie 1972, 72–80 und Klerusblatt, München
51. Jg. Nr. 7, 1. 4. 1971, 97–99.

Das unterscheidend Christliche der Gotteserfahrung: für Aide a l'Implantation
monastique, Rencontre de Bangalore 1973.

Die christliche Gestalt: Hochland 62, 1970, 289–300.

Anspruch auf Katholizität: ungedruckt.

Kenose der Kirche? Beitrag zum Artikel «Kenose» in Dictionnaire de
Spiritualité.

Christologie und kirchlicher Gehorsam: Geist und Leben 42, 1969, 185–203.

Die Kirche lieben? ungedruckt.

Pneuma und Institution: ungedruckt.

Umkehr im Neuen Testament: für die amerikanische Ausgabe der Internat.
kath. Zeitschrift Communio 1974.

Einsamkeit in der Kirche: ungedruckt.

Jenseits von Kontemplation und Aktion?: Internat.kath.Zeitschrift Communio
2, 1973, 16–22.

Zur Ortsbestimmung christlicher Mystik: Vortrag an der Universität
Zürich. Auch in: W. Beierwaltes, H. U. v. Balthasar, Alois M. Haas:
Grundfragen der Mystik, Sammlung Kriterien 33, Johannes Verlag,
Einsiedeln 1974.

Vorerwägungen zur Unterscheidung der Geister: Internat. kath. Zeitschrift
Communio 1974. (Unterscheidung der Geister.)

Priestertum des Neuen Bundes: Vorfassungen in Lebendige Seelsorge 23,
1972, 4–15 (Der Priester in der Kirche) und in Geist und Leben 43,
1970, 39–45.

Zölibatäre Existenz heute: Vortrag in der Kath. Akademie in Bayern,
auszugsweise gedruckt in: Zur Debatte 3, 1973, 4–6.

Abstieg zur Hölle: Tübinger Theol. Quartalschrift 150. Jg. 1970,
193–201.

Über Stellvertretung: Résurrection, Revue de doctrine chrétienne 41,
1973, 2–9 (Au cœur du mystère).

Eschatologie im Umriß: verfaßt für eine im Erscheinen begriffene japa-
nische Dogmatik.